Un homme au fourneau

Données de catalogage avant publication (Canada)

Fournier, Guy

    Un homme au fourneau

      1. Cuisine.   2. Cuisine — Anecdotes.   I. Titre.

TX714.F68 2000   641.5   C00-941519-X

Révision: Odette Lord
Conception graphique: Josée Amyotte
Infographie: Johanne Lemay

DISTRIBUTEURS EXCLUSIFS :

· Pour le Canada
  et les États-Unis :
  MESSAGERIES ADP*
  955, rue Amherst
  Montréal, Québec
  H2L 3K4
  Tél. : (514) 523-1182
  Télécopieur : (514) 939-0406
  * Filiale de Sogides ltée

· Pour la France et les autres pays :
  INTER FORUM
  Immeuble Paryseine, 3, Allée de la Seine
  94854 Ivry Cedex
  Tél. : 01 49 59 11 89/91
  Télécopieur : 01 49 59 11 96
  Commandes :   Tél. : 02 38 32 71 00
                  Télécopieur : 02 38 32 71 28

· Pour la Suisse :
  DIFFUSION : HAVAS SERVICES SUISSE
  Case postale 69 - 1701 Fribourg - Suisse
  Tél. : (41-26) 460-80-60
  Télécopieur : (41-26) 460-80-68
  Internet : www.havas.ch
  Email : office@havas.ch
  DISTRIBUTION : OLF SA
  Z.I. 3, Corminbœuf
  Case postale 1061
  CH-1701 FRIBOURG
  Commandes :   Tél. : (41-26) 467-53-33
                  Télécopieur : (41-26) 467-54-66

· Pour la Belgique et
  le Luxembourg :
  PRESSES DE BELGIQUE S.A.
  Boulevard de l'Europe 117
  B-1301 Wavre
  Tél. : (010) 42-03-20
  Télécopieur : (010) 41-20-24

Pour en savoir davantage sur nos publications,
visitez notre site : **www.edhomme.com**
Autres sites à visiter : www.edjour.com · www.edtypo.com
www.edvlb.com · www.edhexagone.com · www.edutilis.com

L'Éditeur bénéficie du soutien de la Société de développement des entreprises culturelles du Québec pour son programme d'édition.

Nous remercions le Conseil des Arts du Canada de l'aide accordée à notre programme de publication.

Nous reconnaissons l'aide financière du gouvernement du Canada par l'entremise du Programme d'aide au développement de l'industrie de l'édition (PADIÉ) pour nos activités d'édition.

© 2000, Les Éditions de l'Homme,
une division du groupe Sogides

Dépôt légal : 4e trimestre 2000
Bibliothèque nationale du Québec

ISBN 2-7619-1568-2

GUY FOURNIER

Un homme au fourneau

LES ÉDITIONS DE
L'HOMME

Avant-propos

Mon père faisait-il bouillir de l'eau qu'il arrivait à la faire cramer. Et que de fois l'ai-je vu manger des sardines, du maïs en conserve ou des toasts plutôt que d'avoir à « subir » un ragoût, une langue ou une darne de morue. À part quelques plats comme le rôti de porc et le rosbif, il mangeait toujours du bout des doigts, en faisant de la pointe de son couteau et de sa fourchette un tri minutieux de son assiette, écartant un nerf, une couenne ou un soupçon de gras. Il avait le dédain si facile qu'il repoussait aussitôt son assiette s'il y voyait la moindre chose qu'il ne pouvait identifier d'emblée. Une mouche volait-elle dans la cuisine qu'il cessait net de manger et ne reprenait son repas qu'après avoir abattu la malheureuse. Malgré ma mère qui trouvait la consigne trop sévère, on mangeait en silence — sauf les dimanches et jours fériés —, la conversation à table étant réservée aux adultes, donc à eux...

Ai-je besoin d'ajouter que je ne tiens de mon père ni ma gourmandise ni ma passion pour la cuisine !

Nous devions avoir sept ou huit ans, mon frère jumeau et moi, lorsque ma mère constata que nous préférions l'aider dans la cuisine, plutôt que d'aller jouer dehors. Nous n'étions pas d'un très grand secours, mais nous épluchions les légumes, nous dressions la table et nous l'observions avec attention. Ce n'était pas une grande cuisinière, mais elle avait assez d'imagination pour transformer un rien en un plat de fête et elle possédait un sens inné des assaisonnements. Elle utilisait une remarquable variété d'herbes et d'épices, autant d'huile d'olive que de beurre, toutes choses à peu près inconnues au Québec dans les années 30.

Nous venions d'avoir huit ans quand elle nous confia la responsabilité de faire quatre douzaines de beignes ! Pendant qu'elle nous observait en train de pétrir la pâte, puis la découper, qu'elle multipliait ses conseils de prudence quand nous plongions ensuite les beignes dans leur bain d'huile, elle eut un cri du cœur : « Je vais vous apprendre à faire la cuisine si bien que vous n'aurez jamais besoin d'une femme ! »

Elle nous apprit donc à faire du pouding chômeur, des gâteaux, des omelettes soufflées, du pâté chinois, des sauces et ainsi de suite, mais elle a dû se retourner 100 fois dans sa tombe en constatant que ses leçons n'avaient pas eu les effets escomptés. Il serait bien difficile de prétendre qu'elles m'ont permis de me passer d'une femme, puisque j'en ai eu cinq jusqu'à ce jour, et mon frère autant ! Loin d'éloigner les femmes, nos quelques talents pour la cuisine semblent plutôt les avoir attirées. Aujourd'hui, avec le recul, j'ai l'impression qu'en nous montrant à cuisiner, maman essayait plutôt de nous garder pour elle, mais ça, c'est une autre histoire...

Ces cinq femmes, plus ma mère, ont néanmoins eu dans mon répertoire culinaire une influence notoire. Ma mère me légua son imagination et son sens de l'assaisonnement, deux qualités essentielles pour faire une cuisine variée et goûteuse.

Passionnée de voyage, Louise première me sortit de ma sédentarité naturelle, et je découvris que les voyages bien plus que la jeunesse sont indispensables en cuisine.

Nous avions, elle et moi, abordé un long périple en Europe par un séjour à Rome et sur la Côte d'Azur. En banlieue de Rome, un midi que nous avions perdu notre route, nous avons aperçu une femme enveloppée d'un tablier blanc. Elle reniflait l'air dans la porte d'un immeuble pelé de haut en bas, qui semblait dater de l'époque de César. À force de baragouiner les quelques mots d'italien que je savais, elle finit par comprendre que nous voulions retourner au centre-ville et nous en indiqua la route. Avant que nous repartions, elle nous demanda si nous voulions manger. Comme il était 14 h, nous avons accepté. Dans notre naïveté de touristes, nous pensions qu'elle nous invitait chez elle.

Il y avait quatre tables dans la petite salle où elle nous emmena, et elle nous désigna la seule qui n'était pas occupée. C'était en fait une de ces innombrables *trattorie* qu'on trouve dans toutes les villes d'Italie : quelques tables bancales, des vins de pays, jamais de menu, quelques plats différents selon les saisons et les arrivages ainsi qu'une clientèle bruyante qui a toujours l'air de faire partie de la famille. La femme nous dit en italien que *il primo,* elle nous servirait un risotto et qu'elle pouvait ensuite nous préparer des *scaloppine di vitello al limone* ou des *spaghetti alle vongole.*

Le simple risotto au parmesan arriva une vingtaine de minutes plus tard, encore fumant dans sa petite marmite de fonte. Après 40 ans, il me semble toujours que c'est le meilleur risotto que j'aie jamais mangé, comme ces spaghettis cuits juste *al dente* que surmontaient une vingtaine de palourdes roses à la coquille ciselée comme un vase ancien. À compter de ce jour, je n'ai pas cessé de parcourir l'Italie, de goûter à la cuisine de Venise ou de Toscane, à celle de Naples ou d'Émilie-Romagne et, surtout, de laisser toutes ces cuisines des régions italiennes envahir la mienne.

Durant ce premier long voyage de ma vie, j'appris des modestes tables où nous nous arrêtâmes en Provence toutes les vertus de l'ail, du romarin et des herbes dont les Provençaux font un usage presque immodéré. J'y découvris le safran, l'huile d'olives fraîchement pressées et l'usage qu'on pouvait faire de ce fruit dans divers plats.

Aimée, ma deuxième femme, est une gourmande qui adore la cuisine complexe qu'offre la France et qui salive toujours devant les somptueux gâteaux et les tartes étalés dans les vitrines des pâtisseries. Elle excelle dans les sauces. C'est avec elle que j'ai appris à les faire, quoique moins bien, et avec elle aussi que je me suis initié à l'art des desserts, que je n'ai jamais bien maîtrisé, sauf pour les sorbets et les glaces, les fruits marinés ou cuits, les clafoutis et certains soufflés comme celui aux pommes. C'est avec elle enfin que j'ai connu presque tous les grands restaurants de France et que j'ai suivi leur évolution.

Louise DesChâtelets, Louise II donc, puisqu'il y avait eu la première, n'est pas très friande de viande rouge. C'est une femme «salade et volaille» qui ne m'a guère appris en cuisine, mais m'a tout enseigné de l'art de recevoir. C'est une hôtesse parfaite qui ne laisse rien au hasard. Ni le placement des convives autour d'une table, ni les décorations florales, ni le bon choix des verres selon les boissons. Avec elle, il n'y a jamais un couvert de travers, les assiettes sont toujours hyper chaudes et vous ne trouverez jamais un faux pli dans la nappe, encore moins une tache ou un accroc. Aujourd'hui, si elle vous invite, courez à sa table, car elle est devenue en plus excellente cuisinière.

Son goût insatiable pour les salades et les volailles m'ont forcé à trouver mille et une façons de les préparer ou de les apprêter. La plus simple salade que je fais comprend donc maintenant jamais moins de trois ou quatre variétés de feuilles potagères : laitue, endive et romaine, par exemple, mâche ou cresson, pissenlit et scarole, roquette, radicchio, épinard ou jeunes pousses de betterave et ainsi de suite. Et j'y ajoute des feuilles de menthe et de coriandre, parfois du basilic ou des feuilles de sauge fraîche ou de marjolaine. Plaignons ceux qui ne mangent rien d'autre que cette affreuse laitue iceberg qui me laisse aussi froid que son nom. Au poulet qui fait toujours les délices de Louise — même celui un peu sec de la rôtisserie Saint-Hubert —, j'ai ajouté pintades, cailles, coquelets et faisans.

Blanche, la quatrième, est d'origine libanaise. Même si nous avons passé bien peu d'années ensemble, elle a donné à ma cuisine des airs de Proche-Orient. Sans elle, je ne saurais trop quoi faire encore de la coriandre, du cumin, du sésame, du girofle et du piment africain, j'utiliserais moins de citron et beaucoup moins d'ail, et certains plats savoureux me seraient inconnus : tartare d'agneau à la pâte d'ail, foie d'agneau cru, lentilles aux topinambours, cervelles de poule et bien d'autres.

Je ne peux résister à la tentation de vous donner tout de suite la recette de la cervelle de poule qui est d'une simplicité enfantine. Le plus compliqué, c'est de trouver une boucherie où l'on vend encore les poulets entiers, comme c'est toujours la coutume en France et dans la plupart des pays d'Europe. Avant d'apprêter le poulet, on coupe la tête qu'on met telle quelle à four chaud pendant une trentaine de minutes. On la sort et, d'un petit coup de marteau, on la fait éclater pour découvrir la cervelle. On arrose de deux ou trois gouttes de citron, avec un cure-dent, on extrait la cervelle de sa gangue crânienne et on la laisse fondre en bouche comme un loukoum. Un délice pour cœur fort...

Maryse, ma femme actuelle, est plus gourmande que toutes les autres ensemble. Ses regards avides sur les poissons ou les viandes que j'apprête, sa façon bruyante de renifler les plats qui cuisent, ses exclamations jouissives aux premières bouchées qu'elle prend, rien ne saurait mieux motiver un cuisinier et le pousser à de continuels dépassements. Ayant eu pignon sur rue comme boulangère et pâtissière à une certaine époque de sa vie, elle est une vraie magicienne des pâtes à pain ou à tarte. Cela suffirait pour que je lui voue une belle admiration, mais elle est aussi la meilleure assistante qu'un cuisinier puisse avoir : studieuse, docile, efficace, ordonnée, attentive et patiente.

Il faut plus qu'une mère, cinq femmes et des voyages pour faire une bonne cuisine de tous les jours. Il faut lire. Sans cesse. Avec la même avidité qu'on dévore un roman. S'est-il passé une seule journée depuis 50 ans sans que j'aie ouvert un livre de cuisine, un livre sur l'alimentation ou l'histoire de telle ou telle cuisine ? J'en doute...

Pas un pays ou une ville étrangère où je ne sois allé sans faire mon tour des marchés ou des magasins d'alimentation. Pas une grande épicerie que je n'aie visitée, du capharnaüm de Zibar's à New York aux étalages si sophistiqués de Fauchon et du Bon Marché à Paris ou de Fortnum and Mason's à Londres. J'ai arpenté à quelques reprises le fameux marché de poissons de Tsukiji, à Tokyo. C'est le plus grand marché du monde. Les poissons frais, alignés dans des caisses ou sur le parquet, qui luisent sous la bruine constante des gicleurs, vous mettent l'eau à la bouche.

J'ai flâné dans les anciennes Halles de Paris, dans les marchés de Venise, de Saint-Malo et de Vancouver. J'ai vu avec étonnement et envie les montagnes de foie d'oie frais du marché de Budapest, les étals hétéroclites des marchés de Shanghai et de Beijing. J'ai traîné des heures et des heures dans des dizaines de foires d'alimentation régionales en France, parcouru trois ou quatre fois les salons d'alimentation et d'agriculture de Paris. J'ai marchandé des fruits et des légumes dans les petits marchés si semblables d'Afrique et des Antilles, et j'ai tout goûté : le sang frais de serpent à Taipei, le bras d'un jeune singe au Gabon, le poisson vivant dont on découpe soi-même des morceaux pendant qu'il est retenu par la queue et les branchies dans un panier d'osier spécial à Tokyo — qu'on ne sert plus aujourd'hui que clandestinement —, les tortues fraîchement pêchées dans le Yangzi Jiang (une vingtaine de petites tortues qui m'ont rendu malade comme un chien), du rat de ville à Canton (mais je croyais que c'était autre chose...), des sauterelles grillées en Guinée équatoriale, des dizaines de poissons crus en Scandinavie, du foie d'ours tué par M. Bouyeux, chef de l'ancien restaurant Chez son père à Montréal, de la gazelle au Kenya et sûrement bien d'autres aliments aussi insolites sans toujours savoir de quoi il s'agissait.

Mais ce sont encore les livres de cuisine qui me donnent le plus de plaisir. Combien en ai-je ? Bof, 300 ou 400, j'imagine. Un grand nombre qui se recoupent. Un grand nombre aussi qui n'ont pas grand intérêt culinaire, mais que j'ai achetés parce qu'on y traitait de telle cuisine régionale qui m'était inconnue, parce qu'il y avait parfois une seule recette dont j'étais curieux ou des photos qui me faisaient rêver. Deux ou trois fois par jour, j'en tire un des rayons, je le feuillette, je m'arrête à une page en particulier que je lis. Souvent pour la énième fois... Peu importe : j'oublie et, surtout, je ne me lasse jamais lorsqu'il est question de cuisine ou d'aliments.

Au-delà des grands chefs que je ne saurais imiter, il y a une race de cuisiniers que j'admire par-dessus tout : ceux qui font une cuisine de tous les jours et qui ont de la cuisine qu'ils pratiquent une connaissance approfondie.

Il y a une quarantaine d'années déjà, en tête de ceux-ci et sans conteste, j'aurais placé Julia Child, une Californienne que la télévision a rendue célèbre. Avec Simone Beck et Louisette Bertholle, Julia Child a fondé à Paris L'école des trois gourmandes où, à partir de 1951, elles ont enseigné la cuisine française. En 1961, elles ont publié *Mastering the Art of French Cooking*, puis le tome II du même titre quelques années plus tard et plusieurs autres livres par la suite. C'est paradoxal qu'une Américaine comme Julia Child ait réussi à apprivoiser à ce point une cuisine aussi complexe que la cuisine française et ait réussi à la mettre à la portée des cuisiniers les moins doués.

Elle fut longtemps mon cuisinier «de chevet», mais je l'ai peu à peu abandonnée parce qu'elle coupe les coins trop ronds à mon goût et que la télévision l'a amenée à vulgariser au point où elle est devenue presque simpliste.

Au palmarès de ces bollés de la bouffe quotidienne, c'est d'emblée à l'Italienne Marcella Hazan que j'attribue la première place. Elle vit maintenant aux États-Unis, mais je crois qu'elle donne toujours — 8000 ou 10 000 $ par semaine par tête — des séminaires culinaires à Venise. Elle et son mari Victor ont consigné dans deux livres majeurs, *The Classic Italian Cook Book* et *More Classic Italian Cooking*, l'essentiel des cuisines régionales d'Italie, plus particulièrement celles de Vénétie, de Toscane, d'Émilie-Romagne et la cuisine romaine, quintessence de toutes les autres, si on peut dire.

Malheureusement, ni Julia Child ni Marcella Hazan n'ont été traduites en français, mais pour peu que vous ayez des rudiments d'anglais, les deux tomes de leur premier livre sont aussi nécessaires dans votre cuisine que la cuisinière ou le frigo.

Pour cuisiner à l'aise et n'être jamais pris au dépourvu, chaque cuisinier a besoin d'une bible ou d'une espèce d'encyclopédie culinaire donnant des recettes «correctes» sur à peu près tout ce qui se mange ou se fabrique dans une cuisine. Si je n'en avais qu'une à proposer, ce serait *Joy of Cooking*, une somme culinaire écrite dans les années 20 par Irma von Starkloff, illustrée par sa fille Marion Rombauer et publiée pour la première fois en 1931. Hélas! encore une fois, il n'existe pas de traduction française.

Je viens de découvrir ce qui serait un équivalent français de *Joy of Cooking*. Une brique

Avant-propos

de 925 pages, publiée en Suisse en 1999 par les Éditions Minerva, qui s'intitule *Trésors de cuisine*. On propose ce livre gigantesque au prix presque ridicule de 295 FF et il est l'aboutissement de 10 ans de recherche. Une merveille... et sûrement le meilleur rapport qualité-prix dans la myriade de livres de cuisine. On est loin de l'encyclopédie de Jehane Benoit, même si cette brave « bénédictine » de la cuisine n'était pas sans mérite.

J'aime bien *La cuisine* (publiée en 1975) de Raymond Oliver, même si l'ancien chef du Grand Véfour y est souvent imprécis, oubliant çà et là des ingrédients essentiels, et qu'il y présente un « ragoût de pattes » traditionnel du Québec qui est une véritable horreur. *La cuisine du marché* de Paul Bocuse offre des dizaines de recettes savoureuses, mais pour les réussir, il faut savoir lire entre les lignes, car le chef du pont de Collonges n'est pas toujours aussi limpide qu'on le souhaiterait.

Il reste de la place sur vos rayons ? Ajoutez donc *The New York Time Cuisine* de Craig Claiborne et le livre que vous avez entre les mains. Je l'ai écrit sans prétention, mais il pourrait vous dispenser de plusieurs autres. La plupart des recettes que j'y consigne sont des recettes que j'ai mises au point au cours des années. D'autres viennent d'amis ou de parents ou sont des adaptations fort libres des recettes de Marcella Hazan, cette cuisinière que je vénère par-dessus tout.

J'ai eu tout le mal du monde à consigner mes recettes. Comment arrêter une recette qu'on ne fait jamais deux fois de la même manière ? Comment décider définitivement des ingrédients et des condiments, alors que je cuisine toujours avec spontanéité, selon mes humeurs, ce que l'on trouve sur le marché ou les fringales qui me prennent au cours de la journée ? Je soustrais des condiments ou des ingrédients, j'en ajoute d'autres, j'expérimente... Et je décrète presque toujours — je ne suis pas modeste — que ce dernier risotto est le meilleur que j'aie jamais fait ou que je n'ai jamais réussi mon velouté d'huîtres ou ma glace au sirop d'érable de cette façon. Il faudrait alors que je revienne sur la recette que j'ai arrêtée il y a longtemps et que je la modifie, mais la paresse ou la négligence prennent le dessus.

J'aimerais que tous ceux qui utiliseront ce livre se rappellent qu'une recette, c'est fait pour ne pas être suivi. À moins qu'il ne s'agisse de gâteau ou de pâtisserie dont il faut suivre les recettes comme un saint moine suit la règle. Si vous avez des dons culinaires si, d'instinct, vous savez qu'il y a des saveurs qui ne se marient pas ou des combinaisons qui tiennent du délire (du riz et des pommes de terre, par exemple, du homard et du steak, du navet et du veau, et même cette traditionnelle abomination, du cheddar avec de la tarte aux pommes), laissez-vous aller et modifiez mes recettes sans vous en priver. Et si ce n'est pas mangeable, vous saurez au moins à qui reprocher la faute !

Si j'aime bien faire à manger dans ma cuisine que je connais par cœur, j'aime aussi faire de la cuisine de guerre. Ceux qui ont voyagé avec moi en voilier se rappellent sûrement les repas délicieux que je préparais avec deux fois rien pendant que mes coéquipiers étaient à la barre ou se prélassaient sur le pont. J'ai le plus grand assortiment de couteaux et d'ustensiles, mais je ne suis pas du tout malheureux si je dois travailler uniquement avec un petit couteau d'office et quelques casseroles.

Quand on cuisine depuis plus d'un demi-siècle, les goûts évoluent. Parfois, par la force des choses. Il y a, par exemple, des aliments qu'on ne trouve plus ou qui sont devenus si rares qu'on les vend à prix d'or. La morue salée séchée dont je fais ma brandade et qui était autrefois la reine de mes grands aïolis coûte aujourd'hui plus cher que le meilleur saumon fumé. Et ce n'est pas si commun de trouver des filets qui ont encore leur peau, condition presque essentielle pour que la brandade soit savoureuse et veloutée. Pendant quelques années, mon frère jumeau a élevé des poules... Il avait des œufs à ne plus savoir quoi en faire. Je n'ai jamais fait autant de soufflés qu'à cette période.

Si vous êtes absolument insatiable et que vous ne puissiez résister aux livres de cuisine, il y a aussi *La fabuleuse histoire de la cuisine française* d'Henriette Parienté et Geneviève de Ternant, *Les carnets de cuisine de Monet, Cuisinez mieux* et *La cuisine à travers le monde*, les deux imposantes collections de Time Life, *Les légumes de mon moulin* de Roger Vergé, *L'art culinaire français* de Flammarion, *Cuisine succès* de Larousse, *L'atelier* de Joël Robuchon, *La cuisine naturelle* de Georges Blanc, *Secrets gourmands* de Pierre Hermé, les livres de desserts de Gaston Lenôtre, publiés chez Flammarion, *Colette gourmande* de Marie-Christine et Didier Clément, *The Encyclopedia of Fish* de A.J. McClane, *Country Weekends* de Lee Bailey, *Home Food Systems* de Corliss A. Bachman et Tom Dybdahl, *Cucina per tutte le stagioni* par un groupe d'auteurs de chez Fabbri à Milan, *Les six grands cuisiniers de Bourgogne* chez Jean-Claude Lattès, *La cuisine chinoise* de Jillian Stewart, *Saveurs d'Italie* de Lorenza de Medici, *La cuisine, une passion de père en fils,* de Michel et Jean-Michel Lorain, *La cuisine de la mer,* de Jacques Le Divellec et Céline Vence. Et, si dépassée qu'elle soit, *L'encyclopédie de la cuisine canadienne* de Jehane Benoit. Et il y en a d'autres. Des dizaines et des dizaines d'autres.

Depuis 20 ans, je ne fais qu'écrire.

Je travaille donc à la maison et je consacre chaque moment libre au repas du soir. En me levant, je réfléchis au menu. Je fais, s'il y a lieu, des courses à l'heure du midi, je prépare graduellement le nécessaire : faire tremper la raie ou les rognons dans de l'eau citronnée, réhydrater des cèpes séchés, éplucher des légumes ou les faire blanchir, préparer un coulis, cueillir mes herbes, faire mariner mes viandes, dresser le feu dans la cheminée de la petite salle à manger, monter le couvert, tous ces petits gestes qu'on doit faire avant de s'attaquer à la cuisson du repas lui-même. Ces gestes me tiennent lieu de pauses-café. Ils me sont méditation. Ils me mettent dans cette espèce d'état second si favorable à la création quand manque l'inspiration.

Quelle veine aussi d'être la personne qui fait la cuisine quotidienne. C'est elle qui décide toujours du menu, c'est elle qui glane tous les compliments, qui recueille les exclamations de surprise et de satisfaction. Quelle joie de guetter discrètement la réaction de l'autre quand vous lui présentez un plat que vous faites pour la première fois ou dont vous avez changé la teneur !

Ma seule crainte quand je pense aux années qui viennent, c'est de ne plus avoir la force de faire la cuisine qui commande, comme répétait ma mère, tant de pas chaque jour. Et celle, plus effrayante encore, d'être affligé d'une de ces maladies fâcheuses qui font perdre l'appétit...

Dieu merci, je n'en suis pas là et je peux encore vous dire : « Bon appétit ! »

Ail

A

Abats

Agneau

Ail

Airelles des marais

Alcools et vins de cuisine

Allergies

Anchois

Aromates

Artichaut

Arts de la table

Asclépiades

Asperge

Aubergine

Avocat

ABATS

Quel est le premier plat dont vous gardez le souvenir ? J'aimerais bien me rappeler ceux que je prenais au sein de ma mère, mais ce serait mentir que de vous faire croire que j'en ai le moindre souvenir. De toute manière, comme nous étions deux à téter, ma mère dut renoncer très tôt à nous offrir son lait trop rare pour y préférer celui du vieux M. Cod, un voisin de la rue Saint-Joseph, à Waterloo, qui gardait une seule vache dans son jardin. Heureusement, car ce jardin était grand comme la main.

Je crois que le premier légume dont je me souvienne sont les petits pois. Si je les adore aujourd'hui (frais presque uniquement), je les abhorrais dans ma prime enfance, au point de ne pouvoir les mastiquer. Ma mère ne nous donnant rien d'autre à manger tant qu'on n'avait pas terminé notre assiette, je dus pendant au moins trois ou quatre ans avaler les petits pois tout ronds. Quand vous en avez une bonne assiettée devant vous, c'est une tâche qui tient presque de l'exploit.

Mais le premier plat cuisiné dont je me souvienne, c'est la langue de bœuf.

Je m'en souviens pour plusieurs raisons. D'abord, cette langue m'apparaissait monstrueusement grosse et... flasque. Et puis, maman ne cessait pas de rechigner pendant la bonne heure qu'elle mettait à la débarrasser de sa peau blanche comme de la farine après l'avoir trempée dans l'eau bouillante. Enfin, pendant que nous dégustions en famille la bonne langue braisée qu'elle apprêtait, mon père, qui refusait tout net même d'y goûter, mangeait silencieusement son steak cuit en semelle de botte. La langue, c'était le seul plat qu'il ne mangeait pas avec le ragoût de mouton dont son nez ne supportait même pas l'odeur. Une ou deux fois par mois, le jour où ma mère faisait du ragoût de mouton, elle prévenait mon père la veille et il allait manger chez ses parents !

Pour moi, la langue, comme les tripes et tous les abats, est un délice dont je ne me lasse jamais. Malgré tous mes efforts et tous les soins que j'ai mis à préparer de la langue, braisée, au madère ou en sauce ravigote, je n'ai jamais pu convaincre mes enfants ni une seule femme d'en manger. Quelle ne fut pas ma joie d'apprendre que ma Libanaise en raffolait. De surcroît, elle apprêtait une langue dont je vous livre le secret (voir recette p. 23) et qui reste pour moi la meilleure langue du monde. Notre bonheur fut d'assez courte durée, mais sa langue braisée l'allongea sûrement de quelques mois. Elle raffermit aussi mon intention de renoncer désormais à toute femme qui lèverait le nez sur la langue, qu'il s'agisse de la mienne, de celle d'agneau, de veau ou de bœuf !

cervelle

Je ne mange presque plus de cervelle sur ordre... de ma cardiologue. Quelle que soit la bête d'où on la tire, la cervelle compte plus de 200 mg de cholestérol aux 100 g, de quoi défriser le cardiologue le plus indulgent. Mais je triche. Deux ou trois fois par année en fermant les yeux, sauf pour nettoyer la cervelle de sa membrane et de ses vaisseaux sanguins. Le nettoyage est le seul ennui de la cervelle qui se prépare ensuite presque toute seule.

préparation

Oubliez la cervelle de bœuf que je trouve sans intérêt et préférez la cervelle d'agneau à celle de veau qu'on mange plus couramment. Assurez-vous en l'achetant que la cervelle soit hyper fraîche. Si elle n'est pas d'un beau blanc nacré, laissez-la à d'autres moins pointilleux. En arrivant à la maison, plongez-la dans de l'eau froide citronnée — le jus de $1/2$ citron pour 1 litre (4 tasses) d'eau — et laissez-la reposer 1 ou 2 h. Ensuite, avec des précautions infinies, débarrassez-la de sa membrane et des petits vaisseaux sanguins qui la sillonnent. Plongez ensuite la cervelle dans un court-bouillon brûlant et, dès que le court-bouillon recommence à frémir, comptez de 3 à 4 minutes. Retirez la cervelle et déposez-la sur quelques épaisseurs de papier essuie-tout pour bien l'égoutter. Elle est alors prête à cuisiner.

 cervelle aux câpres et au citron

Comme plat principal, comptez 2 cervelles d'agneau par personne. Une cervelle de veau peut servir deux personnes à la condition qu'elle pèse plus de 300 g ($2/3$ lb), ce qui est courant.

J'aime bien la cervelle meunière, car elle conserve alors sa belle texture fondante. Si vous la mangez ainsi, préparez-la comme je l'indique dans la première colonne, mais laissez-la de 3 à 4 minutes de plus dans son court-bouillon (une douzaine de minutes, si c'est une cervelle de veau).

POUR 2 PERSONNES

1 grosse cervelle de veau ou 3 ou
    4 cervelles d'agneau
45 ml (3 c. à soupe) d'huile d'olive
15 ml (1 c. à soupe) de jus de citron
La chair de $1/2$ citron coupée en petits dés
1 gousse d'ail émincée finement
15 ml (1 c. à soupe) de persil frais haché
    (on peut le remplacer par du cerfeuil au
    goût encore plus fin)
15 petites câpres
15 ml (1 c. à soupe) d'huile de noisette
Sel et poivre

Pendant que la cervelle cuit au court-bouillon, mettre l'huile d'olive à chauffer légèrement, puis ajouter tous les autres ingrédients. Remuer vivement et en napper la cervelle qu'on aura déposée dans des assiettes chaudes. Accompagner d'une pomme de terre nature.

cervelle aux olives noires

POUR 2 PERSONNES

1 grosse cervelle de veau ou 3 ou
   4 cervelles d'agneau
45 ml (3 c. à soupe) d'huile d'olive
15 ml (1 c. à soupe) de jus de citron
1 gousse d'ail émincée finement
10 ml (2 c. à thé) de thym frais ou de
   basilic
15 ml (1 c. à soupe) d'huile de noisette
12 à 15 olives noires, coupées en fines
   lamelles
Sel et poivre

Procéder de la même façon que pour la
Cervelle aux câpres et au citron
(voir recette p. 18).

Qu'on prépare la cervelle selon l'une
ou l'autre des deux recettes précédentes,
on peut très bien la servir froide, en entrée.
Dans ce cas, après avoir sorti la cervelle
de son court-bouillon, la laisser refroidir,
puis quand elle est à température de la
pièce, la napper de l'huile assaisonnée
qu'on n'aura évidemment pas fait chauffer.

foie

C'est de plus en plus difficile de trouver du
foie de bonne qualité et c'est encore plus
difficile de trouver un boucher qui saura le débarrasser de sa fine peau et de ses
veines et artères. Tous ceux que je connais qui ont ce talent ont pignon sur rue
à Paris, ce qui n'arrange rien s'il me
prend une fringale de foie quand je suis
au Québec.

Le foie de veau remporterait facilement la
palme si on faisait un sondage, mais je ne
trouve pas qu'il s'agisse du meilleur. À part
le foie de chevreuil, qui est un pur délice, car
il recèle des parfums et des saveurs sauvages, le foie que je préfère est sans conteste
celui de l'agneau de lait. On le trouve surtout
au printemps, il va sans dire. Il a l'avantage
d'être tout petit — à peine 500 g (env. 1 lb) —
et on peut le faire cuire entier. Ma faveur va
ensuite au foie d'agneau et, si vous avez la
chance d'en trouver suffisamment pour vous
en préparer un repas, aux foies de lapin.

C'était vrai quand j'étais enfant et ça l'est
encore aujourd'hui : le foie est hyper riche en
protéines, il est plus maigre que la viande et
c'est le plus tonique et le plus revitalisant de
tous les abats. Attention si vous souffrez
d'hypercholestérolémie, car le foie contient
environ 350 mg de cholestérol/100 g, encore
plus que la cervelle !

Ma mère faisait toujours tremper le foie
dans du lait froid avant de l'enfariner légèrement pour le faire cuire. Elle prétendait
que le lait lui gardait son moelleux. Que
vous le fassiez tremper ou non, je vous dé-
fie de voir une différence... Elle servait
aussi le foie bien cuit. Dans le temps, je ne
savais pas que c'est une horreur. Certains
aiment le foie saignant (les Libanais le mangent cru...), mais c'est rosé qu'il me semble
le meilleur. Le foie peut faire saliver n'importe qui si on a pris soin d'en déglacer le
jus de cuisson avec quelques gouttes de
vinaigre de framboise...

foie à la vénitienne
POUR 4 PERSONNES

Environ 500 g (1 lb) de foie de veau ou
   d'agneau
75 à 90 ml (5 à 6 c. à soupe) d'huile
   d'olive
3 oignons jaunes, coupés en rondelles
Sel et poivre
15 ml (1 c. à soupe) de vinaigre de
   framboise ou d'un autre vinaigre très
   parfumé et sucré
Le zeste de ¼ citron finement haché
1 gousse d'ail hachée finement
Sauge fraîche ou séchée

Faire couper le foie par son boucher en
tranches minces — moins de 1 cm
(³/8 po). Après avoir bien débarrassé le
foie de sa fine peau et de ses artères (si
le boucher ne l'a pas fait), le couper en
goujonnettes (lanières) d'environ 1 cm
(³/8 po) de largeur par 6 à 7 cm (2 ½ à
2 ³/4 po) de longueur. Disposer les
lanières dans une assiette afin qu'elles ne
collent pas ensemble. Faire chauffer
l'huile à feu vif dans une grande poêle, y
verser les oignons et les faire cuire
jusqu'à ce qu'ils soient plutôt bruns que
dorés. Saler et poivrer. Quand ils sont
cuits, réserver les oignons dans un plat ou
une casserole et les garder au chaud.
Déglacer la poêle avec le vinaigre et
verser sur les oignons. Dans la poêle
encore très chaude, mettre les lanières de
foie et le zeste de citron. Les faire revenir
1 ou 2 minutes (au plus) en les remuant

avec deux cuillères de bois. Y remettre les
oignons, ajouter l'ail, mêler le tout au-
dessus du feu pendant une dizaine de
secondes, puis servir immédiatement
dans des assiettes très chaudes. Parsemer
de sauge.

   Le foie préparé de cette façon n'a
besoin d'aucune garniture, mais si vous y
tenez absolument, vous pouvez le servir
avec une pomme de terre nature.

 foie d'agneau de lait cru
POUR 3 OU 4 PERSONNES

1 foie d'agneau de lait
2 ou 3 échalotes émincées ou 4 ou 5 petits
   oignons verts émincés
1 gousse d'ail hachée finement
Le zeste de ¼ citron haché finement
15 ml (1 c. à soupe) d'huile d'olive
15 ml (1 c. à soupe) de jus de citron
Sel, poivre et persil haché finement

Hacher le foie rapidement au couteau, le
disposer dans des assiettes, répartir sur le
foie le reste des ingrédients et manger
immédiatement comme entrée.

   C'est une entrée délicieuse, mais que
seulement les cœurs forts peuvent se
permettre, car la sensation du foie crue sur
la langue est plutôt surprenante. Mais on
s'y fait vite, tellement le goût est agréable…
Rappelez-vous que nos autochtones ne
connaissaient pas de plus fines
gourmandises que le foie ou le cœur
encore chaud des ennemis qu'ils venaient
de scalper !

foies de poulet ou de lapin

On peut très bien préparer les foies de poulet à la manière du Foie à la vénitienne (voir recette p. 20). Dans ce cas, il ne faut pas couper les foies, mais les laisser entiers. Moins le foie de poulet est frais, plus son goût est prononcé. Il peut même être désagréable. N'achetez pas de foies de poulet qui ne soient pas fermes et d'aspect brillant.

C'est avec du riz au four comme accompagnement que je préfère les foies de poulet ou de lapin.

À ceux qui lèvent le nez sur les abats, je souligne toujours que le foie gras qui coûte la peau des fesses et qu'on ne mange que dans les grandes occasions fait aussi partie des abats.

Il y a quelques façons de préparer le foie gras, mais je vous donne uniquement celle que j'ai mise au point (et que je préfère, évidemment...). Sauf pendant la période des Fêtes, il est presque impossible de trouver au Québec du foie gras qui ne soit pas congelé. Mais ne vous laissez pas arrêter. Même si le foie a été congelé, votre foie gras n'en souffrira pas le moins du monde.

En général, j'achète mes foies gras aux Canards du lac Brome. Cette entreprise vend ses canards à un éleveur d'origine française qui se charge de les gaver et elle les revend ensuite sous vide, le plus souvent congelés.

 ## foie entier d'agneau de lait ou de chevreuil

POUR 2 PERSONNES

1 foie d'agneau de lait ou de chevreuil
Lait (facultatif)
Farine (facultatif)
45 ml (3 c. à soupe) d'huile d'olive
1 oignon jaune, coupé en rondelles
Sel et poivre
Thym ou sauge
½ gousse d'ail hachée finement
Vinaigre de xérès ou de framboise

Enlever la peau du foie, si ce n'est déjà fait (ces foies sont si petits qu'on n'a pas à s'inquiéter des veines et artères). Le faire tremper quelques minutes dans du lait froid si on y tient... et si on veut l'enfariner un peu avant de le poêler. À feu vif, verser l'huile dans une poêle ou une sauteuse, puis y faire brunir l'oignon après l'avoir salé. Quand il est presque cuit, poivrer, ajouter le thym ou la sauge ainsi que l'ail, puis réserver dans un plat chaud. Réduire à moyen le feu sous la poêle ou la sauteuse, y déposer le foie et le faire cuire quelques minutes au plus de chaque côté, selon son épaisseur. Saler et poivrer. Servir immédiatement le foie coupé en deux dans des assiettes très chaudes. Répartir l'oignon dessus. Augmenter le feu, déglacer la poêle avec le vinaigre et verser sur le foie.

Note: Ce foie est excellent tel quel, mais on peut aussi le servir avec une pomme de terre nature ou un légume vert, comme les asperges, les petits pois ou le brocoli.

foie gras de canard entier
POUR 8 À 12 PERSONNES

1 foie gras de 400 à 600 g (14 oz à env.
   1 1/4 lb)

60 ml (1/4 tasse) de bon porto

15 ml (1 c. à soupe) de cognac

1/2 sachet de gélatine

10 à 12 baies roses (poivre rose) moulues
   grossièrement

2 ou 3 graines de coriandre moulues
   grossièrement

5 à 6 grains de poivre blanc moulus
   grossièrement

Environ le dixième d'une noix de muscade
   râpée

2 ou 3 bonnes pincées de fleur de sel

1 très petite pincée de salpêtre

Si le foie est congelé, le laisser dans son emballage et le mettre dans l'eau très froide jusqu'à ce qu'il soit décongelé. Le sortir de son emballage et le faire tremper dans de l'eau environ 2 à 3 h à température de la pièce. À l'aide d'un linge, assécher le foie le plus possible puis, en se servant de ses doigts, le débarrasser de son fiel, de tous les petits vaisseaux sanguins et des nerfs qu'il contient. La tâche n'est pas facile si on ne veut pas se retrouver avec du foie haché ! On peut s'aider en se passant les mains plusieurs fois sous l'eau très froide afin que le foie ne fonde pas dans ses mains.

Faire chauffer le porto et le cognac et y dissoudre la gélatine. Mélanger le reste des ingrédients et en frotter délicatement le foie. Verser la moitié du vin et de l'alcool dans une terrine juste assez grande pour contenir le foie, y disposer le foie, puis verser dessus le reste du liquide. Couvrir la terrine (avec du papier d'aluminium si la terrine n'a pas de couvercle) et laisser reposer au réfrigérateur pendant au moins 24 h.

Sortir la terrine du frigo et la laisser à température de la pièce au moins 2 h. Faire chauffer le four à 180 °C (350 °F), puis l'éteindre. Déposer la terrine dans une lèchefrite contenant au moins 1 cm (3/8 po) d'eau tiède et cuire à four éteint environ 35 minutes.

Laisser refroidir. Servir à même la terrine ou démouler. Couper en tranches et accompagner de pain aux raisins légèrement grillé.

Si vous êtes tombé sur un bon foie, il ne fondra pas beaucoup, mais ne paniquez pas si le foie perd jusqu'à la moitié et plus de sa substance pour vous laisser une belle couche de gras jaune clair. Quand vous servirez, surtout ne jetez pas ce gras absolument délicieux. Gardez-le au frigo et faites-vous-en des tartines. Vous vous en lécherez les doigts jusqu'au prochain foie gras ou jusqu'à votre prochaine crise de foie !

Ainsi préparé, surtout si on ne le sort pas de sa terrine et que le foie a suffisamment « fondu » pour être recouvert d'au moins 0,5 cm (1/4 po) de gras, on peut le garder au réfrigérateur jusqu'à six semaines. Une fois entamé, il faut le rhabiller de gras aussi bien qu'on le peut et le remettre au frigo. Il se conservera alors environ 10 jours.

Le foie gras entier que vous cuisinerez — et c'est bien plus facile qu'on le prétend — vous coûtera trois à quatre fois moins cher que celui que vous achèterez et il y a de bonnes chances qu'il soit deux à trois fois meilleur.

 ### langue de veau braisée

POUR 2 À 3 PERSONNES

1 langue de veau
1 ou 2 bâtons de cannelle
45 ml (3 c. à soupe) d'huile d'olive
Une quinzaine de feuilles de coriandre fraîche, hachées, ou 10 à 12 graines de coriandre écrasées
12 feuilles de menthe fraîche, hachées
1 petit oignon jaune émincé
1 branche de céleri émincée
1 gousse d'ail écrasée
125 ml (½ tasse) de vin blanc (facultatif)
Environ 750 ml (3 tasses) d'eau
45 ml (3 c. à soupe) de pâte de tomate
Sel et poivre au goût

légumes d'accompagnement

30 ml (2 c. à soupe) d'huile d'olive
2 carottes coupées en rondelles
1 petit navet coupé en quartiers
2 ou 3 pommes de terre coupées en gros morceaux
12 petits oignons blancs
6 à 8 gousses d'ail pelées

Parer la langue de la façon suivante : faire bouillir de l'eau dans une cocotte et y plonger la langue par section environ 30 secondes. Peler la partie de la langue qui a été ébouillantée. Procéder ainsi pour toutes les surfaces de la langue. Si vous êtes paresseux (ça m'arrive aussi…), vous pouvez faire bouillir la langue en entier environ 5 minutes avant de l'éplucher. Ne vous en faites pas, même en procédant de cette façon, la langue ne vous fera pas de cadeau et vous ne l'éplucherez pas sans peine.

Faire ensuite pocher la langue dans l'eau avec la cannelle, l'amenant au point d'ébullition et la gardant ainsi environ 12 minutes. Retirer la langue et l'assécher avec une serviette ou du papier essuie-tout. Faire chauffer l'huile dans une cocotte assez grande pour contenir la langue et les légumes d'accompagnement. Faire saisir la langue de tous les côtés, puis la réserver. Faire ensuite saisir la coriandre, la menthe, l'oignon, le céleri et l'ail écrasé. Remettre la langue dans la cocotte, ajouter le vin et laisser réduire de moitié. Ajouter de l'eau pour couvrir, puis la pâte de tomate. Saler, poivrer et faire cuire au four 1 h à 160 °C (325 °F). Pendant ce temps, faire chauffer de l'huile dans une sauteuse et y faire revenir les légumes d'accompagnement. Les déposer ensuite dans la cocotte et faire cuire encore 1 h. Vérifier l'assaisonnement et faire réduire un peu la sauce, s'il y a lieu, en enlevant le couvercle et en augmentant la chaleur du four.

Pour une **langue de bœuf,** qui peut servir de 5 à 7 personnes, on peut utiliser la même méthode, mais il faut doubler toutes les quantités. Quant à la cuisson, calculer environ 3 h 15 plutôt que 2 h.

On peut aussi préparer de la même manière des **langues d'agneau.** Pour 3 ou 4 langues d'agneau, les quantités sont les mêmes que pour une langue de veau. On réduit toutefois un peu le temps de cuisson.

ris de veau en un tournemain

POUR 4 PERSONNES

2 ou 3 ris de veau (selon leur grosseur) frais
1 oignon
1 bâton de céleri
1 grosse carotte
60 ml (4 c. à soupe) d'huile d'olive
15 ml (1 c. à soupe) de l'une de ces herbes fraîches émincées finement (coriandre, romarin ou thym)
1 gousse d'ail
125 ml (½ tasse) de vermouth blanc extra-dry

sauce

1 gros contenant de champignons frais
60 ml (4 c. à soupe) d'huile d'olive
Sel et poivre
1 verre à liqueur, soit 45 ml (1 ½ oz) de brandy ou de cognac
250 ml (1 tasse) de crème épaisse
15 ml (1 c. à soupe) de l'une de ces herbes fraîches émincées finement (coriandre, romarin ou thym)

fin de la préparation

5 ml (1 c. à thé) de jus de citron
Baies roses ou poivre vert séché

préparation

Faire tremper les ris au moins 3 h au réfrigérateur dans de l'eau froide. Changer l'eau une ou deux fois. Faire bouillir de l'eau dans une cocotte, puis y plonger les ris. Quand l'ébullition reprend, compter 3 minutes, puis refroidir rapidement les ris en les plongeant dans de l'eau froide additionnée de glaçons. Avec un petit couteau, enlever la plus grande partie sinon toute la fine membrane qui recouvre les ris et les débarrasser de tout lien coriace. Prendre soin de les garder le plus entier possible, mais ne pas se formaliser si certaines parties se détachent. À ce stade-ci, réserver les ris. On peut aussi les envelopper soigneusement et les garder au frigo 1 ou 2 jours avant de procéder à la fin de la recette.

cuisson

Trancher l'oignon finement de même que le céleri et couper la carotte en très gros morceaux de façon qu'ils puissent être facilement récupérés en fin de cuisson. Mettre l'huile dans une cocotte juste assez grande pour contenir les ris et les légumes. Faire chauffer à feu vif, ajouter céleri, carottes, oignon, l'une des herbes choisies et la gousse d'ail coupée en deux. Diminuer un peu le feu, couvrir à demi et faire dorer le tout en brassant à intervalles réguliers pour que les légumes cuisent également. Après une dizaine de minutes, augmenter le feu et verser le vermouth. Après 2 ou

3 minutes, plonger les ris dans la cocotte. Diminuer le feu, couvrir la cocotte à moitié et faire cuire les ris de 20 à 25 minutes au maximum, selon qu'on les préfère légèrement rosés ou pas du tout. Toutes les 5 ou 6 minutes, retourner les ris avec précaution en utilisant deux cuillères de bois afin qu'ils soient bien dorés de tous les côtés.

sauce

Pendant ce temps, nettoyer et émincer les champignons en lamelles d'à peu près 1 cm (3/8 po) d'épaisseur. Choisir des champignons blancs ou café. Comme les champignons servent d'accompagnement et que les ris ont une saveur délicate, mieux vaut des champignons dont le goût ne soit pas trop prononcé. Faire chauffer l'huile dans une sauteuse à feu très vif, y mettre les champignons, saler et poivrer. Faire cuire les champignons rapidement en les remuant continuellement. En fin de cuisson, alors que les champignons sont encore légèrement croquants, verser l'alcool dans la sauteuse et laisser évaporer environ 1 minute. Hors du feu, verser la crème sur les champignons, puis le reste des herbes et mélanger le tout délicatement. Remettre sur la cuisinière à feu très doux afin que la crème épaississe légèrement et prenne une pâle couleur café au lait.

fin de la préparation

Quand les ris sont cuits, les sortir de leur nid de légumes et les réserver au chaud quelques minutes après y avoir versé un trait de jus de citron. Enlever les carottes de la cocotte et en disposer (on peut les garder si on n'a pas d'objection à présenter un plat parsemé de petites tâches jaunes ; personnellement, c'est une couleur que je ne trouve pas appétissante dans ce plat). Passer bien le tout au tamis et mélanger le bouillon épais ainsi obtenu — environ 125 à 160 ml (1/2 à 2/3 tasse) — à la sauce aux champignons. Ajouter les ris en les tournant délicatement dans la sauce pour qu'ils en soient bien enduits. À feu doux, faire chauffer le tout jusqu'à ce que le mélange commence à faire des bulles. Écraser au pilon une généreuse portion de baies roses ou de poivre vert séché et en saupoudrer le plat. Servir le plus rapidement possible dans des assiettes très chaudes.

rognons

Je suis de ceux qui adorent les rognons et c'est pourquoi je n'en mange que chez moi. Dans la plupart des restaurants, ils sont coriaces et j'en connais les raisons : ou bien on les a fait congeler ou bien on les fait cuire une fois coupés en lamelles, alors qu'il est impérieux de les faire cuire entiers.

Je mangerais des rognons toutes les quinzaines s'ils n'étaient pas si riches en cholestérol. Malgré tout, je leur dois sans doute une partie de mon hypercholestérolémie.

Sur les rognons comme sur le foie, je n'ai pas l'opinion de la majorité. Si tous préfèrent les rognons de veau, ce sont les rognons d'agneau que je classe d'emblée en première place. Les rognons de lapin sont excellents, mais allez donc vous en faire un plat, ils sont à peine plus gros qu'un pois !

Pour une raison que je n'ai pas encore découverte, on donne dans nos abattoirs un coup de couteau dans chaque rognon d'agneau, si bien que ce beau rein en forme de haricot, composé d'un seul lobe brun rougeâtre, arrive toujours « blessé ». Les rognons d'agneau sont très petits. Environ 60 g (2 oz) chacun. Il en faut donc au moins 3 par personne, parfois plus.

Le rognon de veau pèse en général un bon 225 g (¹/₂ lb). Un seul suffit pour deux personnes, à moins qu'on les fasse griller. Il faut alors compter 1 rognon par convive.

Les rognons de bœuf ou de porc, je n'en mange pas. Comme le foie des mêmes bêtes, ils sont trop fermes et ils ont un goût trop prononcé.

préparation

Qu'ils soient d'agneau ou de veau, il faut d'abord débarrasser les rognons de leur gangue de panne, puis de la très mince peau qui les enveloppe. On les met ensuite à tremper 1 ou 2 h dans une casserole d'eau dans laquelle on ajoute le jus de ¹/₂ citron — ou 15 ml (1 c. à soupe) de vinaigre blanc — et quelques glaçons. Quand on sort les rognons de leur bain, il faut les assécher comme il faut dans une serviette.

rognons en sauce
POUR 2 PERSONNES

1 rognon de veau ou 6 rognons d'agneau

15 ml (1 c. à soupe) de vinaigre ou de jus de citron

160 ml (²/₃ tasse) de crème épaisse

15 ml (1 c. à soupe) de moutarde de Dijon

1 petit panier de champignons ordinaires

90 ml (6 c. à soupe) d'huile d'olive

Sel et poivre

1 noix de beurre

1 bon verre à liqueur, soit 45 ml (1 ¹/₂ oz) de brandy ou de cognac

15 ml (1 c. à soupe) d'une de ces herbes fraîches émincées (romarin, thym ou coriandre, selon le goût désiré)

1 gousse d'ail émincée finement

160 ml (²/₃ tasse) de bouillon

Commencer par faire dégorger les rognons environ 1 h dans de l'eau froide additionnée de vinaigre ou de jus de citron. Mélanger la crème et la moutarde, puis faire chambrer à la température de la pièce au moins 2 h. Nettoyer les champignons et les couper en lamelles assez fines. Faire chauffer à feu vif la moitié de l'huile d'olive dans une sauteuse, y verser les champignons et remuer constamment jusqu'à ce que les champignons commencent à rejeter l'huile. Saler, poivrer et réserver au four à 85 °C (185 °F) dans une cocotte ou un plat de service allant au four ou pouvant être remis sur une plaque à feu doux. Dans la sauteuse où on a fait cuire les champignons, chauffer le reste de l'huile et le beurre, puis y faire sauter à feu vif le rognon de veau ou les rognons d'agneau après les avoir bien asséchés. Les tourner constamment sans les piquer. Un rognon de veau mettra environ 5 à 7 minutes à cuire et des rognons d'agneau environ 3 minutes. Quand le rognon laisse transpirer un liquide rose plutôt que rouge, saler et poivrer, puis verser le brandy ou le cognac. Laisser l'alcool s'évaporer, puis réserver les rognons dans une assiette au four. Baisser le feu, ajouter les herbes et l'ail ainsi que le bouillon. Faire réduire de moitié. Hors du feu, verser la crème mélangée à la moutarde et bien incorporer au bouillon. Remettre sur la plaque à feu très doux et laisser épaissir. On peut brunir la sauce en y incorporant quelques gouttes de sauce à brunir. Le liquide doit à peine faire des bulles. Pendant ce temps, découper le ou les rognons en lamelles de l'épaisseur des lamelles de champignon, puis mêler les lamelles de rognon et de champignon. S'il s'agit d'un rognon de veau, prendre garde de ne pas découper la partie musclée et graisseuse. On peut utiliser le sang que les rognons auront dégorgé en l'ajoutant à la sauce, mais hors du feu encore une fois afin qu'il ne coagule pas. Quand la sauce a légèrement épaissi, la verser sur les rognons et les champignons et mélanger délicatement. On peut soit laisser le tout au four ou remettre sur une plaque à feu très, très doux, uniquement pour que la préparation reste chaude. Elle peut attendre une bonne heure avant d'être

servie. On sert dans des assiettes chaudes sans garniture. On peut accompagner de pain légèrement rôti.

Vous voulez « allonger » vos rognons, car vous craignez de ne pas en avoir pour tout le monde ? Simple comme bonjour. Servez-vous de la préparation qui précède pour garnir des pâtes mais, attention, il faut servir sur des pâtes larges, rien de plus étroit que des fettucines.

rognons grillés

Que ce soit sous le gril ou sur le barbecue, les rognons font d'excellentes grillades et ils accompagnent avec bonheur les côtelettes de veau, de porc ou d'agneau.

Qu'il s'agisse de rognons d'agneau ou de veau, on doit les couper en deux sans toutefois les séparer. Les ouvrir, puis les badigeonner de Marinade va-tout (voir recette p. 236). Laisser reposer environ 1 h avant de les faire griller au barbecue ou sous le gril de la cuisinière. Le gril doit être très chaud afin que les rognons ne perdent pas trop de leur jus.

AGNEAU

Beaucoup de gros mangeurs de viande rouge se privent de manger de l'agneau. Ils croient encore que ça pue en cuisant, que ça goûte la laine ou quelque autre histoire de ma grand-mère. Et ce n'est pas une figure de style, puisque ma grand-mère partageait ces croyances...

Dans mon enfance, on vendait surtout du mouton. Maintenant, on vend encore du mouton, mais on l'appelle agneau ! En fait, il y a l'agneau de lait (qu'on vend au printemps, qui n'a que six à huit semaines et qu'il faut faire cuire avec beaucoup d'herbes pour lui donner du goût) et l'agneau qui peut avoir de six mois à un an et qui s'est baladé dans les prairies. Venu du Bas-du-Fleuve, il y a aussi le pré-salé dont la chair garde le goût des prairies que l'eau salée du Saint-Laurent parfume et enrichit. Il est rare et assez cher. Nos boucheries, surtout les grandes surfaces, vendent aussi beaucoup d'agneau de Nouvelle-Zélande et d'Australie. Il est bon marché et il n'est pas mauvais, pour peu qu'on le laisse décongeler lentement et qu'on l'aromatise avec soin.

À moins qu'il ne s'agisse d'agneau de lait qui a intérêt à être cuit à point, l'agneau est toujours plus savoureux quand on le mange plutôt saignant. Le gigot, que l'on doit toujours découper dans le sens du grain, c'est-à-dire dans le sens de l'os ou de la longueur, est remarquablement « porteur ». Un gigot d'environ 3 kg (6 3/4 lb) sert aisément une douzaine de personnes et, s'il y a des restes, ils feront de délicieux sandwichs ou un pâté chinois hors du commun. On mangera aussi en tranches le reste du gigot comme s'il s'agissait de tranches de rosbif.

Une épaule d'agneau coûte peu et sert facilement six à huit personnes selon qu'on la prépare confite ou qu'on en fait un navarin. Les côtelettes, meilleures grillées, coûtent cher et il en faut au moins trois ou quatre par personne si on ne souhaite pas rester sur son appétit.

Il faut toujours faire chambrer l'agneau (comme le bœuf) une bonne demi-journée avant de le faire cuire, et de 2 à 3 h s'il s'agit de côtelettes.

L'agneau confit que je fais depuis des années et dont je n'ai pas cessé de répandre la recette parmi mes amis, tant ils en adorent la saveur, a une histoire étonnante. L'un de ces agneaux confits fut bien indirectement à l'origine d'une des plus brillantes carrières politiques d'une Canadienne.

René Lévesque, que je fréquentais et avec qui j'avais travaillé à Radio-Canada, venait de créer le Mouvement Souveraineté-Association (MSA) et il avait besoin de fonds pour lancer son parti. Il me demanda si je pouvais l'aider. Comme je jouais alors au tennis avec Jean-Paul Gignac, commissaire d'Hydro-Québec qui avait la plus grande admiration pour « Monsieur le ministre » (c'est ainsi qu'il l'appelait depuis qu'il avait eu affaire à lui, alors que René était ministre des Ressources hydrauliques), je lui demandai de m'aider à recruter quelques personnes qui pourraient faire un don substantiel au MSA. À la suggestion de Jean-Paul, j'invitai à manger Jacques Brillant et sa femme Louise Casgrain, Maurice et Jeanne Sauvé, Jean-Paul Gignac et quelques autres personnes « en moyens ». Et j'avais invité René afin qu'il les entretienne lui-même de son projet.

Comme toujours, René se fit attendre. Il me téléphona à 21 h pour dire qu'il passait régler quelque affaire urgente avec sa femme, rue Woodbury, et qu'il arrivait tout de suite après. « Mettez-vous tout de même à table », ajouta-t-il. Heureusement, car comme je connaissais les retards légendaires de l'homme, j'avais préparé un agneau confit, un plat qui peut attendre indéfiniment ou presque.

René se pointa à 22 h 30, au moment où les convives commençaient à désespérer de son arrivée et avaient bu déjà trop du Brouilly ou du Juliénas dont j'accompagne idéalement l'agneau confit. Lévesque ne s'excusa pas de son retard — il aurait passé sa vie en excuses s'il avait eu cette gentillesse —, et entra tout de suite dans le vif du sujet, tout en grignotant quelque fromage. À un certain moment, Jeanne Sauvé, qui n'était pas d'accord avec ce qu'il avançait, voulut s'interposer. René la fusilla du regard, donna un coup de poing sur la table et lui dit qu'il n'était pas venu chez moi pour discuter politique avec une « ménagère ».

Jeanne était trop polie pour lui foutre la baffe qu'il aurait bien méritée, trop polie même pour se lever et quitter la table. La soirée se termina de façon assez bancale, et tous les invités partirent vers minuit. René resta jusqu'à 5 h du matin pour discuter avec Jean-Paul et moi dans la cuisine. Ce n'est qu'en se levant vers 9 h que ma femme constata avec effroi qu'il avait passé la nuit à écraser ses cigarettes avec son pied sur les carreaux du parquet de cuisine ! Je n'en croyais pas mes yeux quand elle vint me réveiller pour me montrer le dégât !

Je connaissais trop René Lévesque et ses mauvaises manières pour lui en tenir rigueur. Je l'aimais trop aussi, mais Jeanne ne partageait pas les mêmes sentiments. Vers 10 h, le téléphone retentit. C'était Jeanne qui voulait me remercier pour le repas et m'apprendre qu'elle n'avait pas dormi de la nuit. Dans son insomnie, elle avait pris la décision que la « ménagère » se lancerait en politique. On sait aujourd'hui avec quel succès ! Je l'ai soutenue toute sa vie. Comme j'ai aussi, par amitié, soutenu René Lévesque.

épaule d'agneau confite
POUR 4 PERSONNES

1 épaule d'agneau non désossée d'environ 2 à 3 kg (4 ½ à 6 ¾ lb) qu'on fait couper en 7 ou 8 morceaux pour les besoins du service

1 oignon jaune émincé finement

1 bâton de céleri émincé finement

1 carotte émincée finement

2 branches de romarin frais ou 5 ml (1 c. à thé) de romarin séché

8 à 10 graines de coriandre grossièrement écrasées

3 gousses d'ail émincées

15 à 20 baies de genièvre

3 feuilles de laurier haché

10 ml (2 c. à thé) de graines de cumin

15 ml (1 c. à soupe) de pâte de tomate

500 ml (2 tasses) de vermouth blanc extra-dry

Sel et poivre

Enlever tout le gras de l'agneau et en déposer les morceaux dans une cocotte épaisse. Y ajouter tous les autres ingrédients. Porter à ébullition et faire frémir de 4 à 5 h. Tourner les morceaux d'agneau de temps à autre. En fin de cuisson, s'il reste trop de liquide, le faire réduire en enlevant le couvercle et en augmentant le feu. Servir de préférence avec un légume vert comme du brocoli chinois ou des haricots.

Note : On peut remplacer le vermouth par du vin blanc sec mais, dans ce cas, on ajoute 5 ml (1 c. à thé) de sucre qu'on fait dissoudre dans le vin.

Un conseil : Ce plat est encore meilleur si on commence à le préparer le matin. On le fait cuire alors 2 ou 3 h, on le laisse reposer tel quel sur la cuisinière, puis on reprend la cuisson 2 ou 3 h avant de servir.

gigot d'agneau à ma façon
POUR 8 PERSONNES

1 gigot d'agneau d'environ 1,6 kg
   (3 ½ lb)
3 gousses d'ail pelées et coupées en deux
1 oignon jaune

sauce

60 ml (4 c. à soupe) de moutarde de Dijon
80 ml (⅓ tasse) de beurre mou
6 graines de coriandre
15 ml (1 c. à soupe) de romarin frais,
   émincé finement ou 7,5 ml (1½ c. à thé)
   de romarin séché
Sel et poivre

Sortir le gigot au moins 4 à 6 h avant de le faire cuire. Une heure avant la cuisson,

préparer une sauce avec la moutarde, le beurre, la coriandre moulue, le romarin, le sel et le poivre. Débarrasser le gigot de son gras, le piquer des morceaux d'ail et en napper tous les côtés de sauce. Mettre dans une lèchefrite plate et laisser encore 1 h sur le comptoir. Préchauffer le four à 230 °C (450 °F) et y mettre le gigot après l'avoir entouré de l'oignon coupé en quatre. Après 10 minutes, réduire la température à 200 °C (400 °F) et laisser cuire sans ouvrir le four environ 20 minutes/kg (10 minutes/lb) pour un gigot bien rose. De 25 à 30 minutes/kg (12 à 13 minutes/lb) pour un gigot à point. À la fin de la cuisson, ouvrir le four pour en réduire rapidement la chaleur et laisser reposer le gigot 30 minutes avant de servir. Enlever le surplus de gras et déglacer la lèchefrite avec du vin blanc ou rouge pour faire la sauce, puis épaissir avec une noisette de beurre.

gigot d'agneau au vin blanc
POUR 6 À 8 PERSONNES

1 gigot d'environ 1,6 kg (3 ½ lb) — le
   faire couper en 2 morceaux s'il est trop
   long
45 ml (3 c. à soupe) d'huile d'olive
250 ml (1 tasse) de vin blanc
Un bon bouquet de romarin frais ou 15 ml
   (1 c. à soupe) de romarin séché
10 graines de coriandre
4 gousses d'ail
5 baies de genièvre
Sel et poivre

Bien dégraisser le gigot et le faire rissoler de tous les côtés dans l'huile d'olive, dans une cocotte épaisse juste assez grande pour le contenir ou en contenir les morceaux.

Quand le gigot est bien brun, débarrasser la cocotte de sa graisse, puis ajouter le vin. Laisser réduire légèrement, ajouter le romarin, la coriandre, l'ail et les baies de genièvre, le sel et le poivre, puis baisser le feu jusqu'à ce que le plat mijote faiblement. Couvrir et faire cuire au moins 2 h 30, en tournant le gigot trois ou quatre fois. À la fin de la cuisson, s'il y a trop de jus, le faire réduire avant de servir.

navarin d'agneau
POUR 6 À 8 PERSONNES

1 épaule d'agneau coupée en 7 ou
    8 morceaux
30 ml (2 c. à soupe) d'huile d'olive
Sel, poivre et 30 à 45 ml (2 à 3 c. à
    soupe) de farine
125 ml (½ tasse) de vermouth extra-dry
250 ml (1 tasse) de bouillon
15 à 30 ml (1 à 2 c. à soupe) de pâte de
    tomate
4 à 6 baies de genièvre
2 feuilles de laurier haché
15 ml (1 c. à soupe) de romarin frais ou
    10 ml (2 c. à thé) d'herbes de Provence
    séchées
2 à 3 gousses d'ail débarrassées de leur
    enveloppe
2 ou 3 grosses tomates pelées, épépinées
    et coupées en gros dés

Faire rissoler à feu vif les morceaux d'agneau dans une sauteuse dans laquelle on a fait chauffer l'huile. Quand les morceaux sont bien dorés de tous les côtés, les déposer dans une casserole épaisse allant au four. Saler, poivrer et saupoudrer de farine. Mettre la casserole au four sous le gril tout le temps qu'il faut pour que la farine roussisse également.

Remettre sur la plaque à feu vif et déglacer avec le vermouth. Laisser réduire en partie, ajouter le bouillon dans lequel on aura mélangé la pâte de tomate, puis ajouter le reste des ingrédients. Dès que le tout recommence à bouillir, couvrir et mettre au four environ 1 h à 180 °C (350 °F). On peut très bien laisser cuire sur la plaque à feu moyen.

pendant ce temps, préparer les légumes qui suivent:

1 navet coupé en bâtonnets de 2 à 3 cm
    (¾ à 1 ¼ po) d'épaisseur sur 5 à 6 cm
    (2 à 2 ½ po) de longueur
4 à 6 carottes coupées en rondelles
    d'environ 1 cm (⅜ po)
8 à 10 petites pommes de terre épluchées
Deux douzaines de petits oignons blancs
45 ml (3 c. à soupe) de vin blanc
30 ml (2 c. à soupe) d'huile d'olive
Sel et poivre
1 pincée de sucre
225 g (½ lb) de haricots verts ou de pois
    verts frais, écossés
45 à 60 ml (3 à 4 c. à soupe) d'huile
    d'olive

1 tête d'ail dont on extrait les gousses
qu'on débarrasse de leur peau
Le zeste de ½ citron finement haché

Faire blanchir le navet, les carottes et les pommes de terre séparément dans l'eau froide salée. Laisser bouillir environ 5 minutes, passer à l'eau froide et réserver.

Parer les oignons en les débarrassant de leur enveloppe et les faire revenir environ une douzaine de minutes à feu moyen dans une petite casserole dans laquelle on a mis le vin blanc, 30 ml (2 c. à soupe) d'huile d'olive, du sel, du poivre et une pincée de sucre. Égoutter et réserver.

Faire blanchir les haricots ou les pois 2 minutes dans de l'eau bouillante salée, passer à l'eau froide et réserver.

Dans une sauteuse dans laquelle on a versé 45 à 60 ml (3 à 4 c. à soupe) d'huile d'olive, faire revenir à feu vif les navets, les pommes de terre et les carottes en remuant constamment avec une cuillère de bois afin que tous les légumes soient bien dorés.

Ajouter navets et carottes à la casserole et faire cuire environ 30 minutes. Ajouter ensuite les gousses d'ail, les petits oignons, les pommes de terre et le zeste de citron, faire cuire une quinzaine de minutes, puis ajouter les haricots (s'il s'agit de petits pois, ne les ajouter que 7 ou 8 minutes avant de servir). Vérifier l'assaisonnement et laisser cuire encore une quinzaine de minutes au four, toujours à 180 °C (350 °F), ou sur la plaque à feu assez vif.

Servir dans des assiettes à soupe chaudes ou dans des assiettes chaudes à haut bord. Vous pouvez préparer le navarin la veille si vous le souhaitez car, réchauffé, il n'en sera que meilleur.

AIL

Il y a quelques variétés d'ail, mais les plus connues sont les suivantes :
- l'ail blanc (plutôt doux) ;
- l'ail chinois (dont on mange les tiges) ;
- l'ail des bois (à manger frais autant que possible) ;
- l'ail mâle (qui n'a pas de gousses, mais un seul bulbe) ;
- l'ail rose (plus petit que l'ail blanc, il se conserve plus longtemps).

L'ail est bourré de vertus thérapeutiques. Il est excellent pour l'hypertension et pourrait même prévenir le cancer, dit-on. L'ail broyé est souverain contre les piqûres d'insectes, les verrues et les cors.

Il ne faut jamais faire rôtir l'ail. Le dorer, tout au plus. Quand on fait bouillir de l'ail, on peut s'en servir comme légume d'accompagnement, car il perd toute âcreté et pratiquement toute odeur. Dans ce cas, je calcule une tête d'ail par personne. L'ail est la plante la plus ancienne utilisée en cuisine. On en mangeait cinq millénaires avant Jésus-Christ, et les ouvriers qui ont construit les pyramides de Gizeh sentaient l'ail à plein nez.

Tous les vieux jardiniers savent qu'en bordant le potager d'ail, on éloigne les lièvres et la plupart des bêtes sauvages qui raffolent des jeunes pousses de légumes.

Avez-vous un presse-ail ? C'est un instrument presque inutile. Un mortier fait beaucoup mieux l'affaire lorsqu'il faut de l'ail en purée et dans tous les autres cas, il est préférable de hacher l'ail très finement. C'est un travail qui s'accomplit en un tournemain et qui donne à l'ail un goût beaucoup plus agréable que si on le presse.

L'ail est un condiment qui se prête à toutes les viandes et à un bon nombre de poissons et de fruits de mer. Sans ail, les pétoncles n'auraient guère de goût, et la morue ne vaudrait même pas la peine qu'on y goûte. Presque toutes les sauces supportent bien l'ail et une bonne sauce tomate n'existerait pas sans lui. Alexandre Dumas a écrit : « Tout le monde connaît l'odeur de l'ail, excepté celui qui en mange... » Mon conseil, mangez-en ! À volonté... À deux, par exemple, nous en consommons au moins trois têtes par semaine et souvent plus.

L'ail étant connu depuis l'Égypte antique, inutile de dire qu'il y a sur son compte mille légendes. Comme la plupart prétendent qu'il est indigeste, la plupart disent qu'ils ont du mal à le digérer... Comme d'autres prétendent qu'il irrite l'estomac. Beaucoup de personnes extraient le germe de l'ail comme s'il s'agissait d'un poison vif. Ils l'extirpent avec des pincettes et le jettent avec dédain dans la poubelle ou le broyeur. Je ne l'enlève jamais. Bien au contraire. S'il est gros et qu'il a déjà une pousse verte, je m'en fais cadeau sur une bouchée de pain tartinée de beurre ou d'huile. L'ail qui atténue certains troubles cardiovasculaires, qui fait baisser la tension artérielle et

qui donne si bon goût à tant de plats ne mérite pas la mauvaise réputation que certaines personnes lui font... juste à cause de son odeur.

Si vous avez du mal à éplucher l'ail, faites-le sous un robinet d'eau froide après avoir coupé les extrémités de la gousse, évidemment.

ail au four à la manière de Jean LeClerc

Mon ami Jean LeClerc tient cette recette d'un chef d'origine française qui officiait dans les cuisines du restaurant Saint-Jean dans les Bahamas. La recette est tellement simple que c'est presque prétentieux de parler de recette. Lorsque Jean m'en servit la première fois, il fit le mystérieux quand je voulus savoir comment il préparait cet ail au four, et c'est après avoir fait mille détours et s'être payé copieusement ma tête qu'il me livra le secret de ce mets presque simpliste.

C'est l'automne que ce mets est à son meilleur quand l'ail vient d'être cueilli et qu'il est encore gorgé de sève.

POUR 2 PERSONNES
4 têtes d'ail
Huile d'olive

Préchauffer le four à 230 °C (450 °F). Choisir des têtes d'ail de même grosseur. Ne prendre ni les plus petites ni les plus gosses. Couper le dessus des têtes d'environ 1 cm (3/8 po) ou moins de manière à révéler uniquement la pointe des gousses. Placer les têtes ainsi étêtées sur une tôle à biscuits (ou dans une assiette à tarte) en veillant à ce qu'elles gardent bien leur équilibre, quitte à couper légèrement la base. Arroser généreusement d'huile d'olive, mais surtout, ni sel ni poivre. Enfourner pendant 30 minutes. Servir les têtes pour accompagner n'importe quelle viande et observer celle de vos invités lorsqu'ils prendront leurs premières bouchées.

aïoli

ENVIRON 375 ML (1 1/2 TASSE)

6 gousses d'ail très frais
1 jaune d'œuf cuit dur à température de la pièce ou la mie d'une tranche de pain trempée dans du lait à température de la pièce et bien essorée
2 jaunes d'œufs à température de la pièce
Sel
180 ml (3/4 tasse) d'huile d'olive
5 ml (1 c. à thé) de jus de citron et 5 ml (1 c. à thé) de vinaigre, bouillants

Éplucher les gousses et les écraser dans un mortier jusqu'à ce qu'elles soient en purée. Incorporer le jaune d'œuf cuit ou la mie de pain tout en continuant de piler. Toujours en continuant de piler, incorporer les 2 jaunes d'œufs crus et le sel. Travailler jusqu'à ce que la pâte soit bien lisse, incorporer ensuite l'huile goutte à goutte comme s'il s'agissait de monter une mayonnaise. À la fin, toujours en pilant, incorporer le jus et le vinaigre brûlants.

Je sais qu'on peut aussi monter un aïoli au mélangeur, mais je ne l'ai jamais fait.

aïoli (faux)

On peut faire un faux aïoli en préparant une mayonnaise (voir recette p. 237) et en y incorporant, à la fin, 3 ou 4 gousses d'ail qu'on aura déjà réduites en purée. Mais au mortier, de grâce !

soupe à l'ail

POUR 6 PERSONNES

1 tête d'ail complète (environ 14 gousses)
1,5 litre (6 tasses) d'eau
10 ml (2 c. à thé) de sel
3 clous de girofle
2,5 ml (1/2 c. à thé) de poivre
5 ml (1 c. à thé) d'un mélange de laurier et de thym ou encore de sarriette et de sauge
5 branches de persil
45 ml (3 c. à soupe) d'huile d'olive
750 ml (3 tasses) de pommes de terre coupées en dés
1 pincée de safran
Croûtons et parmesan

Mettre les gousses d'ail dans de l'eau bouillante. Les retirer quand elles ont bouilli 30 secondes. Refroidir rapidement sous le robinet et peler. Mettre l'eau et tous les autres ingrédients (sauf les pommes de terre, le safran, les croûtons et le parmesan) dans une cocotte et laisser bouillir lentement 30 minutes. Corriger l'assaisonnement s'il le faut. Filtrer le liquide dans une passoire en écrasant bien les ingrédients pour en extraire tout leur jus, puis remettre dans la cocotte. Ajouter pommes de terre et safran.

Faire bouillir lentement jusqu'à ce que les pommes de terre soient cuites (environ 30 minutes). Servir avec des croûtons et du parmesan râpé.

AIRELLES des marais (canneberges ou atocas)

Si tous les Québécois connaissent les atocas pour en avoir mangé avec la dinde de Noël depuis des générations, ces baies sont à peu près inconnues en Europe même s'il en pousse de manière sauvage dans les tourbières. Comme je mange peu de sucré donc peu de confitures, je prépare surtout des sauces aigres-douces avec les airelles, mais ce fruit appétissant qui coûte trois fois rien mériterait bien qu'un cuisinier en tombe amoureux et fasse des expériences. Je suis convaincu qu'il en surgirait des recettes intéressantes.

 airelles aux agrumes
ENVIRON 750 ML (3 TASSES)

125 ml (1/2 tasse) d'eau avec le jus d'une orange, d'un citron jaune et d'un citron vert

Environ 250 ml (1 tasse) de sucre

Le zeste de 1/2 orange

Le zeste de 1/2 citron jaune

Le zeste de 1/2 citron vert

1 sac d'airelles ou de canneberges de 500 g (env. 1 lb)

Sel

60 ml (4 c. à soupe) de Grand Marnier

Mettre l'eau, le jus et le sucre dans une casserole avec les zestes coupés en filaments très fins. Faire bouillir à feu vif jusqu'à ce que le tout soit réduit de moitié. Pendant ce temps, laver les canneberges. Les jeter dans le sirop bouillant et faire cuire à feu vif jusqu'à ce que la peau des canneberges se détache. Mettre une pincée de sel. Retirer les canneberges, ajouter le Grand Marnier dans le sirop, puis faire réduire encore d'environ le tiers. Remettre les canneberges dans le sirop, remuer légèrement et retirer du feu. Servir chambré avec du gibier, de la dinde, du canard ou du poulet.

 sauce aux airelles nature
ENVIRON 500 ML (2 TASSES)

1 sac d'airelles ou de canneberges de 340 g (12 oz) fraîches ou congelées

1 petite orange

1 petit citron

160 ml (2/3 tasse) de sucre

1 pincée de sel

30 ml (2 c. à soupe) de curaçao ou de Cointreau

Laver les airelles et les assécher un peu. Râper le zeste de l'orange et du citron, enlever la peau blanche de l'orange avec un couteau fin et faire de même avec la peau du citron. Couper orange et citron en gros dés. Dans un robot culinaire, mettre tous les ingrédients dans l'ordre dans lequel ils sont énumérés. Malaxer jusqu'à l'obtention d'une sauce ayant la consistance d'un relish. Cette sauce est excellente avec de la dinde, de l'oie, du canard, du porc et tout gibier. On peut aussi en mettre sur ses toasts, le matin. Si on le désire, on peut faire cette sauce plus ou moins sucrée en modifiant la quantité de sucre.

La même sauce peut être cuite, mais dans ce cas, on ne passe rien au robot culinaire. On peut faire cuire tous les ingrédients ensemble jusqu'à ce que la sauce ait atteint la consistance d'une confiture, puis on ajoute l'alcool quelques secondes avant de retirer du feu.

ALCOOLS et vins de cuisine

À l'exception d'un whisky occasionnel (single malt et du bon, Balvenie ou Glenmorangie avant les repas; Lagavulin après...) et de bonnes rasades d'excellente vodka avec le caviar et les poissons fumés, je ne bois presque jamais d'alcool. Pourtant, mon bar est rempli de bouteilles que je garde pour mes amis et mes invités mais, surtout, pour faire la cuisine. Je rêve d'ailleurs de publier un livre de recettes dans lesquelles on retrouverait toujours du vin ou des alcools. Mais ne brûlons pas les étapes...

Voici les vins et alcools que je considère comme essentiels dans une cuisine:

· Le vermouth blanc extra-dry (le Stock est le moins cher et il est tout aussi bon que le Cinzano) que j'utilise en quantité industrielle dans beaucoup de recettes. Il est plus doux que le vin blanc et de meilleure qualité que la plupart des vins blancs de table;
· Le rhum brun, un must dans beaucoup de salades de fruits;

· Le kirsch, un alcool que rien ne saurait remplacer avec plusieurs fruits comme les framboises, les bleuets, les pommes, les poires, etc.;
· Le cognac ou le brandy, dont on ne saurait se passer pour le steak au poivre ou pour déglacer plusieurs plats.

À part le kirsch qui est si cher, achetez ces vins et alcools en grandes bouteilles. Ils se conservent indéfiniment ou presque, et vous n'en manquerez jamais... à moins que vous ayez un alcoolo sous votre toit.

À ce strict minimum, il faut ajouter:
· du marsala extra-dry (essentiel pour le sabayon);
· du madère (pour quelques sauces);
· du pastis ou de l'arak (excellent pour relever le goût des crevettes et du homard);
· du Grand Marnier, du Cointreau et de la Drambuie (surtout pour les salades de fruits);
· du porto (avec le melon, surtout);
· du sherry (pour certaines sauces);
· de la Framboisine ou de l'eau-de-vie de framboise (avec les framboises et les fraises);
· une bouteille de Nocello (pour relever le goût des plats dans lesquels entrent des noix);
· de la prunelle ou une vieille prune (pour relever la saveur des prunes fraîches ou cuites);
· de la crème de cacao ou de la crème de café (relève bien les desserts aromatisés au café);
· de la liqueur de melon (dans les salades de fruits dont la base est le melon);
· de la poire williams (avec les poires, évidemment);

- du calvados (dans les tartes, les soufflés aux pommes et les compotes);
- du rhum blanc (pour tous les fruits que le rhum brun ternirait, en particulier les ananas).

Quand on ne boit pas d'alcools ni de digestifs et qu'on se contente de les utiliser en cuisine, ils durent des lustres. Pas nécessaire alors d'acheter de grandes bouteilles.

ALLERGIES

Nous avons tous des allergies, c'est-à-dire, pour parler comme un médecin, «une hypersensibilité à la pénétration d'un allergène». Je suis allergique à mille choses: le tanin du vin, la mousse à raser, les mouchoirs de papier, la fumée de cigarette, ma propre transpiration et quoi encore, mais Dieu soit loué, je n'ai aucune allergie alimentaire. J'ai appris bien malgré moi que certaines personnes ont des allergies alimentaires telles qu'elles peuvent provoquer des accidents sérieux. C'est ainsi que bien innocemment (je vous l'assure), j'ai failli faire rendre l'âme à l'historien Denis Vaugeois, alors qu'il était ministre de la Culture, et étouffer Daniel Johnson au temps où il était dans l'opposition.

Denis, que j'avais invité à manger, fronça tout de suite les sourcils en voyant ma femme lui mettre sous le nez une coquille de fruits de mer. «Qu'y a-t-il là-dedans?» demanda-t-il aussitôt. «Des huîtres, des pétoncles, des moules et des crevettes», lui répondis-je. Il en sembla bien soulagé. La première bouchée avalée, il devint rouge comme une tomate et se mit à râler. Il était allergique à la chair de homard, et j'avais oublié de spécifier que la coquille en con-tenait aussi. Il s'en fallut de peu qu'on ne conduise d'urgence le pauvre Denis à l'hôpital de Granby.

Je savais depuis longtemps que Daniel Johnson était allergique à la moutarde et, lorsqu'il accepta mon invitation, je pris soin de changer le menu pour lui. Louise, qui adorait le poulet, me demanda alors de remplacer le lapin à la moutarde que nous devions faire par un poulet au citron. Elle se chargeait de préparer l'entrée. Je ne me souviens plus de ce qu'elle servit, mais à la première bouchée, Daniel commença d'étouffer en s'écriant: «Il y a de la moutarde là-dedans!» Louise protesta, Daniel repoussa son assiette vivement pour aller prendre une bouffée d'air, et pendant ce temps, Louise se souvint que la préparation comptait en effet 5 ml (1 c. à thé) de moutarde sèche!

Ces deux incidents survenus à moins d'une année d'intervalle — des incidents qui auraient pu changer l'histoire du Québec! — me firent prendre la bonne résolution de ne plus jamais inviter d'amis sans d'abord m'informer s'ils avaient de quelconques allergies. Et s'il se trouve qu'ils en aient, nous le notons soigneusement dans le livre des invités. Avec le temps, j'ai poussé plus loin le raffinement. Maintenant, s'il s'agit de gens que je n'invite pas assez souvent pour connaître leurs goûts, je demande aussi s'ils préfèrent la viande ou le poisson ou s'ils suivent un régime alimentaire. Autant que possible, nous essayons d'en tenir compte en préparant le menu. Ça ne coûte pas un cent de plus et ça fait plaisir...

ANCHOIS

Inutile d'essayer de trouver des anchois frais chez nos poissonniers, ils n'en ont jamais. On les trouve à l'huile en semi-conserve (bocal ou boîte de fer blanc), en filets ou enroulés autour d'une câpre ou d'une olive farcie. Il n'est pas question de garder ces semi-conserves ailleurs qu'au frigo.

On dessale les anchois (je n'achète que ceux en filets) sous le robinet d'eau presque chaude et on les assèche aussitôt avec du papier essuie-tout. La plupart du temps, j'utilise les anchois comme condiments, pour le jarret de veau, par exemple, ou avec du porc. Mais je me rappelle avec un brin d'émotion les fameux sandwichs qu'on sert couramment aux îles Baléares et dont je me régale encore par les midis chauds de l'été.

sandwich aux tomates et aux anchois

POUR 1 SANDWICH

2 tranches de pain blanc ou aux olives
Beurre ou mayonnaise
Quelques feuilles de jeunes pousses de
    laitue
1 tomate bien fraîche et bien mûre
6 filets d'anchois
Quelques grains de poivre

Faire griller le pain légèrement, le tartiner de beurre ou de mayonnaise, étendre quelques feuilles de laitue sur la première tranche, puis la tomate coupée en tranches assez minces, puis les filets d'anchois. Ajouter quelques grains de poivre, le reste des feuilles de laitue et l'autre tranche de pain. Couper le sandwich en deux et le consommer sur-le-champ avec une bonne Guinness !

AROMATES

Les aromates sont toutes les substances végétales qu'on utilise en cuisine et sans lesquelles presque tous nos aliments seraient insipides. Si la cuisine de nos grands-mères (qu'on cesse de la vanter, grand Dieu !) était si fade, c'est qu'elles ignoraient à peu près tout des aromates comestibles. Les plus audacieuses d'entre elles risquaient parfois quelques feuilles de céleri, un peu de laurier, de sauge ou de sarriette, parfois de la moutarde, du clou et du gingembre, mais pour le reste, nenni.

On peut consacrer — et plusieurs l'ont fait — des livres entiers uniquement aux aromates, mais je vais me contenter des aromates que j'utilise de façon courante. J'ai déjà fait une place à part à l'ail et j'en fais une aussi au vinaigre, aux huiles et aux herbes. Voici donc les autres :

anis

Il y a trois sortes d'anis :
- L'anis étoilé qui est le fruit de la badiane et qui se marie très bien au porc et aux pommes. J'en mets parfois dans mes rôtis et j'en mouds pour en assaisonner mes croustades de pommes ;
- L'anis vert qui ressemble un peu au persil et donne des graines d'anis qu'on utilise, entre autres, dans plusieurs sortes de pain.

Toutes ces variétés d'anis ont une espèce de goût de réglisse... ;
· La pimprenelle, une herbe tout à fait différente, qui a un petit goût de noisette et qu'on utilise dans certains fromages et dans les salades de fruits.

cannelle

La plupart l'achètent en poudre, mais mieux vaut l'acheter en bâtonnets afin qu'elle soit plus parfumée. On n'a qu'à réduire en poudre dans un mortier un bout de bâtonnet quand on en a besoin. Un bâtonnet complet donne à peu près 5 ml (1 c. à thé) de poudre.

La cannelle aromatise bien le porc, le poulet et le canard. Elle parfume les compotes de fruits et elle rehausse les tartes aux pommes ou aux poires. Ajoutez un bâton de cannelle à vos salades de fruits frais.

céleri sauvage (céleri « aromatique » ou « céleri à couper »)

Tous les potagers devraient posséder leur touffe de céleri sauvage, car il est d'une grande utilité en plus d'être vivace comme ce n'est pas permis. Le céleri sauvage, qu'on appelle céleri à couper dans le Nord de la France où il est très populaire, supporte nos pires hivers. L'été, sans même qu'on l'entretienne, qu'il soit au soleil ou à l'ombre, il s'étend... s'étend... s'étend. Si vous avez un ami qui en possède dans son jardin, demandez-lui de vous en passer une petite touffe le printemps prochain et vous en aurez jusqu'à la fin de vos jours. On en consomme surtout les feuilles. On les hache grossièrement pour en assaisonner les salades vertes ou de légumes. Dans les plats cuisinés, on les utilise comme des feuilles de laurier. Attention, elles sont très goûteuses, et il n'en faut que quelques-unes pour parfumer un plat.

coriandre, graines de

Les graines de coriandre ressemblent à du poivre blanc, mais elles sont beaucoup moins dures. Si vous parcourez mes recettes, vous verrez que je les utilise à satiété.

cumin

C'est un aromate indispensable au Proche-Orient et en Afrique du Nord. Sa saveur poivrée et anisée relève les farces, le veau, le thon, l'agneau ou la purée d'avocat. Le munster ou la plupart des fromages à pâte dure s'accommodent très bien d'être enduits (avec modération, toutefois) de graines de cumin. Le carvi, quoique différent, peut presque toujours être substitué au cumin.

genièvre

Les baies de genièvre sont les fruits d'un arbrisseau qui pousse sur le pourtour de la Méditerranée. Elles sont plus petites qu'un pois et de couleur violette. Elles ont un goût de résine et parfument plusieurs plats, comme vous pourrez le voir dans ce livre. C'est un de mes aromates préférés.

gingembre

Les meilleurs rhizomes de gingembre frais viennent de l'Inde ou de la Jamaïque. Avant de le

râper ou de l'émincer pour en garnir un plat, il faut d'abord l'éplucher. Mettez-en dans vos salades d'ananas. On trouve maintenant du gingembre confit dans plusieurs épiceries fines. Pour finir un repas, surtout si on ne mange pas de dessert, un ou deux morceaux de gingembre confit laissent dans la bouche un goût incomparable. Quant au gingembre en poudre que tout le monde connaît, il est indispensable pour relever le goût d'un melon, dans les tartes aux pommes ou aux poires, ou encore dans les compotes. Maman qui nous faisait un verre de vin chaud pour nous aider à passer à travers une grippe y mettait toujours une bonne pincée de gingembre.

girofle, clou de

Longtemps, on a cru que c'était un remède. Le clou de girofle n'a probablement rien guéri, mais, en plus du jambon, il relève aujourd'hui plusieurs plats. On ne fait pas de chou cuit sans clous de girofle et sans baies de genièvre, et j'en ajoute souvent, entre autres, aux rôtis de porc, à la tarte aux pommes et à la compote.

laurier

Les Français ont beaucoup de chance, car ils trouvent du laurier frais chez la plupart des marchands de légumes. Ici, si on en veut, il faut avoir une serre et le cultiver. Sèches, les feuilles de laurier font partie de presque tous les assaisonnements.

moutarde, graines de

Bien peu de cuisiniers utilisent les graines de moutarde (à moins qu'ils ne veuillent les moudre et faire leur propre moutarde...). J'ai découvert qu'elles donnent un délicat parfum quand on en assaisonne certains plats comme le pot-au-feu ou qu'on en ajoute, moulues, à certaines marinades.

paprika

En Hongrie, on met du paprika sur tout... jusque sur les desserts! La vague de l'immigration hongroise au Québec s'est produite après l'invasion de Budapest par les Russes en 1956 et, pourtant, même dans mon enfance, le paprika était un aromate très utilisé dans les familles québécoises. Le plus souvent assez mal... Comme le sumac (voir plus loin), le paprika rehausse la saveur des œufs à la coque ou des œufs au plat, de la mayonnaise, du poulet et de la choucroute, mais il ne faut au grand jamais le cuire, car il perd toute sa saveur. Hongrois de naissance, mon ami Pierre Vaïda, médecin à Bordeaux, m'a montré à faire une entrée délicieuse à base de fromage feta et de paprika, la Feta à la hongroise (voir recette p. 184).

poivre

Le poivre finement moulu qu'on vend dans le commerce est tout juste bon pour les cantines des armées et des grands hôpitaux où on cuisine en quantités industrielles. Le poivre est un condiment trop savoureux pour qu'on le torture ainsi. Et quoiqu'on puisse penser, c'est un condiment délicat qui perd rapidement sa saveur s'il est moulu trop longtemps avant d'être utilisé et dont la chaleur de la cuisson altère le goût. Il n'y a qu'une façon de poivrer les aliments qui sont déjà dans son assiette, c'est avec le moulin à poivre. Quant à ceux que l'on fait cuire, on y met le poivre en grains entiers si la cuisson doit être prolongée : pot-au-feu, ragoût ou autre, ou encore on ajoute le poivre concassé à la fin de la cuisson. Une fois sur deux, j'ajoute le poivre au moment où j'ai déposé les aliments dans les assiettes quand je les apporte à table. Si j'utilise un plat de service, j'y mets les aliments et je poivre...

Il y a, comme tout le monde sait, plusieurs variétés de poivre. Il y a même des baies — comme les baies roses — qu'on appelle poivre et qui n'en sont pas du tout.

Le poivre vert est du poivre qu'on cueille avant sa maturité. Il est très parfumé et on le vend en conserve ou en semi-conserve dans de très petits contenants. En général, juste ce qu'il faut pour parfumer une sauce à la crème, le magret de canard ou le filet mignon. Une fois le contenant ouvert, il faut utiliser tout le contenu.

Le poivre noir est du poivre qu'on a récolté et fait sécher au soleil. Chaque grain devient alors gris-noir et tout ratatiné, en plus de prendre une saveur forte et corsée. C'est le poivre de tous les jours. Celui dont on remplit son moulin pour le concasser à mesure dans son assiette ou dans les aliments qui ont fini de cuire. Dans ma cuisine, j'ai converti un vieux moulin à café Peugeot en moulin à poivre. Non seulement il a une fière allure rétro sur le comptoir, mais je ne passe pas mon temps à le remplir. Et il fonctionne beaucoup mieux que tous les moulins qu'on puisse acheter. On vend maintenant pour quelques sous de plus un contenant qui fait déjà moulin et qu'on jette lorsqu'il est vide. Dans toutes les épiceries fines, on trouvera du poivre concassé en vrac (qu'on appelle « mignonnette ») qui se compose en général de poivres gris et noir et de piment de la Jamaïque. Il est très pratique, rapide d'utilisation et si on le conserve dans un bocal bien fermé, il tient la route plusieurs semaines. Comme j'utilise aussi des baies roses et un mélange de quatre ou cinq poivres, un mortier est encore ce qu'il y a de plus commode pour les concasser.

Le poivre blanc est cueilli très mûr. On fait mariner les baies dans l'eau de mer et on les décortique. Débarrassées de leur enveloppe, les baies sont moins amères. J'en garde toujours en grains que je concasse au besoin pour assaisonner les mayonnaises, les béchamels, les veloutés de légumes et les sauces où des points noirs ne feraient pas bon effet. Si vous servez des fraises fraîches, vous étonnerez vos convives en assaisonnant ces fruits de quelques grains de poivre blanc concassés avant de les apprêter à votre façon.

Les baies du poivre de la Jamaïque (qu'on appelle « giroflée » en Europe francophone et piment de la Jamaïque chez nous) sont plus grosses que celles du poivre et plus sphériques. Elles ont à la fois un goût de poivre, de muscade, de cannelle et de clou de girofle. Quand je vais en République dominicaine, j'en rapporte toujours une bonne provision. Dans les plats mijotés longuement (pot-au-feu, confit d'agneau et autres), le poivre de la Jamaïque ajoute un parfum aussi délicieux qu'indéfinissable.

Tout le monde a entendu parler du poivre de Cayenne depuis qu'il est devenu l'arme pacifique (?) de la police et de Jean Chrétien. Pour la cuisine, on le vend moulu très finement, souvent mélangé à du poivre noir. J'en ai que j'utilise à l'occasion, mais je préfère ne pas priver nos policiers de cayenne moulue. Je garde donc la cayenne dans un bocal hermétique sous sa forme originale qu'on appelle le piment oiseau. Tout petit — 1 à 2 cm (3/8 à 3/4 po) de longueur —, j'en ajoute en début de cuisson un seul que j'écrase entre le pouce et l'index (qu'il faut laver à l'eau et au savon tout de suite avant de se fourrer un doigt dans l'œil par inadvertance). Le piment oiseau est un enragé qui donnera des sueurs froides à quiconque n'aime pas manger d'aliments trop relevés. Dans des riz à la créole ou dans des sauces à la tomate, c'est un ajout qui ne passe jamais inaperçu.

Le poivre rose n'est pas du poivre, mais les baies d'un arbrisseau qui pousse en Amérique du Sud. Ces baies se vendent lyophilisées et on les concasse légèrement au mortier. Elles sont d'une si délicate saveur qu'il n'est absolument pas question de les utiliser en cours de cuisson. Elles ajoutent un parfum intéressant à une salade verte préparée à l'italienne et à tous les plats aux saveurs subtiles : soupe aux huîtres, sauces à la crème, poissons blancs à chair délicate, sans compter qu'elles décorent d'agréable façon. Parsemez-en vos assiettes de poissons

fumés ou de saumon mariné, celles où vous servez une terrine de légumes, des asperges, des poireaux et bien d'autres plats.

raifort

On en vend en racine chez tout bon marchand de légumes, et c'est possible d'en préparer pour peu qu'on ait un robot culinaire... et un masque, car les vapeurs peuvent coucher un fantassin. Si on râpe le raifort soi-même, on le conserve dans du vinaigre au frigo, et il est préférable de le laisser macérer plusieurs jours avant de le consommer. J'achète toujours mon raifort préparé (au comptoir réfrigéré de la plupart des poissonneries). Il faut le consommer assez rapidement une fois le bocal ouvert, car il perd rapidement sa bonne saveur piquante. Manger du saumon fumé sans raifort est presque un crime, tout comme ne pas en ajouter à une sauce à l'oseille.

préparation

Éplucher la racine du raifort, la laver et la râper (plus facile au robot culinaire). Saler le raifort râpé et le mouiller de vinaigre (japonais, de préférence, à cause de sa saveur légèrement sucrée). Servir tel quel avec du saumon fumé, du rosbif froid ou des betteraves.

 sauce chaude au raifort
ENVIRON 250 ML (1 TASSE)

250 ml (1 tasse) de crème épaisse

15 ml (1 c. à soupe) de beurre

30 à 60 ml (2 à 4 c. à soupe) de raifort fraîchement râpé

10 ml (2 c. à thé) de jus de citron (si le
raifort n'est pas déjà vinaigré)
Sel, poivre et muscade

Mettre la crème dans une poêle, puis la
faire mijoter pour la faire réduire du tiers à
la moitié de son volume. Retirer du feu,
ajouter le beurre, le raifort, le jus de citron
s'il y a lieu, le sel et le poivre. Faire
chauffer sans faire bouillir en remuant un
peu. Saupoudrer de muscade râpée avant
de servir.

sauce froide au raifort
ENVIRON 180 ML (3/4 TASSE)

45 à 60 ml (3 à 4 c. à soupe) de raifort
râpé
10 ml (2 c. à thé) de vinaigre (si le raifort
n'est pas déjà vinaigré)
125 ml (1/2 tasse) de crème épaisse
Sel et poivre

Mélanger le raifort et le vinaigre, puis
mélanger à la crème légèrement fouettée.
Saler et poivrer.

sumac

C'est une épice qu'on consomme au Proche-
Orient et qu'on peut trouver chez Adonis ou
dans les épiceries orientales. Le sumac
ressemble à du paprika, mais n'a pas du tout
la même saveur. Il parfume bien les œufs à
la coque et les œufs au plat, et il est indispensable à tout taboulé digne de ce nom.

ARTICHAUT

On trouve maintenant des artichauts presque
toute l'année. Selon leur provenance, ils peuvent avoir différentes grosseurs. Certains
sont énormes, d'autres minuscules. Leur
fraîcheur laisse souvent à désirer. Vous
voulez savoir s'ils sont frais ? Pliez une
feuille : si elle casse avec un petit bruit sec,
achetez ; sinon, laissez-les à d'autres qui sont
moins difficiles.

Presque tout le monde mange ses artichauts froids, sinon glacés. C'est une erreur.
L'artichaut est à son meilleur lorsqu'il vient
tout juste d'être cuit et qu'il est encore
presque chaud. De toute manière, on ne fait
jamais cuire les artichauts à l'avance, car ils
sont alors indigestes. Et on les cuit dans une
cocotte de fonte émaillée pour qu'ils ne noircissent ni ne s'oxydent. Je les cuis toujours à
la vapeur en ajoutant un quartier de citron.
On peut aussi les cuire dans l'eau bouillante
en ajoutant un peu de jus de citron ou un filet
de vinaigre.

Un beau gros artichaut bien frais n'a guère
besoin de préparation. On le sort de l'eau, on
le couche quelques instants tête en bas sur
quelques feuilles de papier essuie-tout afin
qu'il perde son eau, puis on le met dans une
assiette, tête en haut. On l'ouvre avec le bout
des doigts et on l'écrase juste ce qu'il faut
pour qu'il donne l'image d'une fleur dans
l'assiette. On l'arrose d'un filet de bonne
huile d'olive, d'un filet de jus de citron ou de
vinaigre, puis on le parsème de quelques
grains de poivre et de sel, et le tour est joué.

Tous savent, j'imagine, qu'on ne mange que la base des feuilles, les feuilles les plus tendres du centre, le cœur et un bout du pied (dont on aura enlevé la couche fibreuse avant la cuisson). On extrait le foin du cœur (ou si vous préférez du « fond ») avec la pointe de son couteau.

Il arrive qu'à l'automne, on puisse trouver de tout petits artichauts violets comme ceux qu'on vend en France en janvier et en février et qui arrivent d'Espagne et d'Italie. Ils viennent par grappes de trois ou quatre sur leur branche. Si vous avez cette chance, voici une délicieuse façon de les apprêter. Enlevez les premières feuilles, coupez les pointes si elles sont trop piquantes, peler les branches, puis couper branches et artichauts en deux dans le sens de la longueur. Faites chauffer de l'huile d'olive dans une poêle et faites-y revenir les artichauts des deux côtés jusqu'à ce qu'ils soient bien dorés. Servez en recouvrant de fines tranches de parmesan frais. Un délice pour le palais... et pour l'œil.

artichauts au parmesan
POUR 2 PERSONNES

8 artichauts moyens

60 ml (¼ tasse) d'huile d'olive

30 ml (2 c. à soupe) de beurre

15 ml (1 c. à soupe) de jus de citron

1 gousse d'ail finement hachée

Sel et poivre

125 ml (½ tasse) de parmesan fraîchement râpé

Faire cuire les artichauts à la vapeur sans en couper les tiges (qu'on aura pris soin de peler) environ 30 à 40 minutes. Laisser refroidir. Parer les tiges, les couper en morceaux et les mettre dans un bol. Y ajouter les cœurs coupés en lamelles, de même que la base tendre des feuilles et les petites feuilles intérieures coupées aussi en lamelles. Faire chauffer au micro-ondes huile, beurre, jus de citron, ail et poivre. Émulsionner avec une fourchette. Verser sur les artichauts et mélanger. Saler. Disposer les artichauts dans des ramequins individuels, saupoudrer de parmesan et passer sous le gril de 5 à 6 minutes ou jusqu'à ce que le fromage soit bien grillé.

ARTS DE LA TABLE

Je ne vais pas vous ennuyer avec un chapitre sur les arts de la table comme on appelle tout ce qui entoure la cérémonie d'un dîner, outre la préparation des plats.

Qu'on dîne seul, en famille ou avec des amis, on ne laisse jamais rien au hasard, on ne ménage aucun effort pour que la fête soit réussie. On s'est parfois moqué de moi parce que même lorsque je suis seul, je ne m'assois jamais à table pour le repas principal sans qu'elle soit mise à la perfection et décorée de quelques fleurs et d'une bougie. C'est déjà assez triste de manger en tête-à-tête avec soi sans devoir le faire à une table dressée à moitié...

J'ai eu beaucoup de chance jusqu'ici parce que toutes les femmes avec qui j'ai vécu apportaient la même attention que moi aux arts de la table. Que c'est pénible de devoir manger à une table mal mise où on ne trouve ni les bons verres ni les bons ustensiles ou d'avoir à s'essuyer la bouche avec une serviette de papier qui a la consistance d'un papier hygiénique ! Que c'est dommage de manger froid parce que l'hôte ou l'hôtesse n'a pas eu la délicatesse de faire chauffer les assiettes !

Les arts de la table s'apprennent, mais les leçons n'ont jamais fait les artistes. Certaines personnes sont douées, d'autres pas. L'écrivain Colette et le peintre Monet comptent sûrement parmi les plus célèbres « artistes » de la table. Il suffit d'une petite visite à Giverny dans la belle cuisine jaune et bleu de Monet pour constater que celui-ci accordait à ses dîners la même attention qu'à ses fleurs et à ses convives, le même soin qu'à ses toiles.

C'est Colette qui a le mieux résumé ce que signifient les arts de la table. Elle disait ne pouvoir imaginer sa salle à manger sans fleurs, sa table de cuisine sans paniers pleins de fruits et de légumes de saison. Et sur chaque rebord de ses fenêtres poussaient des herbes ou séchaient des fleurs.

Les arts de la table, c'est plus qu'une nappe fraîche et bien repassée, plus que des napperons ensoleillés, des couverts d'argent ou l'agencement intelligent d'une tablée, c'est une cuisine où flottent des odeurs qui mettent en appétit, une salle à manger accueillante, des plats généreux, des vins sur lesquels on ne lésine pas, des hôtes attentifs qui cherchent plus à satisfaire les goûts de leurs invités qu'à imposer les leurs.

La célébration du repas n'a que faire des mines grises, des bouches dédaigneuses, des mijaurées, des pl1oucs ou des esprits retors et chicaniers. Depuis quelques années, elle ne supporte même plus la fumée !

ASCLÉPIADES

C'est à Maryse Pelletier, l'auteur de plusieurs pièces de théâtre dont *Du poil aux pattes comme les C.W.A.C.*, que je dois ma découverte de l'asclépiade il y a près de 25 ans. Dès mon enfance, j'avais remarqué ces « mauvaises herbes » qui forment de grandes colonies dans les champs vagues et le long des routes, mais je ne savais pas qu'elles étaient comestibles. On les appelait les « plantes à coton » parce qu'une fois la floraison terminée, elles donnent en automne des touffes de fibre qui ressemblent à de la ouate. L'asclépiade fut la toute première plante du Nouveau Monde décrite par le botaniste français Jacques Philippe Cornut en 1635. Depuis qu'on l'a découverte, on lui prête des vertus économiques, puisqu'on a toujours cru qu'on pourrait faire du coton avec ses fibres et du caoutchouc avec son suc. Jusqu'à maintenant, les tentatives n'ont pas été très concluantes.

On devrait plutôt se nourrir des asclépiades, puisqu'on peut s'en régaler à trois moments différents de leur vie. Au printemps d'abord, alors que les jeunes pousses se préparent et se vendent comme des asperges. On en vendait encore sur les marchés de Montréal au début du siècle dernier.

Puis viennent les boutons, puis les fleurs qui poussent en ombelles. Il s'agit de cueillir les boutons avant qu'ils ouvrent. Les as-clépiades sont si nombreuses le long des routes ou dans les champs qu'on peut cueil-lir un plein panier de boutons en quelques minutes. On laisse tremper les grappes dans de l'eau vinaigrée afin d'en éliminer les insectes qu'elles pourraient cacher et on les dépose sur quelques feuilles de papier essuie-tout pour les assécher.

asclépiades à la tomate
POUR 2 PERSONNES

750 ml ou 1 litre (3 ou 4 tasses) de
  grappes de boutons d'asclépiade
60 à 75 ml (4 à 5 c. à soupe) d'huile
  d'olive
2 tomates pelées, épépinées et coupées en
  dés
2 gousses d'ail émincées finement
Sel et poivre

Faire blanchir les boutons d'asclépiade 2 ou 3 minutes dans l'eau bouillante, puis les égoutter dans une passoire. Faire chauffer l'huile dans une sauteuse à feu assez vif, puis y verser les grappes de boutons et les tomates. Faire dorer les boutons en les remuant doucement avec deux spatules. Ajouter l'ail, le sel et le poivre, faire dorer encore quelques instants et servir immédiatement en entrée.

fleurs d'asclépiade à l'ail
Si vous avez raté les jeunes pousses et les boutons ou si vous les avez manqués (vous n'avez qu'une dizaine de jours pour cueillir les uns et les autres), il vous reste la possibilité de manger les fleurs. Vous en cueillez les grappes que vous laissez tremper un bon 30 minutes dans de l'eau vinaigrée afin d'en déloger les insectes qui sont arrivés avant vous.

POUR 2 PERSONNES

250 ml (1 tasse) d'huile d'olive ou d'huile
  de maïs ou d'arachide
1 à 1,25 litre (4 à 5 tasses) de fleurs
  d'asclépiade
250 ml (1 tasse) de Pâte lisse (voir recette
  p. 271)
30 ml (2 c. à soupe) de vinaigre de riz
3 à 4 gousses d'ail émincées finement
Sel et poivre

Faire chauffer l'huile à température de la friture, tremper les grappes de fleur dans la pâte et les secouer pour en enlever le surplus. Faire frire dans l'huile, déposer dans une assiette de service chaude, arroser le plus également possible du vinaigre de riz, parsemer d'ail, de sel et de poivre, puis servir immédiatement.

ASPERGE

Presque tous les légumes ne valent pas qu'on les mange hors saison ou en conserve. C'est encore plus vrai des asperges qui sont abso-lument sans saveur une fois mises en conserve et qui n'ont plus aucun goût lorsqu'elles nous arrivent du lointain Mexique ou de la Cali-fornie. Une asperge se mange fraîche et en sai-son, un point c'est tout. Et comment sait-on qu'une asperge est fraîche ? Simple comme bonjour : si elle plie comme le roseau de la fable, elle n'est pas fraîche ; si elle casse en faisant entendre un petit bruit sec, elle l'est.

Les asperges ne se conservent pas longtemps fraîches. C'est pourquoi elles ne supportent pas les longs voyages. À moins de les faire en Concorde ! On peut prolonger de quelques heures et même d'une journée ou deux la vie des asperges en les gardant au frigo debout, les pieds dans un bocal d'eau froide.

Qu'elle soit verte ou blanche, une asperge se mange pelée, ne vous en déplaise ! Quelle horreur que ces asperges qu'on vous sert sans les avoir pelées. Même les meilleurs restaurants ne sont pas à l'abri de cette ignominie.

La peau de l'asperge blanche est presque aussi dure que du bois. Il ne viendrait donc à l'idée de personne de ne pas la peler. De toute manière, si on vit au Québec, il faut oublier les asperges blanches. Les horticulteurs qui se risquent à en produire devraient mettre leurs efforts ailleurs, car ils ne réussissent pas très bien.

Quant à l'asperge verte qu'on cultive maintenant avec abondance dans le sud du Québec, elle a une peau tellement tendre que la plupart ne se donnent pas la peine de la peler. L'asperge prend donc à la cuisson l'âcreté de sa pelure et surtout de ses pointes.

Il n'y a qu'une façon de peler les asperges : avec un couteau économe en couchant l'asperge sur le comptoir ou sur une planche de bois afin de ne pas la casser. Avant de la peler, on coupe la partie dure de l'asperge et,

si on est puriste, on fait en sorte que toutes les asperges soient de la même longueur. Une fois les asperges pelées, on les lave sous le robinet afin de les débarrasser du sable qui a tendance à s'incruster dans la tête.

J'ai depuis des lunes une cocotte en aluminium qui ne me sert que pour la cuisson des asperges. Je l'avais payée une dizaine de dollars il y a au moins 40 ans, et elle travaille toujours de manière impeccable. C'est une cocotte haute dans laquelle se glisse une autre cocotte percée de petits trous. On met un peu d'eau dans la première, on place les asperges debout dans la deuxième et, quand l'eau bout, on plonge cocotte et asperges dans la première, on couvre et on cuit. Pour égoutter les asperges, on n'a qu'à retirer la deuxième cocotte qu'on garde quelques secondes au-dessus de l'évier. Si vous en trouvez une et que vous aimez les asperges, achetez-la. Elle vous survivra...

Enfin, n'appelez pas le médecin lorsque vous irez soulager votre vessie dans l'heure qui suivra l'ingestion d'asperges. L'odeur bien particulière qui vous chatouillera les narines vous rappellera aussitôt que vous avez mangé des asperges et que vous n'auriez pas dû le faire si vous êtes arthritiques ou que vous êtes sujets à des crises de goutte...

asperges à l'étuvée

POUR 2 À 3 PERSONNES

1 kg (2 ¼ lb) d'asperges fraîches
30 ml (2 c. à soupe) d'huile d'olive
5 ml (1 c. à thé) d'huile de noisette
   (facultatif)

60 ml (¼ tasse) de vermouth blanc extra-dry

60 à 120 ml (¼ à ½ tasse) d'eau
bouillante

Sel et poivre du moulin

Peler les asperges et les couper en morceaux de 6 à 8 cm (2 ½ à 3 po). Réserver les têtes. Faire chauffer l'huile d'olive et l'huile de noisette dans une sauteuse à feu moyen, y mettre les asperges, verser le vermouth, laisser l'alcool s'évaporer, ajouter la moitié de l'eau, saler et couvrir. Après 5 ou 6 minutes, ajouter les têtes et couvrir. Vérifier qu'il reste toujours de l'eau jusqu'à cuisson complète : environ 5 à 6 minutes supplémentaires. Enlever le couvercle, laisser réduire complètement le jus de cuisson, poivrer et servir immédiatement en entrée ou comme légume d'accompagnement.

 asperges blanches à l'huile et au citron

POUR 2 À 3 PERSONNES

500 ml (2 tasses) d'eau salée

1 kg (2 ¼ lb) d'asperges blanches bien
charnues

Le jus de ½ citron

60 ml (¼ tasse) d'huile d'olive vierge

15 ml (1 c. à soupe) d'huile de noisette

5 ml (1 c. à thé) de bon vinaigre
balsamique

1 gousse d'ail émincée très finement

Poivre du moulin

Faire bouillir l'eau dans une sauteuse. Y plonger les asperges mondées, couvrir et faire bouillir jusqu'à ce qu'elles soient tendres. Pendant ce temps, verser les autres ingrédients, sauf le poivre, dans une petite casserole et bien remuer. Une fois les asperges cuites, les égoutter sur une serviette, les disposer dans des assiettes très chaudes, les napper de la sauce et y saupoudrer du poivre du moulin.

 asperges gratinées au parmesan

J'adore cette façon d'apprêter les asperges. Elles constituent une entrée substantielle et peuvent même à l'occasion constituer le plat principal.

POUR 2 À 3 PERSONNES

1 kg (2 ¼ lb) d'asperges vertes

Eau salée

45 ml (3 c. à soupe) d'huile d'olive

5 ml (1 c. à thé) d'huile de noisette

5 ml (1 c. à thé) de vinaigre balsamique

15 ml (1 c. à soupe) de jus de citron

2 gousses d'ail finement hachées

Poivre du moulin

160 ml (⅔ tasse) de parmesan fraîchement
râpé ou 125 ml (½ tasse) de romano
fraîchement râpé

Monder les asperges, les faire cuire à la vapeur avec un peu d'eau très salée et les égoutter. Les disposer dans des ramequins ou dans un plat à gratin assez grand pour contenir deux étages d'asperges. Mettre dans un bol les huiles, le vinaigre et le jus de citron, puis remuer avec une fourchette pour émulsionner. Verser cette sauce sur les asperges, saupoudrer de l'ail, du poivre et enfin du fromage. Passer sous le gril très chaud de 3 à 4 minutes. Servir immédiatement.

asperges poêlées

Cette délicieuse recette requiert impérativement des asperges très fraîches, les plus petites possibles. Si vous avez la chance de trouver des asperges sauvages, préparez-les selon cette recette, mais en les faisant cuire à la vapeur 1 minute, tout au plus.

POUR 2 À 3 PERSONNES
1 kg (2 ¼ lb) d'asperges vertes
Eau salée
45 ml (3 c. à soupe) d'huile d'olive
5 ml (1 c. à thé) d'huile de noisette
Poivre du moulin
5 ml (1 c. à thé) de vinaigre balsamique
4 à 5 tranches de parmesan d'au plus
    2 mm (moins de ⅛ po) d'épaisseur

Monder les asperges, les faire cuire au plus 2 à 3 minutes dans de l'eau très salée. Les égoutter et les laisser refroidir. Faire chauffer les deux huiles dans une sauteuse et y déposer les asperges en les faisant rissoler rapidement de tous les côtés. Les disposer ensuite dans des assiettes très chaudes, saupoudrer de poivre, mettre quelques gouttes de vinaigre balsamique et coucher les tranches de parmesan sur les asperges.

asperges vertes à l'huile et au citron

Suivre exactement la recette des asperges blanches, à cette différence qu'on doit faire cuire les asperges vertes dans une cocotte à asperges ou dans une cocotte dans laquelle elles peuvent cuire dans très peu d'eau, la tête en haut.

velouté d'asperge

POUR 6 PERSONNES
1 kg (2 ¼ lb) d'asperges vertes
30 ml (2 c. à soupe) d'huile d'olive
1 oignon jaune, émincé
2 gousses d'ail hachées grossièrement
1 litre (4 tasses) d'eau
1 litre (4 tasses) de bon bouillon de poulet
125 ml (½ tasse) de crème épaisse à
    température de la pièce
5 ml (1 c. à thé) de muscade fraîchement
    râpée
Sel et poivre
90 ml (6 c. à soupe) de crème épaisse ou
    de yogourt

Débarrasser les asperges de leur pied, puis les couper en morceaux de 3 à 4 cm (1 ¼ à 1 ½ po), en réservant les têtes. Mettre l'huile à chauffer dans une cocotte, y déposer les asperges, l'oignon et l'ail. Couvrir et faire cuire une dizaine de minutes à feu assez vif. Ajouter l'eau et le bouillon, amener au point d'ébullition et faire cuire environ 1 h à feu moyen en laissant le couvercle légèrement entrouvert. Passer au mélangeur — pas plus de 0,5 litre (2 tasses) à la fois —, puis passer au chinois de manière qu'il ne reste aucune fibre. Remettre dans la cocotte et ajouter les têtes d'asperge. Faire bouillir jusqu'à ce que les têtes soient cuites. Enlever du feu, ajouter la crème ou le yogourt, bien remuer, ajouter la muscade, saler et poivrer, puis remettre à feu doux. Garder ainsi au chaud jusqu'au moment de servir. Verser le velouté dans des assiettes, mettre au centre la cuillerée de crème ou de yogourt.

AUBERGINE

C'est sans doute le légume le plus sensuel de la création. Fermez les yeux et passez lentement vos doigts sur la peau vernissée d'une aubergine bien fraîche. Si vous n'avez pas l'impression de caresser les seins (ou les fesses) de votre première petite amie, c'est que vous vous êtes privé de ce plaisir avec elle!

Il y a plusieurs variétés d'aubergine. Elles sont toutes bonnes, mais je préfère les longues à peau violacée. Elles contiennent moins de graines et sont, la plupart du temps, moins amères.

À moins que vous ne l'incorporiez à une ratatouille, l'aubergine n'a pas vraiment besoin de dégorger. Ce traitement, je le réserve aux grosses aubergines un peu défraîchies si je n'ai pu en trouver de moins grosses et de plus fraîches.

Épluche-t-on ou non les aubergines? Dans la plupart des cas, je les épluche, mais jamais si je fais du caviar d'aubergine à la libanaise. La peau grillée et presque brûlée est essentielle pour donner à ce caviar sa saveur si particulière.

L'aubergine comme la tomate est un légume de soleil, et l'une et l'autre sont à leur meilleur pendant la canicule de l'été ou au début de l'automne.

Il n'y a pas mille façons de faire cuire l'aubergine : c'est soit au four, soit dans la poêle... si on est prêt à accepter toute l'huile qu'elle boira comme une éponge. En fin de cuisson, l'aubergine (comme les champignons) rejette une partie de son huile, mais une partie seulement... N'essayez surtout pas de faire cuire les aubergines dans du beurre ou dans l'eau, ce serait courir à la catastrophe.

aubergines farcies poêlées

Voilà une recette qu'il ne faut pas essayer de réussir avec de grosses aubergines. Les petites aubergines oblongues de 8 à 12 cm (3 à 4 1/2 po) de longueur sont idéales. Il y en a toujours dans les quartiers où habitent des gens d'origine italienne, car ce sont les aubergines préférées des Italiens.

POUR 4 PERSONNES

8 petites aubergines

3 gousses d'ail émincées très finement

1 échalote émincée très finement aussi

Sel et poivre

7,5 ml (1 1/2 c. à thé) de zeste de citron émincé très finement

1 bonne pincée d'herbes de Provence bien écrasées entre les doigts

30 ml (2 c. à soupe) de chapelure

60 ml (1/4 tasse) d'huile d'olive

60 ml (1/4 tasse) de parmesan ou de romano fraîchement râpé

Parer les aubergines et couper ensuite chaque aubergine en deux dans le sens de la longueur. Avec un couteau, pratiquer dans la chair de l'aubergine des incisions qui formeront un quadrillage. Réserver. Préparer une farce avec l'ail, l'échalote, le sel, le poivre, le zeste de citron, les herbes et la chapelure, puis la mouiller avec une partie de l'huile d'olive. Prendre ensuite chaque moitié d'aubergine, l'ouvrir un peu de manière que les incisions s'élargissent, puis y mettre la farce en la faisant pénétrer le mieux possible. Faire chauffer le reste de l'huile dans une sauteuse à feu moyen, y déposer les aubergines peau en dessous et faire cuire le temps qu'il faut pour que les aubergines soient très tendres (environ 30 à 45 minutes). Retirer les aubergines, les déposer sur une tôle, les saupoudrer de fromage râpé et passer sous le gril jusqu'à ce que le fromage soit bien grillé. Servir chaud comme entrée ou servir comme accompagnement d'une viande blanche : porc, veau ou poulet.

aubergines gratinées à la tomate

POUR 4 PERSONNES

Environ 1,5 kg (3 ¼ lb) d'aubergines (soit 3 ou 4 moyennes) pelées ou non

Huile d'olive

1 oignon jaune, coupé en fines rondelles

4 tomates pelées et épépinées

4 gousses d'ail émincées finement

5 ml (1 c. à thé) de zeste de citron haché très finement

Sel et poivre

1 pincée de sucre

Herbes fraîches (coriandre et persil, thym et persil, basilic et menthe ou autre combinaison)

250 ml (1 tasse) de parmesan fraîchement râpé ou 160 ml (²/3 tasse) de romano fraîchement râpé

Quelques dés de beurre

Couper les aubergines en rondelles de 1 cm (³/8 po) d'épaisseur. Mettre de l'huile pour couvrir le fond d'une sauteuse ou d'une poêle, puis y faire cuire les aubergines à feu vif jusqu'à ce qu'elles soient bien dorées des deux côtés. Les déposer sur plusieurs épaisseurs de papier essuie-tout afin de bien les égoutter. Réserver. Dans une autre poêle, faire dorer l'oignon, puis ajouter les tomates coupées en gros dés, l'ail, le zeste de citron, le poivre, le sel, le sucre et les herbes. Faire cuire jusqu'à ce que l'huile se sépare. Disposer les aubergines dans un plat à gratin (une seule couche), napper de la sauce tomate après avoir corrigé l'assaisonnement s'il y a lieu, saupoudrer du fromage râpé et parsemer çà et là de quelques dés de beurre. Passer sous le gril très chaud de 4 à 5 minutes ou jusqu'à ce que le fromage soit bien doré. Laisser reposer quelques minutes avant de servir comme entrée ou comme légume d'accompagnement de côtes de veau ou de porc, ou encore de côtelettes d'agneau. Ces aubergines peuvent aussi se manger à température de la pièce comme entrée.

caviar d'aubergine

POUR 2 PERSONNES

1 grosse aubergine ou 2 moyennes
30 ml (2 c. à soupe) d'huile d'olive
30 ml (2 c. à soupe) de noix de Grenoble
ou de pignons hachés finement
3 à 5 gouttes de tabasco
Le jus de 2 gousses d'ail
2,5 ml (½ c. à thé) de sel
15 ml (1 c. à soupe) de jus de citron

Couper les deux bouts de l'aubergine, planter un couteau quatre ou cinq fois dans l'aubergine et la faire cuire au four à 160 °C (325 °F) dans une lèchefrite jusqu'à ce que la chair soit très tendre. Laisser tiédir et extraire la chair en éliminant les graines le plus possible. Déposer la chair dans une cocotte avec l'huile d'olive et la faire chauffer quelques minutes en brassant pour la débarrasser de son eau. Broyer les noix au robot culinaire, puis mettre la chair de l'aubergine dans le robot avec tous les autres ingrédients et fouetter jusqu'à consistance veloutée. On peut aussi faire la purée à la fourchette, mais elle sera moins veloutée. La servir tiède ou froide avec du pain grillé.

caviar d'aubergine à la libanaise

POUR 2 PERSONNES

1 grosse aubergine ou 2 moyennes
30 ml (2 c. à soupe) de noix de Grenoble
Le jus d'un citron ou plus
Le jus de 4 à 5 gousses d'ail

Sel et poivre
Environ 60 ml (¼ tasse) de beurre de
sésame (tahini)

Couper les deux extrémités de l'aubergine, planter un couteau quatre ou cinq fois dans l'aubergine et la faire cuire au four à 160 °C (325 °F) dans une lèchefrite jusqu'à ce que la chair soit très tendre. Quand l'aubergine est cuite, faire rôtir la peau de tous les côtés sous le gril (ou sur le barbecue) jusqu'à ce que la peau commence à brûler. Il ne faut pas craindre que la peau soit trop rôtie parce que c'est cela qui donne un goût tout particulier et si savoureux à ce caviar. Laisser tiédir, couper l'aubergine en deux pour éliminer une partie des graines. Au robot culinaire, broyer les noix, puis déposer chair et peau de l'aubergine dans un mélangeur ou un robot culinaire. Réduire en purée. Ne pas s'inquiéter s'il reste de petites particules de peau. Une fois l'aubergine en purée, ajouter les noix broyées, le jus de citron et le jus d'ail, le sel, le poivre et le beurre de sésame. Goûter et rectifier l'assaisonnement. Dans cette recette, il faut doser savamment le jus de citron et le beurre de sésame, car c'est le citron qui fera disparaître l'aspect huileux du beurre de sésame. On sert tiède ou froid sur du pain grillé.

macaroni à l'aubergine

Dans les familles peu fortunées — nous en étions —, le macaroni aux tomates ou à la viande hachée était sûrement le plat le plus courant avec le pâté chinois et la sauce aux œufs et au saumon — en conserve, évidemment. Dans mon enfance et dans les collèges où j'ai été pensionnaire, j'ai tellement mangé de macaroni que j'ai passé des années à fuir tout plat dont cette pâte alimentaire constituait la base.

Même si vous avez passé une enfance au macaroni, n'ayez crainte, la recette que je vous propose ne réveillera aucun mauvais souvenir. Au contraire, l'aubergine vous fera redécouvrir le goût du macaroni. C'est la grâce que je vous souhaite.

POUR 4 PERSONNES

2 aubergines de taille moyenne ou 3 ou
    4 petites
4 tomates
Huile d'olive
60 ml (1/4 tasse) de vermouth blanc sec
5 ml (1 c. à thé) de zeste de citron haché
    finement
2 gousses d'ail hachées finement
15 ml (1 c. à soupe) de pâte de tomate
1 pincée de sucre
Sel et poivre
1 chili écrasé (facultatif)

250 g (1/2 lb) de bons macaronis séchés
12 feuilles de menthe fraîche
22 feuilles de basilic frais

160 ml (2/3 tasse) de parmesan fraîchement
    râpé
Gros comme une noix de beurre

Enlever les deux extrémités des aubergines, puis les peler. Couper chaque aubergine en tranches de 1 cm (3/8 po) d'épaisseur. Peler les tomates et les couper en gros dés. Réserver. Dans une poêle, à feu vif, faire dorer les tranches d'aubergine des deux côtés dans l'huile. Dès qu'elles commencent à rendre l'huile qu'elles ont avalée, les déposer sur quelques épaisseurs de papier essuie-tout.

Quand toutes les aubergines sont cuites, ajouter un peu d'huile dans la sauteuse et y mettre les tomates. Quand elles ont commencé à cuire, verser le vermouth et ajouter le zeste de citron, l'ail, la pâte de tomate, le sucre, le sel, le poivre et le chili, si désiré, sur les tomates. Faire cuire jusqu'à ce que l'huile commence à se séparer.

Pendant ce temps, faire cuire les macaronis. Quand ils sont cuits, les égoutter et y mélanger la moitié de la sauce tomate. Beurrer un moule à soufflé ou tout autre moule du même genre allant au four, tapisser le fond d'une rangée de tranches d'aubergine et y verser environ le tiers des macaronis. Couvrir la couche de macaronis d'une partie des feuilles de menthe et de basilic sur lesquelles on saupoudre environ le tiers du fromage râpé. Disposer une nouvelle couche d'aubergine, de macaronis, de feuilles et de fromage, puis mettre la dernière couche d'aubergine, la dernière couche de macaronis, les feuilles et le reste de la sauce tomate. Recouvrir du reste du fromage râpé, ajouter quelques petites mottes de beurre et faire dorer au four préchauffé à 190 °C (375 °F) environ 20 minutes. Laisser reposer au moins 30 minutes avant de servir. Ce macaroni sera encore meilleur une fois réchauffé.

AVOCAT

Au début des années 50, les avocats coûtaient une fortune au Québec. C'est encore vrai aujourd'hui, mais seulement en ce qui concerne les hommes de toge, car on peut, en pleine saison, se procurer des avocats pour presque rien.

Comme ce fruit était cher, quelle n'avait pas été ma surprise lorsque je débarquai en Haïti, à l'hiver de 1958, de trouver des ribambelles de bambins qui à l'ombre des avocatiers se livraient des combats rangés en se tirant des avocats comme autant de grenades. Comble d'ironie, cet hiver-là, il y avait famine à Port-au-Prince et chaque matin, on ramassait les cadavres dans les rues. L'avocat est pourtant aussi calorique que le bœuf et il ne contient que du bon gras...

Quand on le cueille dans l'arbre, l'avocat constitue une grenade assez dangereuse, puisqu'il est dur comme un caillou. Si on le cueille à maturité, il lui faut entre 15 et 20 jours pour être à point. Il mûrit très bien à température de la pièce (pas au frigo) et il mûrit plus vite encore si on le mêle à des pommes.

Comme l'avocat s'oxyde rapidement et qu'il noircit, il faut toujours le couper avec un couteau à lame inoxydable et l'arroser d'un peu de jus de citron jaune ou vert le plus tôt possible. L'avocat est prêt à manger si, en le pressant du bout du doigt, la chair cède sous la pression. On peut aussi le secouer pour entendre le bruit du noyau qui s'est détaché de la pulpe, mais ce truc n'est pas infaillible. Le noyau peut rester bien collé à la chair, et l'avocat être mûr quand même.

purée d'avocat
POUR 4 PERSONNES

3 beaux avocats bien mûrs

1 échalote hachée finement ou 30 ml
    (2 c. à soupe) d'oignon jaune, haché
    finement

7,5 ml (1 ½ c. à thé) de pâte de tomate

15 à 30 ml (1 à 2 c. à soupe) d'huile d'olive

Le jus de ½ citron ou d'une limette entière

2,5 ml (½ c. à thé) de sauce
    Worcestershire

5 gouttes de tabasco

2,5 ml (½ c. à thé) de sel

Couper les avocats en deux, en retirer la pulpe et la mettre dans un robot culinaire avec tous les autres ingrédients. Mélanger jusqu'à l'obtention d'une crème veloutée de bonne consistance. On peut aussi faire le tout à la fourchette, mais la purée sera moins veloutée.

Servir froide avec des tomates coupées en dés et assaisonnées de sel, de persil frais, de coriandre ou de basilic, de poivre, de jus de citron, de vinaigre et huile d'olive vierge.

Pour empêcher les avocats de noircir, on peut passer les morceaux d'avocat à l'eau froide, les éponger ensuite et les garder au frigo dans un récipient fermé. Les morceaux d'avocat peuvent se garder ainsi quelques heures.

salade d'avocat et de pamplemousse

C'est pour moi la meilleure façon de préparer des avocats comme entrée. Cette salade est appétissante et laisse un goût d'été dans la bouche même au beau milieu de février, un bon temps pour les avocats et les pamplemousses.

POUR 2 À 3 PERSONNES

1 gros pamplemousse rose ou 2 petits
2 avocats ou 3 s'ils sont petits
1 pincée de sel
30 ml (2 c. à soupe) d'huile d'olive vierge

Quelques gouttes d'huile de noisette
Quelques gouttes de vinaigre balsamique
Le jus de ½ citron ou d'une limette
2,5 ml (½ c. à thé) d'eau de rose ou de fleur d'oranger
15 ml (1 c. à soupe) de baies roses (poivre rose)

Éplucher le pamplemousse et le découper en quartiers. Débarrasser chaque quartier de sa tendre peau. On le fait au-dessus du plat de service afin de ne pas perdre de jus. Si les quartiers sont trop gros, les couper en deux morceaux. Couper chaque avocat en deux, en extraire le noyau. Couper ensuite l'avocat en lamelles de 3 à 4 mm (⅛ po) d'épaisseur. Saler. Sortir les lamelles d'avocat en utilisant une cuillère à soupe et les mettre dans le plat de servir avec le pamplemousse. Arroser de tous les autres ingrédients liquides, parsemer de baies roses et mélanger délicatement en remuant avec deux spatules. Servir frais.

B

Banane

Barbecue

Béchamel

Betteraves

Beurre

Biscuits

Blinis

Bocconcini

Bœuf

Boudin noir

Bouillons et fonds

Bourgogne

Brocoli

Bruschetta

BANANE

Je ne vais pas vous parler des bananes, des fruits que tous connaissent même si tous ne savent pas qu'il ne faut jamais les garder au frigo, mais quelque part dans la cuisine à température ambiante. Si les bananes que vous avez achetées sont vertes, faites-les mûrir en pleine lumière, au soleil de préférence.

 bananes flambées

Beurre
Bananes
Sucre
Rhum
Glace à la vanille (facultatif)

Faire fondre du beurre dans une poêle. Y faire revenir des bananes coupées dans le sens de la longueur. Lorsque les bananes sont cuites, ajouter du sucre au goût — à peu près 5 ml (1 c. à thé) par banane. Quand les fruits se caramélisent, ajouter du rhum préalablement réchauffé et faire flamber. Servir immédiatement nature ou avec de la glace à la vanille.

 cocktail-déjeuner à la banane

Depuis quelques années, je prends souvent un cocktail à la banane au petit-déjeuner. C'est non seulement savoureux, mais éminemment nutritif.

POUR 2 PERSONNES

16 amandes blanches ou avec leur peau
250 ml (1 tasse) de yogourt
250 ml (1 tasse) de lait
2 bananes
250 ml (1 tasse) de l'un de ces fruits au
    choix (ananas, fraises, mangue, kiwi,
    bleuet, poire, pêche ou autre)

Réduire les amandes en poudre dans le mélangeur, puis ajouter tous les autres ingrédients. Mélanger 1 ou 2 minutes. Servir dans de grands verres.

pain aux bananes

Enfant, je raffolais du pain aux bananes. Les goûts enfantins n'ont pas changé, puisque j'aurais beaucoup plus souvent la visite de mes petits-enfants si je me donnais la peine de leur faire du pain aux bananes. Mais je suis paresseux du côté pâtisserie et j'achète rarement assez de bananes pour qu'elles aient le temps de mûrir au point de ne plus être très appétissantes. C'est à ce stade qu'il faut prendre les bananes pour en faire un pain savoureux.

430 ml (1 ¾ tasse) de farine tout usage

11 ml (2 ¼ c. à thé) de levure chimique (poudre à pâte)

1 pincée de sel

80 ml (⅓ tasse) de beurre mou

160 ml (⅔ tasse) de sucre

7,5 ml (1 ½ c. à thé) de zeste de citron haché finement

2 œufs battus

300 ml (1 ¼ tasse) de pulpe de bananes bien mûres

30 ml (2 c. à soupe) de rhum brun

125 ml (½ tasse) de noix de Grenoble grossièrement hachées

125 ml (½ tasse) de dattes dénoyautées et hachées grossièrement

Tamiser la farine avec la levure chimique (poudre à pâte) et le sel, puis réserver. Battre ensemble le beurre, le sucre et le zeste de citron, jusqu'à ce que le tout soit crémeux. Incorporer les deux œufs battus, la pulpe de banane et le rhum. Incorporer ensuite la farine et les ingrédients tamisés, puis ajouter les noix et les dattes en les mêlant doucement. Verser dans un moule à pain beurré et cuire environ 1 h dans un four préchauffé à 180 °C (350 °F). Couper en tranches et servir tiède ou à température de la pièce.

 tarte aux bananes

1 croûte de tarte cuite (à l'avance)

Bananes

Crème anglaise

Crème chantilly

Couvrir généreusement la croûte de rondelles de banane. Verser la crème anglaise refroidie, puis la crème chantilly. Réfrigérer jusqu'au moment de servir. On peut aussi servir ce dessert sans croûte en mettant les ingrédients dans le même ordre directement dans des ramequins.

BARBECUE

Je ne vous ennuierai pas longtemps avec le barbecue pour la bonne raison que je n'ai jamais succombé à la mode. C'est vrai que j'ai toujours eu un barbecue, mais un barbecue primitif qui n'a rien à voir avec ces machines coûteuses (et potentiellement explosives ?) qu'on vend aujourd'hui à prix d'or et qui ne semblent faire rien d'autre que ce qu'accomplit déjà une bonne cuisinière munie d'un four convenable. Je me demande d'ailleurs pourquoi tous ces cuisiniers du dimanche (parce que plus d'un homme prétend faire la cuisine, alors qu'il ne sait que déposer des brochettes, des steaks ou des saucisses sur un barbecue qu'il allume en pressant un bouton — steaks et brochettes qu'il achète marinés à l'avance dans une grande surface), je me demande pourquoi ces hommes ne sortent pas tout simplement la cuisinière de madame sur la terrasse pour les quelques

mois d'été. Tout compte fait, elle reste beaucoup plus polyvalente que leur engin à gaz et aux pierres de lave !

J'ai des préjugés, je le sais. Pendant des années, les risques de cancer qu'on associait aux viandes grillées sur le barbecue m'ont autorisé à refuser d'en acheter un, même si ma femme et mes enfants me pressaient de le faire. J'ai fini par succomber. À l'achat d'un barbecue, mais pas à la cuisine au barbecue.

Deux ou trois fois par année, quand j'ai subitement la nostalgie des steaks grillés et graisseux que je mangeais dans une taverne du boulevard Décarie lorsque j'étais journaliste au *Petit Journal,* il m'arrive de faire griller un steak, de la saucisse ou des côtelettes sur un feu de vrai charbon de bois et non sur ces épouvantables briquettes qui sentent le pétrole à plein nez. Qu'il s'agisse de steak, de saucisses ou de côtelettes, je les fais d'abord chambrer, puis je les enduits de marinade avant de les mettre sur le gril.

Je confesse mon faible pour les sardines grillées qu'on arrose ensuite d'un bon filet de jus de citron. Malheureusement, inutile de chercher au Québec des sardines fraîches, elles n'existent pas. Il faut donc avoir un ami qui habite une maison ou une villa sur les bords de la Méditerranée et qui n'a pas encore succombé à la mode des barbecue au gaz. C'est demander presque l'impossible...

BÉCHAMEL

Quand on cuisine, on ne s'en sort pas, on a souvent besoin d'une béchamel, que ce soit une béchamel épaisse pour un soufflé, une béchamel plus légère pour napper des légumes qu'on veut faire gratiner ou pour lier des croquettes.

La perspective de réussir une béchamel fait trembler plus d'un marmiton, car il a toujours la hantise des fameux grumeaux. Pourtant... les grumeaux, ça se neutralise. On n'a qu'à passer la malheureuse sauce au chinois, la faire tourner quelques secondes dans un mélangeur ou un robot culinaire et la remettre dans une casserole. On la fait chauffer 1 ou 2 minutes, tout en la remuant avec un fouet. Une fois chaude, on la retire du feu et le tour est joué.

Presque toutes les recettes de béchamel préconisent de verser du lait chaud sur le beurre et la farine qu'on a liés en faisant chauffer. Je trouve que c'est là une excellente façon d'en arriver au liquide grumeleux que tous redoutent. Ne me demandez pas pourquoi, mais j'ai découvert qu'on arrive invariablement à une belle sauce lisse à partir du moment où l'une des parties est à température de la pièce, alors que l'autre est bouillante. En d'autres mots, après avoir fait au-dessus du feu une pâte lisse du beurre et de la farine, on la laisse prendre la température de la pièce avant d'y verser rapidement le lait bouillant ou on fait l'inverse — du lait froid sur une pâte brûlante.

sauce béchamel

Quelle que soit la technique, une béchamel requiert une cuillère de bois, un fouet et une casserole épaisse, idéalement en fonte émaillée.

ENVIRON 0,5 LITRE (2 TASSES)

45 ml (3 c. à soupe) de beurre mou
60 à 75 ml (4 à 5 c. à soupe) de farine
    tout usage
0,5 litre (2 tasses) de lait
Sel et poivre blanc

À feu doux, faire fondre le beurre et y incorporer la farine lentement en remuant avec la cuillère de bois. Faire cuire environ 2 minutes en continuant de remuer. Si farine et beurre changent de couleur, c'est que le feu est trop chaud. En se rappelant ce que j'ai écrit à la page précédente, on ajoute le lait en brassant vivement avec le fouet, on sale et on poivre. À feu plutôt doux, on fait cuire la sauce tout en la fouettant jusqu'à ce qu'elle ait la consistance d'une crème à fouetter. Si on veut une sauce plus épaisse, on met 15 ml (1 c. à soupe) de plus de farine. Si on souhaite une sauce plus claire, on peut diminuer un peu la quantité de farine ou fouetter de 15 à 30 ml (1 à 2 c. à soupe) de beurre dans la sauce déjà faite.

BETTERAVES

Les betteraves sont parmi les légumes les plus méconnus. Les Français, qui les ont découvertes grâce à François Ier qui en avait rapporté d'Italie dans ses valises, se contentent la plupart du temps de les manger froides en salade. Les Québécois les consomment surtout au vinaigre, trop souvent achetées au rayon des marinades des grandes surfaces. Pourtant, la betterave est nutritive, riche en vitamines A et B, bon marché et d'une si jolie couleur… Si seulement, elle tachait moins les doigts, les ustensiles et le comptoir ! Dès qu'on a terminé la préparation — et même pendant —, il faut tout de suite se frotter les mains avec du gros sel et les laver à l'eau froide, sinon plusieurs jours plus tard, on saura que vous avez mangé des betteraves en vous regardant les doigts. Quant au comptoir, un peu d'eau javellisée en fera disparaître toute trace.

En France, n'importe quel marchand de légumes vend des betteraves déjà cuites, généralement sur un feu de bois. On les apporte chez soi et on est déjà prêt à en faire une salade. Nous n'en sommes pas là au Québec : les betteraves qu'on nous vend sont crues et pas toujours très fraîches…

Si on souhaite manger les betteraves froides, on peut les faire bouillir, les cuire à la vapeur ou au four en papillote. C'est la façon la plus longue — à peu près 2 h —, mais la betterave garde alors toute sa saveur et toutes ses vitamines. Pour les cuire au four, on les enveloppe dans un papier d'alu-

minium. On peut aussi les faire cuire à la vapeur dans une cocotte minute (environ 18 à 20 minutes) ou à la vapeur à l'aide d'une marguerite. Si on fait bouillir les betteraves, sitôt cuites, il faut les plonger dans l'eau froide afin qu'elles s'épluchent plus facilement.

 ### betteraves aigres-douces
POUR 4 PERSONNES

60 ml (¼ tasse) de sucre
5 ml (1 c. à thé) de fécule de maïs
Sel, poivre et quelques bonnes pincées de muscade fraîchement râpée
1 ou 2 clous de girofle
Le zeste finement haché de ½ orange
60 ml (¼ tasse) de vinaigre très doux (cidre, riz ou autre)
15 ml (1 c. à soupe) de persil haché
500 ml (2 tasses) de betteraves cuites, coupées en tranches
30 ml (2 c. à soupe) de beurre

Mettre tous les ingrédients (sauf les betteraves et le beurre) dans un bain-marie et faire cuire en brassant jusqu'à l'obtention d'un sirop clair. Fermer le feu, ajouter les betteraves et laisser macérer environ 1 h. Juste avant de servir, faire chauffer sans bouillir, ajouter le beurre et le persil, puis mélanger.

 ### betteraves râpées au vermouth blanc
Ces betteraves râpées font merveille comme légume d'accompagnement du porc ou du veau.

POUR 4 PERSONNES

4 grosses betteraves
Le zeste râpé ou émincé finement de ½ orange ou d'une mandarine
Sel, poivre et 2,5 ml (½ c. à thé) de muscade fraîchement râpée
125 ml (½ tasse) de vermouth blanc extra-dry
15 ml (1 c. à soupe) d'huile de noisette
75 ml (5 c. à soupe) d'huile d'olive
30 ml (2 c. à soupe) de vinaigre de vin
Quelques gouttes de vinaigre balsamique
5 ml (1 c. à thé) de sucre
250 à 500 ml (1 à 2 tasses d'eau)

Couper les tiges et peler les betteraves avec un couteau économe en enlevant une bonne épaisseur de robe (surtout s'il s'agit de betteraves d'automne). Râper avec une râpe à légumes ou au robot culinaire. Verser dans une sauteuse et ajouter tout le reste des ingrédients. Mélanger avec une cuillère de bois et faire cuire à feu vif sans couvercle sur la cuisinière jusqu'à ce que les betteraves soient tendres. Comme les betteraves ont tendance à éclabousser, on peut recouvrir la poêle ou la sauteuse d'un tamis. Ajouter de l'eau en cours de cuisson, au besoin. Quand les betteraves sont cuites à son goût (de 45 minutes à 1 h), laisser le liquide s'évaporer complètement et garder sur la plaque le temps qu'il faut pour les assécher un peu. Servir chaud.

betteraves sautées au cumin

POUR 2 PERSONNES

60 ml (4 c. à soupe) d'huile d'olive

15 ml (1 c. à soupe) d'huile de noisette

3 grosses betteraves déjà cuites, coupées
   en gros dés

15 ml (1 c. à soupe) de graines de cumin

Sel et poivre

45 ml (3 c. à soupe) de vinaigre de
   framboise

Mettre l'huile dans une sauteuse. Quand elle est chaude, y verser les betteraves et les graines de cumin, puis faire chauffer à feu vif quelques minutes en remuant constamment. À la fin, ajouter sel et poivre ainsi que le vinaigre. Remuer encore un peu et déposer dans un plat de service chaud. Ces betteraves font une excellente entrée ou un accompagnement d'exception pour le veau et le porc.

salade de betteraves

Il y a plusieurs façons de préparer des salades de betterave, et la manière de les trancher dépend alors du légume qui les accompagnera.

Si on accompagne les betteraves d'endives, il est plus joli de couper les betteraves en rondelles et de faire de même des endives. Même chose si on sert les betteraves avec de l'oignon cru. Les betteraves font excellent ménage avec les oranges ou les mandarines. On coupe alors les betteraves en gros dés et les oranges ou les mandarines en quartiers qu'on peut trancher en deux ou non.

Quel que soit le légume d'accompagnement, on ne mélange pas avant de servir, au risque que toute la salade devienne rouge sang.

J'aime bien la salade de betteraves qui ne compte que de la betterave. On l'assaisonne alors de feuilles de marjolaine fraîche. À la rigueur de persil haché, mais c'est beaucoup moins savoureux.

Surtout, ne faites pas de vinaigrette à la française pour les betteraves. Elles n'en ont pas besoin. Il suffit de les arroser d'un peu d'huile d'olive, de jus de citron ou de vinaigre sucré (framboise, par exemple). On peut ajouter un filet d'huile de noisette et d'eau de rose ainsi que quelques gouttes de vinaigre balsamique. Si vous aimez l'ail, ne vous privez pas d'en ajouter.

Crue et râpée, la betterave est étonnante.

salade de betteraves crues

POUR 4 PERSONNES

4 grosses betteraves

Sel, poivre et plusieurs bonnes grosses
   pincées de muscade fraîchement râpée

15 ml (1 c. à soupe) d'huile de noisette

60 ml (¼ tasse) (ou moins) d'huile d'olive

20 ml (4 c. à thé) de vinaigre de framboise

7,5 ml (1 ½ c. à thé) de jus de citron ou de
   limette

Quelques gouttes de vinaigre balsamique

Persil frais, haché finement

1 ou 2 mandarines coupées en quartiers
   (facultatif)

Couper les tiges et peler les betteraves avec un couteau économe en enlevant une bonne épaisseur de robe. Râper avec une râpe à légumes ou au robot culinaire. Verser dans un bol à salade et ajouter le reste des ingrédients. Mélanger et servir comme entrée.

 ### velouté de betteraves de Maryse

POUR 8 À 10 PERSONNES

8 à 10 betteraves

2 oignons jaunes

2 pommes de terre

1 litre (4 tasses) de bouillon de poulet

1 litre (4 tasses) d'eau

Sel et poivre du moulin

2 feuilles de laurier

4 à 5 baies de genièvre

7,5 ml (1 ½ c. à thé) de muscade fraîchement râpée

160 ml (2/3 tasse) de crème sure ou d'un mélange de crème épaisse et de yogourt moitié-moitié

15 ml (1 c. à soupe) de feuilles de marjolaine fraîche ou d'origan frais, ou encore d'aneth frais

Faire cuire les betteraves *al dente,* les éplucher et réserver. Couper les oignons en quartiers ainsi que les pommes de terre, puis les faire cuire dans le bouillon et l'eau salée avec le laurier et les baies de genièvre. Passer le tout au mélangeur avec les betteraves. Remettre à feu doux jusqu'à ce que le velouté commence à frissonner, ajouter le poivre et la muscade, puis corriger l'assaisonnement en sel. Servir en ajoutant une grosse cuillerée de crème sure ou d'un mélange crème-yogourt au centre de l'assiette, puis saupoudrer de marjolaine, d'origan ou d'aneth frais.

BEURRE

Les Québécois n'imaginent pas un repas sans beurre et, comme par hasard, ils ont, je crois, l'un des plus hauts taux de mortalité cardiaque. Ils sont fous, ces Québécois... comme les Romains qui prenaient le beurre comme remède !

Quand j'étais enfant, on ne mangeait pas de beurre. D'abord parce qu'il était trop cher et ensuite parce que pendant tout le temps de la Deuxième Guerre mondiale, il a été rationné. Ma mère cuisinait à l'huile d'olive ou à l'huile de maïs et elle échangeait les coupons de rationnement avec ses voisines contre d'autres commodités.

En dehors de la Normandie, on mange peu de beurre en France, mais on l'utilise beaucoup en cuisine. Chez moi, qui cuisine chaque jour, 450 g (1 lb) de beurre dure bien plus qu'un mois. Je déteste l'odeur du beurre qui fond dans la poêle et même pour des œufs au plat, j'utilise l'huile d'olive. Le beurre, non salé, j'en tartine mon pain grillé le matin ou j'en badigeonne légèrement mon croissant.

Quant à moi, le beurre sert à épaissir les sauces ou à en faire.

beurre clarifié

Le beurre clarifié a l'avantage de brûler à plus haute température que le beurre ordinaire et d'être moins gras. On peut le conserver longtemps au réfrigérateur. Pour ceux qui n'aiment pas le goût de l'huile d'olive (je les plains...), le beurre clarifié est une bonne solution de remplacement pour la cuisson.

On obtient du beurre clarifié en faisant fondre à feu doux du beurre (sans sel, autant que possible) dans une casserole. Le beurre se sépare alors en trois parties : la mousse ou l'écume, un liquide jaune assez épais qui est du gras à 100 % et une sorte de petit-lait. Quand on clarifie du beurre, on le débarrasse et de l'écume et du petit-lait. L'écume, le nom le dit, on l'écume avec une cuillère. La meilleure façon de se débarrasser du petit-lait, c'est de mettre le beurre écumé au frigo. Le beurre clarifié forme alors une couche épaisse au-dessus d'une partie liquide dont on se débarrasse. On peut aussi, après avoir bien écumé, verser lentement le beurre fondu dans un bol en prenant soin de garder le petit-lait au fond de la casserole. C'est plus compliqué...

beurre manié

Rien de mieux que le beurre manié pour épaissir une sauce. Il faut le préférer de loin à la fécule qui laisse toujours un certain goût de... fécule. Pour faire du beurre manié, on prend du beurre à la température de la pièce et on ajoute à peu près le même poids de farine. À l'aide d'une cuillère ou d'une fourchette, on « manie » beurre et farine jusqu'à en faire une pommade bien lisse et bien homogène. On ajoute le beurre manié à une sauce bouillante, on l'incorpore comme il faut avec un fouet, on laisse bouillir quelques instants, et la sauce prend une belle consistance veloutée.

faux beurre blanc

Les poissons blancs se servent souvent avec un beurre... blanc, mais que fait-on si on n'aime pas trop le beurre ou que sa condition cardiaque le défend ? Je fais ce que j'appelle un « faux beurre blanc ». La recette est simple comme bonjour.

ENVIRON 60 ML (¹/₄ TASSE)

60 ml (¹/₄ tasse) d'huile d'olive de bonne
     qualité
Quelques gouttes d'huile de noisette
     (facultatif)
Le jus de ¹/₂ citron
1 pincée de sel et de poivre blanc
15 ml (1 c. à soupe) de beurre

Mettre tous les ingrédients dans un bol, sauf le beurre. Faire chauffer quelques secondes au micro-ondes, ajouter le beurre et fouetter avec une fourchette. Le tout vous fera un beau beurre blanc bien onctueux...

BISCUITS

 biscuits au gingembre (*ginger snaps*)

Quand on est né dans les Cantons-de-l'Est, de surcroît dans un village où la population anglophone (des loyalistes) constituait la majorité, on a forcément un faible pour les ginger snaps, ces petits biscuits ronds au fort goût de gingembre et qui craquent sous la dent.

Et ils sont si faciles à préparer. Et si faciles à conserver. Dans une boîte de fer blanc, ils resteront croquants pendant un bon mois et même plus.

UNE CENTAINE DE BISCUITS ET PLUS

180 ml (³/4 tasse) de beurre
500 ml (2 tasses) de sucre
2 œufs battus
125 ml (¹/2 tasse) de mélasse
10 ml (2 c. à thé) de vinaigre de cidre
45 ml (3 c. à soupe) de rhum brun
925 ml (3 ³/4 tasses) de farine tout usage
7,5 ml (1 ¹/2 c. à thé) de bicarbonate de
    soude
7,5 ml (1 ¹/2 c. à thé) de gingembre moulu
    (un peu plus, si vous aimez le gingembre
    autant que moi...)
5 ml (1 c. à thé) de cannelle moulue
1 ml (¹/4 c. à thé) de clou de girofle moulu
1 pincée de sel

Dans un bol à mélanger, battre le beurre en crème, incorporer le sucre en brassant, puis incorporer les œufs, la mélasse, le vinaigre et le rhum. Ajouter ensuite la farine bien tamisée avec tous les autres ingrédients secs. On peut finir de mélanger la pâte avec ses mains. Quand elle est prête, on en forme de petites boules d'au plus 2 cm (³/4 po) de diamètre qu'on dépose sur une tôle très légèrement beurrée. On cuit pendant une douzaine de minutes dans un four préchauffé à 160 °C (325 °F).

 biscuits aux dattes de belle-maman Rita

ENVIRON 4 DOUZAINES DE BISCUITS

125 ml (¹/2 tasse) de lait
5 ml (1 c. à thé) de jus de citron
750 ml (3 tasses) de farine d'avoine
500 ml (2 tasses) de farine tout usage
5 ml (1 c. à thé) de bicarbonate de soude
    (soda à pâte)
250 ml (1 tasse) de beurre
250 ml (1 tasse) de cassonade bien tassée
2,5 ml (¹/2 c. à thé) de sel (si le beurre n'est
    pas salé)

garniture

750 ml (3 tasses) de dattes dénoyautées,
    grossièrement hachées
Environ 125 ml (¹/2 tasse) d'eau
125 ml (¹/2 tasse) de vermouth blanc extra-
    dry
45 ml (3 c. à soupe) de rhum brun
10 ml (2 c. à thé) d'essence de vanille

garniture

Mettre les dattes dans une grande poêle avec l'eau et le vermouth. L'eau doit juste couvrir les dattes. Amener au point d'ébullition et faire mijoter doucement jusqu'à ce que les dattes soient bien cuites. Ajouter rhum et vanille, brasser et laisser refroidir.

Mêler le lait et le jus de citron. Mélanger farine d'avoine, farine tout usage, bicarbonate de soude et sel (si le beurre n'est pas salé). Défaire le beurre en crème et incorporer la cassonade, puis les farines et le lait.

Prendre une partie de la pâte et la rouler en enfarinant le comptoir ou une planche à une épaisseur d'environ 0,5 cm (1/4 po). Enfariner deux emporte-pièces ronds de grandeurs légèrement différentes, puis en découper la pâte. Déposer sur une tôle à biscuits non beurrée les plus petits cercles. Selon le diamètre des biscuits, mettre de 1 à 2 c. à thé combles de garniture. Déposer sur la garniture l'autre cercle de pâte en pressant les bords avec le bout des doigts. Mettre au centre du four préchauffé à 190 °F (375 °F) sur une plaque non beurrée environ 12 minutes.

biscuits de tante Marie

3 DOUZAINES DE BISCUITS

375 ml (1 ½ tasse) de farine tout usage
7,5 ml (1 ½ c. à thé) de levure chimique (poudre à pâte)
1 pincée de sel (plus, si le beurre n'est pas salé)
125 ml (½ tasse) de beurre
125 ml (½ tasse) de sucre granulé
1 jaune d'œuf légèrement battu

45 ml (3 c. à soupe) de lait entier
5 ml (1 c. à thé) d'essence de vanille
2,5 ml (½ c. à thé) de muscade fraîchement moulue

Tamiser d'abord farine, levure chimique (poudre à pâte) et sel. Défaire le beurre en crème et ajouter le sucre graduellement, tout en battant bien. Incorporer le jaune d'œuf, puis ajouter les autres ingrédients en alternant avec le lait. Ajouter ensuite la vanille et la muscade. Enfariner le comptoir, prendre une partie de la pâte et la rouler sur le comptoir ou une planche à une épaisseur d'environ 0,5 cm (1/4 po). Découper à l'emporte-pièce enfariné et décorer le centre du biscuit d'un morceau de cerise confite ou de fruit confit, ou encore d'un morceau de noix ou d'amande. Mettre au centre du four préchauffé à 190 °F (375 °F) sur une plaque non beurrée pendant 8 à 10 minutes.

BLINIS

Peu de personnes se risquent à faire des blinis. Elles ont bien tort, car c'est moins complexe qu'on ne le croit. Les blinis font toujours le meilleur effet sur les invités, pour la bonne raison qu'ayant toujours été associés au caviar, les blinis ont une réputation très aristocratique.

S'ils ne coûtent presque rien, le caviar, lui, coûte la peau des fesses. Mais il y a des caviars beaucoup moins coûteux que celui d'esturgeon, et les poissons fumés — le saumon, en particulier — font très bon ménage avec les blinis.

Un petit secret : mangez des blinis le matin avec de la confiture de fruits, avec du miel ou du sirop d'érable. Vous m'en donnerez des nouvelles...

 ### blinis de Mme Belaïeff

Je tiens cette recette de blinis de ma belle-sœur Marie-José Raymond qui, elle, la tient de Mme Belaïeff, une Russe authentique dont le fils Michel fut très longtemps ingénieur de son pour le cinéma, puis gérant des studios de Mel Oppenheim, connu comme Barabbas dans notre petit monde de l'audiovisuel.

LA QUANTITÉ DE BLINIS DÉPEND DE LEURS DIMENSIONS, MAIS L'IDÉAL EST UN BLINI D'ENVIRON 5 À 6 CM (2 À 2 ½ PO) DE DIAMÈTRE

250 ml (1 tasse) d'eau tiède
10 ml (2 c. à thé) de sucre ou de miel
2 sachets de levure de 15 g (½ oz)

Verser l'eau dans un bol préalablement réchauffé sous l'eau tiède. Diluer le sucre ou le miel dans l'eau, puis saupoudrer l'eau de levure. Mettre le bol dans un endroit tiède, sous la lumière de la hotte, par exemple. Il suffit de garder le bol dans une certaine tiédeur, et la levure montera en 15 ou 20 minutes.

1,12 litre (4 ½ tasses) de farine blanche (ou moitié farine de sarrasin et moitié farine blanche)

5 ml (1 c. à thé) de sel
3 œufs
3 jaunes d'œufs
500 ml (2 tasses) d'eau tiède

Dans un grand bol, mélanger farine et sel. Quand la levure est prête, l'ajouter au mélange de farine et mélanger à peine le tout. Ajouter les œufs, puis les jaunes d'œufs et l'eau tiède. Mélanger délicatement, puis recouvrir d'un linge humide et poser dans un endroit qui soit à l'abri des courants d'air, dans le four à micro-ondes, la porte entrouverte. Attendre de 2 h à 2 h 30 pour que la pâte lève bien.

3 blancs d'œufs montés en neige
2 litres (4 tasses) de lait chaud (moins, si la farine absorbe bien le lait)
Huile d'olive

Incorporer délicatement les blancs d'œufs au mélange de farine, puis ajouter graduellement le lait. La pâte doit être coulante, mais pas trop. Faire chauffer le four et une assiette de service à 80 °C (175 °F.)

Dans une poêle à blinis ou toute autre poêle antiadhésive, faire chauffer l'huile d'olive. Faire un test de chaleur avec un peu de pâte, comme pour des crêpes. Quand la chaleur est bonne, verser la pâte avec une tasse à mesurer en portions d'au plus 30 ml (2 c. à soupe). En général, on peut facilement faire cuire six ou sept blinis à la fois. Après quelques instants, on retourne chaque blini, comme on fait pour des crêpes. Déposer ensuite les blinis dans l'assiette de service chaude, puis recouvrir d'un linge humide. Les blinis peuvent se conserver quelques heures au four si la serviette qui les couvre est toujours humide.

Note : Les blinis se congèlent très bien, il ne faut donc pas hésiter à congeler le surplus.

BOCCONCINI (mozzarella)

Pour une raison que j'ignore, on appelle au Québec « bocconcini » les boules de fromage que partout ailleurs on nomme « mozzarella ». En Italie, les seuls bocconcini que je connaisse sont ces « boules » fabriquées avec de la mozzarella et enveloppées de mortadelle (ou de pancetta) qu'on trempe dans un œuf battu avant de les passer dans la farine et de les faire frire. C'est l'apéritif favori à Bologne. Peut-être a-t-on eu la pudeur de désigner la mozzarella sous un autre nom parce que celle qu'on vend chez nous n'est qu'un substitut un peu caoutchouté dont le goût est loin d'être aussi fin que la véritable mozzarella fabriquée avec du lait de bufflonne.

La bufflonne est une grosse vache noire poilue qui vit littéralement dans ses bouses. Peut-être est-ce cette habitude bizarre qui fait un délice de son lait. Il me semble avoir vu des bufflonnes dans un champ marécageux le long de la rivière Barbue dans la région de Saint-Césaire. Si tel est le cas, je me demande pourquoi un paysan assez original pour en faire l'élevage n'a pas encore

offert leur lait à la famille Saputo qui pourrait ainsi nous fabriquer de la véritable mozzarella.

Même si on fabrique de la mozzarella dans plusieurs régions d'Italie, seule la Campanie a droit à « l'appellation d'origine contrôlée ». Une fois le lait de la bufflonne pasteurisé et caillé, la pâte ainsi obtenue est jetée dans l'eau chaude où elle devient lisse et homogène. On la façonne en boules qu'on dépose dans la saumure et on la vend ainsi. J'avais l'habitude de rincer la mozzarella à l'eau fraîche avant de la manger, mais des Italiens m'ont fait savoir que c'était sacrilège. Depuis, je la mange telle qu'elle sort de la saumure, à peu près à la température de la pièce pour que toute sa saveur se dégage.

La mozzarella se mange aussi bien chaude qu'à température ambiante, mais c'est de cette dernière façon que je la préfère, car il me semble bien dommage de faire chauffer un fromage aussi subtil. La mozzarella bien assaisonnée, avec de l'oignon émincé, par exemple, fait une excellente farce pour des tomates ou des aubergines cuites. Faites griller du pain, mettez-y des tranches de mozzarella agrémentées d'un peu de paprika et passez le tout sous un gril chaud. Un délice en collation.

Mais c'est avec des tomates fraîchement cueillies, encore gorgées de soleil, et du basilic frais que j'aime la mozzarella.

La mozzarella au lait de bufflonne (ou bufflesse) coûte la peau des fesses... et puis elle est difficile à trouver... À Montréal, il y en a dans les meilleures fromageries, chez Milano, aux marchés Atwater et Jean-Talon, mais en dehors de Montréal, je n'en ai jamais vu... ce qui ne signifie pas qu'il n'y en a pas...

mozzarella (bocconcini) et tomates

POUR 4 PERSONNES

4 à 5 tomates pelées et coupées en tranches de moins de 1 cm (3/8 po)

15 ml (1 c. à soupe) de jus de citron ou de jus de citron vert, ou encore de vinaigre de riz

Quelques gouttes de bon vinaigre balsamique

4 boules de mozzarella coupées en tranches de moins de 1 cm (3/8 po)

Fleur de sel et poivre fraîchement moulu

12 à 15 feuilles de basilic frais

2 à 3 gousses d'ail émincées finement

5 ml (1 c. à thé) d'eau de rose

90 ml (6 c. à soupe) d'huile d'olive extra vierge

15 ml (1 c. à soupe) d'huile de noisette

Disposer d'abord les tomates sur le comptoir ou dans une grande lèchefrite et les arroser d'un peu de jus de citron ou de vinaigre de riz mélangé avec le vinaigre balsamique. Déposer ensuite dans chaque assiette une tranche de tomate, puis une tranche de mozzarella et ainsi de suite jusqu'à la dernière tranche de l'un et de l'autre. Saupoudrer le dessus de chaque assiette de fleur de sel, de poivre, puis décorer des feuilles de basilic et d'ail. Arroser de quelques gouttes d'eau de rose, puis des huiles mélangées. Servir comme entrée.

Note : On peut à la rigueur remplacer le basilic par des feuilles de coriandre fraîche ou de persil, de préférence du persil plat.

BŒUF

Je ne suis pas un mangeur de bœuf. Par esprit inné de contradiction, j'imagine. J'en mange une fois par mois, tout au plus, parfois moins. Et si j'ai parfois une nostalgie, c'est celle d'un filet mignon bien relevé — parce que le filet perd en goût ce qu'il gagne en tendreté — ou celle d'un rosbif presque bleu, accompagné de haricots verts et, comme le font les Anglais, d'un peu de raifort.

Le bœuf est pourtant — et de loin — la viande préférée des Québécois. Mon père mangeait du steak deux ou trois fois la semaine, et je me souviens de ma première belle-mère qui n'en finissait plus de faire revenir dans du beurre noir des tranches de steak minces qu'elle servait presque bleues à son mari. Au retour du travail — il construisait des routes — il devait engouffrer presque 1 kg (2 1/4 lb) de ce steak « dans la ronde » que sa femme attendrissait en tapant dessus avec le bord d'une soucoupe. J'imagine qu'il y a une période pour tout dans la vie, car je mangeais à peu près la même quantité de steak que lui quand je l'accompagnais à table.

Et puis les Granbyens — les citoyens de Granby, comme les appelait l'ancien maire Horace Boivin, de réputation internationale — se souviennent tous des « steaks pétillants » qu'on servait au restaurant Élite. Les steaks cuisaient littéralement devant vous. On les apportait nageant dans le beurre presque brûlé dans une assiette de fonte chauffée à blanc. Les gouttelettes brûlantes vous sautaient jusque dans le visage, d'où le qualificatif de « pétillant » que l'on donnait à ce steak... Comme des centaines de restaurants québécois, celui-là est devenu propriété de Vietnamiens, et le bœuf n'y est plus servi qu'en languettes...

Est-ce parce que je n'en mange plus suffisamment que je ne considère pas, comme la plupart des Québécois, que notre « bœuf de l'Ouest » est bien meilleur que celui qu'on mange en France ? Pour moi, l'un et l'autre se valent, si ce n'est que le nôtre — plus persillé de gras — se vend à meilleur compte. Au risque d'offusquer nos bouchers — quoiqu'il ne reste plus guère chez nous que des bûcherons qui torturent la viande avec des tronçonneuses et des scies à ruban —, je préfère les coupes françaises dont la plupart permettent au bœuf de perdre moins de sang.

Il se vend tellement de bœuf qu'on ne laisse plus mûrir la viande le temps qu'il faut. Paul, mon boucher, garde ses carcasses presque un mois dans son frigo avant de les découper et de les vendre. Mais ne demandez pas pareille précaution dans une grande surface.

Le bœuf bien mûr doit être de couleur rubis et sillonné de fines veines blanc ivoire. S'il est rouge trop clair, c'est qu'on a abattu la bête trop jeune et s'il est rouge presque noir avec une graisse cireuse, c'est qu'on a abattu un bœuf de « l'âge d'or ».

Il n'y a pas grand-chose en commun entre les coupes nord-américaines et les coupes françaises. Pas grand-chose en commun non plus dans les appellations. Si vous mangez beaucoup de bœuf et que vous êtes en quête de recettes, oubliez les livres français, car vous y perdriez votre latin. Outre-Atlantique, on ne connaît ni le *sirloin*, ni le *porterhouse*, ni le *rib*. Ne cherchez pas de *T-bone* non plus !

Voici néanmoins quelques équivalences. Notre *rib* ou *club steak* correspond à peu près à leur entrecôte. L'extrémité ou la tête de notre *sirloin* au rumsteck. Le faux filet ou le contre-filet est une partie de notre *T-bone*. Là-bas, le « bifteck » peut presque tout inclure mais en principe, c'est la tête du filet que nous nommons *sirloin*.

Quoi qu'il en soit, une chose est certaine : jamais on ne cuit du bœuf sans d'abord l'avoir fait chambrer de 4 à 8 h, sauf le bœuf haché qui développe rapidement son lot de bactéries s'il reste à température de la pièce. Et il y a d'autres contre-indications :
· ne jamais saler le bœuf avant de le faire cuire, car le sel en ferait sortir le sang qu'il faut absolument garder à l'intérieur si on veut que la viande soit tendre et goûteuse ;
· ne jamais laver la pièce de bœuf que vous allez cuisiner (à moins que le chien ou le chat ne l'aient traînée sur le parquet...) et l'essuyer soigneusement avec une serviette (une feuille de papier essuie-tout, à la rigueur). En chambrant, le bœuf transpirera, et vous aurez tout le mal du monde à le faire saisir si vous ne l'asséchez pas.

Presque toutes les recettes de bœuf exigent qu'il soit d'abord bien saisi de tous les côtés. Le beurre est le pire moyen d'y arriver. Préférez toujours l'huile d'olive qui ne brûlera pas. Faites cuire vos steaks à l'huile d'olive. Vous n'aurez pas à subir l'odeur désagréable que dégage le beurre qui a trop chauffé. Si vous faites attention de ne pas manger trop gras, contentez-vous de badigeonner vos steaks d'huile d'olive quelques minutes avant de les faire cuire. Cela suffira pour qu'ils ne collent pas à la poêle. Si vous n'êtes pas amateur d'huile d'olive (je vous plains...), utilisez moitié huile moitié beurre. Dans ce cas, dès que la mousse du beurre s'estompe, déposez votre pièce de viande.

À feu vif, un steak chambré de 2 cm (3/4 po) d'épaisseur qui cuit environ 2 minutes de chaque côté sera bleu, saignant si vous ajoutez 1 ½ minute et à point (*medium*, si vous préférez) si vous ajoutez encore 2 ½ minutes de plus. Au-delà, vous aurez ce que nous appelons depuis toujours de la « semelle de botte », mais il s'en trouve pour aimer ce genre de surcuisson.

Le steak est à point lorsque des gouttelettes roses commencent à faire surface. Quelle que soit la cuisson que vous préférez, vous pouvez toujours faire une petite incision dans le steak afin d'en vérifier la cuisson. Si vous nappez le steak de sauce, personne ne verra ce petit coup de couteau...

Je sers rarement un steak sans sauce. Si vous faites de même (et même si vous le servez sans sauce), le steak gagne beaucoup à attendre au four chaud — à environ 95 °C (200 °F) — de 3 à 5 minutes avant d'être servi. Avant de l'enfourner, comme il a été bien saisi au moment de la cuisson, c'est le bon temps de saler.

bœuf au vermicelle
POUR 2 PERSONNES

15 ml (1 c. à soupe) d'huile d'olive
1 morceau de gigot de bœuf d'environ
  4 cm (1 ½ po) d'épaisseur — 680 g
  (1 ½ lb)
1 carotte coupée en rondelles
1 oignon émincé
1 branche de céleri hachée finement
80 ml (1/3 tasse) de vin blanc (facultatif)
10 graines de coriandre
10 grains de poivre
6 baies de genièvre
1 ou 2 gousses d'ail
3 écheveaux de vermicelle (cheveux d'ange)
Sel et poivre au goût

Faire chauffer l'huile dans une cocotte un peu plus grande que le morceau de gigot. Y faire revenir ce dernier de tous les côtés. Réserver. Faire revenir ensuite les légumes, ajouter le vin blanc, s'il y a lieu, et faire réduire de moitié. Remettre la viande dans la cocotte, ajouter tous les assaisonnements, couvrir d'eau et faire bouillir lentement sur la cuisinière pendant 2 h en laissant le couvercle légèrement entrouvert. Mettre la viande au chaud et couler le bouillon en écrasant bien les légumes pour en conserver le jus. Ramener au point d'ébullition. Y jeter le vermicelle. Faire cuire à gros bouillons quelques minutes et servir avec le gigot après en avoir vérifié l'assaisonnement une dernière fois.

bœuf haché à la méditerranéenne

POUR 2 À 3 PERSONNES

450 g (1 lb) de bœuf haché maigre

1 oignon jaune, de grosseur moyenne, finement haché

1 petit bouquet de persil finement haché

12 feuilles de menthe fraîche finement hachées ou 2,5 ml (½ c. à thé) de menthe en poudre

125 ml (½ tasse) de chapelure

45 ml (3 c. à soupe) d'huile d'olive

2,5 ml (½ c. à thé) de thym en poudre

1 pincée de cayenne

Sel au goût

Préchauffer le four à 180 °C (350 °F). Mélanger à la main tous les ingrédients dans un bol, puis séparer en deux ou trois portions égales. Étendre chaque portion dans un plat en pyrex individuel et bien étaler avec la main. Pour lisser la surface, utiliser un peu d'eau froide. Faire cuire au four à 180 °C (350 °F) de 10 à 15 minutes et servir avec une salade.

filets mignons à la sauce piquante

POUR 2 PERSONNES

2 filets mignons

30 ml (2 c. à soupe) d'huile d'olive

½ oignon jaune coupé en fines rondelles

2 gousses d'ail hachées finement

1 petit piment chili

2 tomates pelées, épépinées et coupées en dés

15 feuilles de coriandre fraîche, hachées grossièrement

Sel au goût

Dans une poêle, faire revenir dans l'huile l'oignon et l'ail jusqu'à ce qu'ils soient translucides. Ajouter les tomates, le piment et la coriandre, saler et faire cuire à feu plutôt vif jusqu'à ce que l'huile se sépare. Baisser le feu au minimum. Pendant ce temps, faire griller ou poêler les filets au goût. Les servir nappés de la sauce avec des pommes de terre coupées en dés et cuites en haute friture.

fondue chinoise

C'est à un Japonais qu'on doit la fondue chinoise, un jeune samouraï fougueux qui avait décidé d'aiguiser son cimeterre aussi coupant qu'un rasoir. Tout en aiguisant la lame, il buvait du saké. Il vida toute une bouteille pendant qu'il affûtait son cimeterre. Pour voir s'il coupait bien, il entreprit de faire une ou deux fines tranches à même le rosbif que sa femme avait laissé sur le comptoir afin d'en faire un Rosbif gros sel (voir recette p. 77). Il coupa des tranches très fines d'un seul coup, puis d'autres tranches, toujours de plus en plus fines, tellement son cimeterre était bien aiguisé. À la fin, il coupa ainsi tout le rosbif. Quand il entendit sa femme arriver, une femme d'origine chinoise qui avait très mauvais caractère, il prit peur et jeta toutes les tranches de rosbif dans le grand chaudron de bouillon qui avait été préparé pour la soupe. Quand madame entra dans la cuisine, elle s'écria : « Mais où est mon rosbif, espèce de grand Jaune ? » Lui, insulté, répondit sur le même ton : « Il a fondu, Chinoise ! » Et c'est ainsi qu'est née la fondue chinoise !

bouillon à fondue chinoise

Voici une recette de Mme Colette Gélinas, de Saint-Boniface, au Manitoba. Étant donné l'origine de cette femme, j'imagine que ce bouillon donne de meilleurs résultats avec du bœuf de l'Ouest...

1,5 LITRE (6 TASSES)
115 g (¼ lb) de beurre ou de margarine
6 oignons coupés en rondelles
2 boîtes de 285 ml (10 oz) de consommé de bœuf ou de bouillon de bœuf
625 ml (2 ½ tasses) d'eau
375 ml (½ bouteille) de vin rouge
45 ml (3 c. à soupe) de Bovril au bœuf
2 feuilles de laurier
80 ml (⅓ tasse) de jus de citron
3 gousses d'ail écrasées
45 ml (3 c. à soupe) de sauce Chili
15 ml (1 c. à soupe) de sel

Faire fondre le beurre ou la margarine, ajouter les oignons et faire cuire jusqu'à ce qu'ils soient translucides. Ajouter ensuite le reste des ingrédients. Faire mijoter 2 h, couler et verser dans la marmite à fondue.

ragoût de queue de bœuf
POUR 4 PERSONNES

Huile d'olive, beurre ou graisse d'oie
1,3 kg (3 lb) de queue de bœuf (que vous demanderez à votre boucher de tronçonner aux jointures et de dégraisser)
Sel et poivre
1 oignon jaune, coupé en dés
3 branches de céleri coupées en dés
2 gousses d'ail hachées finement
1 bouquet d'herbes fraîches (thym, sarriette, sauge et romarin) ou 5 ml (1 c. à thé) de thym et romarin séché
1 feuille de laurier
45 ml (3 c. à soupe) de farine
375 ml (1 ½ tasse) de vin rouge
250 ml (1 tasse) d'eau
375 ml (1 ½ tasse) de bouillon de bœuf maison
1 tomate pelée, épépinée et coupée en petits morceaux
1 bouquet de persil frais (3 ou 4 branches)
2 clous de girofle
3 belles carottes coupées en grosses rondelles
1 petit navet coupé en gros dés
4 petites pommes de terre

Note : Si on le désire, on peut aussi remplacer le bouillon de bœuf par la même quantité de vin rouge additionnel.

Faire chauffer à feu moyen sur la cuisinière un peu d'huile d'olive, de beurre ou de graisse d'oie dans une sauteuse et y faire revenir les morceaux de queue après les

---

avoir salés et poivrés. Faire rissoler environ 30 minutes jusqu'à ce que les morceaux soient bien dorés de tous les côtés et jeter à mesure la graisse qu'ils dégagent. Pendant ce temps, faire chauffer le four à 190 °C (375 °F). Transférer les morceaux de queue dans une cocotte épaisse pouvant contenir facilement tous les ingrédients, puis les faire revenir sur la cuisinière une dizaine de minutes. Jeter encore le gras qui pourrait s'accumuler. Remettre sur la cuisinière à feu moyen. Ajouter l'oignon, le céleri, l'ail, les herbes et la feuille de laurier, puis bien les répartir dans la cocotte avec une cuillère de bois. Saupoudrer de farine et brasser afin que les ingrédients soient bien enfarinés. Ajouter le vin, l'eau, le bouillon, la tomate, le persil et le clou. Saler et poivrer légèrement. Couvrir et amener à ébullition. Mettre au four au moins 2 h.

Faire blanchir carottes, navet et pommes de terre en les plongeant dans l'eau bouillante salée. Après 5 minutes, égoutter et réserver. Quand la queue est cuite, réserver aussi les morceaux dans une assiette. Filtrer le bouillon au tamis en écrasant les légumes avec une cuillère de bois afin de passer le plus de chair possible. Remettre le bouillon ainsi obtenu dans la cocotte, y ajouter les légumes blanchis et les morceaux de queue. Remettre au four jusqu'à ce que les légumes soient cuits. Servir tel quel.

 ## rosbif au four

CALCULER 150 G (1/3 LB) PAR PERSONNE

1 rosbif roulé
1 gousse d'ail coupée en 4 ou 5 lamelles
5 ml (1 c. à thé) de sel
1 ml (1/4 c. à thé) de poivre
2,5 ml (1/2 c. à thé) de thym séché
1 ml (1/4 c. à thé) de coriandre en poudre
1 ml (1/4 c. à thé) de muscade râpée
60 ml (1/4 tasse) de beurre mou
15 ml (1 c. à soupe) de moutarde de Dijon
1 oignon coupé en trois morceaux

sauce

Vin rouge ou blanc ou bouillon de bœuf
   (de veau, de poulet ou de légumes)
250 ml (1 tasse) de bouillon
5 ml (1 c. à thé) de sauce Worcestershire
30 ml (2 c. à soupe) de beurre manié
Sel et poivre au goût

Faire chambrer le rosbif au moins 4 h. Y faire des incisions à la pointe d'un couteau tranchant pour insérer l'ail. Mêler tous les ingrédients secs, puis les mélanger avec le beurre et la moutarde. En napper les parties du rosbif qui sont sans gras. Déposer le rosbif dans une lèchefrite ou une poêle, et mettre les morceaux d'oignon dessus. Cuire au four à 230 °C (450 °F) pendant 10 minutes, réduire à 180 °C (350 °F) et faire cuire 33 minutes/kg (15 minutes/lb) pour un rosbif saignant, de 45 à 55 minutes/kg (20 à 25 minutes/lb) pour un rosbif à point — si le rosbif n'est pas désossé : de 22 à 26 minutes/kg

(10 à 12 minutes/lb) pour un rosbif saignant et de 40 à 45 minutes/kg (18 à 20 minutes/lb) pour un rosbif à point. À la fin de la cuisson, ouvrir le four pour en réduire rapidement la température à 95 °C (200 °F). Y laisser reposer le rosbif au moins 20 à 30 minutes dans une assiette de service.

sauce

Jeter l'oignon, mettre la lèchefrite sur le feu, laisser brunir les sucs de la viande, puis déglacer avec 160 ml (2/3 tasse) de vin ou de bouillon en décollant bien tous les sucs de la viande. Déposer le jus dans une cocotte, ajouter 250 ml (1 tasse) de bouillon, la sauce Worcestershire, faire réduire de moitié, épaissir avec le beurre, saler et poivrer. Découper le rosbif en tranches minces ou épaisses au goût, servir et napper de la sauce.

 rosbif gros sel
POUR 4 PERSONNES

225 g (1/2 lb) de gros sel
1 côte de bœuf d'environ 1,3 kg (3 lb) ou 1 rôti de palette désossé, mais coupé à la française
15 ml (1 c. à soupe) d'huile d'olive
Poivre au goût

sauce

250 ml (1 tasse) de vin rouge ou blanc de bonne qualité
75 ml (5 c. à soupe) d'échalote française, hachée finement
2 gousses d'ail hachées finement
10 ml (2 c. à thé) de cerfeuil séché
10 ml (2 c. à thé) de persil séché
5 ml (1 c. à thé) de jus de citron
115 g (1/4 lb) de beurre doux
Poivre au goût

Étendre le gros sel dans un récipient (pyrex, *corning* ou fonte émaillée) assez grand pour le rôti et laisser de 1 h 30 à 2 h dans un four à 260 °C (500 °F). Badigeonner le rôti d'huile d'olive et de poivre, puis déposer sur le gros sel pendant 8 minutes*. Retourner et laisser 8 minutes encore. Réduire la température du four à 200 °C (400 °F), puis ouvrir le four pendant 15 minutes.

Pendant ce temps, à feu moyen, faire mijoter dans une casserole vin, échalote, cerfeuil, ail et persil. Quand le vin a réduit de moitié, ajouter le jus de citron et y faire fondre le beurre en remuant la sauce pour l'épaissir. Mettre le rôti dans une assiette et vider le sel sur plusieurs épaisseurs de papier journal. Remettre le rôti dans le récipient, verser la sauce dessus et retourner au four à 200 °C (400 °F), de 2 à 3 minutes ou selon la cuisson désirée. Couper la viande en tranches, si possible dans le même récipient pour qu'elle reste bien chaude, servir les tranches nappées de sauce et poivrer. Accompagner d'une pomme de terre au four ou de haricots verts au beurre et au citron.

*Si le rosbif est plus gros, augmenter le temps de cuisson en conséquence.

soupe à la queue de bœuf
POUR 8 PERSONNES

30 ml (2 c. à soupe) d'huile d'olive ou de beurre

900 g (2 lb) de queue de bœuf (que vous demanderez à votre boucher de tronçonner aux jointures et de dégraisser)

1 oignon coupé en rondelles minces

2 litres (8 tasses) d'eau

1 feuille de laurier

1 bouquet garni d'herbes fraîches (thym, marjolaine et basilic) ou 5 ml (1 c. à thé) d'herbes séchées

Sel et poivre

1 bouquet de persil haché d'environ 125 ml (½ tasse)

125 ml (½ tasse) de carottes hachées en dés

250 ml (1 tasse) de céleri haché en dés

125 ml (½ tasse) de navet haché en dés

1 tomate pelée, épépinée et coupée en dés

Faire chauffer l'huile ou le beurre dans une cocotte suffisamment grande pour faire la soupe et y faire revenir les tronçons de queue jusqu'à ce qu'ils soient presque dorés. Y mettre l'oignon et le faire revenir jusqu'à ce qu'il soit légèrement doré. Ajouter l'eau, la feuille de laurier et les herbes, puis laisser mijoter à découvert au moins 4 à 5 h. Ajouter tous les autres ingrédients et laisser mijoter environ 1 h. Retirer les morceaux de queue et les réserver. Passer le bouillon au tamis en écrasant les légumes le plus possible, puis verser dans un grand bol. Dégraisser au

mieux après avoir laissé refroidir le bouillon. Retirer la viande des os et réserver. Laver la cocotte, puis l'assécher complètement. Remettre sur le feu et y faire roussir 15 ml (1 c. à soupe) de farine en brassant continuellement pour qu'elle ne colle pas. Ajouter 30 ml (2 c. à soupe) de beurre et bien mélanger à la farine. Verser le bouillon obtenu en brassant continuellement. Ramener au point d'ébullition, ajouter 1 verre, soit 170 ml (6 oz) de vin rouge, de madère ou de sherry sec, puis les morceaux de viande, laisser mijoter quelques minutes et servir avec des croûtons.

variante

Au lieu d'ajouter carottes, céleri et navet à l'ensemble, on peut, quand les tronçons de queue ont cuit environ 4 h, retirer de 500 à 750 ml (2 à 3 tasses) de bouillon, le verser dans une cocotte et y faire cuire ces légumes environ 30 minutes. On les ajoute ensuite à la soupe avec les morceaux de viande.

 ### steak à l'échalote
POUR 2 PERSONNES

2 échalotes hachées finement

7,5 ml (1 ½ c. à thé) de vinaigre de vin rouge

125 ml (½ tasse) de bouillon

Sel et poivre

450 g (1 lb) d'onglet ou de bavette (à la rigueur, du steak de ronde tranché mince)

15 ml (1 c. à soupe) d'huile d'olive
30 ml (2 c. à soupe) de beurre

À feu doux, faire réduire lentement, de moitié environ, les échalotes, le vinaigre et le bouillon. Saler et poivrer. Faire cuire le steak au goût dans l'huile d'olive et la moitié du beurre, puis le déposer ensuite au four dans des assiettes chaudes. Déglacer la poêle avec la petite sauce déjà préparée, ajouter le reste du beurre, puis faire réduire un peu. Remettre le steak dans la poêle et servir immédiatement avec des frites ou des pommes de terre vapeur.

steak à l'italienne
POUR 2 PERSONNES

450 g (1 lb) de steak dans la ronde d'au
    plus 1,2 cm (½ po) d'épaisseur
1 petit oignon jaune
60 ml (4 c. à soupe) d'huile d'olive
2 gousses d'ail pelées et émincées
1 grosse tomate ou 2 tomates pelées et
    épépinées
12 olives noires, émincées
2,5 ml (½ c. à thé) de romarin séché ou
    5 ml (1 c. à thé) de romarin frais
Sel et poivre

Faire sauter les oignons dans l'huile d'olive. Quand ils sont dorés, ajouter l'ail. Quand l'ail est doré à son tour, ajouter les tomates coupées en morceaux, les olives, le romarin, le sel et le poivre. Cuire à feu moyen environ 15 minutes. On peut faire la sauce d'avance et la laisser attendre sur la cuisinière. Dans ce cas, faire réchauffer la sauce pendant que le steak cuit dans une autre poêle. Le faire dans un minimum de gras jusqu'à la cuisson désirée. Déposer les steaks dans la sauce, les tourner deux ou trois fois et servir immédiatement avec des pommes de terre vapeur ou des pommes de terre sautées.

steak au poivre
POUR 2 PERSONNES

2 filets mignons d'au moins 2 cm (¾ po)
    d'épaisseur
125 ml (½ tasse) de crème épaisse
15 à 30 ml (1 à 2 c. à soupe) de poivre
    noir concassé
1 échalote française, hachée
30 ml (2 c. à soupe) d'huile d'olive
1 verre à liqueur, soit 45 ml (1 ½ oz) de
    cognac ou de brandy
Sel
15 ml (1 c. à soupe) de beurre
125 ml (½ tasse) de bouillon

Faire chambrer les steaks au moins 3 h et la crème au moins 1 h. Pendant la dernière heure, enduire les deux côtés des steaks de poivre concassé. Hacher finement l'échalote. Faire cuire les steaks dans l'huile à feu très vif, jusqu'à la cuisson désirée. Verser le cognac ou le brandy, puis quand l'alcool est évaporé, saler les steaks et les réserver au four à 95 °C (200 °F). Faire dorer rapidement l'échalote dans le beurre, ajouter le bouillon, faire réduire rapidement d'au moins la moitié, puis ajouter la crème hors du feu et faire encore réduire rapidement d'au moins la moitié. Saler légèrement. Napper les steaks de la sauce (sans jeter le sang dans lequel ils reposeront) et servir avec des pommes de terre frites ou des pommes de terre sautées.

steak hamburger à ma manière

POUR 2 PERSONNES

300 g (²/₃ lb) de bœuf haché extra maigre
45 ml (3 c. à soupe) d'huile d'olive
5 ml (1 c. à thé) de moutarde de Dijon
2,5 ml (½ c. à thé) de sauce Worcestershire
2,5 ml (½ c. à thé) de sauce HP
Sel au goût
6 gouttes de tabasco
2,5 ml (½ c. à thé) d'épices à bifteck
60 ml (4 c. à soupe) de vin, d'eau ou de bouillon
15 ml (1 c. à soupe) de beurre

Mettre le bœuf haché dans une assiette, creuser un trou au centre, y déposer le tiers de l'huile d'olive ainsi que la moutarde, les sauces, le sel, le tabasco et les épices à bifteck. Bien mélanger au steak. Faire deux ou quatre galettes d'égales dimensions et faire cuire à feu vif dans le reste de l'huile d'olive. Quand le steak est cuit au goût, le déposer au four dans des assiettes, déglacer la poêle avec le vin, l'eau ou le bouillon, ajouter le beurre et faire réduire légèrement. Verser la sauce sur le steak haché. Servir avec des pommes de terre persillées ou des frites.

steak teriyaki de Charlot Barbeau

Charlot Barbeau est un excellent musicien avec qui j'ai eu le plaisir de travailler pendant une année à la télévision. Il a fait de la cuisine son violon d'Ingres.

POUR 2 PERSONNES

sauce
250 ml (1 tasse) de sauce soya Kikkoman (pâle)
250 ml (1 tasse) de saké
125 ml (½ tasse) de vin de riz sucré (mirin)
8 cubes de sucre de canne (brut)
30 ml (2 c. à soupe) de fécule de maïs dissoute dans 90 ml (6 c. à soupe) d'eau

Mélanger tous les ingrédients, sauf la fécule, dans une casserole, puis porter à ébullition. À feu moyen, faire réduire d'environ la moitié. Ajouter la fécule, puis faire épaissir jusqu'à la consistance d'un sirop. On peut conserver la sauce au réfrigérateur, car avec les quantités données on peut préparer 6 ou 7 steaks.

steak teriyaki
2 entrecôtes d'environ 2 cm (³/₄ po) d'épaisseur
6 tomates cerises
6 ou 8 pois mange-tout
125 ml (½ tasse) de germes de soya (fèves germées)
4 beaux gros champignons blancs
Huile de tournesol ou huile végétale

250 ml (1 tasse) de sauce teriyaki
30 ml (2 c. à soupe) de pomme Granny
    Smith râpée
5 ml (1 c. à thé) de gingembre frais

Laver tous les légumes, sauf les
champignons qu'on essuie seulement. Y
faire des incisions en forme d'étoile.
Couper les tomates cerises en deux. Enlever
les pointes des pois mange-tout et blanchir
1 minute dans l'eau bouillante. Dans une
poêle, faire sauter les légumes dans l'huile
2 ou 3 minutes jusqu'à ce qu'ils soient cuits,
mais encore fermes. Incorporer les tomates
dans les 30 dernières secondes de cuisson.
Enlever les légumes et réserver au chaud.
Ajouter de l'huile fraîche dans la poêle et
faire cuire le steak au goût. Ajouter la
sauce, la pomme râpée et le gingembre.
Retourner le steak pour bien l'imbiber de
sauce. Le déposer sur une planche, puis le
découper en lamelles. Le déposer ensuite
dans une assiette chaude avec les légumes.
On peut, si on le désire, servir avec du riz
à la japonaise (Kotto rose). On peut aussi
faire mariner le steak quelques heures dans
la marinade suivante : huile d'olive, huile
de soya et saké en proportions égales,
1 ou 2 gousses d'ail écrasées et 1 petit
morceau de gingembre frais.

BOUDIN NOIR

Je ne peux malheureusement pas vous donner de recette de boudin noir, car je ne
saurais en faire. Je ne sais que reconnaître
celui qui est parfait et je vous annonce à regret qu'il n'en existe plus au Québec. À ma
connaissance, du moins...

Même s'il y a plus de 50 ans, l'eau me
vient encore à la bouche en pensant au
boudin noir que livrait à la maison cinq ou
six fois par an un paysan de Fulford, un village minuscule en bordure de Waterloo. Son
boudin arrivait dans un moule à gâteau, découpé à l'avance comme des « brownies »,
puisque le fermier ne le mettait pas en
boyau. C'est tout ce qui manquait à ce
boudin, car j'adorais et j'adore toujours le
boyau de boudin bien grillé. Quand on
achetait le boudin à la boucherie,
j'échangeais volontiers le boyau de boudin
de mes frères et sœur contre son contenu
lui-même.

Avec les années, le boudin noir est devenu
chez nous tout à fait sans intérêt, fabriqué en
bonne partie avec du sang de bœuf, plutôt
qu'avec du sang de cochon.

Le meilleur boudin du monde, mais vraiment, on le trouve chez Michel Lorain, à la
Côte Saint-Jacques de Joigny, un village de
Haute-Bourgogne qui s'étend le long de
l'Yonne à 150 km de Paris. Hélas ! il faut pour
en manger briser sa tirelire, car la Côte Saint-
Jacques, trois étoiles au Michelin, est devenue un restaurant de luxe. Il faut compter
environ 200 $ par repas et entre 200 et 400 $
pour une chambre.

C'est tout à fait par hasard que j'ai connu
la Côte Saint-Jacques et le fabuleux boudin
noir des Lorain. Je revenais en voiture de la
Côte d'Azur et je comptais me rendre directement à Paris. La nuit tombait, il nous

restait encore plus de 150 km à faire et j'étais mort de fatigue. Et affamé. Ma femme et moi avons donc quitté la grand-route pour nous réfugier dans le village de Joigny. En cherchant une auberge, nous sommes tombés sur la Côte Saint-Jacques. C'était à l'époque une petite auberge familiale assez modeste que tenaient les parents Lorain. Il était bien 21 h quand nous sommes descendus à la salle à manger où je demandai à Mme Lorain les spécialités de la maison. Elle me déclina quelques plats dont je ne garde pas souvenir pour conclure par une «poule de Bresse à la vapeur de champagne». C'était bien trop intrigant pour ne pas en commander même si, Mme Lorain prenant soin de le souligner, il nous faudrait attendre au moins 1 h 30 avant d'y goûter.

On installa une table près de la nôtre, on y alluma un petit «poêle» qui avait l'air d'un Sterno et on y déposa une cocotte qui contenait une marguerite, si ma mémoire est fidèle. Mme Lorain y versa toute une bouteille de champagne avant d'y mettre une poule appétissante à peine assaisonnée. Le couvercle mis, il ne restait plus qu'à attendre...

La vapeur de champagne ne fut pas longue à nous creuser encore l'appétit. Pour nous faire patienter, Mme Lorain nous apporta du champagne et en guise d'amuse-gueule une assiette de boudin noir maison. Une révélation. Presque un miracle. Je retrouvais le boudin de Fulford, mieux assaisonné encore, plus fondant, plus moelleux, avec un goût et une saveur irrésistibles. Je m'en souviens en-

core comme si c'était hier, mais pas de la poule de Bresse à la vapeur de champagne, même si c'est péché d'en avoir oublié l'arôme si subtil.

Je ne suis jamais arrêté à la Côte Saint-Jacques depuis sans manger du boudin noir, car les parents Lorain en ont transmis la recette à leur fils Michel qui l'a aussi transmise à son fils qui prend déjà la relève.

Tout cela pour vous apprendre qu'il n'y a plus de boudin noir mangeable en dehors de la France et des Antilles... À Paris, le boudin antillais de chez Becquerel, 113, rue Saint-Antoine, dans le 4e arrondissement, est particulièrement savoureux. Dans cette boucherie, tout est appétissant, y compris Mme Becquerel !

Si vous avez la chance de cuisiner en France, achetez du boudin noir et faites-le rôtir à feu doux dans une poêle humectée d'huile d'olive. Accompagnez-le de pommes-fruits coupées en quartiers que vous ferez dorer de tous les côtés dans une autre poêle mouillée d'huile d'olive. Salez et poivrez-les, saupoudrez-les généreusement de muscade fraîchement râpée avant d'en faire un tapis odorant sur lequel vous coucherez le boudin. Sortez un sancerre ou un bon muscadet (jamais, au grand jamais de vin rouge avec du boudin noir) et vous en reparlerez encore sur votre lit de mort !

BOUILLONS et fonds

Pas un seul cuisinier qui se respecte n'emploie de ces infects bouillons de poule, de bœuf ou de légumes qu'on trouve en cubes ou en poudre sur le marché. Ces cubes ou ces poudres sont de véritables «mines de sel» qui ne vous feront pas grand bien si vous souffrez d'hypertension. Quand on fait de la «cuisine de guerre» — en camping ou en voilier, par exemple —, on est justifié de recourir à ce genre de bouillon. Il ne faut pas alors saler trop vite, car les cubes se chargeront sans doute de saler juste ce qu'il faut le plat que vous préparez.

Faire des bouillons, que ce soit de légumes, de volaille ou de viande, est si simple qu'on n'a aucune excuse de s'en remettre aux cubes ou aux concentrés. Il s'agit de ne plus rien jeter qui ferait la base d'un bouillon. Ni les os d'un poulet ou d'un canard, encore moins ceux d'une oie. Les grandes surfaces vendent pour presque rien des os à bouillon, et si vous avez la chance de connaître votre boucher, il vous en donnera avec empressement, plutôt que de les jeter dans sa boîte à déchets destinés à faire des savons ou des engrais.

On ne fait jamais de bouillons dans des cocottes en aluminium. Elles ont tendance à les faire noircir. Prenez plutôt une cocotte en cuivre ou une cocotte en fonte émaillée.

bouillon de légumes

Je prends les légumes que j'ai sous la main — carottes, oignons, bâtons de céleri, panais, brocolis, poireaux, une ou deux tomates ou autres légumes. J'évite le navet et le chou qui donnent un goût trop prononcé à un bouillon. Je pèle ou lave mes légumes, je les coupe en gros morceaux et je les fais revenir douce-ment dans un peu d'huile d'olive. Pendant ce temps, je prépare mes herbes, quelques baies de genièvre, quelques gousses d'ail, une ou deux feuilles de laurier, des graines de coriandre, du sel, du poivre en grains et 5 ml (1 c. à thé) de sucre. Quand les légumes sont légèrement dorés, je verse environ 125 ml (1/2 tasse) de vermouth blanc sec, je laisse évaporer, j'ajoute les herbes et autres condiments et je mets de l'eau froide jusqu'aux deux tiers de la casserole. Je fais mijoter environ 2 h en couvrant partiellement. Je passe au chinois et je divise en portions de 250 ml (1 tasse) que je fais congeler, indiquant date et type de bouillon.

bouillon de viande

Je le fais idéalement avec quelques os de bœuf et de veau, mais des os de bœuf seulement font très bien l'affaire. Dans une cocotte, je mets les os et environ 250 ml (1 tasse) d'eau froide, puis j'amène à ébullition. Pendant ce temps, je tranche deux ou trois carottes en rondelles, je coupe un oignon en morceaux, j'ajoute deux ou trois bâtons de céleri coupés en bouts de 3 à 4 cm (1 1/4 à 1 1/2 po) (ou je remplace par quelques feuilles de céleri aromatique), trois ou quatre gousses d'ail, des herbes fraîches ou séchées — un peu de toutes celles que j'ai sous la main —, quelques baies de genièvre, une petite douzaine de graines de coriandre, une ou deux feuilles de laurier, du sel et du poivre en grains. Lorsque l'eau a bouilli quelques minutes, je la jette et je remets un autre 250 ml (1 tasse) d'eau froide. Je fais bouillir assez vivement jusqu'à ce que l'eau s'évapore. Quand elle est presque évaporée, je mets les légumes et je les laisse coller un peu à la casserole avec l'os. Je déglace alors avec 125 ml (¹/₂ tasse) de vermouth blanc sec que je laisse évaporer encore. Je sale et poivre, puis j'ajoute de l'eau froide aux deux tiers de la casserole. À l'occasion, j'ajoute aussi une tomate coupée en morceaux ou de 15 à 30 ml (1 à 2 c. à soupe) de pâte de tomate. Je couvre à demi et je fais mijoter lentement 2 ou 3 h. Ce n'est pas obligatoire, mais lorsque l'eau commence à bouillir, il se forme toujours de l'écume. Mieux vaut l'enlever.

Quand le bouillon est prêt, je le coule dans un chinois et je le laisse refroidir. Je dégraisse, s'il y a lieu, et je fais congeler dans de petits contenants de 250 ml (1 tasse). Avant de mettre les contenants au congélateur, j'indique de quelle sorte de bouillon il s'agit et j'inscris la date.

bouillon de volaille

Rien ne fait un meilleur bouillon de volaille que la carcasse de l'oie ou du canard. Comme c'est beaucoup plus goûteux qu'un bouillon de poulet ou de pintade, je ne mêle jamais les deux types de bouillon. Les plus goûteux, je les emploie plutôt pour faire des sauces que pour faire un risotto, par exemple.

Quand vous êtes en famille, ne vous gênez surtout pas de reprendre les os que laisseront dans leurs assiettes ceux qui ont eu la veine de manger les cuisses ou les ailes. Vous ajouterez ces os à la carcasse, et le bouillon n'en sera que plus intense.

Mettez tous les os de votre volaille dans la cocotte, deux ou trois carottes coupées en rondelles, un oignon coupé en morceaux, deux ou trois bâtons de céleri coupés en bouts de 3 à 4 cm (1 ¹/₄ à 1 ¹/₂ po), trois ou quatre gousses d'ail, des herbes fraîches ou séchées — un peu de toutes celles que vous avez sous la main —, quelques baies de genièvre, quelques graines de coriandre et une ou deux feuilles de laurier, du sel et du poivre en grains. Ajoutez de l'eau aux deux tiers de la casserole et faites mijoter environ 2 h en couvrant en partie. Passez au chinois, divisez en portions de 250 ml (1 tasse) et faites congeler en indiquant date et type de bouillon.

bouillon foncé

Si on veut faire un bouillon foncé, on commence par faire rôtir les os à four chaud en les mettant dans une lèchefrite. On les tourne une fois ou deux. On ajoute ensuite les légumes qu'on fait également rissoler. On transfère os et légumes dans un faitout, on ajoute des bâtons de céleri coupés en bouts de 3 à 4 cm (1 ¹/₄ à 1 ¹/₂ po), 3 ou 4 gousses d'ail, des herbes fraîches ou séchées — un peu de toutes celles qu'on a sous la main — , quelques baies de genièvre, quelques graines de coriandre et une ou deux feuilles de laurier, du sel et du poivre en grains. On met de l'eau aux deux tiers de la casserole et on fait mijoter environ 2 h en couvrant partiellement. On passe au chinois et on fait congeler.

Il n'y a pas beaucoup d'intérêt à préparer des bouillons foncés, puisqu'on ne peut pas les utiliser pour tout et qu'il est ultra simple de foncer un bouillon avec une bonne sauce à brunir.

court-bouillon

J'imagine que la raison pour laquelle on a appelé ce bouillon court-bouillon, c'est qu'il se fait en un tournemain.

Je prépare le mien avec $^2/_3$ eau et $^1/_3$ vin blanc sec (de préférence du vermouth extra-dry). J'ajoute un bâton de céleri coupé en morceaux, une carotte coupée en rondelles, une ou deux gousses d'ail, des herbes (fraîches autant que possible), quelques graines de coriandre, quelques baies de genièvre, deux feuilles de laurier et 5 ml (1 c. à thé) de zeste de citron jaune ou vert émincé. Si je le fais avec du vin blanc sec plutôt qu'avec du vermouth, j'ajoute 5 ml (1 c. à thé) de sucre afin de neutraliser l'acidité du vin. Je couvre partiellement et je fais bouillir assez vivement jusqu'à ce que le court-bouillon ait réduit du tiers. Je coule comme pour les autres bouillons et je fais congeler.

Le court-bouillon peut être réutilisé s'il n'a pas servi à faire pocher un saumon ou une truite dont le goût est trop prononcé. On le fait simplement congeler de nouveau en prenant en note qu'il a déjà servi, car on ne pourra le réutiliser que pour pocher poisson ou fruits de mer, ou encore faire un risotto au poisson ou aux fruits de mer.

BOURGOGNE

Juste le mot met en appétit ou fait saliver. « Chez nous en Bourgogne, a écrit Jules Roy, rien ne manque et rien n'est de trop... » Dans cette région de France où les vieux clochers romans font le guet sur des collines langoureuses, les grandes tables ne se comptent plus. Pas plus que ne se comptent les vins dont les Américains et les Japonais ont fait grimper les prix à de si désagréables sommets. Mais il n'en fut pas toujours ainsi. Quand j'ai connu la Bourgogne, on n'avait pas besoin de passer au guichet automatique avant de commander un Chassagne-Montrachet (qu'on prononce sans le « t » comme Montréal) un Meursault, une Nuits-Saint-Georges, un Aloxe-Corton ou un Pommard.

Au hasard de la route, j'avais connu au début des années 60 la vieille maison bourguignonne qui s'élève sur la place d'armes du petit village de Chagny, à une quinzaine de kilomètres de Beaune. Elle appartient depuis des lustres à la famille Lameloise. La maison était moins cossue qu'aujourd'hui, mais elle était tout aussi agréable et accueillante. Entre Paris et la côte, nous y arrêtions fréquemment pour un dîner et une nuitée. Aimée s'y plaisait. Elle trouvait le restaurant moins collet monté que la Côte d'Or à Saulieu (où règne toujours Bernard Loiseau) et moins extravagant dans ses prix que celui de Bocuse à Collonges-au-Mont-d'Or.

C'est chez les Lameloise (dont Jacques est aujourd'hui le chef) que je mangeai mon premier poulet de Bresse. Pour nous, Nord-Américains, il ne semble y avoir que deux sortes de poulets : ceux élevés en batterie et gavés d'hormones qu'on abat et qu'on plonge plusieurs heures dans des bassins d'eau froide avant de les vendre et les autres, jaune pipi, à qui on a donné du maïs trois semaines avant de les passer au peloton d'exécution.

En France, on fait toujours grand état des races de poules et on continue de cultiver leurs différences. Il n'y a pas de poulet à la chair plus savoureuse que celui de Bresse. Et ce n'est pas du snobisme. Même si un poulet de Bresse coûte trois à quatre fois plus cher que celui aux hormones et deux fois plus qu'un poulet fermier, la dépense n'est pas aussi folle qu'elle en a l'air. En plus de vous mettre sous la dent une chair de volaille exceptionnelle, poids pour poids, le poulet de Bresse servira deux fois plus de convives parce que sa chair est plus dense et plus nourrissante.

Faites rôtir côte à côte un poulet de Bresse et son vulgaire vis-à-vis d'Amérique. Après 1 h 30 de cuisson, le poulet de Bresse vous aura donné une petite tasse de jus maigre et savoureux dont vous pourrez napper tel quel vos portions de chair et l'autre, plus de deux tasses de jus insipide dont la moitié est du gras tout juste bon pour la poubelle.

Mais revenons chez les Lameloise. J'y fêtai les 40 ans d'Aimée d'une manière qui la laissa sans voix pendant un long moment. Ce vendredi soir-là, quand nous sommes entrés dans la salle à manger, ses trois sœurs, son frère et sa belle-sœur étaient déjà assis à table et nous attendaient. Je les avais invités en secret à venir du Canada fêter avec nous.

Comme plat principal, la cuisine avait préparé un poulet de Bresse aux truffes que nous avons arrosé d'un Mercurey qui venait juste d'avoir l'âge de raison.

Il y a mille autres endroits où s'arrêter en Bourgogne, mais certains qu'il est criminel de rater.

Dans les années 60, Aimée et moi, nous travaillions aussi pour Pierre Gerin, qui avait produit le magnifique long métrage *Le journal d'un curé de campagne* d'après le roman de Georges Bernanos. Après une quasi-faillite avec ce film, il s'était retrouvé à la tête des dramatiques d'Europe numéro 1.

Pierre nous fit découvrir beaucoup de choses. Les fontaines de Rome, la nuit, par exemple. Toute une nuit, il nous avait conduits d'une fontaine à l'autre. Il s'arrêtait à chacune et nous en racontait l'histoire comme le plus passionné des guides. C'est lui qui nous avait ordonné d'aller voir la basilique Sainte-Madeleine, à Vézelay sur l'Yonne. C'est un village d'à peine 600 habitants à une quinzaine de kilomètres d'Avallon.

Par la suite, je crois n'avoir jamais traversé la Bourgogne en voiture sans faire un crochet par Vézelay. D'abord, pour revoir l'exceptionnelle basilique, la préférée de l'écrivain Jules Roy, mais surtout pour manger et dormir à L'Espérance.

Quand j'ai connu L'Espérance, c'était une auberge très modeste. Une longue maison de deux étages dont le dernier était percé de lucarnes. C'est au dernier étage que se trouvaient des chambres qui avaient des allures monacales, tant le mobilier était sommaire.

À chaque bout du couloir, il y avait une salle de toilettes sans baignoire. Quelques chambres de l'étage avaient leur salle de toilettes particulière, mais les lits de fer grinçaient tout autant que ceux de l'étage du dessus et les matelas étaient si bosselés que même un fakir n'y aurait pas été confortable.

La salle à manger avait des airs tout aussi monastiques : des tables de bois recouvertes de nappes de lin reprisées mille fois, des couverts usés par le temps, une verrerie disparate, mais on oubliait tout quand arrivait son assiette. Rien d'une nouvelle cuisine un peu mesquine, pas de fantaisie, mais des plats goûteux, sortis tout droit du patrimoine culinaire de Bourgogne, qui valaient à L'Espérance une étoile au Michelin.

Un jour, au lieu d'être accueilli par les deux femmes sans âge que nous considérions comme de vieilles tantines, c'est un jeune homme baraqué comme un bûcheron qui nous ouvrit la porte. Il s'appelait Marc Meneau. Après le repas, ni meilleur ni moins bon qu'à l'accoutumée, Meneau nous expliqua les rêves qu'il avait pour L'Espérance. Il aménagerait un jardin magnifique qu'on apercevrait de la salle à manger par une grande verrière. Et puis, si les affaires allaient bien, il construirait de l'autre côté de la route une auberge moderne, confortable, luxueuse et paisible.

Il fit tout ce qu'il avait dit. Il cueillit dans son passage vers la notoriété un petit oiseau Michelin, une deuxième étoile, puis une troisième (qu'il a perdue récemment, je crois...), et la clientèle huppée — allemande,

américaine et japonaise — remplaça graduellement celle des petits bourgeois comme moi.

Maintenant, si vous arrêtez à L'Espérance, une table toujours exceptionnelle, et que vous visitiez auparavant la basilique Sainte-Madeleine, n'y laissez pas trop d'argent dans les troncs, car il vous faudra compter au moins 2 000 FF pour un repas du soir pour deux chez Meneau et autour de 300 $ pour y passer la nuit.

Meneau ne fut pas le seul chef de Bourgogne à transformer une excellente table en table luxueuse... et hors de prix.

Au début des années 60 encore, j'arrêtai Chez la mère Blanc à Vonnas, en route vers le Jura. Vonnas est un village d'à peu près 2 500 habitants situé dans l'Ain à une vingtaine de kilomètres de Bourg-en-Bresse. Georges Blanc, héritier d'une vieille famille de merveilleux cuisiniers et cuisinières, venait de prendre la relève de sa mère. C'était — et c'est toujours — un homme discret, timide, au sourire rare. Mais sa femme Jacqueline possède l'allant d'un « homme d'affaires » et l'allure dégagée et très *public relations* d'une grande commerçante parisienne. Elle faisait pour l'auberge et son mari des rêves d'avenir.

Elle les a tous réalisés et bien au-delà. La petite auberge au pied de laquelle coule la Veyle est maintenant une hostellerie de grand luxe avec jardin fleuri et héliport. On vient de partout pour goûter la cuisine de Georges Blanc qui n'a pas peur de la faire derrière de grandes vitres à travers lesquelles on peut suivre la ronde ininterrompue des marmitons. Ce qu'on y traficote avec la plus extrême méticulosité place le couvert entre 150 $ et 250 $ si vos goûts pour le vin ne sont pas trop extravagants.

Pendant que son mari était au fourneau, Jacqueline ne chômait pas. Elle a vu personnellement à la décoration de 32 chambres et de six appartements pour lesquels il faut débourser entre 300 et 500 $ pour dormir tout en digérant (ou en essayant...). Et, surtout, elle a commercialisé le nom de Georges tous azimuts : des vins (d'excellents chablis, je vous les recommande), des confitures et de beaux livres de cuisine publiés dans plusieurs langues. Elle fait même la distribution des crêpes vonnassiennes (voir recette p. 147) qui sont, si je ne m'abuse, une création de la famille Blanc. Je tiens d'ailleurs la recette de Georges Blanc lui-même.

BROCOLI

« Mange ton brocoli ! » ne cessent de dire les parents aux enfants, surtout depuis que les Américains ont découvert les vertus de ce légume. Hélas ! les enfants n'aiment pas trop le brocoli, et je ne peux pas les blâmer parce que la plupart ne savent pas comment le préparer. On ne le pèle pas, on l'assaisonne mal et, surtout, on le fait cuire tellement que sa texture finit par ressembler à de la nourriture pour bébés. Comble de bêtise, plus d'un cuisinier jette la tige pour ne garder que la fleur, peut-être la partie la plus insipide.

Cette variété de chou-fleur qu'on appelle brocoli n'a pas beaucoup de saveur et elle en a encore moins si on ne l'achète pas ultra fraîche. Le brocoli doit être ferme, d'un beau vert tirant sur le bleu et avoir des feuilles qui n'ont pas commencé à jaunir.

On prépare le brocoli en coupant le bout du pied de 1 ou 2 cm (3/8 ou 3/4 po) et en séparant les tiges en deux ou en trois parties, selon leur grosseur. On pèle la tige avec un couteau économe, puis on rince sous le robinet.

Le brocoli gagne à être cuit à la marguerite de manière à ne pas bouillir dans son eau. Si vous avez une cocotte à asperges, servez-vous-en pour le brocoli. Les tiges seront alors plus près de l'eau bouillante, et les têtes cuiront moins rapidement.

Une fois le brocoli cuit, on le laisse s'assécher sur une serviette ou quelques épaisseurs de papier essuie-tout. Le brocoli cuit en général très rapidement. Une dizaine de minutes environ et il est impérieux qu'il soit cuit *al dente*, sinon c'est de la bouillie pour bébés.

brocoli au citron et à l'ail

POUR 4 PERSONNES

1 beau brocoli frais
60 ml (¼ tasse) d'huile d'olive vierge
Le jus de ½ citron
2 gousses d'ail émincées finement
Sel et poivre en grains
Quelques pincées de muscade fraîchement
    râpée

Détacher les bouquets de brocoli, puis éplucher les tiges avec un couteau économe. Faire cuire à la vapeur ou à l'eau jusqu'à ce que le brocoli soit tendre, mais encore croquant. Refroidir rapidement. Pendant que cuit le brocoli, mettre l'huile dans un bol avec le jus de citron, l'ail, le sel (ne pas mettre trop de sel, car l'huile en amplifie le goût), le poivre et la muscade, brasser rapidement avec une fourchette pour émulsionner. Placer le brocoli dans une assiette de service bien chaude et verser la sauce dessus. Servir immédiatement.

brocoli chinois

Vous n'en trouverez que dans les quartiers chinois et vous n'aurez pas de mal, car les Chinois en mangent comme les Québécois mangent des pommes de terre. Contrairement au brocoli habituel, le brocoli chinois a de longues feuilles, et ses bouquets un peu jaunâtres ont l'air de bouquets avortés. À mon goût, c'est le meilleur brocoli qu'on puisse trouver et il ne faut surtout pas se gêner pour en acheter une grande quantité, car il réduit à la cuisson (un peu comme les épinards) et il s'avale comme du bonbon.

préparation

On sépare d'abord en deux ou en trois les bouquets trop gros, on coupe le pied des tiges, puis on les pèle avec un couteau économe. Une fois tous les bouquets parés, on les trempe quelques minutes dans de l'eau vinaigrée pour bien les laver. On fait bouillir de l'eau dans une grande sauteuse ou une cocotte, on la sale abondamment, puis on y couche le brocoli. On peut couvrir mais je ne le fais pas, car il est plus facile avec la pointe d'une fourchette de vérifier fréquemment l'état de la cuisson. Dès que le brocoli est *al dente*, on l'étend sur une serviette ou sur plusieurs épaisseurs de papier essuie-tout afin de l'égoutter, on le dépose dans un plat de service et on verse dessus une sauce qu'on prépare de la manière suivante :

POUR CHAQUE PORTION DE BROCOLI

15 ml (1 c. à soupe) de beurre
15 ml (1 c. à soupe) d'huile d'olive
15 ml (1 c. à soupe) de jus de citron
1 petite gousse d'ail hachée finement (facultatif)
5 à 10 ml (1 à 2 c. à thé) de muscade fraîchement râpée
1 pincée de sel
Poivre fraîchement moulu

Mettre le beurre avec l'huile d'olive et le jus de citron dans un bol, passer quelques secondes au micro-ondes pour faire fondre le beurre, ajouter les condiments et fouetter avec une fourchette pour émulsionner.

gratin de brocoli au parmesan

POUR 4 PERSONNES

1 beau brocoli frais
60 ml (¼ tasse) de beurre et 30 ml (2 c. à soupe) d'huile d'olive
Le jus de ½ citron

60 ml (¼ tasse) de parmesan râpé
Sel et poivre

Détacher les bouquets de brocoli, éplucher les tiges avec un couteau économe et faire cuire à la vapeur ou à l'eau jusqu'à ce que le brocoli soit tendre, mais encore croquant. Refroidir rapidement (on peut le faire en le passant sous l'eau). Pendant que cuit le brocoli, faire fondre le beurre, y ajouter l'huile et le jus de citron, puis brasser rapidement avec une fourchette pour bien mélanger. Mettre le brocoli dans un plat à gratin, y verser la sauce, saler et poivrer, puis répandre le parmesan râpé sur le brocoli. Mettre sous le gril jusqu'à ce que le parmesan soit bien doré et servir immédiatement. On peut servir comme entrée ou comme légume d'accompagnement, principalement avec des viandes blanches (veau, poulet, porc…).

BRUSCHETTA

Il y a autant de façons de faire la bruschetta qu'il y a d'Italiens, c'est vous dire… À mon goût, la plus simple est la meilleure. Elle requiert du bon pain (ce qui est de moins en moins rare), de la très bonne huile d'olive et de l'ail aussi frais que possible.

bruschetta sans prétention
POUR 1 PERSONNE

1 grande tranche de pain
1 gousse d'ail
Huile d'olive

Faire griller le pain des deux côtés dans le four ou, encore mieux, sur du charbon de bois. Le frotter ensuite avec une gousse d'ail qu'on a écrasée, puis verser sur le pain le plus également possible l'huile préalablement chauffée. Servir immédiatement tel quel. Avec de la soupe de poisson ou de la soupe de légumes, la bruschetta fait un repas.

variantes

Couper des tomates en petits dés, les étendre sur la bruschetta, saler, poivrer et bien humecter d'huile.

Couper des tomates, les épépiner, puis les trancher très finement. Couper aussi des oignons en tranches très fines, saler, poivrer et en couvrir le pain grillé. Mettre de l'huile et remettre sous le gril jusqu'à ce que les tomates et les oignons soient très chauds.

C

Café

Calmar

Carotte

Carpaccios et tartares

Casseroles et cuivres

Caviar

Céleri et céleri-rave

Cerises de terre

Champignons

Chapelure

Chevreuil

Chou

Choucroute

Chou de Bruxelles

Chou-fleur

Citron

Citrouille

Clafoutis

Clémentine

Concombre

Coup de fil du lendemain

Courge spaghetti

Courgettes

Couscous

Couteaux

Crèmes

Crêpes

Crevettes

Croûtons

CAFÉ

Je me demande pourquoi j'ai décidé d'écrire quelques mots sur le café, puisqu'ils me vaudront sûrement plus de détracteurs que j'en ai déjà.

D'entrée de jeu, je vous dis que je ne bois jamais de café chez ceux pour qui le café n'est pas une religion et jamais je ne trempe les lèvres dans ce jus de chaussettes qu'on sert partout en Amérique et qu'on appelle par euphémisme « café américain ». Ce triste café américain est à son pire sur toutes les lignes aériennes, qu'il s'agisse d'Air France, d'Air Canada ou d'autres, et dans presque tous nos hôtels et bureaux.

À mon goût, c'est en Italie qu'on boit le meilleur café : un espresso bien serré sur lequel flotte une mousse veloutée d'une belle couleur chocolat au lait. On en a au plus 30 ml (2 c. à soupe) dans sa demi-tasse, mais quel délice ! Les machines qu'on utilise en Italie, on les voit maintenant partout, mais n'allez pas croire que la boisson qui en sort a le même goût qu'à Rome, Florence ou Venise. Dans la plupart des bistros de France, le café n'est guère plus ragoûtant que le café américain. Comme la tasse est plus petite, on en a moins à boire, et c'est son seul avantage sur le concurrent américain. On en arrive à avoir la nostalgie des bons vieux cafés filtre qu'on servait partout à Paris il y a une quarantaine d'années. L'espresso qu'on sert à Montréal n'est guère mieux, même si les machines sont du meilleur cru.

Le café n'est donc pas uniquement question de machine. La preuve ? Sans aucun autre outil qu'une pauvre petite cafetière de cuivre — une « cezve », on fait dans tout le Proche-Orient un excellent café qu'on appelle « turc », alors qu'on fait presque partout, hors d'Italie, un espresso âcre ou délavé avec des machines high-tech qui coûtent une fortune.

Pour faire du bon café, il faut une « matière première » de qualité. Toutes les grandes surfaces offrent maintenant d'incroyables mélanges de cafés en grains qu'on peut moudre sur place ou à la maison. La plupart ne sont pas meilleurs que les cafés des multinationales qu'on trouve sur les tablettes, mais si vous y croyez, achetez-en. Quelques entreprises spécialisées vendent presque uniquement du café : Café Union, Saeco, Van Houtte et d'autres. Ce n'est pas le meilleur café du monde, mais c'est, en général, le meilleur qu'on puisse trouver au Québec.

Qu'on ne se berce pas d'illusions, les possibilités ne sont guère meilleures dans une grande ville comme Paris. Depuis quelques années, en Europe de l'Ouest, existe un club qui s'appelle Club Nespresso. Je crois que l'affaire appartient à la multinationale suisse Nestlé. Club Nespresso distribue des capsules de café qu'on peut utiliser uniquement dans certaines machines. La qualité du café est remarquable, mais la facture est salée. Je le sais, c'est le genre de café auquel je suis «abonné» à Paris.

Tout compte fait, si vous êtes amateur de café, il existe plusieurs bonnes machines à café, mais les meilleures viennent d'Italie et d'Allemagne. Il faut se résigner à investir de 500 à 1 000 $ pour une bonne machine qui durera 15 ou 20 ans pour peu que vous la chouchoutiez. Toutes ces machines vous permettront de fouetter votre lait et, avec un peu d'entraînement, vous réussirez un cappuccino presque aussi bon qu'en Italie. Si on n'a pas les moyens d'acheter une machine pareille, mieux vaut se contenter d'une petite Vesuvio, d'une Atomic ou même de la classique napolitaine, plutôt que de mettre 100 ou 150 $ pour une machine qui fera du café moyen et qui vous abandonnera au bout de quelques années.

En plus de bons grains de café, il faut de l'eau de première qualité. Si vous habitez une ville dont l'aqueduc fournit une eau aussi chlorée que celle de votre piscine, abstenez-vous de l'utiliser pour faire du café. Il sera imbuvable. Résignez-vous à acheter de l'eau en bouteille, mais une eau absolument plate et presque sans sel, comme de l'Évian ou de la Naya.

De préférence, achetez votre café en grains et passez-le vous-même au moulin. Il conservera ainsi tout son arôme. Gardez les grains de café dans un endroit sec, mais ne les mettez pas au frigo et encore moins au congélateur. Quand vous le sortiriez, les grains sueraient et vous auriez alors du mal à les moudre correctement.

espresso

Le café doit être mouliné finement, et l'eau la plus pure possible. Il faut compter un bon 15 ml (1 c. à soupe) de café/125 ml (1/2 tasse) d'eau. Comme une partie de l'eau s'évapore et qu'une autre reste dans la machine (ou la cafetière), ces proportions devraient vous donner une petite demi-tasse française... que vous aurez pris soin de réchauffer préalablement en y versant de l'eau bouillante. L'espresso se boit sucré ou non. Si on y ajoute quelques gouttes de lait, il devient un **café noisette.**

Les Anglais ont pris l'habitude de glisser un zeste de citron dans leur tasse d'espresso. Faites comme eux... quand vous êtes en Angleterre !

cappuccino

Ce n'est pas un café au lait même s'il comporte du lait et non de la crème, comme plusieurs l'imaginent. Pour faire du cappuccino, il faut une machine à café qui puisse fouetter le lait, mais on vend maintenant pour une douzaine de dollars un petit instrument qui ne sert qu'à fouetter le lait. Les résultats sont moins bons qu'avec la machine, mais on ne peut tout avoir ! On sert le cappuccino dans une tasse normale qu'on réchauffe préalablement en y versant de l'eau bouillante. On commence par y verser une demi-tasse d'espresso — à peu près 45 ml (3 c. à soupe) —, puis on dépose avec une cuillère, ou en versant lentement, la mousse du lait qu'on aura fouettée. On finit de remplir la tasse de la mousse de lait. Quelques-uns saupoudrent la mousse d'un peu de cannelle ou de chocolat, mais c'est une décoration que je déteste...

café au lait *(caffè latte)*

Pour chaque tasse de café au lait (en général, on le sert dans de grandes tasses, presque deux fois plus grandes que celles qu'on utilise pour le cappuccino), on fait chauffer environ 100 ml (presque 1/2 tasse) de lait. Attention, le lait ne doit pas bouillir. Quand il est chaud, on le verse dans la tasse qui contiendra déjà de 45 à 60 ml (3 à 4 c. à soupe) d'espresso très fort.

café viennois

Moi, je déteste, mais les femmes adorent. Préparez l'espresso comme à l'accoutumée, mais quand vous le servez dans sa demi-tasse, nappez-le d'un bon 15 ml (1 c. à soupe) de crème fraîche que vous venez de fouetter. Si vous voulez vraiment séduire, glissez dans la tasse un mince morceau de bon chocolat noir.

café turc

Il n'y a qu'une façon de faire du café turc et c'est celle que je vous indique. D'abord, il faut la cafetière appropriée. On ne fait pas un café turc pour deux personnes dans une cafetière destinée à faire quatre cafés. Il y a des cafetières de toutes les tailles, pour une personne comme pour 12.

Dans la « cezve », on verse 200 ml (7 oz) d'eau par personne ainsi qu'un bon 7 ou 8 ml (1 c. à thé comble) de café moulu en fine poudre, puis, selon la volonté de ceux qu'on sert, 7 ou 8 ml (1 c. à thé comble) de sucre ou un peu moins. On remue avec une cuillère, puis on amène au point d'ébullition à feu assez doux. Quand le café bout, il se forme une riche mousse brune. Au moment où la mousse va passer par-dessus bord, on verse lentement la boisson mousseuse dans les tasses. Quand il n'y a plus de mousse dans la cafetière, on la remet sur le feu et on recommence l'opération. Quand tout menace de déborder encore une fois, on verse le reste de la boisson mousseuse dans les tasses en prenant soin que le marc reste dans la cafetière.

CALMAR

J'adore les calmars et je regrette que notre situation géographique ne nous permette pas d'en acheter de tout frais fleurant bon la mer et le sel. Pour peu que vous puissiez compter sur une bonne poissonnerie, les calmars surgelés (qu'on fait dégeler chaque matin pour la clientèle) vous mettront quand même l'eau à la bouche.

Calmar ou seiche, la différence n'est pas grande, sauf dans l'apparence, et la plupart des façons d'apprêter les calmars se prêtent bien à la seiche. Le corps du calmar en forme de sac est couvert d'une fine membrane violacée, et la tête compte 10 tentacules dont deux plus longs que tous les autres. La tête de la seiche porte des tentacules courts munis de ventouses et deux longs tentacules. Une fois détaillés en rondelles ou en lanières, par exemple, il faut un œil averti pour distinguer le calmar de la seiche.

Je ne vous indique pas comment préparer la seiche ou le calmar, car nos poissonneries les vendent toujours débarrassés de tout ce qu'on ne mange pas, y compris la poche d'encre, hélas ! Inutile donc de vous indiquer comment faire de la seiche dans son encre...

calmars à la créole

POUR 2 À 3 PERSONNES EN PLAT PRINCIPAL

1 poivron rouge
1 poivron vert
2 oignons
Huile d'olive
Sel et poivre
Le zeste de ¼ citron très finement haché
680 g (1 ½ lb) de calmars coupés en
    rondelles
Aneth
Persil

Découper en rondelles les poivrons et les oignons, puis les faire attendrir dans l'huile en les assaisonnant de sel, de poivre et de zeste de citron. Y déposer les calmars et les faire cuire de 7 à 10 minutes, selon la grosseur des rondelles. Parsemer d'aneth et de persil haché avant de servir. On peut remplacer les calmars par de la seiche.

calmars à la tomate

POUR 4 À 5 PERSONNES

60 ml (¼ tasse) d'huile d'olive
3 ou 4 tomates pelées, épépinées et
    coupées en gros dés
Sel et poivre
1 pincée de sucre
1 kg (2 ¼ lb) de calmars
2 gousses d'ail hachées finement
7,5 ml (1 ½ c. à thé) de zeste de citron
    haché finement
1 ou 2 douzaines d'olives noires Calamata
    dénoyautées
60 ml (¼ tasse) de vermouth blanc extra-
    dry
La moitié d'un petit piment chili (facultatif)

Faire chauffer l'huile d'olive dans une sauteuse et y mettre les tomates avec le sel et le sucre. Couvrir et laisser cuire une douzaine de minutes à feu doux. Pendant ce temps, laver les calmars. Les laisser entiers s'ils sont petits ou les couper en rondelles. Mettre les calmars dans la sauteuse avec tout le reste des ingrédients. Couvrir et cuire à feu moyen de 12 à 15 minutes ou jusqu'à ce que les calmars soient tendres. Dans les derniers instants, si on trouve le jus trop clair, on peut enlever le couvercle et laisser diminuer. Servir tel quel avec du pain grillé.

calmars frits

Les Romains se régalent toujours de calmars cuits en haute friture et bien arrosés de jus de citron. On découpe les calmars (ou la seiche) en anneaux qu'on éponge au mieux dans une serviette. On les trempe dans une pâte à frire très légère et on les fait cuire en haute friture. On les dépose ensuite sur plusieurs épaisseurs de papier essuie-tout ou sur une serviette propre pour les égoutter et on sert dans des assiettes chaudes avec plusieurs quartiers de citron bien frais.

CAROTTE

Je ne sais pas pourquoi les femmes prêtent tant de vertus aux carottes qui ne sont pourtant pas le meilleur légume que je connaisse. On dit qu'après les pommes de terre, les carottes constituent le légume favori des Québécois. Elles arriveraient même avant la tomate, c'est vous dire.

Je trouve la carotte essentielle à tout bouillon... mais je peux rester quelques semaines sans en manger et je ne suis pas en manque. J'avoue que si nos vieilles mères aimaient bien les carottes, elles les ont aussi bien maltraitées en leur demandant d'accompagner un peu n'importe quoi ou en les faisant bouillir sans autre condiment que le sel et le poivre. La pauvre carotte continue à subir beaucoup d'affronts, se retrouvant presque toujours mal assaisonnée ou voisinant avec des viandes rouges qui ne savent qu'en faire.

Si les carottes sont si populaires, c'est aussi parce qu'elles ne coûtent presque rien.

Quand je vois, à l'automne, les marchés offrir un sac de carottes de 20 kg (44 lb) pour moins de 5 $, je me dis que le pauvre producteur doit bien souhaiter que ses carottes étouffent quelques consommateurs !

Mais il n'y a pas que les méchantes cuisinières qui malmènent les carottes, les grandes surfaces s'y essaient aussi. Avec beaucoup de succès, ma foi... Elles vous serrent les carottes comme des sardines dans des sacs de plastique, et il est fréquent d'en trouver presque la moitié qui ont commencé à pourrir lorsqu'on les libère enfin de leur prison humide. Sans compter les carottes de bois qu'il faudrait faire bouillir des heures avant de les rendre comestibles. Tout cela pour vous dire qu'on devrait cesser d'acheter des carottes en aveugle, jetant dans son chariot à provisions un sac de carottes qu'on n'a même pas pris la peine de regarder. La carotte mérite tout de même mieux.

Tout le monde sait qu'il y a trois types de carottes : les primeurs qu'on vend avec leurs feuilles, les grelots tout prêts à sauter dans la poêle ou la casserole dès leur sortie du sac et les bonnes vieilles carottes d'automne à la chair ferme et avec du «poil aux pattes».

Si vous faites un pot-au-feu de début d'été, rien ne battra les carottes primeurs et, quelle que soit la quantité que vous ferez cuire, les convives les mangeront toutes pour peu que vous ayez pris soin de les garder *al dente*. Les grelots se prêtent bien à partager un plat de service avec d'autres primeurs : des mangetout ou des pois verts, par exemple. Pour tout le reste, préférez les carottes d'automne.

Carotte

 carottes Vichy au parmesan

POUR 3 À 4 PERSONNES

2 beaux bouquets de carottes
Eau de Vichy ou eau plate avec une pincée
    de sucre et de bicarbonate de soude
    (soda à pâte)
Huile d'olive
Poivre
160 ml (²/₃ tasse) de parmesan râpé

Couper les carottes en rondelles assez fines
— au plus 0,5 cm (¹/₄ po) —, les déposer
dans une sauteuse ou une poêle (attention qu'il
n'y ait pas plus de deux ou trois rangées de
rondelles de carotte d'épaisseur), verser de
l'eau de Vichy pour couvrir à peine, ajouter
30 à 45 ml (2 à 3 c. à soupe) d'huile d'olive
et cuire à feu vif jusqu'à ce que les carottes
soient tendres. Ajouter un peu d'eau de Vichy
si l'eau s'évapore avant que les carottes soient
cuites. Quand elles sont cuites, poivrer, ajouter
le parmesan et mélanger. Servir immédiatement.

Note : Peut se manger comme entrée ou pour
accompagner le veau, le porc ou le poulet.

potage de carotte

*Je ne suis pas friand de potages que
je mange au plus 10 ou 12 fois l'an, mais j'ai
un faible pour le potage de carotte et le
velouté de panais. Le potage de carotte est
parmi les plus simples qu'on puisse imaginer
et, si vous aimez les potages, surtout ne vous
en privez pas, car ils coûtent à peine
quelques sous par portion.*

POUR 6 À 8 PERSONNES

1 kg (2 ¹/₄ lb) de carottes
30 ml (2 c. à soupe) d'huile d'olive
1 oignon jaune, émincé
1 litre (4 tasses) de bouillon de poulet (ou
    moitié eau moitié bouillon)
Sel et poivre blanc
1 gousse d'ail
5 ml (1 c. à thé) de sucre
180 ml (³/₄ tasse) de crème épaisse à
    température de la pièce
¹/₂ noix de muscade râpée
Quelques gouttes de tabasco
Noisettes de beurre
Un beau bouquet de persil frais, haché
    finement

Peler les carottes, les laver et les couper en
rondelles. Faire chauffer l'huile d'olive et
ajouter les carottes et l'oignon. À feu doux,
laisser cuire une dizaine de minutes à
découvert. Ajouter le bouillon, le sel s'il y a
lieu, l'ail et le sucre, couvrir et faire cuire à
feu moyen de 40 minutes à 1 h ou jusqu'à
ce que les carottes soient bien cuites. Passer
au mélangeur, puis passer au chinois de
manière qu'il ne reste aucune fibre.
Remettre dans la casserole, ajouter la
crème, le poivre blanc, la muscade et les
quelques gouttes de tabasco. Faire cuire à
feu doux jusqu'à ce que le potage
commence à frémir. Servir en couronnant
chaque assiette d'une noisette de beurre
saupoudrée de persil frais.

purée de carottes

Je ne suis pas amateur de purée de carottes, mais je donne néanmoins ma recette pour faire plaisir à toutes ces femmes pour lesquelles les carottes sont aussi importantes que le sérum pour un malade...

Les bonnes purées de carottes sont difficiles à réussir avec des carottes trop fibreuses. Il faut soit les faire bouillir très longtemps, soit les passer au chinois une fois cuites, et ce n'est pas une mince affaire. Il vaut donc mieux faire la purée avec de jeunes carottes au cœur tendre.

POUR 4 À 5 PERSONNES

1 kg (2 ¼ lb) de carottes (au cœur tendre)
Eau salée
15 ml (1 c. à soupe) d'huile d'olive
2 gousses d'ail débarrassées de leur
 enveloppe
Environ 250 ml (1 tasse) de crème tiède
Origan, marjolaine ou thym frais
Sel et poivre
⅓ noix de muscade fraîchement râpée
180 ml (¾ tasse) de parmesan fraîchement
 râpé
Noisettes de beurre

Laver (éplucher, si nécessaire) les carottes et les faire cuire dans l'eau salée avec l'huile d'olive dans une cocotte qu'on couvre. Après une quinzaine de minutes, ajouter les gousses d'ail. Cuire jusqu'à ce que les carottes soient bien tendres. Égoutter et remettre les carottes à feu doux. Écraser au pilon au-dessus du feu afin que les carottes

s'assèchent le plus possible. Ajouter la crème tiède au fur et à mesure, tout en continuant à réduire en purée. Quand la purée a une belle consistance (mieux vaut qu'elle soit plus claire que trop épaisse), ajouter l'origan, la marjolaine ou le thym frais, le poivre et la muscade, puis brasser encore un peu. Ajouter du sel, s'il y a lieu. Verser la purée dans un plat à gratin, saupoudrer généreusement de parmesan, ajouter quelques noisettes de beurre et passer sous le gril très chaud jusqu'à ce que le parmesan commence à brunir. Servir comme accompagnement du veau ou du canard.

salade de carottes aux câpres

Si vous avez un robot culinaire, même les carottes les plus dures feront d'excellentes salades. Mais si vous avez des prothèses dentaires, préférez-leur toujours des carottes au cœur tendre, sinon vous risquez de mâcher encore vos carottes râpées longtemps après le départ de vos invités !

POUR 2 À 3 PERSONNES

450 g (1 lb) de carottes
Environ 45 ml (3 c. à soupe) d'huile d'olive
Quelques gouttes d'huile de noisette
Quelques gouttes de tabasco
2 gousses d'ail émincées finement
2,5 ml (½ c. à thé) d'eau de rose
15 ml (1 c. à soupe) de vinaigre japonais
 ou de vinaigre de cidre
Quelques gouttes de vinaigre balsamique

7,5 ml (1 ½ c. à thé) de jus de citron

15 ml (1 c. à soupe) de feuilles d'origan
frais ou de marjolaine ou de thym
(si vous n'avez pas d'herbes fraîches,
abstenez-vous)

15 ml (1 c. à soupe) de petites câpres

7,5 ml (1 ½ c. à thé) de baies roses
fraîchement moulinées

Sel

Une fois les carottes râpées, les mettre dans
un bol de service. Ajouter tous les autres
ingrédients et mélanger avec deux
fourchettes. Servir en entrée.

salade de carottes aux raisins

POUR 2 À 3 PERSONNES

125 ml (½ tasse) de raisins secs ordinaires
ou 80 ml (⅓ tasse) de raisins de
Corinthe

Environ 60 ml (¼ tasse) d'huile d'olive

Quelques gouttes d'huile de noisette

15 ml (1 c. à soupe) de rhum brun

5 ml (1 c. à thé) de zeste de citron jaune ou
vert haché très finement

450 g (1 lb) de carottes

15 ml (1 c. à soupe) de vinaigre japonais
ou de vinaigre de cidre

Quelques gouttes de vinaigre balsamique

7,5 ml (1 ½ c. à thé) de baies roses
fraîchement moulinées

Sel

Plusieurs heures avant de servir, mettre les
raisins à tremper dans un bol dans lequel
on aura versé les huiles, le rhum et le zeste
de citron. Râper les carottes, les mettre
dans un bol de service, ajouter les raisins
marinés et toute leur huile, ajouter le reste
des ingrédients et bien mélanger.

CARPACCIOS et tartares

C'est à Venise qu'est né le carpaccio au début
des années 30, et on en doit l'idée à Giuseppe
Cipriani, le patron du fameux Harry's Bar, qui
donna ensuite son nom au plus bel hôtel de la
ville. Quant à tout ce qu'on mange également
cru, mais haché, et qu'on appelle « tartare »,
cela remonte à la fin du 19e siècle, à Auguste
Escoffier qui appela son tartare « beefsteak à
l'américaine ». Je me demande bien pourquoi,
puisque les Américains ont une sainte horreur
du tartare. La plupart mangent leur bœuf en
semelle de botte et ignorent même qu'on
puisse le manger cru.

De toute manière, carpaccio et tartare ont
une chose en commun : leur principale composante est crue. Si la matière première de l'un
est toujours composée de tranches fines, la
matière première de l'autre est toujours
hachée, plus ou moins finement selon sa nature. Quant aux assaisonnements dont on accompagne l'un et l'autre, ils se ressemblent
beaucoup. C'est pourquoi j'associe carpaccio
et tartare. Avant de l'oublier, chose très im-
portante, les deux ont aussi en commun de
devoir être préparés à la dernière minute. On
ne prépare ni un tartare ni un carpaccio au
beau milieu de l'après-midi pour le soir...

Si le steak cru est devenu tartare, c'est
qu'on l'a assaisonné au début d'une sauce qui

s'appelait « tartare » et que les Italiens connaissent depuis des siècles, puisqu'ils en accompagnent leurs fritures de poissons ou de fruits de mer. On doit le nom du carpaccio au peintre Vittore Scarpazza dit Carpaccio, né au 15ᵉ siècle. Cipriani fut en effet frappé par la couleur de ses fines tranches de bœuf cru qui lui firent aussitôt penser aux rouges des toiles du peintre vénitien.

La cuisine n'est pas seulement affaire de goût, elle est aussi affaire de mode. Et les modes, quelles qu'elles soient, passent... même si elles laissent des traces. Après avoir fait rage une vingtaine d'années, par exemple, la « nouvelle cuisine » a finalement disparu — heureusement — et n'a plus que quelques adeptes attardés — la plupart formés par l'Institut d'hôtellerie du Québec. Finies les assiettes garnies d'une bouchée de viande entourée de quelques légumes presque crus attachés par un vermicelle ou une brindille de je ne sais trop quoi !

Que ceux qui détestent les viandes et les poissons crus se consolent, la mode des carpaccios et des tartares s'envolera aussi. Dans quelques années — c'est promis —, il n'y aura plus au menu des restaurants une liste longue comme ça de carpaccios et de tartares. On trouve maintenant — c'est d'un ridicule consommé — des carpaccios de tomates, et je suis certain qu'un futé finira par mettre au menu un tartare de tomates. Ce dernier sera composé de tomates coupées en petits dés comme l'autre, naturellement, est composé de tomates coupées en tranches fines !

N'allez pas croire que je lève le nez sur le tartare ou le carpaccio. Au contraire, car j'adore les viandes et le poisson crus. J'en ai seulement contre la mode qui finit toujours par friser le ridicule...

Si les tartares de bœuf constituent un bon plat principal, je considère qu'il vaut mieux servir en entrée les carpaccios et tous les autres tartares. Matière de goût peut-être, mais je n'apprécie guère que mon plat principal soit froid. Cela dit, carpaccios et tartares font d'excellents lunchs.

carpaccio de bœuf

Quel que soit le carpaccio que vous souhaitiez faire — viande ou poisson — mieux vaut avoir une trancheuse électrique, car vous n'y arriverez pas à la main, même si votre couteau est aussi tranchant qu'un bistouri. Une trancheuse (on en trouve d'excellentes pour environ 65 $) vous servira à trancher de nombreux aliments comme le pain, le jambon cuit ou certains fruits, c'est donc un bon investissement.

POUR 4 PERSONNES

450 g (1 lb) de filet mignon bien paré
Quelques gouttes de bon vinaigre
    balsamique
60 ml (4 c. à soupe) d'huile d'olive de très
    grande qualité
7,5 ml (1 ½ c. à thé) de jus de citron
Poivre du moulin
Fleur de sel
12 tranches de parmesan frais, tranché
    aussi mince que le bœuf

Mettre le filet au congélateur environ 2 h. Le couper à la trancheuse en tranches d'environ 2 mm (moins de ¹/₈ po) d'épaisseur. Disposer immédiatement les tranches dans les assiettes. Mélanger vinaigre balsamique, huile et jus de citron, puis en badigeonner les tranches à l'aide d'un pinceau. Saupoudrer de poivre fraîchement moulu, de fleur de sel et disposer trois tranches de parmesan par assiette.

Voilà ! Tous les autres carpaccios de bœuf sont à mon avis des fantaisies sans intérêt. Certains ajoutent des champignons, d'autres de la moutarde, des herbes et même du roquefort. Moi, quand je mange un carpaccio de bœuf, je le veux le plus classique possible…

tartare de bœuf
POUR 2 PERSONNES

300 g (²/₃ lb) de filet mignon débarrassé de son gras et de ses nervures

2 jaunes d'œufs bien frais

2 petits oignons verts, hachés finement ou 30 ml (2 c. à soupe) de ciboulette

15 ml (1 c. à soupe) de moutarde forte ou de moutarde de Meaux

15 ml (1 c. à soupe) de petites câpres

15 ml (1 c. à soupe) de cornichon (cornichon à l'aneth ou cornichon libanais) bien essoré et haché finement (facultatif)

2,5 ml (½ c. à thé) de tabasco (facultatif)

5 ml (1 c. à thé) de sauce Worcestershire

7,5 ml (1 ½ c. à thé) de jus de citron

30 ml (2 c. à soupe) d'huile d'olive

Sel et poivre

2 petits bouquets de persil

2 quartiers de citron

C'est encore lorsqu'on hache le filet au couteau que le tartare est le meilleur, mais il faut un grand couteau chef et beaucoup d'habileté. Si on hache le filet au moulin, il faut un hachoir à vis sans fin du type de ceux qu'on utilise dans les boucheries. Si vous avez un boucher à quelques pas de la maison, faites-lui hacher la viande juste avant la fermeture et courez la mettre au frigo jusqu'à ce que vous fassiez votre tartare dans les 3 h qui suivent au plus tard.

Étendre la viande hachée dans une grande assiette, déposer dessus les jaunes d'œufs et tous les autres ingrédients. Pétrir le temps de bien mélanger et former deux belles boules de viande légèrement aplaties. En déposer une par assiette et décorer avec un bouquet de persil et un quartier de citron.

J'aime bien manger mon tartare avec des frites (ou d'excellentes chips), mais je l'aime aussi avec une salade verte.

carpaccio de canard aux deux magrets

Ce carpaccio est délicieux mais requiert deux magrets, l'un fumé, l'autre pas. C'est assez facile de trouver l'un et l'autre pour peu qu'on fréquente une bonne boucherie.

POUR 4 À 5 PERSONNES

1 magret frais

1 magret fumé

15 ml (1 c. à soupe) de moutarde forte ou
de moutarde de Meaux

30 ml (2 c. à soupe) d'huile d'olive

15 ml (1 c. à soupe) d'huile de sésame

5 ml (1 c. à thé) d'huile de noisette

2,5 ml (½ c. à thé) de bon vinaigre
balsamique

5 ml (1 c. à thé) de vinaigre de vin rouge

Sel

2 mangues épluchées et coupées en fines
tranches

7,5 ml (1 ½ c. à thé) de graines de sésame

15 ml (1 c. à soupe) de baies roses
grossièrement moulues

Débarrasser le magret frais de sa couche
de gras et le mettre au congélateur environ
30 minutes. Le couper en fines tranches et
les disposer dans les assiettes en alternant
avec de fines tranches de magret fumé dont
on aura gardé le gras. Mettre la moutarde,
les huiles et les vinaigres dans un bol et les
émulsionner au pinceau. Ajouter un peu de
sel. Badigeonner les tranches de canard de
cette vinaigrette. Finir de garnir les assiettes
avec les fines tranches de mangue.
Saupoudrer les assiettes de graines de
sésame et de baies roses. Servir à
température de la pièce.

carpaccio d'espadon ou de marlin

L'espadon et le marlin ont une chair moins
intéressante que le thon, mais ce sont des
poissons qui coûtent la moitié moins cher.
Les deux se prêtent bien à un carpaccio.
On suit sensiblement la même recette que
pour le thon, mais on assaisonne un peu
plus légèrement parce que l'espadon
(comme le marlin) est moins goûteux.

carpaccio de pétoncles

POUR 4 PERSONNES

20 gros pétoncles bien frais

45 ml (3 c. à soupe) d'huile d'olive de
grande qualité

5 ml (1 c. à thé) d'huile de noisette

7,5 ml (1 ½ c. à thé) de jus de citron

Quelques gouttes de bon vinaigre
balsamique

7,5 ml (1 ½ c. à thé) de zeste de citron
jaune, haché très finement

7,5 ml (1 ½ c. à thé) de ciboulette hachée

7,5 ml (1 ½ c. à thé) d'aneth haché

2,5 ml (½ c. à thé) de coriandre fraîche
hachée

1 gousse d'ail hachée finement

Fleur de sel

10 ml (2 c. à thé) de baies roses
grossièrement moulues

Passer les pétoncles sous l'eau froide, puis
les assécher dans une serviette. Les couper
en tranches aussi fines que possible dans le
sens contraire de la fibre, puis les disposer
dans une grande assiette de service. Dans

un bol, mélanger les huiles, le jus de citron et le vinaigre balsamique, ajouter le zeste de citron, les herbes et l'ail et, avec une cuillère ou un pinceau, badigeonner de ce mélange les pétales de pétoncle.

Saupoudrer de sel et de baies roses. Servir à température de la pièce.

carpaccio de saumon

POUR 4 PERSONNES

1 filet de saumon frais d'environ 450 g (1 lb)

15 ml (1 c. à soupe) de jus de citron jaune ou vert

45 ml (3 c. à soupe) d'huile d'olive

15 ml (1 c. à soupe) de vodka

15 ml (1 c. à soupe) d'échalote hachée finement ou de petits oignons verts, coupés en fines rondelles

15 ml (1 c. à soupe) de baies roses grossièrement moulues

10 ml (2 c. à thé) d'aneth frais ou de feuilles de fenouil hachées

Fleur de sel

Mettre le filet de saumon une quinzaine de minutes au congélateur. Au couteau, couper de fines tranches de saumon et les disposer dans les assiettes. Mélanger le jus de citron, l'huile et la vodka, puis émulsionner légèrement au pinceau. Badigeonner les tranches de saumon de ce mélange. Laisser reposer une vingtaine de minutes pour que le saumon soit à la température de la pièce. Saupoudrer le saumon de l'échalote, des baies roses, de l'aneth et de la fleur de sel. Servir tel

quel, accompagné de pain de seigle légèrement grillé.

tartare de saumon

POUR 4 PERSONNES

1 filet de saumon frais d'environ 450 g (1 lb)

15 ml (1 c. à soupe) d'échalote hachée finement ou de petits oignons verts, coupés en fines rondelles

10 ml (2 c. à thé) de petites câpres bien égouttées

15 ml (1 c. à soupe) de jus de citron jaune ou vert

45 ml (3 c. à soupe) d'huile d'olive

Quelques gouttes d'huile de noisette

Quelques gouttes de bon vinaigre balsamique

Fleur de sel et poivre fraîchement mouliné

10 ml (2 c. à thé) d'aneth frais ou de feuilles de fenouil hachées

4 belles feuilles de laitue

12 olives noires, dénoyautées ou non

Hacher le saumon au grand couteau jusqu'à ce qu'il ait la consistance voulue. Étendre le saumon haché dans une grande assiette, déposer dessus tous les ingrédients, sauf la laitue et les olives, puis pétrir avec les mains pour bien mélanger. Servir sur une feuille de laitue avec quelques olives noires pour décorer.

carpaccio de thon

POUR 4 PERSONNES

300 g (2/3 lb) de thon frais

30 ml (2 c. à soupe) de jus de citron

Quelques gouttes de bon vinaigre balsamique

Environ 45 ml (3 c. à soupe) d'huile d'olive de grande qualité

15 ml (1 c. à soupe) de petites câpres

2 gousses d'ail émincées finement

7,5 ml (1 ½ c. à thé) de zeste de citron vert très finement haché

15 ml (1 c. à soupe) d'herbes fraîches (un mélange de coriandre, de persil, de menthe et de thym, par exemple)

Fleur de sel

15 ml (1 c. à soupe) de baies roses fraîchement moulues au mortier

12 olives noires dénoyautées

Mettre le thon environ 30 minutes au congélateur afin qu'il soit bien ferme et en faire des tranches très minces. Les disposer dans les assiettes. Verser dans un bol le jus de citron, le vinaigre et l'huile, puis émulsionner avec le pinceau dont on badigeonne les tranches de thon. Saupoudrer sur les tranches les câpres, l'ail, le zeste, les herbes, la fleur de sel et les baies roses, puis décorer des olives noires. Servir immédiatement.

tartare de thon
POUR 4 PERSONNES

Environ 500 g (env. 1 lb) de thon frais

1 jaune d'œuf bien frais

2 petits oignons verts, hachés finement ou 30 ml (2 c. à soupe) de ciboulette

7,5 ml (1 ½ c. à thé) de moutarde forte

15 ml (1 c. à soupe) de petites câpres

2,5 ml (½ c. à thé) de tabasco (facultatif)

15 ml (1 c. à soupe) de jus de citron

Environ 60 ml (¼ tasse) d'huile d'olive de qualité

Quelques gouttes de vinaigre balsamique

7,5 ml (1 ½ c. à thé) de sauce soya

10 ml (2 c. à thé) de cerfeuil frais haché ou de coriandre

Sel (attention, la sauce soya est déjà salée) et poivre fraîchement moulu

4 quartiers de citron

12 feuilles de menthe fraîche

12 olives noires dénoyautées

Mettre le thon une trentaine de minutes au congélateur, puis le couper en cubes et le hacher au grand couteau. Déposer le thon haché dans une grande assiette, y mettre l'œuf et le reste des ingrédients, sauf les quartiers de citron, la menthe et les olives. Pétrir légèrement avec les mains afin de bien mélanger. Faire quatre boulettes, les aplatir légèrement et en disposer une au centre de chaque assiette. Décorer chaque portion d'un quartier de citron, de feuilles de menthe et des olives.

CASSEROLES ET CUIVRES

Tous ceux qui viennent chez moi mettent le nez dans ma cuisine. Invariablement — surtout les femmes —, on me dit : « C'est évident de faire la cuisine quand on est si bien équipé ! » C'est vrai, mais c'est également faux, puisque je connais plusieurs personnes qui ont des cuisines aussi bien équipées que la mienne et dont la cuisine est plus que quelconque.

En principe, on peut faire la cuisine avec un couteau d'office, une cuillère de bois, une spatule et deux ou trois casseroles, mais c'est de la cuisine de guerre. Pour cuisiner à l'aise et avec plaisir, il faut en général beaucoup de choses dont quelques-unes servent très rarement. Elles ne sont pas pour autant inutiles, puisque le jour où on se décide à faire des blinis, par exemple, mieux vaut une poêle à blinis et qu'il est assez incommodant de faire des gratins sans plats à gratin !

Je ne prendrai pas la peine de vous énumérer ce dont on a besoin dans une cuisine. Il y a plusieurs magasins spécialisés en articles de cuisine et, d'entrée de jeu, je vous dis qu'au moins la moitié de ce qu'on y vend est parfaitement inutile. Mais il y a l'autre moitié... En général, si vous essayez un plat pour la première fois (disons encore des blinis), tentez de vous en tirer avec les moyens du bord, une poêle antiadhésive ordinaire. Si vos blinis sont bons et que vous avez l'intention de récidiver de temps à autre, essayez de trouver une poêle ad hoc.

Si vous achetez une batterie de cuisine, choisissez des casseroles à fonds épais et lourds. Tous les aliments cuiront mieux, et vous ne risquerez pas à tout moment de faire chavirer votre casserole. N'achetez pas de chaudrons dont les queues deviennent trop chaudes. C'est très ennuyeux de devoir constamment recourir à une mitaine pour déplacer une casserole.

Ma batterie de cuisine de tous les jours est de deux types : fonte émaillée et cuivre lourd tapissé d'inox. De bonnes casseroles coûtent cher. Une cocotte de fonte émaillée Le Creuset dure facilement une vie entière si on n'a pas le malheur de la laisser tomber sur une surface de céramique ou si on ne la soumet pas à des chaleurs trop vives. Pas question non plus d'y aller à fond la caisse avec des ustensiles de métal très lourds qui abîmeraient la porcelaine.

Les cocottes en cuivre sont une merveille mais, attention, ne succombez pas à l'achat de cocottes bon marché, minces comme du papier et pourvues de queues en cuivre ou en laiton. Elles ne valent pas mieux que les cocottes en aluminium qu'on trouve dans les Dollarama ou les marchés aux puces. Chaque bonne casserole en cuivre coûte le prix d'une casserole en fonte émaillée Le Creuset, mais son cuivre est épais et, grâce à une queue en fonte, on n'a pas besoin d'une mitaine pour la déplacer.

Si vous devez faire des choix pour des questions de budget, préférez les casseroles ovales qui sont plus polyvalentes. Même chose pour les plats à gratin.

Il vous faut quelques poêles à frire. Prenez-les antiadhésives, mais ayez-en au moins une qui ne le soit pas, car il n'y a pas grand-chose à déglacer quand on n'utilise que des antiadhésives. Vous avez besoin d'au moins une sauteuse. Achetez-la avec une poignée qui peut aller au four. Si vous êtes gros mangeur de poisson, ayez une poissonnière. Comme on peut y poser le poisson sur une grille à trous, c'est beaucoup plus simple pour le faire pocher et le retirer ensuite de son eau.

Une poêle à griller en fonte épaisse est bien utile. Ce sont des poêles rainurées à bords très bas. Les rainures permettent de faire griller viande ou poisson sans mettre de gras (à peine quelques gouttes d'huile d'olive qu'on étend avec une boule de papier essuie-tout). Choisissez-la avec une poignée qui s'enlève afin de pouvoir l'utiliser au four, sous le gril.

Difficile de cuisiner sans bain-marie, mais on peut aisément remédier à son absence en utilisant deux cocottes qui entrent l'une dans l'autre.

Au fil des ans, vous ajouterez une casserole à sucre, une ou deux poêles à crêpes et à omelettes, un bon plat à rôti (ceux qu'on fournit avec les cuisinières sont trop minces et perdent leur forme dès qu'on les soumet à une chaleur très vive, ce qui est incommodant dans le four et absolument terrifiant lorsqu'on veut déglacer le fond du plat pour faire une sauce), une bassine à friture, divers plats à gratin, des ramequins de diverses dimensions, des plats à soufflé, au moins un plat à terrine, une marmite à asperges, un couscoussier (dont vous pourrez utiliser la marmite pour faire cuire des pâtes), et d'autres, sans doute.

Si vous achetez une batterie de cuisine en cuivre, on vous dira sûrement que les cuivres sont terribles à nettoyer. Ne le croyez pas et lisez plutôt cette histoire dont une vieille Provençale est la vedette.

Je la revois encore, longue silhouette noire et chapeau de paille à large bord, monter à pied la côte qui conduit à Gassin, un vieux village du Var d'où on aperçoit au loin la Méditerranée. Même si elle était née quelque part dans le Piémont, Mme Roquetta représentait pour moi l'image même de la Provence. Elle aurait pu, il me semble, être la mère de Mireille ou la femme de M. Brun. Elle venait chaque matin faire le ménage de la maison qu'avait la gentillesse de nous prêter mon ami Claude Pratte aussi souvent qu'on la voulait, puis elle repartait dans la vallée où elle entretenait un vignoble qui, disait-on, valait une fortune. Souvent, elle y était encore au crépuscule. Quand elle observait, immobile, ses grappes de raisins gavées de soleil, on aurait dit de loin un cyprès égaré parmi les vignes.

Mme Roquetta parlait surtout des yeux et de son chapeau, car elle n'ouvrait la bouche que rarement. Mais elle ne se privait pas de faire passer ses états d'âme dans ses regards, d'approuver ou de désapprouver en imprimant à son grand chapeau de paille de brefs mouvements de bas en haut ou de droite à gauche.

Quand elle m'aperçut, un jour, en train d'astiquer les cuivres de mon ami Claude avec un détachant que j'avais acheté à Saint-Tropez, son chapeau se balança de droite à gauche. Je crus d'abord qu'elle ne voulait pas me voir prendre sa place, mais c'est plutôt ma méthode qu'elle désapprouvait. Elle prit dans sa main le petit contenant de cotons détachants, et son chapeau se balança de plus belle. Elle sortit un grand récipient de sous l'armoire, y mit de la farine, du vinaigre et du gros sel et fit du tout une pâte épaisse et gluante. Elle en enduit un premier cuivre, puis un deuxième et ainsi de suite. Une fois qu'ils furent tous empâtés, elle les rinça sous le robinet d'eau froide, puis sous le robinet d'eau chaude. Ô miracle! alors que je n'avais même pas terminé un cuivre après l'avoir frotté plusieurs minutes, ses cuivres étaient devenus brillants comme des soleils en un tournemain.

Elle me fit un sourire mesuré et repartit toute droite vers son vignoble.

nettoyage des cuivres
250 ml (1 tasse) de gros sel
500 ml (2 tasses) de farine
Vinaigre blanc

Mélanger sel et farine dans un grand plat, puis incorporer assez de vinaigre pour faire une bouillie épaisse. Y tremper ou en enduire la casserole de cuivre, laisser reposer la casserole quelques minutes, rincer et laver à l'eau chaude et au savon.

CAVIAR

Je vous entends d'ici rouspéter et dire que c'est du temps et du papier perdus que d'écrire sur le caviar, puisqu'il est absolument hors de prix et qu'à peu près personne ne peut s'en offrir. Ce n'est pas tout à fait vrai, puisqu'il y a moyen de trouver au Québec du caviar d'esturgeon qui n'est pas mauvais du tout et, surtout, on peut trouver du caviar de corégone qui est un pur délice. Et puis, il y a

le caviar de saumon (plus ou moins intéressant) et le caviar de truite (que je préfère à celui de saumon, s'il n'est pas trop liquide).

Parlons d'abord du caviar de corégone. Le corégone est un poisson blanc qui vit dans les eaux des lacs très froids comme ceux que nous avons dans le Nord canadien. Il y aussi des corégones dans les lacs des régions froides d'Europe, notamment en Suisse et en Savoie. Les Suisses appellent ces poissons «féra» et les Savoyards les ont baptisés «lavarets». Il y a évidemment beaucoup de corégones dans les pays scandinaves et en Russie.

Si la chair du corégone est intéressante — on mange beaucoup de corégone fumé dans les pays scandinaves —, ce sont les œufs de corégone qui font toute la valeur de ce poisson.

Il n'y a pas caviar plus appétissant que celui de corégone. Chaque grain est couleur miel et presque translucide. Il n'est pas bon marché, mais il coûte de 10 à 25 fois moins cher que le caviar d'esturgeon. Pour une quinzaine de dollars, vous avez une entrée de caviar pour deux! On est tout de même loin des prix faramineux du caviar russe ou iranien.

Sevruga, béluga ou osciètre sont tellement hors de prix que je n'en achète plus, quelle que soit l'occasion. J'essaie chaque année de me procurer 225 g (1/2 lb) – de 125 à 175 $ – de caviar d'esturgeon du lac Abitibi. Certaines années, il est un peu vaseux mais, règle générale, il se défend très bien. Il arrive congelé dans des bocaux de 250 ml (1 tasse) et il faut le décongeler au frigo quelques heures avant de le consommer.

Le caviar de lompe (*lumpfish*) qu'on vend en Europe est moins mauvais que celui qu'on nous vend en Amérique. Non seulement on le teint en noir pour le déguiser en caviar d'esturgeon, mais on l'assassine littéralement avec tous les agents de conservation possibles. J'ai mangé de l'excellent caviar de lompe à Copenhague, mais celui qu'on vend au Danemark n'est pas gavé de sel ni d'agents de conservation, et il coûte de ce fait trois ou quatre fois plus cher que notre horreur. Notre caviar de lompe est à peine bon pour décorer certains plats, encore qu'il faille prendre soin de le débarrasser de sa teinture végétale en le passant sous le robinet d'eau froide dans une petite passoire.

Chacun est convaincu de connaître la meilleure façon de déguster son caviar d'esturgeon. Aimée a un faible pour le caviar dans une pomme de terre en robe des champs encore tiède avec une ou deux bonnes cuillerées de crème fleurette. Ou elle adore en napper des œufs brouillés dans lesquels elle ajoute un peu de crème fraîche. Mon frère jumeau n'en mange jamais qu'avec des blinis et de la crème fleurette. Moi, j'aime bien le manger avec de l'œuf dur (le blanc et le jaune hachés séparément) et un petit oignon vert ou une échalote hachée. Je me fais une «poutine» de tout cela et j'en tartine du pain noir.

Quelle que soit votre «recette» pour manger du caviar d'esturgeon (ou de corégone), j'espère que vous vous rincez le dalot avec une vodka frappée, russe, polonaise ou scandinave. Il n'y a rien d'autre à boire avec du caviar.

poireaux au caviar d'esturgeon

C'est à Georges Blanc que je dois d'avoir mangé pour la première fois ce qu'il appelle de manière assez ironique «l'asperge du pauvre» et qu'il devrait plutôt nommer le poireau du millionnaire!

POUR 4 PERSONNES

4 poireaux
Environ 75 g (2 ½ oz) de caviar
    d'esturgeon
Quelques jolies feuilles de céleri
1 oignon vert

mon petit ajout personnel

15 ml (1 c. à soupe) de baies roses
    moulues grossièrement

Couper les racines des poireaux ainsi que leurs feuilles trop vertes et les faire cuire *al dente*. Égoutter bien et laisser refroidir. Couper chaque poireau de manière à écarter en forme de «V» la partie du haut, puis disposer le poireau au centre de l'assiette. Dans la pointe du «V», mettre une bonne cuillerée de caviar. Décorer le pied du poireau de deux feuilles de céleri et entre les bras du «V», disposer trois rondelles d'oignon vert. C'est l'une des entrées que j'ai servies à des amis pour le réveillon de l'an 2000. Comme il fallait bien que j'ajoute quelque chose de mon cru, j'ai saupoudré les assiettes de baies roses, ce qui faisait le meilleur effet. Quand je retournerai à Vonnas, je suggérerai la chose à Georges Blanc!

CÉLERI ET CÉLERI-RAVE

Sauf pour assaisonner les bouillons (encore que je préfère de loin le céleri aromatique), les pot-au-feu et l'agneau confit, je ne suis pas grand amateur de céleri. J'en utilise donc fort peu. Par contre, j'aime bien le céleri-rave, cette grosse racine hypertrophiée que la plupart des Québécois ne connaissent pas, contrairement aux Français qui en sont assez friands.

Nos marchands de légumes ne sont pas toujours très soucieux de la qualité des produits qu'ils étalent. Le céleri-rave est relégué dans un coin obscur, parfois avec raison, puisqu'on nous le vend trop gros, spongieux et sans goût. Quand vous achetez du céleri-rave, préférez-le petit et frappez dessus fermement du bout du doigt. S'il sonne creux, il ne sera pas assez goûteux pour qu'il vaille la peine de le préparer.

 ### céleri-rave en salade
POUR 4 PERSONNES

Le jus d'un citron

2 céleris-raves de grosseur moyenne

Sel et poivre blanc fraîchement moulu

250 ml (1 tasse) de Mayonnaise (voir recette p. 237, mais mettre deux fois plus de moutarde que ce qui est indiqué)

1 blanc d'œuf monté en neige (cesser de fouetter avant qu'il forme des pics)

30 ml (2 c. à soupe) d'herbes fraîches (un savant mélange des herbes fraîches que vous avez sous la main)

15 ml (1 c. à soupe) de petites câpres ou 5 ml (1 c. à thé) de muscade fraîchement râpée

Préparer un bol d'eau froide avec le jus de ½ citron. Éplucher le céleri-rave, le couper en fine julienne (on peut aussi le râper, mais c'est moins joli). Pendant qu'on le fait, faire bouillir de l'eau dans une cocotte, la saler et y mettre le reste du jus de citron. Quand l'eau bout, y jeter la julienne de céleri-rave et faire blanchir de 1 à 2 minutes. Passer sous l'eau froide, puis assécher le mieux possible dans une serviette. Éclaircir la mayonnaise avec le blanc d'œuf battu, y ajouter les herbes et le poivre, mettre les câpres ou la muscade et mélanger. Verser le céleri-rave dans un bol de service, incorporer la mayonnaise assaisonnée et brasser à l'aide de deux fourchettes. Idéalement, on laisse reposer 1 ou 2 h avant de servir.

frites de céleri-rave

Si vous avez des problèmes de poids, vous savez sûrement que les frites ne sont pas indiquées. Des «frites de céleri-rave» ne vous feront pas maigrir mais, contrairement aux autres, elles ne devraient pas ajouter de centimètres à votre tour de taille, à moins que vous en abusiez.

POUR 2 À 4 PERSONNES

1 ou 2 céleris-raves

Jus de citron

Huile d'olive

Éplucher le céleri-rave, le couper en bâtonnets exactement comme si on voulait faire des pommes de terre frites, puis arroser les bâtonnets d'un peu de jus de citron afin qu'ils ne noircissent pas. Dans une sauteuse, mettre juste assez d'huile d'olive pour que les bâtonnets puissent en être recouverts et faire frire comme on le ferait pour des frites. Si le céleri-rave est bien frais et plutôt tendre, procéder de la manière que je viens d'indiquer. S'il est gros et dur (comme 90 % de ceux qu'on vend au Québec), peler, couper en bâtonnets et faire blanchir quelques minutes dans l'eau bouillante salée. Faire refroidir, assécher comme il faut et faire frire ensuite dans l'huile.

purée de céleri-rave

POUR 4 PERSONNES

1 gros céleri-rave coupé en tranches de
   1 cm (3/8 po)
2 ou 3 pommes de terre coupées en gros
   morceaux
30 ml (2 c. à soupe) de beurre
125 ml (1/2 tasse) de lait entier chaud
1 pincée de sucre
15 ml (1 c. à soupe) de persil frais, haché
Sel et muscade

Mettre de l'eau dans une casserole avec du sel et amener au point d'ébullition. Y faire cuire les tranches de céleri-rave environ 30 minutes. Ajouter les morceaux de pomme de terre. Couvrir. Faire cuire environ 25 minutes. Égoutter et faire la purée avec une fourchette, un moulin à légumes ou un pilon au-dessus de la plaque encore chaude. Faire fondre le beurre dans une sauteuse sans le faire brunir, puis y mettre la purée pour en faire « évaporer » le plus de liquide possible. Ajouter le lait chaud en remuant bien jusqu'à l'obtention d'une belle crème lisse. Ajouter le sucre, le persil et la muscade, remuer et servir immédiatement. Si on le souhaite, on peut verser la purée dans un plat à gratin, la saupoudrer de parmesan fraîchement râpé et la passer sous le gril quelques minutes jusqu'à ce que le fromage soit bien doré.

CERISES DE TERRE

Si nous appelons tout simplement chez nous « cerise de terre » ces baies si appétissantes, c'est qu'elles portent des noms à coucher dehors. Physalis ou alkékenge, pour votre information ! Dans certaines régions de France, on les appelle cerises d'hiver et dans d'autres, coqueret ou amour en cage, ce qui est bien romantique.

Son délicat calice en forme de lampion qui renferme une baie dorée ou orangée de la grosseur d'une « cerise de France » est si particulier qu'on ne peut se tromper sur l'identité de la cerise de terre. À partir de septembre, on en trouve dans tous les marchés.

Une fois la cerise extraite de son abri parcheminé, on peut la consommer crue. Sa pulpe a quelque chose du fruit de la Passion. On peut l'inclure telle quelle dans une salade de fruits, mais on peut aussi la faire cuire pour accompagner du rôti de porc, du canard ou du poulet.

Mais c'est encore sous forme de confiture que je la préfère.

 confiture de cerises de terre

ENVIRON 4 À 5 BOCAUX DE 250 ML (1 TASSE)

1 litre (4 tasses) d'eau

Le jus de 1 ½ citron

3 pommes pelées et coupées en quartiers

750 ml (3 tasses) de cerises de terre, dépouillées de leurs enveloppes et lavées

415 ml (1 ⅔ tasse) de sucre

45 ml (1 ½ oz) de rhum (facultatif)

Faire bouillir à gros bouillons eau, jus, pommes et sucre jusqu'à ce que le sirop soit réduit du tiers ou qu'il atteigne 105 °C (220 °F). Couler le sirop, remettre sur le feu avec les cerises et cuire jusqu'à ce qu'elles soient transparentes. Ajouter le rhum. Laisser tiédir et mettre en pots dans des bocaux stérilisés. Pour une longue conservation, couvrir de paraffine.

CHAMPIGNONS

C'est avec Ludmilla Chiriaeff, fondatrice des Grands Ballets Canadiens, que je goûtai pour la première fois de ma vie des champignons sauvages. Dans les années 50, la famille Chiriaeff et la mienne partagions, rue Harvard, un de ces duplex typiques de Notre-Dame-de-Grâce. Ludmilla, mycologue amateur, avait à la campagne, dans la région de Rawdon, un chalet où elle allait à peu près un week-end sur deux. Là-bas, elle parcourait les sous-bois et la prairie en quête de champignons sauvages. Elle marinait les champignons et les mettait en conserve.

Un ou deux soirs par semaine, tout en mangeant de ses champignons que nous piquions avec un cure-dent, Ludmilla m'entretenait de l'ambition qu'elle avait de fonder une troupe de ballet permanente et du souci que lui causait son mari Alexis. Elle sentait qu'il lui échappait peu à peu ou était-ce elle qui n'éprouvait plus pour lui les mêmes sentiments ? Je ne saurais trop dire aujourd'hui, mais je me souviens encore du regard profond qu'avait Ludmilla lorsqu'elle m'entretenait d'Alexis.

Mince comme un fil, l'air digne et l'allure romantique des héroïnes de Tolstoi, elle passait des soirées entières à parler de tout et de rien. Et nous vidions parfois jusqu'à deux bocaux de ses champignons de la région de Rawdon.

Il m'arrive, l'automne surtout, de fouiller sous les conifères de mon terrain afin d'y dénicher des bolets dont presque toutes les espèces sont comestibles et facilement identifiables. Je les nettoie, je les coupe en lamelles et je les fais sécher au soleil sur une moustiquaire. Lorsqu'ils sont bien séchés, je les mets dans un bocal que je garde au congélateur. J'y garde d'ailleurs tous les champignons séchés que j'achète, car c'est la seule façon qu'ils ne finissent pas par produire de petits vers.

J'utilise beaucoup les champignons séchés. La plupart du temps des bolets (qu'on appelle aussi cèpes) qu'on trouve en sachets dans la plupart des bonnes épiceries italiennes. Malheureusement, on les vend souvent à prix forts. Chaque fois que je me

rends en Italie, pour environ 30 à 40 $ j'en achète 1 kg (2 ¹/₄ lb) — une provision qui me dure environ un an — que je rapporte enfouis au fond de ma valise. Pour les «économiser», j'y mêle quelques champignons chinois — quelques dollars pour un gros sac de 1 kg (2 ¹/₄ lb), rue Saint-Laurent — ou des champignons japonais — les shiitake — qui coûtent deux fois plus cher que les chinois, mais dix fois moins que les cèpes.

Que fait-on avec les champignons séchés? D'abord, on les réhydrate, au moins 6 à 10 h avant de les utiliser. On dépose dans un verre une petite poignée de champignons séchés — 20 à 40 g (³/₄ à 1 ¹/₂ oz), puis on remplit le verre d'eau chaude. Quand on est prêt à cuisiner, on passe l'eau au chinois qu'on aura d'abord garni d'une épaisseur de papier essuie-tout et on la réserve. On lave ensuite les champignons à grande eau pour les débarrasser de leurs impuretés et on les essore dans un linge à vaisselle. Pas d'essuie-tout, cette fois, car vous auriez bien du mal à séparer le papier des champignons!

Quel que soit le plat que vous cuisinez, utilisez l'eau des champignons avant vin, eau ou tout autre liquide. Cette eau donnera à tout votre plat une saveur sauvage. Elle pourra même donner un goût de gibier à vos volailles ou à vos rôtis. Avant d'ajouter les champignons à votre plat, coupez les plus gros morceaux en lamelles et débarrassez les shiitake et les champignons chinois de leur tige, car elle est dure comme du bois et immangeable.

À moins de faire un coq au vin ou d'autres plats semblables qui réclament des champignons blancs (des champignons de Paris, comme on les appelle en France), jamais je n'en prépare sans y mêler quelques champignons séchés. Ils impriment à n'importe quels champignons «domestiques» une saveur de prairie ou de sous-bois et leur donnent un parfum extraordinaire.

Si vous êtes mycologue comme Ludmilla l'était et non pas l'amateur paresseux que je suis, vous savez bien mieux que moi comment apprêter les champignons sauvages, comment les mettre en conserve ou les faire sécher.

À part les champignons qu'on a réhydratés, il vaut toujours mieux brosser les champignons que les laver. Les champignons sont un peu comme des éponges et absorbent beaucoup d'eau si on les lave. Ils se rissolent ensuite beaucoup moins bien, puisqu'ils commencent par bouillir. On trouve presque partout ces petites brosses cylindriques, très douces, avec lesquelles on brosse les champignons. La brosse prend rapidement leur couleur et se remplit de spores, mais on n'a qu'à la passer sous le robinet d'eau froide pour la nettoyer.

Ne surcuisez jamais les champignons. Ils sont bons et tendres uniquement s'ils sont cuits à point. Comme presque tous les champignons se mangent aussi crus, soyez sans crainte, ils seront toujours assez cuits!

champignons à la crème et au yogourt

À la belle époque du restaurant Chez son père, du temps où il était rue Craig (aujourd'hui rue Saint-Antoine) à Montréal, Alphonse, le maître d'hôtel, épatait tous les clients par son habileté à hacher le filet mignon au couteau (pour en faire du tartare) et à émincer en fines tranches les champignons de Paris. Alphonse, un grand bonhomme pince-sans-rire, prenait un malin plaisir à causer en nous regardant droit dans les yeux, pendant que sous son couteau s'accumulaient les lamelles de champignon, toutes de même épaisseur. Une trancheuse électrique n'aurait pu faire mieux. En fait, elle n'aurait pas fait du tout, puisque c'est bien inutile d'essayer de trancher ses champignons autrement qu'à la main. Ils sont trop fragiles pour supporter une opération électrique. Si votre couteau coupe bien, vous n'aurez aucun mal à préparer vos champignons.

POUR 4 PERSONNES

450 g (1 lb) de champignons de Paris bien frais

6 petits oignons verts bien frais

Le jus de ½ citron

45 ml (3 c. à soupe) de cerfeuil frais haché ou 30 ml (2 c. à soupe) de persil frais haché

Environ 125 ml (½ tasse) de crème épaisse

Environ 125 ml (½ tasse) de yogourt nature

Sel et poivre

Plusieurs bonnes pincées de muscade fraîchement râpée

Brosser les champignons et les couper en lamelles de 2 mm (moins de ⅛ po) d'épaisseur. Laver et assécher les petits oignons verts, les débarrasser de leurs feuilles vertes, puis les couper en rondelles de 2 mm (moins de ⅛ po) d'épaisseur. Mélanger jus de citron, cerfeuil, crème et yogourt, saler, poivrer et ajouter la muscade. Mettre les champignons et les oignons dans un bol de service, ajouter le mélange, puis remuer délicatement avec deux cuillères de bois. En fait, c'est encore avec les mains qu'on réussira le mieux à mélanger les champignons sans les briser. Servir immédiatement comme entrée, plutôt frais qu'à température de la pièce (mais non pas froid).

champignons sur toast

POUR 2 PERSONNES

1 panier de champignons blancs frais

60 ml (4 c. à soupe) d'huile d'olive

4 ou 5 oignons verts ou 1 échalote française, émincés assez finement

Sel et poivre

15 ml (1 c. à soupe) de thym, de romarin ou de sarriette fraîche ou 7,5 ml (1 ½ c. à thé) d'herbes de Provence ou de l'une ou l'autre des herbes mentionnées si elles sont séchées

2 tranches de pain grillées et frottées avec de l'ail

3 champignons sauvages, chinois ou japonais (facultatif)

1 verre à liqueur, soit 45 ml (1 ½ oz) de cognac ou de brandy (facultatif)

Brosser les champignons et les garder dans une feuille de papier essuie-tout humide. Mettre l'huile dans une sauteuse, la faire chauffer à feu vif, y déposer les champignons et faire rissoler en remuant constamment. Après 3 ou 4 minutes, ajouter les oignons émincés, le sel, le poivre et l'herbe choisie. Dès que les champignons ont commencé à rejeter l'huile qu'ils ont absorbée, servir sur une tranche de pain déjà grillée.

Si on choisit d'ajouter des champignons sauvages, les faire cuire lentement coupés en lamelles après les avoir réhydratés dans un petit verre d'eau. Passer cette eau dans une feuille de papier essuie-tout pour en enlever les impuretés et réserver. En fin de cuisson, ajouter cette eau et laisser réduire jusqu'à ce qu'il n'y ait plus de liquide.

Juste avant de servir, y verser le cognac ou le brandy, laisser l'alcool s'évaporer et répartir les champignons sur les toasts.

C'est une entrée légère et délicieuse qui précède bien tout plat très goûteux, mais assez mal des plats plus fades.

CHAPELURE

Les deux bras m'en tombent quand je vois à l'épicerie des gens acheter de la chapelure, alors que dans toutes les maisons, on jette du pain presque chaque jour. De grâce, cessez de jeter du pain et vous cesserez du même coup de payer pour de la chapelure !

Gardez vos restes de pain dans un bol et, quand ils sont bien secs, passez-les au robot culinaire ou écrasez-les entre deux linges à vaisselle avec un rouleau à pâte. Versez la chapelure dans un bocal qui ferme hermétiquement et gardez-la au frigo. Elle ne rancira pas. Quand vous refaites de la chapelure, prenez soin de mettre la plus nouvelle au fond du bocal.

CHEVREUIL

Quand j'étais enfant et qu'en de rares occasions nous mangions du chevreuil, ma mère le faisait toujours mariner de longues heures. À l'époque, les chevreuils qu'on tuait étaient assez gros et d'un certain âge. Le cheptel s'est multiplié, les chasseurs aussi, si bien que les chevreuils qu'on tue maintenant sont en général très jeunes. Il est donc inutile de les faire mariner. Ce n'est même pas souhaitable, car on risque seulement d'en détruire la saveur si délicate. Le carré (les premières côtes) et la selle (la partie comprise entre le gigot et les premières côtes) sont nettement les meilleurs morceaux du chevreuil et tétez vos amis chasseurs pour qu'ils vous réservent ces pièces d'une tendreté remarquable.

 carré ou selle de chevreuil à la moutarde de Meaux

POUR 2 PERSONNES

1 carré de chevreuil d'environ 600 g (1 ¼ lb)

1 gousse d'ail émincée en quatre ou cinq lamelles

20 ml (1 c. à soupe comble) de moutarde de Meaux

5 ml (1 c. à thé) de sauce Worcestershire et de sauce HP brune

15 ml (1 c. à soupe) d'huile d'olive

7,5 ml (1 ½ c. à thé) de thym frais ou de romarin frais haché

2 feuilles de menthe fraîche, hachées

Quelques graines de cumin (facultatif)

Sel et poivre du moulin

Faire chambrer le carré de chevreuil au moins 2 h. Le piquer des lamelles d'ail en prenant soin de les insérer entre un os et la chair de manière à ne pas couper la chair comme telle. Dans un bol, mélanger tous les autres ingrédients et en faire une marinade. En napper le carré et laisser reposer 30 minutes. Mettre dans un four préchauffé à 230 °C (450 °F) environ 15 minutes. Ouvrir le four pour en faire sortir la chaleur et laisser reposer à four ouvert une quinzaine de minutes. Servir dans des assiettes très chaudes avec une purée de navet ou de céleri-rave, ou encore avec de l'ail cuit au four.

côtelettes de chevreuil grillées

Suivre la recette du carré ou de la selle, mais omettre l'ail. Faire chambrer les côtelettes au moins 1 h avant de les faire griller, puis les enduire de la marinade. Laisser reposer 30 minutes. Mettre les côtelettes sous un gril très chaud, environ 2 à 3 minutes de chaque côté, selon qu'on les aime plus ou moins saignantes. Servir avec une purée de navet ou de céleri-rave dans laquelle on n'aura pas ménagé l'ail.

CHOU

Disons tout d'abord que je ne vois pas d'avantages au chou violacé ou rouge. Il a sensiblement le même goût que le chou blanc et, quand on le fait cuire, il fait prendre une couleur rébarbative aux aliments qu'il côtoie. Nos restaurants bon marché ont fait de la salade de chou — le maudit *coleslaw* — leur garniture préférée. Elle ne leur coûte pas cher, ils la préparent souvent des jours à l'avance et, si on n'y touche pas, on risque qu'un autre client la retrouve en accompagnement quelques heures plus tard.

Le *coleslaw* ne devrait pas nous faire oublier qu'une salade de chou bien assaisonnée fait pour quelques cents une excellente entrée. En hiver, elle nous rappelle un peu l'été et l'été, elle est rafraîchissante. Soit ! il faut être prêt à mâcher de manière athlétique pendant près d'une quinzaine de minutes, mais si la salade est bonne, l'effort est récompensé.

chou sauté de Selma

Ma belle-sœur Selma est d'origine cubaine et elle a gardé de son île natale plusieurs recettes, dont son chou sauté que j'apprécie beaucoup. Ce chou sauté, on peut le servir comme entrée ou comme légume d'accompagnement de la saucisse, du saucisson, du jambon ou de côtes de porc fumées.

POUR 6 PERSONNES

1 chou de grosseur moyenne

Environ 60 ml (¼ tasse) d'huile d'olive

1 pincée de sucre

2,5 ml (½ c. à thé) de moutarde sèche

6 à 8 baies de genièvre grossièrement broyées

Sel et poivre noir

30 ml (2 c. à soupe) de vermouth blanc extra-dry

2 à 3 gousses d'ail émincées finement

125 ml (½ tasse) de bouillon de volaille ou de jambon

Un beau bouquet de persil frais haché

Jeter les premières feuilles de chou, puis couper le chou en lanières d'environ 0,5 cm (¼ po). Dans un grand faitout, faire chauffer l'huile d'olive et sauter le chou en le remuant avec une cuillère de bois afin qu'il n'adhère pas au plat. Lorsque le chou est bien doré, ajouter tous les ingrédients secs. Faire caraméliser quelques secondes, puis déglacer au vermouth. Ajouter l'ail, puis le bouillon. Faire cuire de 8 à 10 minutes en laissant le couvercle entrouvert et servir saupoudré de persil frais.

salade de chou

POUR 2 À 3 PERSONNES

Le tiers d'un gros chou ou la moitié d'un chou moyen

2 litres (8 tasses) d'eau

15 ml (1 c. à soupe) de gros sel

125 ml (½ tasse) de vinaigre ordinaire

vinaigrette

45 ml (3 c. à soupe) d'huile d'olive

5 ml (1 c. à thé) d'huile de noisette

7,5 ml (1 ½ c. à thé) de jus de citron

20 ml (4 c. à thé) de vinaigre de riz mélangé à quelques gouttes de vinaigre balsamique

5 ml (1 c. à thé) d'eau de rose

Quelques gouttes de tabasco

2 gousses d'ail hachées finement

3 feuilles de menthe fraîche, hachées grossièrement

5 ml (1 c. à thé) de feuilles de thym frais

5 ml (1 c. à thé) de zeste de citron vert et de citron jaune, haché très finement

5 à 6 baies de genièvre écrasées au mortier avec 10 ml (2 c. à thé) des cinq poivres

5 ml (1 c. à thé) de baies roses grossièrement écrasées

Sel au goût

Hacher le chou, puis le passer à la grosse râpe ou au robot culinaire. Le faire tremper 1 à 2 h dans l'eau dans laquelle on aura fait dissoudre le sel, puis ajouter le vinaigre.

vinaigrette

Mettre tous les ingrédients liquides dans un bol, brasser au petit fouet ou à la fourchette, puis ajouter l'ail et tous les ingrédients secs. Brasser.

Essorer le chou au tamis en le pressant bien pour qu'il s'assèche le plus possible. Déposer dans un bol à salade, y verser la vinaigrette et mélanger avec deux fourchettes ou deux cuillères de bois. Laisser macérer une dizaine de minutes ou plus avant de servir, mais ne pas mettre au frigo. S'il reste de la salade, la mettre au frigo, mais la laisser au moins 1 h à température de la pièce avant de servir.

soupe au chou

POUR 6 À 8 PERSONNES

250 g (env. ½ lb) de lard salé maigre
1 chou blanc ou vert
45 ml (3 c. à soupe) d'huile d'olive
1 oignon jaune, coupé en rondelles
5 gousses d'ail coupées en lamelles
½ petit piment fort (chili) émincé finement
15 graines entières de coriandre
15 baies entières de genièvre
2 à 2,5 litres (8 à 10 tasses) de bouillon de poulet ou de bœuf
1 anis étoilé grossièrement écrasé
2 feuilles de laurier écrasées
Sel et poivre au goût

Couper le lard en dés et l'amener au point d'ébullition dans une grande cocotte avec au moins 1,5 à 2 litres (6 à 8 tasses) d'eau froide. Laisser bouillir 3 minutes, jeter l'eau, égoutter et réserver le lard. Mettre 2 litres (8 tasses) d'eau dans la cocotte, amener de nouveau à ébullition et y jeter le chou débarrassé de son cœur et coupé en lamelles. Ramener au point d'ébullition et faire bouillir 3 minutes. Égoutter et réserver le chou. Mettre l'huile d'olive dans la cocotte et y faire revenir l'oignon en rondelles, les lardons, l'ail, le piment, la coriandre et les baies de genièvre jusqu'à

ce que les oignons soient tendres, mais non colorés. Mettre le bouillon dans la cocotte, ajouter l'anis, le laurier et le chou. Saler et poivrer au goût. Amener au point d'ébullition et laisser bouillir à petits bouillons environ 2 h. Servir tel quel ou, si désiré, avec du parmesan râpé.

CHOUCROUTE

Je n'ai jamais eu de chance chez moi avec la choucroute. Mais vraiment jamais. Attendez que je vous raconte...

Au début des années 60, alors que mon ami Pierre Gascon quittait la direction de l'hebdomadaire *Photo-Journal* pour fonder le magazine *Perspectives*, je l'invitai à la campagne. Comme il m'avait déjà dit adorer la choucroute, je demandai à Aimée d'en préparer une, la première de sa vie. Elle acheta la choucroute à demi-préparée et toute la viande fumée et la charcuterie qu'il fallait chez des Allemands du chemin de la Côte-des-Neiges. Elle suivit à la lettre la préparation qu'on lui indiqua et quand, ce samedi soir-là, elle déposa sur la table une choucroute «royale», son fumet aurait fait saliver le gourmet le plus exigeant.

C'est quand on attaqua le plat que la choucroute se gâta. Tous avalèrent de travers leur première bouchée... qui fut aussi leur dernière. La pauvre Aimée avait tout salé «normalement», car on ne l'avait pas prévenue que les viandes fumées et la charcuterie l'étaient déjà beaucoup, sans compter la choucroute qu'on avait sortie de la saumure!

Il me fallut près de 20 ans avant de succomber de nouveau à la tentation de servir de la choucroute à des invités.

Pierre Elliott Trudeau que j'avais invité avec quelques amis un soir de novembre m'avait suggéré que Louise nous prépare une choucroute, un de ses plats favoris. Je lui racontai ma première mésaventure et, prudente comme pas une, Louise décida de préparer la choucroute la veille. Nous n'aurions plus qu'à la faire réchauffer le lendemain. C'est ce qu'elle fit. Avant de nous coucher, nous avons mis la grosse cocotte dehors pour que la choucroute soit à la fraîche. Nous y avions goûté : c'était un délice. Un délice aussi pour les ratons laveurs qui n'en firent qu'une bouchée durant la nuit malgré le poids du couvercle de la cocotte Le Creuset, qui nous avait semblé apte à protéger la choucroute contre tout assaut.

Ce samedi soir, nous avons servi un plat traditionnel, mais qui n'avait rien d'alsacien : un rôti de porc et des pommes de terre brunes ! Pierre Elliott était si déçu qu'il m'en reparla plusieurs fois.

Depuis ce temps, je n'ai jamais refait de choucroute. Et je n'en mange jamais ailleurs qu'en Alsace ou, à Paris, chez Bofinger, rue de la Bastille. Ils savent la dessaler et, en France, les ratons laveurs ne mangent pas de choucroute.

CHOU DE BRUXELLES

En octobre, il y a des choux de Bruxelles dans tous les marchés. C'est le bon moment pour s'en procurer, puisqu'on peut les acheter en-

tiers encore accrochés à leur trognon. On peut les acheter au poids, « à l'unité » si je puis dire, mais ils sont beaucoup plus chers et pas toujours très frais.

Les choux doivent être denses, bien pommés et fermes. Souvent les feuilles de la base sont jaunies, mais c'est un défaut tout à fait normal. On commence par séparer les choux du trognon avec un petit couteau d'office et on les fait tremper de 1 à 2 h dans de l'eau vinaigrée — environ 30 ml (2 c. à soupe)/litre (4 tasses) — pour les débarrasser des insectes. Comme pour le chou qu'on fait cuire avec le pot-au-feu, mieux vaut faire blanchir les choux de Bruxelles à l'eau bouillante. Si on est puriste et qu'on craint qu'ils soient un peu âcres, on les fera blanchir deux fois (1 minute chaque fois), c'est-à-dire dans une deuxième cocotte d'eau bouillante.

Une fois blanchis, les choux sont prêts à être utilisés dans les deux recettes qui suivent.

choux de Bruxelles à l'huile et à l'ail

POUR 4 PERSONNES

680 g (1 ½ lb) de choux de Bruxelles
30 ml (2 c. à soupe) d'huile d'olive
10 ml (2 c. à thé) de jus de citron
1 gousse d'ail émincée finement
Sel et poivre
15 ml (1 c. à soupe) de parmesan râpé

Une fois les choux nettoyés et blanchis, les faire cuire à la vapeur ou à la marguerite jusqu'à ce qu'ils soient *al dente*. Les égoutter sur quelques épaisseurs de papier essuie-tout et les mettre dans un plat à gratin. Les arroser de l'huile et du jus de citron émulsionnés à la fourchette, saupoudrer d'ail, de sel, de poivre et du parmesan. Passer sous le gril très chaud 1 ou 2 minutes. Servir comme entrée ou, de préférence, comme légume d'accompagnement.

choux de Bruxelles braisés aux lardons

POUR 4 PERSONNES

680 g (1 ½ lb) de choux de Bruxelles
150 g (⅓ lb) de lardons maigres
15 ml (1 c. à soupe) d'huile d'olive
1 gousse d'ail émincée finement
12 baies de genièvre grossièrement
    écrasées ou 10 ml (2 c. à thé) de
    graines de cumin écrasées au mortier
Sel et poivre
10 ml (2 c. à thé) de jus de citron

Nettoyer et blanchir les choux tel qu'indiqué. Dans une poêle, faire fondre lentement les lardons jusqu'à ce qu'ils soient presque cuits. Les passer au chinois afin de les débarrasser de leur gras. Les mettre dans une sauteuse avec l'huile d'olive, ajouter les choux de Bruxelles, l'ail, les baies de genièvre ou le cumin et le sel. Couvrir et cuire sur la plaque à feu doux jusqu'à ce que les choux de Bruxelles soient *al dente*. Quelques instants avant de servir, arroser du jus de citron et poivrer.

CHOU-FLEUR

Presque à toutes les tables, le chou-fleur n'est guère agréable à manger et toujours pour la même raison : on le fait trop cuire, et ses bouquets sont presque réduits en purée pour bébés. Comme on peut très bien manger le chou-fleur cru (si les flatulences qu'il provoque ne nous incommodent pas...), inutile de dire qu'il n'a pas besoin de beaucoup de cuisson.

Le chou-fleur qui n'est pas très blanc et très ferme, dont les feuilles ne sont pas d'un beau vert bleuté, on le laisse aux autres. Je préfère de loin faire cuire le chou-fleur entier, car cuit en bouquets, même à la vapeur, il a tendance à trop cuire.

cuisson

Faire d'abord tremper le chou-fleur une vingtaine de minutes dans de l'eau citronnée ou vinaigrée, au cas où quelques insectes désagréables s'y seraient introduits, couper ensuite le trognon le plus près possible des bouquets en prenant garde que ceux-ci ne se séparent pas. Mettre le chou-fleur dans une marguerite et cuire à la vapeur en laissant le couvercle entrouvert. Le temps de cuisson varie d'un chou-fleur à l'autre mais, en général, de 15 à 20 minutes suffisent amplement. Quand on pique la base des bouquets et qu'elle résiste encore, il y a de bonnes chances que le chou-fleur soit assez cuit. Le retirer de la cocotte et le laisser revenir à la température ambiante sur une serviette qui absorbera l'eau qu'il aurait pu avaler.

 chou-fleur au vinaigre et à l'huile

POUR 4 PERSONNES

1 chou-fleur

Sel

Baies roses

15 ml (1 c. à soupe) d'origan frais ou de marjolaine fraîche (à défaut, on peut y substituer du persil, mais c'est quelconque…)

vinaigrette

60 ml (¼ tasse) d'huile d'olive

15 ml (1 c. à soupe) d'huile de noisette

5 ml (1 c. à thé) de vinaigre balsamique

15 ml (1 c. à soupe) de vinaigre japonais

Mélanger les huiles et le vinaigre balsamique au vinaigre japonais et réserver.

Cuire le chou-fleur à la vapeur (voir p. 120). Le découper ensuite en gros bouquets. Disposer un gros bouquet dans chaque assiette et l'arroser de vinaigrette après l'avoir salé au goût. Parsemer ensuite des baies roses et des herbes.

Note : Pour une entrée, un chou-fleur sert quatre personnes. Ne pas mettre le chou-fleur au frigo avant de le servir, car il ferait figer la vinaigrette. Autant que possible, le servir encore tiède. Il sera bien meilleur.

chou-fleur sauté

Je ne trouve pas beaucoup de vertus au chou-fleur comme légume d'accompagnement et encore moins à celui qu'on sert en gratin dans une sauce béchamel. Mais si vous y tenez, voici à mon sens la façon la plus acceptable d'en faire un légume d'accompagnement.

POUR 4 PERSONNES

1 chou-fleur

45 ml (3 c. à soupe) d'huile d'olive

Sel et poivre du moulin

Quelques gouttes d'huile de noisette mélangées à quelques gouttes de vinaigre balsamique

15 ml (1 c. à soupe) de parmesan fraîchement râpé

Faire cuire le chou-fleur à la vapeur (voir p. 120). Lorsqu'il est à température de la pièce, séparer les bouquets en prenant soin de ne pas les briser. Faire chauffer l'huile d'olive dans une sauteuse et y faire dorer les bouquets de chou-fleur quelques minutes en les retournant. Lorsqu'ils sont joliment dorés, retirer la sauteuse du feu, assaisonner de sel et de poivre, répartir le mélange huile et vinaigre balsamique sur les bouquets et saupoudrer de parmesan. Servir chaud.

CITRON

La première fois que j'ai vu des citrons «en personne», c'était sur la Promenade des Anglais, à Nice, en 1959. Devant l'hôtel West End où j'habitais, il y avait deux grands citronniers chargés de fruits et de fleurs, le citronnier étant l'un des rares arbres fruitiers qui puissent en même temps porter des fleurs et des fruits mûrs. Chaque matin, je m'émerveillais de voir les citrons qui brillaient au soleil parmi les feuilles vert clair et les fleurs. Jusque-là, j'avais toujours cru que les citronniers ne poussaient que dans les régions tropicales. En fait, le citronnier est originaire du Cachemire, et ce sont les Arabes qui l'ont implanté autour de la Méditerranée vers le 10ᵉ siècle.

Dans le jardin de la maison que j'ai habitée quelque temps en République Dominicaine, il n'y avait pas de citronniers, mais des limettiers. Ils produisaient des limes (que les Français appellent à tort «citrons verts») plus petites que des boules de billard, mais tout aussi rondes et dures. Elles étaient très acides, mais donnaient une quantité impressionnante de jus pourvu qu'on les presse dans ces presse-agrumes en métal blanc qu'on vend partout pour quelques pesos en République. Si vous allez là-bas, je vous recommande d'en acheter une bonne douzaine et d'en faire cadeau à vos amis au retour en leur expliquant bien le fonctionnement. Il faut couper la limette en deux et la déposer dans le presse-agrumes dans le sens inverse de ce qui vous paraîtrait naturel. Avec ces presse-agrumes, chaque limette, si petite soit-elle, donne une quantité impressionnante de jus.

Quand on devient un fanatique du citron et de la limette, on constate vite que si on peut utiliser l'un pour l'autre, leur goût n'en est pas moins différent. À vous de décider le parfum que vous souhaitez pour tel ou tel plat.

Quand j'étais enfant, on ne faisait avec les citrons rien d'autre que de la limonade. Au cours des ans, j'ai appris les innombrables vertus du citron. Les Antillais ne sauraient vivre sans lui, pas plus que les Italiens et les Grecs qui l'utilisent dans des dizaines de plats. Anne, mon ex-belle-sœur originaire de Stratford, en Ontario, n'a jamais pris son café espresso sans y ajouter une tranche de citron, et plusieurs de mes amis ajoutent une tranche de citron à leur Campari soda plutôt qu'une tranche d'orange.

J'ai toujours utilisé le citron ou la limette dans ma cuisine, mais les quelques années que j'ai vécues avec ma femme libanaise ont fait de moi un fanatique du citron. J'en fais maintenant un usage presque immodéré. Dans au moins la moitié des plats que je cuisine, y compris même la sauce dont j'accompagne le filet mignon, je coupe au couteau économe trois ou quatre languettes de zeste que je hache ensuite très finement avant de l'incorporer au plat. Les mêmes zestes découpés en fine julienne font le meilleur effet dans les poissons cuits au four ou préparés en papillote. Dans un sorbet au citron qui devient toujours blanc comme neige une fois qu'il est terminé et dans une crème glacée à la vanille, du zeste haché finement les pique de petits points jaunes ou verts (si c'est de la limette) qui étonnent et qui mettent l'eau à la bouche.

Vous n'avez pas le temps de farcir une volaille ou de la cuisiner longuement ? Contentez-vous d'y fourrer un ou deux citrons que vous aurez préalablement percés sans pitié de 30 ou 40 coups de fourchette. Salez, poivrez et cousez la volaille que vous glisserez au four sans autre apprêt. La cuisson terminée, dégraissez le jus et accompagnez-en votre volaille dont le subtil goût de citron ravira vos convives.

Quelques gouttes de jus de citron dans une huître en relève la saveur et... en vérifie la fraîcheur. Au contact du jus, si l'huître se rétracte, avalez-la les yeux fermés. Elle est encore bien en vie ! Il y a plein de fruits qu'on ne mange jamais sans y ajouter quelques gouttes de citron. Les papayes et les kakis, par exemple, sont bien fades sans le citron. Et les poires et les pommes dont il relève le goût et qu'il empêche de brunir. Le poisson cru serait-il aussi appétissant sans quelques gouttes de citron ? C'est un fruit presque éternel qui ne se gâte pas facilement. À l'air libre, il se dessèche le plus souvent et devient dur comme un œuf. Laissez-en un dans vos tiroirs si vous aimez son parfum et si vous avez un broyeur dans votre évier, ne jetez jamais le citron pressé à la poubelle. Dans le broyeur, il disparaîtra en éliminant toutes les odeurs de cuisson qui traînent dans la cuisine. Si le citron ne pourrit pas facilement, c'est qu'il est presque toujours traité au biphényle. Ce n'est pas poison vif, mais ce n'est pas recommandable non plus. Depuis

que je le sais, je lave mes citrons à l'eau et au savon avant d'en utiliser le zeste.

Avec la tomate, le citron est pour moi le plus beau fruit de la création. Il est rempli de vitamine C et de minéraux, et son jus fait disparaître des vêtements toutes sortes de taches. S'ils avaient eu des citrons, les marins de Nouvelle-France ne seraient pas morts du scorbut dans des vêtements tout sales ! J'arrête, car je pourrais continuer durant des pages. Au hasard de ce livre, vous découvrirez les multiples usages que je fais du citron. Si vous en trouvez de nouveaux, de grâce ne me faites pas languir.

sorbet aux deux citrons
POUR 6 PERSONNES

180 ml (¾ tasse) de jus de citron jaune

180 ml (¾ tasse) de jus de citron vert

250 ml (1 tasse) d'eau de qualité (Évian, Naya, etc.)

375 ml (1 ½ tasse) de Sirop à 28 degrés (voir recette p. 342)

10 ml (2 c. à thé) de zeste de citron vert et de citron jaune haché le plus finement possible

1 pincée de sel

15 ml (1 c. à soupe) de rhum clair

45 ml (3 c. à soupe) de crème épaisse

Une fois extrait le jus des deux variétés de citron, le passer au tamis de façon qu'il ne reste plus aucune fibre. Mettre dans un bol, ajouter l'eau, le sirop, le zeste, le sel et le rhum, puis mélanger. Mettre dans la sorbetière. Après quelques minutes, ajouter la crème épaisse.

soupe au citron

ENVIRON 1 LITRE (4 TASSES)

45 ml (3 c. à soupe) de riz basmati

750 ml (3 tasses) de bouillon de poulet
bien dégraissé

Sel et poivre au goût

1 ml (¼ c. à thé) de sarriette

5 ml (1 c. à thé) de levure

1 œuf bien battu

1 citron

Pendant que le riz cuit dans le bouillon où l'on a ajouté sel et poivre au goût, mélanger la sarriette, la levure et l'œuf bien battu. Ajouter le jus du citron et son zeste râpé très finement. Brasser comme il faut de temps à autre. Retirer le bouillon et le riz du feu, puis y incorporer graduellement le mélange d'œuf en remuant bien. Vérifier l'assaisonnement et servir très chaud avec du pain grillé, des craquelins ou des bâtonnets de pain.

CITROUILLE

Si on faisait un sondage dans la rue, probablement que la plupart des répondants affirmeraient que la citrouille est un gros légume qui sert à décorer les maisons pour l'Halloween. Ils n'auraient pas tout à fait tort, car même les Européens font une différence entre la citrouille et le potiron, réservant la première à l'alimentation animale. Il n'y a pas beaucoup de différence entre notre citrouille et le potiron des Français... Depuis quelque temps, on trouve aussi des potimarrons. Cette variété de potiron dépasse rarement

2 kg (4 ½ lb) et elle a un léger goût de châtaigne. Sa chair est plus ferme que celle de la citrouille, et le potimarron se conserve tout l'hiver à température de la pièce. J'en ai même un depuis deux ans dans mon hall d'entrée et je gagerais ma chemise qu'il est toujours comestible.

Quand nous étions pensionnaires au collège, mon frère jumeau et moi, nous faisions bombance tous les automnes, car nous étions à peu près les seuls à manger la compote de citrouille que les religieuses nous servaient comme dessert. Nous en mangions donc pour tous nos voisins...

J'adore la citrouille en compote, en confiture et en tarte et, si j'accepte maintenant de décorer le porche d'une citrouille pour la fête de l'Halloween, c'est uniquement pour faire comme mes autres voisins, car je trouve bien dommage de reléguer cette si goûteuse cucurbitacée à un rôle décoratif !

Pour préparer une citrouille, le plus facile est de la couper en sections. Ensuite, à l'aide d'une cuillère à soupe, on enlève les graines et les filaments, puis on coupe la section en morceaux plus petits qu'on pèle. On coupe ensuite les morceaux en gros dés. La citrouille est prête à aller... plus loin.

Pour toutes les recettes où on a besoin de citrouille cuite — comme pour la Tarte à la citrouille à l'américaine (voir recette p. 127) —, voici la façon la plus simple de la cuire : couper la citrouille en deux, la débarrasser de ses graines et de ses filaments, puis la déposer à l'envers sur une tôle qu'on met au four à 160 °C (325 °F) pendant 1 h ou un peu plus. Quand la

citrouille est cuite, elle a tendance à s'affaisser. On laisse refroidir, on extrait la pulpe avec une cuillère et on la passe au tamis ou on en fait une purée au robot culinaire.

compote à la citrouille

ENVIRON 2 LITRES (8 TASSES)

1 kg (2 1/4 lb) de pulpe de citrouille

1 citron bien lavé à l'eau et au savon

5 ml (1 c. à thé) de muscade fraîchement
    râpée

1 pincée de clou de girofle en poudre

1 pincée de gingembre moulu

1 bâton de cannelle

Env. 500 g (env. 1 lb) de sucre

30 ml (2 c. à soupe) de rhum brun

250 ml (1 tasse) de miel pâle

Couper la citrouille en dés d'environ 1 x 1 cm (3/8 x 3/8 po). Émincer le citron en fines rondelles — 2 mm (moins de 1/8 po) —, puis mélanger les épices avec le sucre. Dans une cocotte en fonte émaillée, mettre une couche de citrouille, couvrir de sucre, mettre quelques rondelles de citron, puis une autre couche de citrouille et ainsi de suite. À mi-parcours, piquer le bâton de cannelle. Quand citrouille et sucre ont été placés dans la cocotte, mélanger le rhum et le miel, puis verser. Si le miel n'est pas suffisamment liquide, le mettre quelques secondes au micro-ondes. Couvrir d'un linge humide et laisser macérer au frais ou au frigo pendant une nuit. Amener au point d'ébullition et faire bouillir jusqu'à

ce que la citrouille soit cuite, en écumant une ou deux fois. Enlever le bâton de cannelle et mettre dans des bocaux stérilisés. La compote se conservera longtemps au frigo.

Note : La compote que nous mangions au collège avec autant de délice, mon frère et moi, n'avait pas du tout la saveur de celle-ci. Imaginez, aujourd'hui, quand je tombe dans ma compote à la citrouille…

potage à la citrouille

ENVIRON 1,5 LITRE (6 TASSES)

750 ml (3 tasses) de citrouille fraîchement
    cuite ou en conserve

750 ml (3 tasses) de lait

45 ml (3 c. à soupe) de beurre manié

30 ml (2 c. à soupe) de cassonade

Sel, poivre, gingembre et cannelle au goût

1 tranche de jambon cuit, coupé en
    julienne

Mélanger la citrouille et le lait, puis amener au point d'ébullition, mais ne pas faire bouillir. Incorporer le beurre manié, amener au point d'ébullition et ajouter le reste des ingrédients. Faire chauffer encore quelques instants sans faire bouillir. Servir le potage immédiatement, parsemé de croûtons à l'ail.

 potage à la citrouille de Louise II

Il faut être un peu fou pour préparer cette soupe. Il faut aussi avoir le sens de l'esbroufe parce que peu de plats sont aussi spectaculaires. Quand nous vivions ensemble, Louise a fait deux ou trois fois cette soupe qui a toujours épaté les convives. Il faut d'abord choisir une citrouille qui ne soit pas trop énorme, car elle doit «entrer» à l'aise dans le four. Sont donc à exclure toutes les citrouilles de plus de 5 kg (11 lb), à moins que vous ayez un four... crématoire!

POUR 10 À 12 PERSONNES

30 ml (2 c. à soupe) d'huile d'olive

3 oignons jaunes, pelés et coupés en fines rondelles

750 ml (3 tasses) de croûtons (voir recette p. 152)

1 citrouille

30 ml (2 c. à soupe) de beurre mou

375 ml (1 ½ tasse) de gruyère ou d'emmenthal fraîchement râpé

Quelques graines de coriandre broyées

12 feuilles de sauge fraîche, hachées ou 5 ml (1 c. à thé) de sauge séchée

Sel et poivre

750 ml (3 tasses) de bouillon de volaille

125 ml (½ tasse) de crème épaisse

125 ml (½ tasse) de yogourt

120 ml (½ tasse) de persil frais ou de cerfeuil haché

Mettre l'huile dans une sauteuse et y faire cuire les oignons à feu moyen jusqu'à ce qu'ils soient translucides. Ajouter les croûtons, remuer et cuire ensemble 2 ou 3 minutes. Réserver.

Bien laver la citrouille, la décalotter avec un couteau bien aiguisé et garder la tête qui servira de couvercle. Avec une cuillère, débarrasser la citrouille de ses filaments et de ses graines. Ne pas trop gratter le fond de la citrouille, car il risquerait de se fissurer pendant la cuisson. Bien enduire de beurre mou l'intérieur et l'extérieur de la citrouille. Saler. Mettre la citrouille dans un grand moule à tarte ou tout autre moule du même genre. Verser dans la citrouille croûtons et oignons, fromage, coriandre, sauge et poivre, puis verser du bouillon de volaille jusqu'à 3 ou 4 cm (1 ¼ ou 1 ½ po) du bord de la citrouille. Mettre la citrouille dans le bas du four préchauffé à 200 °C (400 °F). Remettre la tête sur la citrouille et cuire jusqu'à ce que la citrouille soit relativement tendre (mais pas trop, car elle ne doit pas s'effondrer). Au moment de servir, transférer la citrouille dans un beau plat de service. Mélanger crème et yogourt. Servir la soupe avec une louche à même la citrouille et ajouter dans chaque assiette une cuillerée du mélange crème-yogourt. Saupoudrer de persil ou de cerfeuil.

Quand la citrouille est prête, on peut la garder au four jusqu'à 1 h si on baisse la température du four à environ 65 °C (150 °F).

 tarte à la citrouille à l'américaine

J'aime bien la tarte qu'Aimée fait, mais c'est encore la Tarte à la citrouille à l'américaine que je préfère. En Nouvelle-Angleterre quand vient l'automne, vous trouverez toujours un Bed & Breakfast où on vous en servira au petit-déjeuner. Rien que d'y penser, l'eau me vient à la bouche.

garniture

1 croûte à tarte simple
500 ml (2 tasses) de citrouille déjà cuite
250 ml (1 tasse) de crème épaisse
125 ml (½ tasse) de lait
250 ml (1 tasse) de cassonade
125 ml (½ tasse) de sucre blanc
30 ml (2 c. à soupe) de mélasse
1 pincée de sel
5 ml (1 c. à thé) de cannelle
5 ml (1 c. à thé) de gingembre
2,5 ml (½ c. à thé) de muscade
1 pincée de clou de girofle moulu
4 œufs battus
5 ml (1 c. à thé) d'essence de vanille
45 ml (3 c. à soupe) de rhum brun

Préchauffer le four à 230 °C (450 °F). Mettre la croûte à tarte dans une assiette à bord haut de 28 cm (11 po) de diamètre, la badigeonner d'un peu d'œuf battu et la faire cuire 5 à 6 minutes sans la piquer. Pendant ce temps, à la main ou au malaxeur, préparer la garniture en mélangeant tous les ingrédients jusqu'à l'obtention d'une pâte lisse. Verser la garniture dans la croûte et mettre au four. Après une quinzaine de minutes, réduire la température du four à 180 °C (350 °F) et cuire environ 40 à 45 minutes. La tarte est cuite lorsqu'un cure-dent ou les pointes d'une fourchette restent sèches si on en pique la garniture. Fermer le four, ouvrir la porte et laisser tiédir. On peut servir la tarte tiède ou froide avec une bonne cuillerée de crème chantilly.

 tarte à la citrouille d'Aimée

60 ml (4 c. à soupe) de sucre blanc
15 ml (1 c. à soupe) de zeste d'orange
30 ml (2 c. à soupe) de Grand Marnier
  ou de rhum
5 ml (1 c. à thé) de vanille
2,5 ml (½ c. à thé) de cannelle
2,5 ml (½ c. à thé) de muscade
225 g (½ lb) de canneberges fraîches,
  hachées finement
1 croûte à tarte

Mélanger tous les ingrédients, amener à ébullition sur la cuisinière et faire cuire à gros bouillons pendant 5 minutes. Pendant ce temps, précuire légèrement la croûte à tarte à 200 °C (400 °F) pendant 5 minutes et préparer une purée avec les ingrédients suivants :

375 ml (1 ½ tasse) de citrouille cuite et
  réduite en purée ou de citrouille en
  conserve
125 ml (½ tasse) de sirop d'érable

375 ml (1 ½ tasse) de lait
2 œufs battus
15 ml (1 c. à soupe) d'un mélange en
   proportions égales de cannelle, de
   muscade et de gingembre
1 pincée de sel

Mélanger tous les ingrédients. Déposer la marmelade de canneberges dans la croûte et verser la purée par-dessus. Faire cuire 10 minutes à 230 °C (450 °F), réduire la température du four à 160 °C (325 °F) et faire cuire environ 45 minutes ou jusqu'à ce que la garniture soit cuite. Au moment de servir, décorer d'un sapin fait en pâte et qui aura cuit sur une lèchefrite avec la tarte.

CLAFOUTIS

Comme je n'ai pas beaucoup de talent pour les gâteaux, j'essaie de renforcer mon ego en faisant parfois des clafoutis. Ce dessert bien primitif, qui remonte au temps de la Gaule, est à son mieux quand on l'apprête avec des fruits légèrement acidulés. Si vous avez des griottes (cerises de Montmorency) dans votre jardin, elles font les meilleurs clafoutis du monde. Cueillez-les en les serrant délicatement entre le pouce et l'index et, la plupart du temps, le noyau restera attaché à la branche...

clafoutis aux griottes
POUR 8 PERSONNES

750 ml (3 tasses) de griottes dénoyautées
250 ml (1 tasse) de sucre
30 ml (2 c. à soupe) de kirsch

300 ml (1 ¼ tasse) de lait entier
3 œufs
10 ml (2 c. à thé) d'essence de vanille
160 ml (⅔ tasse) de farine tout usage
   tamisée avec une pincée de sel

Faire macérer les fruits 1 ou 2 h avec la moitié du sucre et la moitié de l'alcool. Préchauffer le four à 180 °C (350 °F). Verser dans un mélangeur le lait, le sucre qui reste, les œufs, la vanille, la farine et le reste de l'alcool. Mélanger 1 ou 2 minutes en prenant soin de nettoyer les bords du récipient du mélangeur avec une spatule une ou deux fois. Verser la moitié de la pâte dans un grand moule — un moule d'environ 2 litres (8 tasses) — en pyrex ou en terre cuite émaillée et mettre sur la cuisinière à feu doux. Lorsque la pâte commence à cuire, disposer les fruits dessus, puis verser le reste de la pâte. Cuire au milieu du four environ 40 à 45 minutes ou jusqu'à ce que le clafoutis ne colle plus à un cure-dent qu'on y pique. Servir tiède après avoir saupoudré le clafoutis de sucre à glacer.

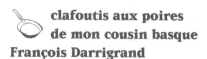

clafoutis aux poires de mon cousin basque
François Darrigrand
POUR 4 À 5 PERSONNES

4 poires pas trop mûres, pelées et coupées
   en deux
125 ml (½ tasse) de sucre
30 ml (2 c. à soupe) d'alcool de poire
30 ml (2 c. à soupe) de vermouth blanc doux

160 ml (2/3 tasse) de lait entier

2 œufs

5 ml (1 c. à thé) d'essence de vanille

125 ml (1/2 tasse) de farine tout usage,
   tamisée avec une pincée de sel

15 ml (1 c. à soupe) de jus de citron

2,5 ml (1/2 c. à thé) de muscade
   fraîchement râpée

Faire macérer les fruits 1 ou 2 h avec la
moitié du sucre, l'alcool de poire et le
vermouth. Préchauffer le four à 180 °C
(350 °F). Verser dans un mélangeur le lait,
le sucre qui reste, les œufs, la vanille, la
farine, le jus de citron, l'alcool et le vin
dans lequel ont macéré les poires.
Mélanger 1 ou 2 minutes en prenant soin
de nettoyer les bords du récipient du
mélangeur avec une spatule une ou deux
fois. Verser la moitié de la pâte dans un
grand moule — un moule d'environ
1,5 litre (6 tasses) en pyrex ou en terre
cuite émaillée et mettre sur la cuisinière à
feu doux. Lorsque la pâte commence à
cuire, disposer les demi-poires à l'envers
(partie ronde vers le haut), verser le reste
de la pâte, puis saupoudrer de muscade.
Cuire au milieu du four environ 40 à
45 minutes ou jusqu'à ce que le clafoutis
ne colle plus à un cure-dent qu'on y pique.
Servir tiède après avoir saupoudré le
clafoutis de sucre à glacer.

clafoutis aux pommes

*Quand on a un verger comme le
mien et qu'on ne l'exploite pas
commercialement, on essaie, l'automne
venu, d'utiliser le plus de pommes possible.
Voici un clafoutis qui est presque aussi bon
que celui aux griottes.*

POUR 8 PERSONNES

Gros comme une noix de beurre

750 ml (3 tasses) de pommes mondées,
   coupées en quartiers d'environ 1 cm
   (3/8 po)

30 ml (2 c. à soupe) de calvados

15 ml (1 c. à soupe) de kirsch

10 ml (2 c. à thé) de jus de citron

1 pincée de cannelle moulue

1 pincée de gingembre moulu

2,5 ml (1/2 c. à thé) de muscade

180 ml (3/4 tasse) de lait entier

160 ml (2/3 tasse) de sucre

3 œufs

10 ml (2 c. à thé) d'essence de vanille

160 ml (2/3 tasse) de farine tout usage
   tamisée avec une pincée de sel

Sucre à glacer

Faire fondre le beurre dans une sauteuse et
y faire dorer les pommes. Déglacer la
sauteuse avec l'alcool et le jus de citron.
Mettre les pommes dans un bol avec la
cannelle, le gingembre et la muscade. Faire
macérer 1 ou 2 h à température de la
pièce. Préchauffer le four à 180 °C
(350 °F). Verser dans un mélangeur le lait,
le sucre, les œufs, la vanille, la farine et le

jus de macération des pommes. Mélanger
1 ou 2 minutes en prenant soin de nettoyer
les bords du récipient du mélangeur avec
une spatule une ou deux fois. Verser la
moitié de la pâte dans un grand moule
— un moule d'environ 2 litres (8 tasses) —
en pyrex ou en terre cuite émaillée et faire
chauffer sur la cuisinière à feu doux.
Lorsque la pâte commence à cuire, disposer
les quartiers de pomme dessus et verser le
reste de la pâte. Cuire au milieu du four
environ 40 à 45 minutes ou jusqu'à ce que
le clafoutis ne colle plus à un cure-dent
qu'on y pique. Servir tiède après avoir
saupoudré le clafoutis de sucre à glacer.

CLÉMENTINE

À la période des Fêtes lorsque les clémentines (ou les mandarines, selon leur provenance) apparaissent dans les étals de fruits,
c'est la joie. Je les préfère de loin aux oranges
que je trouve bien surettes. Les clémentines
peuvent composer une salade qui fait une entrée tout ensoleillée lors d'un repas d'hiver.

salade d'endives et de clémentines de Maryse

POUR 4 PERSONNES

4 à 6 clémentines, selon leur grosseur
3 ou 4 endives, selon leur grosseur
10 ml (2 c. à thé) de jus de citron
2,5 ml (½ c. à thé) d'eau de fleur
  d'oranger
Quelques gouttes de vinaigre balsamique
30 à 45 ml (2 à 3 c. à soupe) d'huile
  d'olive

5 ml (1 c. à thé) d'huile de noisette
1 pincée de sel
15 ml (1 c. à soupe) de baies roses
  grossièrement hachées

Écorcer les clémentines et les séparer en
quartiers. Les déposer dans un bol à
salade. Débarrasser les endives de leurs
premières feuilles, les couper en rondelles
d'environ 0,5 cm (¼ po) d'épaisseur, puis
les ajouter aux clémentines. Mélanger
ensemble jus de citron, eau de fleur
d'oranger, vinaigre balsamique et huiles,
ajouter la pincée de sel, puis verser sur les
clémentines et les endives. Remuer
délicatement. Au moment de servir,
saupoudrer généreusement des baies
roses broyées.

CONCOMBRE

Je ne sais pas pourquoi on appelle « anglais »
ce concombre long à la peau mince et lisse
que toute l'Europe appelle concombre hollandais ! Quoi qu'il en soit, c'est le concombre que je préfère en salade parce qu'il n'est
pas tout en pépins, qu'il n'est jamais âcre et
qu'il est presque toujours frais, contrairement à son homologue québécois. Le pro-
blème des concombres que j'appellerai
« communs », c'est qu'ils supportent mal la
chaleur du soleil et des étals et qu'ils sont
défraîchis en moins de 48 h. Depuis qu'on a
pris la bonne habitude d'envelopper le concombre anglais dans une mince pellicule de
polythène, il reste frais une bonne semaine
au frigo.

salade de concombres

POUR 2 PERSONNES

2 concombres anglais

Gros sel

80 ml (1/3 tasse) de yogourt nature

60 ml (1/4 tasse) de crème épaisse

30 ml (2 c. à soupe) de ciboulette fraîche,
hachée, ou 2 petits oignons verts,
hachés

7,5 ml (1 1/2 c. à thé) de jus de citron

15 ml (1 c. à soupe) de menthe fraîche ou
d'un mélange de fenouil et d'aneth frais
ou 5 ml (1 c. à thé) de l'une ou l'autre
de ces herbes séchées

Baies roses ou poivre noir moulu

Sel

Éplucher les concombres, couper en très fines
lamelles d'environ 1 mm (moins de 1/16 po),
déposer dans un plat avec du gros sel et
laisser dégorger au moins 4 h à température
de la pièce. Mettre dans une passoire et laver
à grande eau quelques secondes pour les
dessaler, essorer le mieux possible avec les
mains. Mêler ensuite tous les autres
ingrédients pour en faire une belle sauce
épaisse, déposer sur les concombres et
mélanger. Servir comme entrée.

salade de concombres
aux herbes et à l'huile

POUR 4 PERSONNES

2 concombres anglais

Gros sel

45 ml (3 c. à soupe) d'huile d'olive

15 ml (1 c. à soupe) d'huile de noisette

5 ml (1 c. à thé) de vinaigre balsamique

15 ml (1 c. à soupe) de vinaigre japonais

10 ml (2 c. à thé) de jus de citron

30 ml (2 c. à soupe) de ciboulette fraîche,
hachée ou 2 petits oignons verts, hachés

10 ml (2 c. à thé) de menthe fraîche,
hachée

15 ml (1 c. à soupe) d'aneth haché ou de
cerfeuil haché

15 ml (1 c. à soupe) de baies roses,
broyées

Sel

Éplucher les concombres. S'il s'agit de
concombres anglais, on peut laisser la
majeure partie de la pelure, ce qui fait bon
effet dans la salade. Couper en très fines
lamelles — 1 mm (moins de 1/16 po) —,
déposer dans un plat avec du gros sel et
laisser dégorger au moins 4 h à température
de la pièce. Mettre dans une passoire et laver
à grande eau quelques secondes pour
dessaler, essorer le mieux possible avec les
mains. Mêler ensuite tous les ingrédients ci-
dessus pour en faire une belle vinaigrette,
déposer sur les concombres et mélanger.
Servir comme entrée.

soupe de concombre

POUR 8 PERSONNES

45 ml (3 c. à soupe) d'huile d'olive

1 oignon jaune, pelé et coupé en morceaux

5 concombres ou 3 concombres anglais,
pelés et coupés en morceaux

20 ml (4 c. à thé) de vinaigre de cidre

1 litre (4 tasses) d'eau

1 litre (4 tasses) de bouillon de volaille
   (poulet, de préférence)

125 ml (½ tasse) de riz

Environ 15 ml (1 c. à soupe) de sel

1 pincée de sucre

125 ml (½ tasse) de crème épaisse

125 ml (½ tasse) de yogourt

Poivre blanc

1 concombre bien frais ou ½ concombre
   anglais, taillé en tranches très minces de
   1 mm (moins de ¹/₁₆ po)

15 ml (1 c. à soupe) de feuilles de
   coriandre hachées

15 ml (1 c. à soupe) de cerfeuil haché

Mettre l'huile d'olive dans une grande casserole et faire cuire l'oignon à feu doux jusqu'à ce qu'il devienne translucide, ajouter les concombres et le vinaigre de cidre, puis faire cuire légèrement jusqu'à ce que les concombres ramollissent. Ajouter l'eau et le bouillon, le riz, le sel et le sucre, puis faire cuire à feu moyen jusqu'à ce que concombres et oignon soient bien cuits. Réduire en purée au mélangeur. Passer au tamis et remettre dans la casserole. Ajouter la moitié de la crème et du yogourt ainsi que le poivre blanc et mélanger. Remettre sur le feu jusqu'à ce que la soupe frémisse. Retirer du feu. Servir en ajoutant une cuillerée du mélange crème-yogourt, décorer de tranches de concombre et saupoudrer des herbes hachées.

Cette soupe peut aussi se servir froide comme une vichyssoise. On ajoute herbes, tranches de concombre et le mélange crème-yogourt, juste au moment de servir.

COUP DE FIL DU LENDEMAIN

Des parents ou des amis vous ont invités à manger ? Ils ont mis les petits plats dans les grands, le repas fut bien arrosé et ils furent de bonne compagnie ? Pourquoi ne pas leur passer un coup de fil le lendemain pour les remercier ? Une petite attention qui fait toujours plaisir et qui rassure aussi les hôtes, surtout si on les a quittés un peu éméchés...

Encore mieux : une carte pour remercier et dire à quel point on a apprécié le repas. Ou un courriel, ou une télécopie... Mais hélas ! on écrit si peu.

COURGE SPAGHETTI

La courge qu'on appelle spaghetti est en fait la courge de Siam. Inutile de dire qu'elle doit son nom au fait que sa chair est si filamenteuse qu'elle ressemble à des spaghettis. Vous voulez que je sois franc ? Je n'en mange jamais... mais je la sais très populaire.

 **courge spaghetti gratinée**
Recette de Mme Angéline Lalumière,
de Boucherville, Québec

POUR 2 PERSONNES

1 courge

Beurre

Ail

Sel et poivre

Béchamel aux fruits de mer

Parmesan râpé ou mozzarella

Couper la courge en deux et bien l'évider. La badigeonner de beurre et d'ail, saler, poivrer et cuire au four à 180 °C (350 °F) environ 30 minutes ou jusqu'à ce qu'elle soit tendre. Farcir avec une sauce béchamel aux fruits de mer, saupoudrer de parmesan râpé ou de mozzarella et faire gratiner quelques minutes sous le gril.

COURGETTES

Aucun légume n'est devenu aussi populaire en si peu de temps. Il y a quelques années, à part les Italiens, peu de gens mangeaient des courgettes qu'on appelait toujours *zucchini*. Les courgettes sont devenues un légume courant qu'on fait presque toujours surcuire et qu'on n'assaisonne jamais assez. La courgette a une chair fade qui demande à être très relevée, et la tomate comme l'ail en sont des accompagnements qu'on ne peut pratiquement pas éviter.

Il faut acheter les courgettes lorsqu'elles sont petites — 2 à 3 cm ($3/4$ à $1 1/4$ po) de diamètre. Elles doivent être extrêmement fermes (cassantes même) et avoir la peau râpeuse sous la main (comme les concombres ordinaires).

 ### courgettes à l'étuvée
POUR 4 PERSONNES

7 à 8 petites courgettes
45 ml (3 c. à soupe) d'huile d'olive
4 à 5 gousses d'ail émincées finement
Sel et poivre fraîchement moulu, au goût
10 ml (2 c. à thé) de jus de citron

Couper les extrémités des courgettes et bien les laver. Les essuyer et les couper en tranches minces — de 2 à 3 mm (env. $1/8$ po). Les mettre dans une cocotte avec l'huile d'olive, l'ail, le sel et le poivre. Faire cuire sur la plaque à feu assez fort en retournant avec précaution toutes les 2 ou 3 minutes avec deux cuillères de bois. Dès que les tranches sont tendres, enlever le couvercle, puis ajouter le jus de citron et le poivre. Servir très chaud. Les courgettes cuites de cette manière peuvent attendre et être réchauffées très rapidement.

 ### courgettes frites
POUR 2 PERSONNES

4 belles petites courgettes bien fraîches
1 oignon de taille moyenne
80 ml ($1/3$ tasse) d'huile d'olive
Sel et poivre
1 gousse d'ail émincée
5 ml (1 c. à thé) de jus de citron

Bien laver les courgettes, les essuyer, couper les deux bouts et couper ensuite en tranches épaisses de 1 cm ($3/8$ po). Couper l'oignon en rondelles très minces. Faire chauffer l'huile à feu vif dans une grande poêle ou une grande sauteuse et y déposer en un seul rang les rondelles de courgette. Dès qu'elles sont bien rôties d'un côté, les tourner rapidement. Défaire les rondelles d'oignon au-dessus des courgettes, puis saler au goût. Quelques instants avant d'enlever les courgettes du feu (15 à 20 secondes), les parsemer d'ail émincé.

Vider le tout dans une passoire pour débarrasser courgettes et oignon de leur huile, déposer dans une assiette de service, poivrer au moulin, ajouter un trait de jus de citron et réserver au four à 82 °C (180 °F) jusqu'au moment de servir. Si on a gardé les rondelles de courgettes croquantes, elles peuvent attendre jusqu'à 1 h avant d'être servies. Excellent accompagnement pour du poulet rôti, du steak ou encore des côtes de veau ou de porc.

courgettes sautées à l'origan

POUR 4 PERSONNES

6 à 8 petites courgettes bien fraîches
Environ 60 ml (¼ tasse) d'huile d'olive
Sel et poivre
2 gousses d'ail hachées finement
15 ml (1 c. à soupe) de feuilles d'origan
5 ml (1 c. à thé) de jus de citron

Bien laver les courgettes, les essuyer, sectionner les deux extrémités et couper ensuite en tranches de 1 cm (³⁄8 po). Faire chauffer l'huile à feu vif dans une grande poêle ou une sauteuse. Déposer un seul rang de tranches de courgette. Dès qu'elles sont bien rôties d'un côté, les retourner rapidement, puis les saler et les poivrer. Quand elles sont rôties des deux côtés, déposer les courgettes dans un plat de service déjà au four chaud. Faire sauter le reste des courgettes, puis les ajouter aux autres. Ajouter l'ail dans le plat de service ainsi que les feuilles

d'origan et le citron. Remuer avec précaution avec deux cuillères de bois et servir chaud comme légume d'accompagnement.

fleurs de courgette

Les fleurs de courgette constituent un délice sans nom. Malheureusement, elles ne sont pas faciles à trouver. En saison, il y en a presque toujours au marché Jean-Talon autour duquel abondent les familles d'origine italienne, mais je n'en ai pas vu souvent au marché Atwater où on trouve presque de tout.

Le secret pour en obtenir ? Être hyper gentil avec un producteur de courgettes. Il vous permettra alors d'aller dans son champ où vous pourrez vous-même cueillir les fleurs… mais seulement les fleurs mâles, puisque vous priveriez ce producteur de sa récolte de courgettes en cueillant les autres. Les fleurs mâles sont celles qui ne produisent pas de courgettes, et vous n'avez pas besoin d'un cours de botanique pour les reconnaître, puisqu'elles poussent au bout d'une petite tige qui ne renfle pas pour former la courgette.

Compter une douzaine de fleurs de courgette par personne. Il s'agit d'un hors-d'œuvre ou d'une entrée, mais non d'un plat principal. Les fleurs doivent être très fraîches. Commencer par les faire tremper environ 1 h dans un grand bol rempli d'eau vinaigrée, puis les déposer sur une serviette afin de les assécher un peu.

Préparer une Pâte lisse (voir recette
p. 271) dans un bol. Dans une friteuse ou
une casserole à fond épais, faire chauffer
de l'huile d'olive comme pour des frites.
Quand l'huile est assez chaude — environ
170 °C (340 °F) —, y déposer les fleurs de
courgette préalablement trempées dans la
pâte, puis les laisser égoutter au-dessus du
bol. À mesure que les fleurs sont bien
dorées et bien croustillantes, les déposer
dans une assiette de service dont on a garni
le fond de plusieurs épaisseurs de papier
essuie-tout. Garder cette assiette de service
au four à 80 °C (175 °F) et laisser la porte
entrouverte pour que les fleurs ne
ramollissent pas. Quand toutes les fleurs
sont prêtes, enlever l'essuie-tout et
saupoudrer les fleurs de sel, de poivre et
d'une généreuse portion d'ail haché très
finement. Verser sur chaque fleur quelques
gouttes de vinaigre japonais et servir
immédiatement.

soupe de courgette

*Cette soupe a de petits airs de
minestrone et se réussit en moins de
30 minutes.*

POUR 6 À 8 PERSONNES

60 ml (¼ tasse) d'huile d'olive
1 oignon jaune, coupé en gros dés
1 bâton de céleri coupé en dés ou quelques
   feuilles de céleri aromatique
6 courgettes coupées en gros dés
60 ml (¼ tasse) de vermouth extra-dry
   (facultatif)

1 litre (4 tasses) d'eau
1 litre (4 tasses) de bouillon de bœuf ou de
   volaille
4 tomates pelées, épépinées et coupées en
   dés
10 gousses d'ail débarrassées de leur peau
10 baies de genièvre
10 graines de coriandre ou un bouquet de
   feuilles de coriandre hachées
   grossièrement
2,5 ml (½ c. à thé) de tabasco
Sel et poivre du moulin au goût
30 ml (2 c. à soupe) de persil frais haché
   ou de basilic frais haché ou 7,5 ml
   (1 ½ c. à thé) d'origan frais haché
160 ml (⅔ tasse) de parmesan fraîchement
   râpé

Faire chauffer l'huile dans une grande
casserole, mettre l'oignon et le céleri. Quand
ils sont translucides, ajouter les courgettes et
remuer jusqu'à ce que les courgettes
commencent à dorer. Ajouter le vermouth et
laisser réduire. Ajouter l'eau et le bouillon,
les tomates, l'ail, les baies de genièvre, la
coriandre et le tabasco. Saler et poivrer au
goût. Amener au point d'ébullition et faire
bouillir environ 20 minutes. Quelques
minutes avant de servir, ajouter le persil, le
basilic ou l'origan. Une fois la soupe servie
dans les assiettes, saupoudrer d'une
généreuse portion de parmesan.

COUSCOUS

Je crois que je n'avais jamais mangé de couscous avant de connaître cette Libanaise qui
est devenue ma femme. Mais on ne vit pas
avec une femme du Proche-Orient sans
manger de couscous... Qu'une cuisinière
vienne d'un pays ou d'un autre du Proche-
Orient, ou encore qu'elle vienne d'Afrique du
Nord, chacune est bien convaincue d'avoir la
recette du couscous et, surtout, la méthode
pour le réussir. Je ne sais pas si le couscous
de Blanche est le couscous authentique, mais
je dois dire que je n'en ai jamais mangé de
meilleur. Il y a un hic, toutefois, il faut
compter presque une journée entière de préparation. Alors, si vous avez le temps et que
vous craquez pour le couscous, je vous prie
d'essayer celui dont j'ai appris le secret.

 couscous de Blanche
POUR 8 À 10 PERSONNES

ragoût (la « marga »)

45 ml (3 c. à soupe) d'huile d'olive

1 gousse d'ail finement hachée et écrasée

30 ml (2 c. à soupe) de coriandre fraîche
finement hachée ou 10 graines de
coriandre moulues

30 ml (2 c. à soupe) de menthe verte, hachée

2 petits oignons verts finement hachés

1 oignon jaune finement haché

Sel et poivre

1,3 à 1,8 kg (3 à 4 lb) d'agneau : épaule
ou jarrets coupés en gros morceaux
individuels, mais non désossés

1/2 boîte de 156 ml (5 1/2 oz) ou plus (au
goût) de pâte de tomate

Dans une grande marmite, faire chauffer
l'huile d'olive et y faire revenir l'ail, la
coriandre, la menthe, les oignons verts et
l'oignon jaune, hachés. Faire revenir ensuite
la viande ou les jarrets préalablement salés
et poivrés. Couvrir la viande d'eau en y
diluant la pâte de tomate et en assaisonnant
au goût. Porter à ébullition, puis laisser
mijoter à feu moyen 2 h ou plus jusqu'à
cuisson complète de la viande.

légumes

2 navets moyens, coupés en gros morceaux

3 carottes pelées, coupées en rondelles de
2 cm (3/4 po)

2 gros panais pelés, coupés en rondelles
épaisses

150 g (1/3 lb) de petits oignons blancs pelés

450 g (1 lb) de choux de Bruxelles

3 courgettes lavées, mais non épluchées,
coupées en rondelles de 2 cm (3/4 po)
d'épaisseur

125 ml (1/2 tasse) ou plus d'huile d'olive

1 chou blanc lavé, coupé en 8 quartiers

12 tomates cerises

1 boîte de 500 g (env. 1 lb) de pois
chiches dans leur eau

1 petit piment fort entier (facultatif)

Sel, poivre et cayenne au goût

Regrouper tous les légumes. Les éponger s'il
y a lieu avec du papier essuie-tout. Faire
chauffer l'huile dans une sauteuse pour y
faire revenir les légumes *séparément* (à
l'exception du chou, des tomates cerises et
des pois chiches). Déposer les légumes

déjà rissolés dans des assiettes couvertes de quelques épaisseurs de papier essuie-tout pour absorber l'excédent d'huile. Regrouper ensemble les légumes selon leur durée de cuisson *al dente* afin de les incorporer graduellement au ragoût. On peut incorporer les ingrédients dans cet ordre : navets, carottes, panais, petits oignons blancs, chou blanc, choux de Bruxelles, courgettes, tomates cerises et pois chiches avec leur eau. On commence à ajouter les légumes environ 30 minutes avant la fin de la cuisson de la viande. Quinze minutes avant la fin de la cuisson, ajouter les pois chiches non égouttés et le piment fort, si désiré. Laisser mijoter sans trop remuer afin de ne pas écraser les légumes. S'il manque d'eau en cours de cuisson, ajouter de l'eau chaude tout en revérifiant l'assaisonnement. Si le ragoût devient trop liquide, augmenter le feu légèrement pour faire réduire le liquide.

sauce d'accompagnement

30 ml (2 c. à soupe) de pâte de piment fort harissa
375 ml (1 ½ tasse) du bouillon du ragoût, mais sans la viande et les légumes

Mélanger les ingrédients et servir chaud dans une saucière. Les convives s'en servent à leur goût.

couscous

0,5 litre (2 tasses) ou plus du bouillon du ragoût (sans viande ni légumes)

500 g (env. 1 lb) de couscous de type moyen (cuisson 5 minutes)
15 à 30 ml (1 à 2 c. à soupe) de beurre non salé

Porter le bouillon à ébullition. Retirer du feu et ajouter le contenu de la boîte de couscous. Bien incorporer au bouillon et laisser gonfler 5 minutes. Les grains de couscous doivent être tendres et bien se détacher. Quand tout le liquide est absorbé, remuer avec une fourchette et ajouter le beurre. Remuer encore pour que les grains se détachent bien. Servir chaud avec le ragoût de viande et de légumes.

COUTEAUX

Le principal avantage d'avoir un homme au fourneau, c'est que dans sa cuisine, il y a de bons couteaux toujours bien affilés. La plupart des femmes dont les maris ne s'intéressent pas à la cuisine doivent travailler avec des couteaux bon marché... qui ne coupent pas. Et si elles dépendent financièrement de leurs maris, soyez certains qu'en plus de travailler avec des couteaux de fortune, elles font probablement la cuisine avec un minimum de matériel, pendant que leurs maris machos se procurent les bâtons de golf les plus récents...

On n'a pas besoin de toute une panoplie de couteaux pour cuisiner et on pourrait à la limite se contenter d'un petit couteau d'office, c'est-à-dire ce petit couteau pointu à la lame droite de 6 à 10 cm (2 ½ à 4 po) de longueur. Mais plus d'une tâche

est impossible avec un couteau d'office. Comment fileter un saumon, par exemple ? Comment hacher un tartare ou tailler du pain ? Il n'en reste pas moins que seul le couteau d'office est essentiel. Sans lui, mieux vaut se résigner à manger au restaurant...

En matière de couteaux, il n'y a pas d'économie. Les couteaux bon marché ne durent qu'un temps. Ils coupent mal parce qu'ils sont mal balancés, les lames s'oxydent, elles rouillent, et c'est toujours à recommencer. Il n'y a guère de bons couteaux fabriqués en Amérique. Les meilleurs viennent d'Allemagne (J. A. Henckels) ou de France (Sabatier) et, pour peu qu'on les entretienne et qu'on ne fasse pas la bêtise de les mettre au lave-vaisselle, ils durent plus qu'une vie. On peut les léguer sans risque à ses enfants et à ses petits-enfants. Pas besoin d'acheter toute la collection d'un coup. Achetez-en un par année, par exemple, ou suggérez qu'on vous en offre un. Au lieu de donner un cadeau de noces sans intérêt, pensez à un couteau de qualité. Mais n'allez pas croire que si j'ai toute la collection, c'est que je me suis marié souvent !

À part le couteau d'office, voici ceux que je vous recommande par ordre d'importance :

· **l'économe,** qui ne coûte presque rien et qui est le seul qu'on a intérêt à acheter à bon marché, puisque les économes qui coûtent cher sont plus difficiles à manier. Et de plus, on les perd ;

· **l'éminceur** qu'on appelle aussi « chef ». Il en existe trois ou quatre formats. Je vous déconseille le plus petit dont la lame a 15 cm

(6 po). Achetez plutôt le moyen — lame d'environ 20 à 24 cm (8 à 9 ½ po). Avec l'éminceur, vous pourrez hacher tout ce que vous voudrez et vous pourrez même aplatir vos escalopes en les frappant du plat de la lame. Le grand éminceur possède une lame de 30 cm (12 po). Il est aussi bien utile pour hacher des aliments plus difficiles à couper comme la viande et le poisson ;

· **le couteau de boucher.** Le meilleur endroit pour vous le procurer, c'est chez votre... boucher. Vous serez sûr d'avoir un couteau de qualité professionnelle. Ce couteau à lame incurvée et rigide est formidable pour désosser les viandes crues. S'il est bien aiguisé et si vous n'avez pas de couteau à désosser, il servira aussi à trancher les viandes cuites comme le rosbif, le gigot, etc. ;

· **le couteau à huîtres,** que vous mangiez ou non des huîtres. Comme pour l'économe, achetez le moins cher ayant un manche de bois et qui tient bien dans la main. À part ouvrir les huîtres, je fais mille choses avec le couteau à huîtres, souverain pour épépiner des tomates et des poivrons, bien utile pour soulever le couvercle qui résiste, pour percer un trou dans une boîte de conserve, pour faire tourner la clé d'une boîte de sardines et pour bien d'autres choses ;

· **le couteau-scie** que vous utiliserez pour trancher le pain et couper les gâteaux ;

· **le couteau à désosser.** Il y en a plusieurs variétés. Je vous conseille celui à lame semi-rigide et assez étroite d'environ 18 à 20 cm (7 à 8 po) de longueur. Pour les viandes crues, je trouve le couteau de boucher

plus pratique, mais celui-ci est incontestablement plus utile pour trancher les viandes déjà cuites ;

- **le couteau à fileter.** Un must si on achète du poisson non fileté, du saumon fumé qu'on tranche soi-même et si l'on veut faire du carpaccio. C'est un couteau à lame très longue et très souple avec laquelle on peut suivre facilement le contour des arêtes ;

- **la feuille à fendre.** Difficile de s'en passer quand on a été, comme moi, apprenti boucher pendant ses études et qu'on préfère préparer ses viandes soi-même, plutôt que de les laisser à de mauvais bouchers. Si vous en achetez une, prenez la meilleure. Les autres ne seront pas assez lourdes, et leur lame ne résistera pas longtemps quand vous l'enverrez à l'assaut des os plus solides...

Voilà les couteaux usuels, mais il y a d'autres outils dont vous aurez besoin. La bonne nouvelle, c'est que la plupart de ces autres outils ne coûtent à peu près rien. Je vous les recommande encore par ordre d'importance :

- **des ciseaux.** Si vous avez de l'argent, achetez des ciseaux de cuisine, sinon n'importe quels bons ciseaux feront l'affaire ;

- **une petite scie à métal.** Oubliez ce qu'on appelle la scie de cuisine qui ne vaut pas un clou. Préférez-lui une véritable scie à métal que vous trouverez dans une quincaillerie. Encore une fois, contentez-vous de la moins chère, celle qui n'est ni plus ni moins qu'un petit manche auquel on accroche une lame. Cette scie vous servira à couper les os. Si un bricoleur l'emprunte, lavez-la, essuyez bien la lame et cachez-la de nouveau dans vos tiroirs ;

- **un dénoyauteur.** Il y en a deux sortes. Prenez le petit qui s'ouvre en « V » et qui peut dénoyauter les griottes et à peu près toutes les variétés d'olives ;

- **un vide-pomme.** Cet outil cylindrique à bord tranchant sert à enlever le cœur des pommes et des poires.

Il y a aussi des sécateurs de cuisine, des couteaux à pamplemousse, des zesteurs et toute une série d'autres outils qui encombreront vos tiroirs et que vous n'utiliserez à peu près jamais.

CRÈMES

Puis-je vous dire que j'ai toujours la nostalgie de la crème épaisse de mon enfance, celle que nous apportait aux aurores le vieux M. Cod avec le lait de sa seule vache ? Ce vieil Anglais n'avait même pas de centrifugeuse. Il trayait sa vache, mettait le lait à reposer au frais une quinzaine d'heures et il prélevait à la cuillère la crème qui faisait surface. Elle n'était ni pasteurisée ni homogénéisée, mais j'ai encore son odeur presque surette dans les narines. Cette crème qu'on prenait à la cuillère dans un bocal, tellement elle était épaisse, on en tartinait le pain frais de la boulangerie artisanale et on saupoudrait généreusement de sucre d'érable fait à Fulford par mes grands-oncles Arès. C'était le bonheur total. Mais voilà des temps révolus. C'est même devenu presque impossible de trouver sur le marché autre chose que cette Ultra'crème qui peut survivre durant des semaines et des semaines au frigo.

La plupart des personnes au régime évitent la crème comme la peste… mais elles ne se privent pas de beurre. Il faut pourtant manger une généreuse portion de crème pour équivaloir à ce carré de beurre déjà enveloppé qu'on nous sert dans les restaurants et que la clientèle mange sans sourciller. Sachez que la crème est moins calorique que toutes les autres matières grasses et répandez la nouvelle pour qu'on cesse de calomnier la crème.

La crème est bien plus essentielle que le beurre pour cuisiner. Comme vous pouvez le constater par les recettes que je donne dans ce livre, c'est à peine si j'utilise du beurre dans ma cuisine, mais je fais une grande consommation de crème. Chaque fois qu'on incorpore de la crème à un plat déjà chaud, il faut, si on ne veut pas qu'elle tourne, la faire chauffer légèrement. À la rigueur, on peut l'utiliser à température de la pièce. Dans l'un et l'autre cas, mieux vaut enlever du feu le plat auquel on l'incorpore.

La crème qu'on fait chauffer sur la plaque à feu ultra doux — il ne faut pas qu'elle bout — épaissit d'autant mieux qu'on y a mis une bonne noix de beurre.

La crème sure qu'on vend dans les grandes surfaces n'est pas très bonne. Je lui substitue toujours moitié crème et moitié yogourt. L'effet est le même, surtout si on a la sagesse de faire son propre yogourt et de ne pas acheter celui assez infect qu'on trouve dans le commerce.

crème à l'ancienne

500 ml (2 tasses) de crème à fouetter
30 ml (2 c. à soupe) de yogourt

Faire chambrer la crème (attention : ne pas utiliser de crème dite Ultra'crème) et faire chambrer le yogourt. Quand les deux sont à température de la pièce, bien mélanger le yogourt à la crème, verser dans un bocal hermétique, et laisser reposer de 8 à 10 h à température de la pièce, le couvercle légèrement entrouvert. Bien fermer le bocal et mettre au frigo. Peut se conserver de 2 à 3 semaines. Cette crème a l'avantage de ne jamais tourner quand on fait une sauce.

crème anglaise

Si vous faites des îles flottantes comme dessert (celles de Bofinger dans le 4e arrondissement de Paris sont de purs délices), vous ne pourrez éviter de faire une crème anglaise. Si vous êtes de ceux qui fuyez la chantilly, préférez-lui la crème anglaise pour les fruits… à la condition de ne pas souffrir de cholestérolémie… La crème anglaise est difficile à réussir si on ne la fait pas dans une casserole de fonte émaillée à fond très épais.

500 ML (2 TASSES)
4 jaunes d'œufs
125 ml (½ tasse) de sucre fin
430 ml (1 ¾ tasse) de lait
15 ml (1 c. à soupe) de vanille
15 ml (1 c. à soupe) de kirsch

Dans un grand bol, battre les jaunes d'œufs au fouet en y ajoutant graduellement le sucre jusqu'à ce que les jaunes aient pâli et forment une belle crème lisse. Pendant ce temps, amener le lait au point d'ébullition. Le lait ne colle pas si on le fait chauffer au micro-ondes. Tout en continuant à battre les œufs, ajouter le lait très, très lentement au début afin que les jaunes ne cuisent pas. Verser ce mélange dans une casserole et, tout en continuant à brasser avec une cuillère de bois, faire chauffer à feu très doux jusqu'à ce que la crème anglaise atteigne la consistance d'une crème épaisse ou, si on utilise un thermomètre, jusqu'à ce qu'elle atteigne 72 °C (165 °F). Retirer du feu, puis continuer à brasser en ajoutant la vanille et l'alcool.

La crème anglaise restera chaude si on place la casserole dans un bol d'eau chaude. Si on la sert froide, on place la casserole dans un bol d'eau froide et on bat paresseusement la crème jusqu'à ce qu'elle ait refroidi.

crème brûlée

Ma mère faisait de temps à autre de la crème brûlée, mais je ne me souviens plus du tout de sa recette. Je tiens celle-ci du cuisinier du restaurant Le Dôme, boulevard Montparnasse à Paris. Je ne sais pas s'il a omis de tout me révéler, mais j'ai toujours eu l'impression que sa crème brûlée était meilleure que la mienne. Manger la sienne, évidemment, ne demande aucun effort. C'est peut-être là la différence.

POUR 8 PERSONNES

1 litre (4 tasses) de crème épaisse
10 jaunes d'œufs
200 g (7 oz) de sucre fin
15 ml (1 c. à soupe) d'essence de vanille
15 ml (1 c. à soupe) de rhum brun

Faire chauffer la crème, mais il ne faut pas qu'elle atteigne le point d'ébullition. On peut le faire au micro-ondes. Dans un grand bol, battre les jaunes d'œufs au fouet en y ajoutant graduellement la moitié du sucre jusqu'à ce que les jaunes aient pâli et forment une belle crème lisse. Tout en continuant à battre, verser graduellement la crème chaude. Quand le mélange est bien lisse, ajouter la vanille et le rhum. Répartir ensuite le mélange dans huit ramequins d'environ 200 ml (7 oz) chacun. Les mettre au four préchauffé à 200 °C (400 °F) pendant une quinzaine de minutes. Les enlever quand une peau se forme sur la crème. Remettre les ramequins sur le comptoir. Quand ils sont à température de la pièce, les placer au frigo pendant au moins 3 à 4 h. Ils peuvent évidemment y séjourner beaucoup plus longtemps. Quelques minutes avant de servir, répartir le reste du sucre en en saupoudrant la crème, puis passer sous le gril très chaud environ 3 minutes, c'est-à-dire jusqu'à ce que le sucre caramélise. Servir immédiatement.

crème chantilly

Crème

Sucre

Vanille

Kirsch

Comme je suis puriste, je ne fais jamais la chantilly au batteur électrique. Je fouette ma crème au fouet dans un cul-de-poule. On réussit toujours mieux et plus vite si on a eu la prévoyance de mettre fouet et cul-de-poule au frigo au moins 1 h avant de fouetter la crème. On verse la crème dans le récipient, puis on fouette énergiquement. Quand la crème commence à épaissir, on ajoute graduellement la quantité de sucre souhaitée et on continue à fouetter. Lorsque des pointes molles se forment, on ajoute de la vanille (à moins, ce qui est encore préférable, d'avoir utilisé du sucre vanillé) et un petit verre de kirsch, soit environ 45 ml (1 ½ oz). On continue à fouetter quelques instants jusqu'à ce que la crème cherche à former des pics. La crème chantilly, on la fouette juste avant le dessert. Même si elle se conserve quelques heures, elle est toujours meilleure montée à la dernière minute. Pendant ce temps, les convives digèrent…

crème glacée

La plupart des recettes de crème glacée sont assez complexes, requièrent beaucoup d'œufs, des jaunes en particulier si riches en cholestérol, et exigent qu'on amène le lait ou la crème au point d'ébullition, et qu'on fasse ensuite refroidir. Tout cela me semble bien compliqué…

Je fais de la crème glacée depuis ma plus tendre enfance. En fait, quand j'étais enfant, je n'en faisais pas comme tel, mais je fournissais l'huile de bras nécessaire pour faire tourner la grosse sorbetière que mon grand-père bourrait de glace concassée et de gros sel. Par la suite, pendant des années, perpétuant la tradition familiale, j'utilisai une sorbetière de bois que j'avais achetée aux États-Unis. Par chance, on n'avait pas à la faire tourner à la main, car elle était munie de pales qui tournaient à l'énergie électrique. Mais il fallait toujours de la glace concassée et du gros sel. Je faisais donc plus de crème glacée l'hiver que l'été, puisque j'utilisais les nombreux glaçons qui se formaient en bordure du toit de ma maison de campagne.

Un jour, il doit y avoir plus d'un quart de siècle, je trouvai chez Eaton une sorbetière italienne de marque Simac. Elle coûtait le prix d'un frigo — plus de 500 $! Après l'avoir observée longuement, je finis par l'acheter. Je l'ai toujours… Elle a dû faire au moins une tonne de crème glacée et de sorbets et elle n'a jamais failli à la tâche. Toutes les 20 ou 25 minutes, elle «crache» sa crème glacée ou son sorbet et elle est prête pour un autre. Faire l'un ou l'autre est devenu un plaisir, plutôt qu'une corvée.

Au fil des ans, j'ai mis au point une recette de base pour la crème glacée à laquelle j'applique toutes les variantes qui me viennent à l'esprit. Depuis mon mariage avec ma Libanaise, j'y ai ajouté du «meske», une espèce d'aromate que vous trouverez sous forme de cristaux dans la plupart des bonnes épiceries du Proche-Orient. C'est vrai que le meske ajoute un petit quelque chose d'indéfinissable à la crème glacée, mais il n'est pas du tout nécessaire.

crème glacée (ma recette de base)

1 LITRE (4 TASSES)

2 œufs

1 pincée de sel

125 ml (½ tasse) de sucre fin

500 ml (2 tasses) de crème épaisse

10 ml (2 c. à thé) d'essence de vanille (blanche autant que possible, afin de ne pas colorer la crème glacée)

2,5 ml (½ c. à thé) de meske broyé dans le mortier (facultatif)

Mélanger les œufs avec un malaxeur ou avec un batteur à main, ajouter le sel, puis le sucre tout en continuant à battre, ajouter la crème et battre pour l'épaissir et l'aérer, ajouter ensuite la vanille et le meske. Mettre dans la sorbetière jusqu'à consistance voulue ou placer au congélateur et brasser toutes les 30 minutes pendant les deux premières heures de manière à éviter que la crème glacée ne forme des cristaux.

crème glacée à la mangue

1 LITRE (4 TASSES)

250 ml (1 tasse) de pulpe de mangue

15 ml (1 c. à soupe) de jus de citron

2 œufs

1 pincée de sel

125 ml (½ tasse) de sucre fin

250 ml (1 tasse) de crème épaisse

10 ml (2 c. à thé) d'essence de vanille (blanche autant que possible afin de ne pas colorer la crème glacée)

2,5 ml (½ c. à thé) de meske broyé dans le mortier (facultatif)

15 ml (1 c. à soupe) de rhum blanc

Peler les mangues, en extraire la chair, puis réduire en purée au robot culinaire ou au mélangeur. La passer au tamis pour en extraire toutes les fibres et ajouter le jus de citron. Réserver. Mélanger les œufs avec un malaxeur ou avec un batteur à main, ajouter le sel, puis le sucre tout en continuant à battre, ajouter la crème, battre pour l'épaissir et l'aérer, ajouter ensuite la pulpe de mangue, la vanille, le meske et le rhum. Mettre dans la sorbetière jusqu'à consistance voulue ou mettre au congélateur et brasser toutes les 30 minutes pendant les deux premières heures de manière à éviter que la crème glacée ne forme des cristaux.

crème glacée au café

1 LITRE (4 TASSES)

2 œufs

1 pincée de sel

180 ml (¾ tasse) de sucre fin

500 ml (2 tasses) de crème épaisse

5 ml (1 c. à thé) de meske broyé dans le mortier (facultatif)

60 ml (¼ tasse) de café espresso très serré

30 ml (2 c. à soupe) de Tia Maria

15 ml (1 c. à soupe) de chocolat sous forme de grains de café

Mélanger les œufs avec un malaxeur ou avec un batteur à main, ajouter le sel, puis le sucre tout en continuant à battre, ajouter la crème et battre pour l'épaissir et l'aérer, ajouter ensuite le meske, l'espresso et la Tia Maria. Avant de mettre dans la sorbetière, ajouter le chocolat. Garder dans la sorbetière jusqu'à consistance voulue ou placer au congélateur et brasser toutes les 30 minutes pendant les deux premières heures de manière à éviter que la crème glacée ne forme des cristaux.

crème glacée au sirop d'érable

1 LITRE (4 TASSES)
60 ml (¼ tasse) d'amandes grillées
    grossièrement hachées
2 œufs
1 pincée de sel
500 ml (2 tasses) de crème épaisse
160 ml (⅔ tasse) de sirop d'érable
30 ml (2 c. à soupe) de rhum
5 ml (1 c. à thé) de vanille

Faire griller les amandes grossièrement hachées en les mettant quelques minutes sur une tôle à pâtisserie sous le gril du four. Mélanger les œufs avec un malaxeur ou avec un batteur à main, ajouter le sel, puis la crème et la battre pour l'épaissir et l'aérer, ajouter le sirop en continuant de battre, puis le rhum, la vanille et les amandes. Mettre dans la sorbetière jusqu'à consistance voulue ou placer au congélateur et brasser toutes les 30 minutes pendant les deux premières heures de

manière à éviter que la crème glacée ne forme des cristaux.

crème glacée aux fraises ou aux framboises

Il est inutile d'essayer de faire de la crème glacée aux fruits frais s'ils n'ont pas été bien pochés auparavant. On obtiendrait alors une crème glacée dont les fruits seraient autant de glaçons sur lesquels on risquerait de se casser les dents. Avant d'entreprendre une crème glacée aux fraises ou aux framboises, on doit donc faire cuire les fruits.

1,25 LITRE (5 TASSES)
250 ml (1 tasse) de fraises ou de
    framboises
180 ml (¾ tasse) de sucre fin
2 œufs
1 pincée de sel
500 ml (2 tasses) de crème épaisse
10 ml (2 c. à thé) d'essence de vanille
    (blanche autant que possible, afin de ne
    pas colorer la crème glacée)
2,5 ml (½ c. à thé) de meske broyé dans le
    mortier (facultatif)
15 ml (1 c. à soupe) d'alcool de framboise
    ou de kirsch

Faire cuire les fruits dans le sucre jusqu'à ce qu'ils soient translucides, puis faire refroidir le tout. Mélanger les œufs avec un malaxeur ou avec un batteur à main, ajouter le sel, ajouter la crème et battre pour l'épaissir et l'aérer, ajouter ensuite la vanille, le meske et l'alcool. Incorporer les fruits et leur sirop. Battre encore un instant et mettre dans la sorbetière jusqu'à consistance voulue ou placer au congélateur et brasser toutes les 30 minutes pendant les deux premières heures de manière à éviter que la crème glacée ne forme des cristaux.

 ### crème pâtissière
550 ml (2 ¼ TASSES)

5 jaunes d'œufs
250 ml (1 tasse) de sucre fin
500 ml (2 tasses) de lait
160 ml (2/3 tasse) de farine tout usage bien
    tamisée
20 ml (4 c. à thé) de beurre
20 ml (4 c. à thé) d'essence de vanille
30 ml (2 c. à soupe) de kirsch

Dans un grand bol, battre les jaunes d'œufs au fouet en y ajoutant graduellement le sucre jusqu'à ce que les jaunes aient pâli et forment une belle crème lisse. Pendant ce temps, amener le lait au point d'ébullition. Tout en continuant à battre les œufs, incorporer la farine, puis ajouter le lait très lentement au début. Verser ce mélange dans une casserole et, tout en continuant à brasser avec une cuillère de bois, faire chauffer à feu doux jusqu'à ce que la crème atteigne le point d'ébullition. Éteindre le feu et continuer à battre au fouet de 3 à 4 minutes. Enlever du feu, ajouter le beurre, la vanille et l'alcool. Battre encore quelques instants.

Note : On peut garder la crème pâtissière une bonne semaine au frigo.

CRÊPES

Tous les bons livres de recettes font état de deux variétés de crêpes : celles à dessert et les autres. J'ai toujours fait mes crêpes de la même manière, qu'elles servent à faire des desserts ou qu'on les mange au petit-déjeuner avec des œufs ou du fromage.

J'ai commencé à faire des crêpes à sept ou huit ans, selon les directives de ma mère, qui faisait les meilleures crêpes de Waterloo. Chez mes tantes, mes oncles, chez les parents de mes amis, on mangeait des crêpes épaisses, toujours grumeleuses, alors que les crêpes de ma mère étaient minces comme du papier. Maman disait que c'est ainsi qu'on les faisait dans Charlevoix et au Saguenay, ignorant qu'on les fait aussi de cette manière en Bretagne, région par excellence de la crêpe.

Les crêpes se cuisent à feu plus ou moins vif. À feu très vif, elles resteront plus molles. C'est idéal pour les crêpes dessert qu'on doit souvent plier en quatre et faire flamber. À feu moins vif, elles deviendront plus croustillantes.

Une fois qu'on a préparé la pâte, on doit impérativement la laisser refroidir au frigo une demi-journée et plus. Si vous vous obstinez à faire cuire vos crêpes tout de suite après en avoir préparé la pâte, bonne chance ! Vous aurez des morceaux de crêpes, elles attacheront à la poêle, ce sera la catastrophe.

Toutes les poêles antiadhésives cuisent bien les crêpes, mais si l'on veut de jolies crêpes au bord bien délimité, mieux vaut utiliser une véritable poêle à crêpe dont le bord est beaucoup plus bas. Si c'est une crêpière à fond épais et non antiadhésif, ne la lavez jamais. Contentez-vous d'y mettre du sel quand elle est encore chaude et lorsqu'elle aura refroidi, essuyez-la avec un papier essuie-tout. On ne graisse la poêle (beurre ou huile) qu'une seule fois et très légèrement. Je verse quelques gouttes d'huile dans la poêle chaude et je l'étends avec un morceau de papier essuie-tout chiffonné. Si votre pâte est bien à point, la première crêpe adhérera peut-être légèrement à la poêle, mais jamais les autres. On peut faire sauter les crêpes si on est habile. Sinon, une spatule de plastique fera très bien l'affaire et n'abîmera pas le revêtement de la poêle.

Pour le petit-déjeuner, j'aime bien les crêpes aux œufs et au fromage. Une fois qu'on a retourné la crêpe, on la saupoudre généreusement de gruyère, d'emmenthal ou même de cheddar grossièrement râpé, puis on y fait glisser un ou deux œufs au miroir qu'on a fait cuire à part. On plie la crêpe en deux et on la dépose dans une assiette chaude. Au lieu du fromage, on peut accompagner les œufs de bacon ou de saucisses. Il suffit de les faire cuire séparément.

Pour conclure le petit-déjeuner, une crêpe au sucre et au miel finit de faire taire les plus affamés. Une fois la crêpe retournée, la saupoudrer de sucre et le laisser caraméliser. Quand il l'est, étendre de 15 à 30 ml (1 à 2 c. à soupe) de miel doux, le laisser fondre quelques instants, plier la crêpe et servir.

Vous voulez épater des étrangers ? Alors, préparez-leur un petit-déjeuner que vous terminerez par une crêpe à la crème et au sucre d'érable. Ils s'en lécheront les babines jusqu'à leur retour chez eux, même s'ils habitent l'Afrique ou l'Australie. Une fois la crêpe retournée, saupoudrez-la d'une bonne couche de sucre d'érable râpé. Lorsqu'il commence à fondre, pliez la crêpe, glissez-la dans une assiette, puis faites à la crêpe un panache de crème légèrement fouettée.

Vous aimez les pommes ? Faites une compote que vous aurez bien assaisonnée de muscade, de gingembre et de cannelle. Une fois la crêpe retournée, tartinez-la d'une généreuse couche de compote. Lorsqu'elle sera chaude, pliez la crêpe, glissez-la dans une assiette et, encore une fois, panachez-la de crème légèrement fouettée.

Avec les crêpes, presque toutes les combinaisons sont possibles. Il suffit d'un peu d'imagination.

Dernier détail, si vous faites plusieurs crêpes à la fois et que vous vouliez les faire attendre au four ou les faire refroidir lentement, mettez entre chacune un morceau de papier brun. Elles ne colleront pas ensemble. On peut aussi les saupoudrer d'un peu de sucre, mais cette pratique a le défaut de les... sucrer !

crêpes flambées à l'orange
POUR 4 PERSONNES

Faire de la pâte pour 12 crêpes d'environ 15 cm (6 po) de diamètre.

préparation du beurre à l'orange
10 cubes de sucre brut ou ordinaire
1 grosse orange
150 g (⅓ lb) de beurre doux à température de la pièce
125 ml (½ tasse) de jus d'orange mélangé avec 30 ml (2 c. à soupe) de Cointreau, de curaçao ou de Grand Marnier

cuisson finale
60 ml (¼ tasse) de Cointreau, de curaçao ou de Grand Marnier mélangé avec 60 ml (¼ tasse) de brandy ou de cognac
30 ml (2 c. à soupe) de sucre

Frotter les cubes de sucre sur l'orange afin de les imbiber de son huile. Couper le zeste de l'orange, puis le hacher finement avec les cubes de sucre. Presser l'orange pour en extraire le jus. Défaire le beurre en crème avec une cuillère de bois, ajouter le sucre et bien mélanger. Ajouter graduellement le jus d'orange et la liqueur. Réfrigérer au moins 4 h. Faire cuire les crêpes et les plier en quatre de belle façon. Au moment de servir, faire fondre le beurre à l'orange dans une grande poêle d'aluminium ou de cuivre jusqu'à ce qu'il commence à grésiller, puis y tremper les crêpes une à une afin de bien les imbiber. Saupoudrer de sucre et faire flamber avec la liqueur et le cognac légèrement chauffés. Verser l'alcool en deux ou trois fois de manière à ne pas se brûler.

crêpes vonnassiennes
Cette recette est de Mme Blanc, la mère de Georges Blanc.

POUR 8 PERSONNES
450 g (1 lb) de pommes de terre
60 ml (¼ tasse) de lait
45 ml (3 c. à soupe) de farine
3 œufs
4 blancs d'œufs
60 ml (4 c. à soupe) de crème épaisse
Huile d'olive ou beurre clarifié

Éplucher les pommes de terre et les faire cuire normalement dans de l'eau salée. Les égoutter et en faire une purée en y ajoutant le lait chaud. Laisser refroidir dans un cul-de-poule ou un plat à mélanger. Incorporer la farine en travaillant à la cuillère de bois, puis incorporer l'un après l'autre les œufs et les quatre blancs d'œufs non battus, puis la crème. Remuer le tout jusqu'à ce que la pâte ait la consistance d'une crème pâtissière. Couvrir généreusement d'huile ou de beurre clarifié le fond d'une grande poêle de cuivre ou de métal, la faire chauffer à feu très vif et y verser la pâte à crêpe avec une cuillère à soupe. Chaque crêpe s'arrondira toute seule. Dans une grande poêle, on peut aisément en faire cuire huit ou neuf d'un coup. Après 1 ou

2 minutes, retourner les crêpes avec deux fourchettes ou une spatule souple, puis les égoutter sur du papier essuie-tout dont on aura pris soin de garnir une assiette chaude gardée au four.

Ces crêpes se mangent salées en accompagnement d'une viande, mais on peut les servir comme dessert, saupoudrées de bon sucre d'érable ou, à la rigueur, de cassonade ou de sucre blanc.

gâteau de crêpes

C'est un dessert fréquent en Normandie où on l'appelle gâteau normand. C'est l'un des desserts les plus spectaculaires (et les plus nourrissants) que je connaisse. Armez-vous de patience, le gâteau de crêpes est long à faire, mais sa fabrication est d'une simplicité désarmante.

8 CRÊPES DE 20 CM (8 PO) DE DIAMÈTRE
1 kg (2 1/4 lb) de pommes à cuire
125 ml (1/2 tasse) de sucre vanillé
160 ml (2/3 tasse) de calvados
2,5 ml (1/2 c. à thé) d'essence d'amande
250 ml (1 tasse) d'amandes blanchies pulvérisées
45 ml (3 c. à soupe) de beurre fondu
60 ml (1/4 tasse) d'amandes blanchies effilées
30 ml (2 c. à soupe) de sucre fin

Peler les pommes, enlever les cœurs et les couper en morceaux. Les faire cuire sur la plaque à feu moyen dans une casserole couverte jusqu'à ce qu'elles soient tendres.

Ajouter le sucre vanillé et continuer à cuire à découvert, tout en remuant afin que les pommes n'adhèrent pas à la casserole. Il faut en arriver à une compote épaisse qui puisse conserver sa forme une fois refroidie. Quand la sauce a bonne consistance, ajouter 60 ml (4 c. à soupe) de calvados et 2,5 ml (1/2 c. à thé) d'essence d'amande. Brasser et laisser refroidir.

Pour préparer les amandes pulvérisées, mettre dans un mélangeur ou un robot culinaire 250 ml (1 tasse) d'amandes blanchies, ajouter 15 ml (1 c. à soupe) d'eau et d'essence d'amande mélangées ainsi que 15 ml (1 c. à soupe) de sucre. Pulvériser en actionnant la machine à haute vitesse pendant quelques secondes jusqu'à l'obtention d'une pâte épaisse et grumeleuse.

Placer une crêpe au centre d'une belle assiette à gâteaux. Y étendre une couche de compote, puis une petite couche d'amandes pulvérisées. Déposer une autre crêpe par-dessus et recommencer l'opération qu'on termine par une dernière crêpe. À l'aide d'un pinceau, badigeonner généreusement celle-ci de beurre fondu, y disposer les amandes blanchies effilées, puis saupoudrer du sucre fin. Le gâteau de crêpes peut maintenant attendre les convives.

Trente minutes avant le dessert, mettre le gâteau au centre d'un four préchauffé à 180 °C (350 °F). Quand le sucre aura caramélisé sur le gâteau, il sera assez chaud. Faire chauffer légèrement le reste du calvados, apporter le gâteau à table et le faire flamber. Couper le gâteau en pointes d'au plus 6 à 7 cm (2 ½ à 2 ¾ po) de largeur, car c'est un dessert très substantiel.

 pâte à crêpes

8 OU 9 CRÊPES DE 22 CM (8 ½ PO) DE DIAMÈTRE

250 ml (1 tasse) d'eau froide

250 ml (1 tasse) de lait froid

4 œufs

1 bonne pincée de sel

500 ml (2 tasses) de farine tamisée tout usage

15 ml (1 c. à soupe) de kirsch ou de rhum

75 ml (5 c. à soupe) de beurre fondu

Mettre les ingrédients dans l'ordre dans le mélangeur, sauf le beurre et l'alcool. Couvrir et battre à haute vitesse pendant 3 minutes. Avec une spatule, dégager la farine qui continue d'adhérer aux bords du contenant et battre quelques secondes de plus. Ajouter l'alcool et le beurre, puis battre encore 1 minute. Mettre au réfrigérateur au moins 4 h avant de commencer à faire cuire les crêpes. La pâte préparée la veille est idéale. Si le mélange est trop épais, éclaircir avec un mélange d'eau et de lait.

CREVETTES

Que je m'ennuie des crevettes fraîches qu'on déguste dans les pays où la mer est tout proche ! Les malheureuses crevettes qu'on nous vend au Québec ont toujours été surgelées et, une fois sur deux, elles ont un goût prononcé d'ammoniaque. Si on aime les crevettes, il faut bien s'en contenter, puisqu'on ne peut en trouver d'autres. Une fois, j'ai trouvé à la Poissonnerie Archambault des crevettes fraîches. Gigantesques (il n'en fallait qu'une par convive), elles arrivaient directement du Maroc par avion. On les vendait à prix d'or, mais elles le valaient.

Il n'y a pas beaucoup de façons de raviver les crevettes. Certains prétendent que les frotter avec du gros sel a sur elles l'effet du Viagra chez d'autres... mais je n'ai essayé ni l'un ni l'autre. On peut les faire tremper 1 ou 2 h dans un bol rempli d'eau froide et de glaçons, dans lequel on aura ajouté de 15 à 30 ml (1 à 2 c. à soupe) de vinaigre ou de jus de citron. Les crevettes ne recommenceront pas à nager, mais elles perdront un peu de leur goût d'ammoniaque.

Quand on écaille les crevettes, il faut toujours enlever la veine. Certaines variétés de crevettes en ont même deux. Laissez toujours la queue et le dernier anneau d'écaille. C'est beaucoup plus joli et, si la crevette est fraîche et l'écaille et la queue bien grillées, c'est agréable à manger.

Crevettes

crevettes au wok

Il est inutile de faire cette recette si vos crevettes ne sont pas ultra fraîches, et je doute fort que vous puissiez en trouver de pareilles au Québec. Chez nous, à peu près toutes les crevettes qui arrivent sur le marché ont été congelées, sinon à très basse température, au moins à - 5 ou - 6 °C (environ 20 °F) afin de les conserver pendant le transport. Mais si, par chance, vous mettiez la main sur un lot de crevettes fraîches, voici une délicieuse façon de les préparer... sans aucun effort.

Huile d'olive ou d'arachide
2 ou 3 gousses d'ail pelées et légèrement
    écrasées
200 g (7 oz) de crevettes par personne
Sel et poivre
Citron
Filet de sauce soya mélangé avec quelques
    gouttes de vinaigre balsamique

Faire chauffer l'huile dans un wok très chaud, y ajouter les gousses d'ail, y déposer les crevettes sans les parer et les faire cuire quelques minutes (selon la grosseur des crevettes) en remuant constamment jusqu'à ce que l'écaille soit croustillante. Saler légèrement (à cause de la sauce soya qu'on ajoutera après) et poivrer. Déposer les crevettes dans un plat de service très chaud, puis les arroser de jus de citron dans lequel on aura mélangé la sauce soya et le vinaigre balsamique.
    Quelle que soit leur grosseur, on mange les crevettes telles quelles avec la tête, la queue et les écailles. Ne faites pas les incrédules, j'en ai mangé chez mon ami le scénariste Louis Nowra à Sydney, en Australie, et j'en ai encore l'eau à la bouche.

crevettes froides

POUR 2 À 3 PERSONNES

12 à 18 belles crevettes fraîches non
    décortiquées
340 ml (1 bouteille) de bière
60 ml (¼ tasse) d'eau
Le jus de ¼ citron
3 clous de girofle
6 graines de coriandre
6 grains de poivre
1 pincée de sel
1 feuille de laurier

Mettre tous les ingrédients (sauf les crevettes) dans une cocotte et amener au point d'ébullition. Faire mijoter lentement 10 minutes, ajouter les crevettes non décortiquées et ramener à ébullition. Faire bouillir à bons bouillons de 5 à 8 minutes, selon la grosseur des crevettes. Retirer du feu, jeter dans une passoire pour vous débarrasser du liquide et faire refroidir lentement. Servir les crevettes décortiquées ou non avec une mayonnaise à l'ail, à la tomate ou à l'estragon, ou encore avec une sauce cocktail à la tomate.

 ### crevettes grillées
POUR 2 PERSONNES

8 à 10 grosses crevettes

1 œuf

15 ml (1 c. à soupe) d'eau

160 ml (2/3 tasse) de chapelure fraîche

10 ml (2 c. à thé) de persil haché finement

5 ml (1 c. à thé) d'estragon haché finement

1 ml (1/4 c. à thé) de sel

1 ml (1/4 c. à thé) de poivre fraîchement moulu

6 graines de coriandre concassées

15 ml (1 c. à soupe) de Pernod ou d'arak

Environ 80 ml (1/3 tasse) d'huile d'olive

Décortiquer et déveiner les crevettes en laissant la queue. Bien les laver, puis les éponger comme il faut. Battre l'œuf et l'eau ensemble. Mélanger la chapelure et tous les ingrédients secs, ajouter l'alcool, puis mouiller d'huile d'olive. Mélanger avec une fourchette jusqu'à l'obtention d'une pâte assez épaisse. Tremper les crevettes dans l'œuf battu, puis les rouler l'une après l'autre dans la pâte. Les étendre sur un gril posé sur une lèchefrite ou sur une tôle. Les faire griller au four 3 minutes, très près de l'élément chauffant, porte entrouverte, puis les retourner et les faire griller encore 2 à 3 minutes de l'autre côté. Servir avec du riz aux herbes ou à la tomate.

 ### crevettes grillées à l'huile et à l'ail
POUR 2 PERSONNES

8 à 10 grosses crevettes

15 ml (1 c. à soupe) de persil haché finement, la moitié s'il est séché

5 ml (1 c. à thé) de thym haché finement, la moitié s'il est séché

2 gousses d'ail hachées finement

1 ml (1/4 c. à thé) de sel

15 ml (1 c. à soupe) de jus de citron

60 ml (1/4 tasse) d'huile d'olive

Poivre et sel au goût

15 ml (1 c. à soupe) de Pernod ou d'arak

Décortiquer et déveiner les crevettes en gardant la queue. Bien les laver, puis les éponger comme il faut. Faire une vinaigrette en versant d'abord le jus de citron dans un bol, puis l'huile assez rapidement. Ajouter ensuite tous les autres ingrédients. Y tremper les crevettes une à une, les déposer dans une assiette à tarte ou une assiette en pyrex, puis verser dessus le reste de la vinaigrette. Les faire cuire au four 3 minutes, très près de l'élément chauffant supérieur, porte entrouverte, les retourner et les faire cuire encore environ 2 à 3 minutes de l'autre côté. Servir avec un riz nature ou à la tomate.

 ### crevettes grillées aux deux tomates
POUR 2 PERSONNES

8 à 10 grosses crevettes

45 ml (3 c. à soupe) d'huile d'olive

15 ml (1 c. à soupe) de jus de citron

15 ml (1 c. à soupe) d'arak ou de pastis

Quelques gouttes de vinaigre balsamique

7,5 ml (1 1/2 c. à thé) de thym frais haché, effeuillé

2,5 ml (1/2 c. à thé) de zeste de citron vert et jaune, haché finement

Sel et poivre au goût

1 pincée de sucre

1 tomate rouge et 1 tomate jaune pelées, épépinées et coupées en dés de 1 x 1 cm ($\frac{3}{8}$ x $\frac{3}{8}$ po)

Décortiquer et déveiner les crevettes en gardant la queue. Bien les laver et les éponger comme il faut. Verser dans un bol l'huile d'olive, le jus de citron, l'alcool et le vinaigre, ajouter le thym, le zeste, le sel, le sucre et le poivre, puis émulsionner avec une fourchette. Dans un plat à gratin juste assez grand pour les contenir, disposer joliment crevettes et tomates, puis verser dessus le mélange émulsionné. Mettre sous le gril très chaud 3 à 4 minutes, retourner les crevettes et remettre sous le gril environ 3 minutes. Servir immédiatement avec un riz au safran.

crevettes grillées sans façon

POUR 2 PERSONNES

8 à 10 grosses crevettes

60 ml (4 c. à soupe) d'huile d'olive

15 ml (1 c. à soupe) de jus de citron

15 ml (1 c. à soupe) de Pernod ou d'arak

Poivre et sel au goût

Décortiquer et déveiner les crevettes en laissant la queue. Bien les laver, puis les éponger comme il faut et réserver. Dans un plat à gratin, verser l'huile d'olive et le jus de citron, battre avec une fourchette pour émulsionner, ajouter l'alcool, battre encore, puis ajouter sel et poivre au goût. Y

disposer les crevettes en cercle après les avoir enduites de cette vinaigrette. Passer sous le gril très chaud pendant 3 minutes. Retourner les crevettes et les passer sous le gril environ 2 minutes de plus. Servir immédiatement avec une salade verte ou du riz.

CROÛTONS

croûtons à l'italienne

Pain de mie

Huile d'olive en quantité suffisante

2 ou 3 gousses d'ail pelées

Prendre du pain de mie, en enlever la croûte et couper en petits morceaux d'environ 1 x 1 cm ($\frac{3}{8}$ x $\frac{3}{8}$ po). Mettre suffisamment d'huile d'olive pour couvrir le fond d'une grande poêle, puis la faire chauffer avec les gousses d'ail légèrement écrasées. Quand l'huile est chaude, y déposer le pain. Dès qu'il est doré d'un côté, le retourner. Quand il est doré des deux côtés, jeter l'ail et déposer les croûtons sur deux ou trois épaisseurs de papier essuie-tout pour les assécher.

Note : Servir avec les soupes et les potages.

Doré

DORÉ

Au Québec, on commercialise du doré indigène, en saison, et celui, beaucoup plus gros, qu'on pêche dans les Grands Lacs tout au cours de l'hiver. La chair de notre doré est beaucoup plus délicate que celle du doré des Grands Lacs qui a tendance à être un peu sèche et trop ferme.

Malgré son nom bien québécois, le doré n'est pas un poisson qui nous soit exclusif. Les Français le mangent sous le nom de sandre, et les Américains sous le nom de *wall eye*. Tous les dorés louchent et ont les yeux vitreux, d'où le nom qu'on leur a donné aux États-Unis ! Les pêcheurs sportifs ont pour le doré la même admiration que pour la truite. Un doré frais, c'est du bonbon dans la bouche.

Un doré qui sort de l'eau n'a besoin de rien d'autre qu'un peu d'huile d'olive et un filet de jus de citron. Hélas ! comme bien d'autres poissons d'eau douce, le doré perd rapidement sa saveur lorsqu'il attend sur les étals. Il devient assez terne et on a tout intérêt à le cuire de manière plus relevée.

filets de doré aux graines de sésame

POUR 4 PERSONNES

4 filets de doré ou 8, si c'est du doré du Québec
15 ml (1 c. à soupe) d'huile de noisette

60 ml (¼ tasse) d'huile d'olive
60 ml (¼ tasse) de graines de sésame
Sel et poivre

Laver les filets et bien les assécher. Mélanger l'huile de noisette à 30 ml (2 c. à soupe) d'huile d'olive et verser dans une assiette. Mettre les graines de sésame dans une grande assiette ou sur du papier ciré. Faire chauffer le reste de l'huile d'olive dans une grande poêle. Passer chaque filet des deux côtés dans l'assiette qui contient l'huile, les secouer, puis les passer dans les graines de sésame pour bien les recouvrir de graines. Quand l'huile est chaude, y faire dorer les filets 2 ou 3 minutes. Les retourner. Saler et poivrer. Continuer la cuisson jusqu'à ce que les filets soient cuits et les graines de sésame bien dorées. Mettre les filets dans une assiette de service bien chaude ou directement dans les assiettes. Servir tel quel avec une salade verte.

filets de doré aux noix de pin

POUR 4 PERSONNES

4 filets de doré ou 8, si c'est du doré du Québec
45 ml (3 c. à soupe) d'huile d'olive
60 ml (¼ tasse) de noix de pin

15 ml (1 c. à soupe) d'huile de noisette
125 ml (½ tasse) de farine tout usage
Sel et poivre
Le jus de ½ citron
Un petit bouquet de persil haché

Laver les filets et bien les assécher. Faire chauffer légèrement 15 ml (1 c. à soupe) d'huile d'olive dans une petite poêle, y mettre les noix de pin et les faire dorer en les remuant constamment. Attention, une fois chaudes, les noix de pin brûlent rapidement. Il faut les surveiller. Quand elles sont bien dorées, ajouter l'huile de noisette, puis réserver au chaud. Faire chauffer le reste de l'huile d'olive dans une grande poêle. Mettre la farine dans une assiette ou sur un papier ciré, y passer les filets et les secouer pour qu'ils ne soient pas trop enduits de farine. Quand l'huile est chaude, y faire dorer les filets 2 ou 3 minutes. Les retourner. Saler et poivrer. Faire cuire encore selon l'épaisseur des filets, mais attention de ne pas surcuire. Ils sont cuits quand, de la pointe d'une fourchette, on peut en séparer les flocons sans difficulté. Mettre les filets dans une assiette de service bien chaude ou directement dans les assiettes. Répartir les noix de pin et leur huile sur les filets, arroser du jus de citron et saupoudrer de persil frais. Servir tel quel avec une pomme de terre vapeur ou avec des haricots verts.

 ### filets de doré meunière
POUR 4 PERSONNES

4 filets de doré ou 8, si c'est du doré du Québec
Le jus de ¼ citron
60 ml (¼ tasse) d'huile d'olive
15 ml (1 c. à soupe) d'huile de noisette
5 ml (1 c. à thé) de zeste de citron haché très finement
1 gousse d'ail hachée finement
125 ml (½ tasse) de farine tout usage
Sel et poivre
60 ml (¼ tasse) de vermouth blanc extra-dry
Un petit bouquet de persil haché

Laver les filets et bien les assécher. Mélanger le jus de citron, 15 ml (1 c. à soupe) d'huile d'olive et l'huile de noisette, puis faire chauffer légèrement avec le zeste et l'ail dans une petite poêle. Attention, il ne faut pas que le mélange devienne bouillant. Faire chauffer le reste de l'huile d'olive dans une grande poêle. Mettre la farine dans une assiette ou sur un papier ciré, y passer les filets et les secouer pour qu'ils ne soient pas trop enduits de farine. Quand l'huile est chaude, y faire dorer les filets 2 ou 3 minutes. Les retourner. Saler et poivrer. Faire cuire encore quelques minutes, selon l'épaisseur des filets. Mettre les filets dans une assiette de service bien chaude ou directement dans les assiettes. Déglacer rapidement la poêle au vermouth et laisser réduire des deux tiers. Répartir le jus de cuisson sur les filets, répartir aussi l'huile, l'ail et le zeste, puis saupoudrer de persil frais. Servir tel quel avec une pomme de terre vapeur ou une salade verte.

E

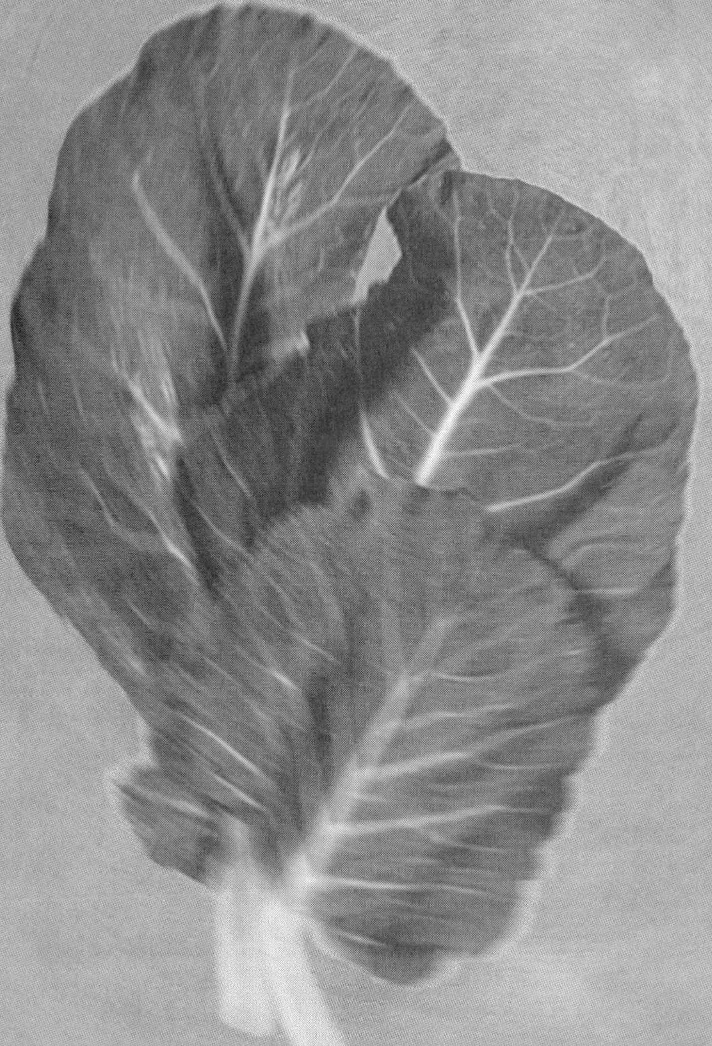

Échalote

Endive

Épinards

Espadon

Essuie-tout

Établissements spécialisés

ÉCHALOTE

Contrairement à ce que croient la majorité des Québécois, l'échalote n'est pas un petit oignon vert ! Elle ne lui ressemble même pas. L'échalote, un précieux condiment, est un croisement entre l'ail et l'oignon et elle se présente sous deux formes : rose ou grise. Quelle que soit la couleur, le goût est le même.

On trouve le plus souvent les échalotes regroupées dans un filet comme les oignons. Les Québécois connaissent peu l'échalote, son étal n'est donc guère achalandé, si bien qu'on se retrouve souvent avec des échalotes complètement déshydratées. Avant d'en acheter, tâtez toutes celles que vous pouvez atteindre. Elles doivent être fermes sous les doigts, lourdes et ne pas commencer à germer.

Toutes les échalotes qu'on achète au Québec sont séchées, je les conserve alors à l'air libre tout à fait comme mon ail. Si vous les gardez au frigo, elles germeront très vite ou elles pourriront, ce qui n'est guère mieux.

Pour tous les mets fins qui réclament des oignons, préférez-leur l'échalote dont le goût est beaucoup plus subtil. Si vous digérez mal les oignons, il y a de bonnes chances qu'il n'en soit pas de même avec les échalotes.

ENDIVE

Quand toutes nos endives venaient d'Europe, elles étaient chères et presque toujours rabougries. Maintenant qu'on en cultive au Québec, elles sont bon marché et bien pimpantes. L'endive a toutes les vertus : économique, comestible entièrement, sans calories et on peut la trouver en toutes saisons. Que vous faut-il de plus ? Soit ! il faut parfois enlever une feuille ou deux et couper un petit bout de trognon, mais regardez ce que vous jetez de la plupart des autres légumes...

 endives au tarama

Les endives au tarama font un délicieux amuse-gueule qui ne coupe pas l'appétit.

POUR 4 PERSONNES
4 endives
Tarama
Baies roses broyées

Parer les endives, détacher toutes les feuilles et mettre à peu près 10 ml (2 c. à thé) de tarama à la base de chacune. Disposer dans une assiette de service et saupoudrer de baies roses broyées. Ainsi préparées, les endives ont le mérite de ne pas masquer le goût d'un vin blanc ou du champagne qu'on sert à l'apéro.

Endive

endives braisées

POUR 4 PERSONNES

45 ml (3 c. à soupe) d'huile d'olive
15 ml (1 c. à soupe) d'huile de noisette
8 belles endives de taille moyenne
60 ml (¼ tasse) de vermouth extra-dry
Le jus de ½ citron
2,5 ml (½ c. à thé) de sel
Poivre du moulin

Mélanger les deux huiles et en mettre la moitié dans une casserole allant au four. Parer les endives et les déposer dans la casserole. Pas plus de deux d'épaisseur. Arroser du reste des huiles, du vermouth et du jus de citron, puis saler. Couvrir et amener au point d'ébullition sur la plaque. Mettre ensuite au milieu du four préchauffé à 180 °C (350 °F). Cuire environ 1 h ou jusqu'à ce que les endives soient bien tendres. Enlever le couvercle, allumer le gril et faire dorer légèrement les endives. Poivrer au goût.

endives et noix de Grenoble

POUR 4 PERSONNES

4 endives
160 ml (⅔ tasse) de noix de Grenoble
45 ml (3 c. à soupe) d'huile d'olive
15 ml (1 c. à soupe) d'huile de noix
5 ml (1 c. à thé) de jus de citron
15 ml (1 c. à soupe) de vinaigre japonais
    mélangé à quelques gouttes de vinaigre
    balsamique
Sel et baies roses grossièrement broyées

Parer les endives et les couper en rondelles de 0,5 cm (¼ po) ou les couper dans le sens de la longueur en lanières d'au plus 1 cm (⅜ po) à la base. Les disposer dans un bol à salade. Faire de même avec les noix. Émulsionner à la fourchette les huiles, le jus de citron et le vinaigre, puis en arroser les endives et les noix. Saupoudrer d'un peu de sel et de baies roses. Servir comme entrée.

salade d'endives

Les endives sont si fines qu'une vinaigrette à la française les tue.

Pour faire une salade d'endives, les parer, puis les couper dans le sens de la longueur en lanières d'au plus 1 cm (⅜ po) à la base. Les disposer joliment dans le bol à salade, puis les arroser, dans l'ordre, des ingrédients qui suivent : huile d'olive, un peu d'huile de noisette et d'eau de rose, vinaigre japonais mêlé à quelques gouttes de vinaigre balsamique et un filet de jus de citron. Saupoudrer de fleur de sel, de baies roses broyées grossièrement et d'un peu de persil haché. Au moment de servir, remuer délicatement avec deux cuillères de bois.

ÉPINARDS

Si vous aimez comme moi les épinards, ne vous laissez pas tenter par les sacs dans lesquels étouffent des épinards qu'on a lavés sous pression. Une fois sur deux, ils vous donneront autant de mal que les épinards en bottes, puisque les tiges comme les feuilles auront déjà commencé à pourrir. Il vous faudra faire le ménage feuille par feuille...

Popeye mangeait des épinards, et nous aussi. Bien avant qu'apparaisse la célèbre bande dessinée, ma mère leur prêtait déjà toutes les vertus et nous bourrait d'épinards. Ils n'ont jamais rien fait pour mes biceps restés minuscules, mais ils m'ont laissé un goût impérissable. Je ne me lasse jamais des épinards, surtout ceux qu'on nous sert en Italie où le climat leur semble si favorable.

À moins que les épinards soient hyper frais, il faut les équeuter. Je les lave trois ou quatre fois dans l'évier plein d'eau dans laquelle j'ajoute un petit verre de vinaigre et, si les épinards sont très sales, c'est encore plus prudent, une fois tous ces lavages terminés, de passer rapidement chaque feuille sous le robinet. Un travail de moine qui aura bientôt sa récompense...

Les épinards n'ont pas besoin d'eau pour cuire. Celle qui reste sur les feuilles à la suite des nombreux lavages suffit amplement. Ils n'ont pas besoin d'une immense marmite non plus, puisqu'on n'a qu'à la remplir et, à mesure qu'ils commencent à cuire, ils font de la place à ceux qui restent... Ultime détail, la plupart du temps, je ne poivre pas les épinards. Le poivre adhère aux feuilles, il croque sous la dent et on a l'impression qu'elles ont été mal lavées.

épinards à la crème

POUR 4 PERSONNES

3 ou 4 bottes d'épinards

160 ml (2/3 tasse) de crème épaisse

30 ml (2 c. à soupe) de beurre

Un filet de jus de citron

Sel

5 ml (1 c. à thé) de muscade fraîchement râpée

Laver les épinards avec soin, les débarrasser de leurs tiges, puis les faire cuire dans une grande cocotte couverte. Égoutter les épinards, enlever l'eau qui reste dans la cocotte, puis y remettre les épinards. À feu assez vif, aérer les épinards en les soulevant plusieurs fois avec deux fourchettes. Mettre les épinards dans une grande assiette et les couper avec deux couteaux que l'on croise en faisant un mouvement de ciseau avec les mains. Remettre les épinards sur le feu, puis ajouter la crème, le beurre et le jus de citron. Continuer à remuer avec les deux fourchettes jusqu'à ce que la crème ait presque diminué de moitié. Mettre les épinards dans un plat de service chaud en ajoutant du sel, au besoin, puis ajouter la muscade. Servir comme légume d'accompagnement.

épinards au bœuf haché

POUR 2 PERSONNES

1 sac ou une botte d'épinards frais

12 à 20 feuilles de coriandre fraîche

60 ml (4 c. à soupe) d'huile d'olive

2 gousses d'ail émincées finement

225 g (1/2 lb) de bœuf haché extra maigre

15 ml (1 c. à soupe) de jus de citron

Sel et poivre au goût

Laver les épinards, les assécher, puis les hacher grossièrement. Laver et assécher les feuilles de coriandre. Les hacher grossièrement aussi. Mettre l'huile dans une cocotte assez épaisse, puis y faire revenir à feu vif l'ail et la coriandre pendant 2 minutes. Ajouter le bœuf et le défaire avec une fourchette. Quand l'eau rendue par la viande est absorbée, faire cuire les épinards quelques minutes. (Les ajouter en succession afin de ne pas avoir à utiliser une marmite trop grande). Arroser du jus de citron, saler et poivrer, puis mélanger délicatement. Servir tel quel, avec du riz nature, une omelette ou des œufs au plat.

épinards au citron et à l'ail
POUR 4 PERSONNES

3 ou 4 bottes d'épinards

45 ml (3 c. à soupe) d'huile d'olive

15 ml (1 c. à soupe) d'huile de noisette

3 gousses d'ail hachées finement

La chair d'un citron débarrassée de sa peau et coupée en petits dés

Sel

5 ml (1 c. à thé) de muscade fraîchement râpée

Laver les épinards avec soin, les débarrasser de leurs tiges, puis les faire cuire dans une grande cocotte couverte. Égoutter les

épinards, enlever l'eau qui reste dans la cocotte, puis y remettre les épinards. À feu assez vif, aérer les épinards en les soulevant plusieurs fois avec deux fourchettes. Ajouter les huiles, l'ail et les dés de citron. Remuer encore quelques fois. Mettre les épinards dans un plat de service chaud en rectifiant l'assaisonnement de sel et ajouter la muscade. Servir comme légume d'accompagnement.

épinards nature
POUR 2 PERSONNES

2 paquets d'épinards (les plus frais possible)

Sel, poivre et muscade fraîchement râpée

Un filet de jus de citron

60 ml (4 c. à soupe) de beurre

Laver les épinards avec soin, puis les débarrasser de leur tige. Faire bouillir environ 250 ml (1 tasse) d'eau salée dans une grande cocotte, puis y mettre les épinards à cuire en recouvrant la cocotte. Égoutter les épinards, enlever l'eau qui reste de la cocotte, puis y remettre les épinards. Sur un feu assez vif, aérer les épinards en les soulevant plusieurs fois avec deux fourchettes. Les placer ensuite dans un plat de service chaud en rectifiant l'assaisonnement et en ajoutant poivre et muscade râpée. Arroser d'un filet de jus de citron et laisser fondre le beurre sur les épinards en les aérant encore une fois avec les deux fourchettes. Servir comme légume d'accompagnement.

ESPADON

Ce qui vaut pour l'espadon vaut aussi pour le marlin et même pour le thon. La recette que je donne ici, vous pouvez donc la faire avec du marlin et du thon, mais si vous substituez le thon à l'espadon, rappelez-vous que le thon bien cuit est sec et presque immangeable. Il doit être sinon saignant, du moins *medium* ou, comme on dit en France, « à point ». Le thon est également plus dense que l'espadon ou le marlin, et on n'en a même pas besoin de 100 g (3 $^1/_2$ oz) par convive.

espadon aux olives

CALCULER ENVIRON 150 G ($^1/_3$ LB) D'ESPADON PAR PERSONNE ET LES INGRÉDIENTS SUIVANTS POUR CHAQUE 450 G (1 LB) DE POISSON :

2 à 3 oignons jaunes, coupés en rondelles assez minces
60 ml (4 c. à soupe) d'huile d'olive
12 à 15 olives noires dénoyautées, coupées en deux
1 petit bouquet de persil haché très finement
1 gousse d'ail hachée finement
5 ml (1 c. à thé) de vinaigre de vin blanc
7,5 ml (1 $^1/_2$ c. à thé) de jus de citron
Sel et poivre

Faire chauffer le four à 220 °C (425 °F). Bien laver le poisson et enlever la peau, s'il y a lieu. Réserver. Dans une poêle ou une sauteuse, faire chauffer les oignons dans l'huile. Dès que les rondelles d'oignon sont devenues molles et transparentes, éteindre le feu et ajouter les olives, le persil, l'ail, le vinaigre et le jus de citron. Saler, poivrer et remuer légèrement. Dans un plat à gratin, déposer la moitié des oignons assaisonnés, y disposer les pièces de poisson et recouvrir du reste des oignons. Déposer une feuille de papier d'aluminium sur le plat, mais sans le couvrir complètement. Cuire au four de 12 à 15 minutes. Servir tel quel.

ESSUIE-TOUT

On n'a encore inventé rien de mieux pour la cuisine. Le papier essuie-tout est devenu un article presque aussi essentiel que la cuisinière et le four et, si j'avais à choisir entre la disparition de l'essuie-tout et celle du micro-ondes, je choisirais d'emblée de me priver de ce dernier. L'essuie-tout est devenu universel. Quel que soit le pays où on cuisine, on trouve des rouleaux d'essuie-tout. J'avoue que la France qui s'est mise à l'essuie-tout (qu'on appelle là-bas sopalin) plus tard que l'Amérique en fabrique un de meilleure qualité. Il est plus étroit, mais beaucoup plus solide.

Si on peut acheter les essuie-tout qu'on veut, il n'en va pas de même pour celui que vous garderez dans la cuisine. Fuyez l'essuie-tout recyclé qui adhérera à tout ce que vous voudrez essuyer ou éponger. Gardez ce dernier pour laver les carreaux ou nettoyer les dégâts de la chatte.

Dans la cuisine, un essuie-tout de qualité s'impose. Il vous facilitera bien des tâches, et je vous énumère les principales.

Si vous répugnez à essuyer vos viandes avec un linge (de loin la meilleure solution), vous pourrez le faire avec un essuie-tout à la condition de ne pas le coller à plat sur la viande. Prenez trois ou quatre feuilles, froissez-les et essuyez-en votre viande par petits coups, en l'épongeant. Même chose pour le poisson.

Quand vous coupez des homards (vivants ou cuits), mettez d'abord une couche d'essuie-tout sur le comptoir, puis plusieurs feuilles de papier journal et, finalement, quelques épaisseurs d'essuie-tout. Le papier journal seul suffirait, mais il laissera les dernières nouvelles (ou pis encore, celles du mois précédent) imprimées sur le comptoir, et l'encre risquerait fort de donner une couleur bleutée aux homards qui avaient fini par troquer leur bel habit violacé d'origine contre un habit écarlate.

N'essayez pas d'éponger crevettes, calmars ou pétoncles avec de l'essuie-tout. Cette fois, il faut une serviette que vous mettrez au lavage au plus tôt par la suite si vous ne voulez pas empester la cuisine.

Je le dis tout au long de ce livre, le papier essuie-tout fait merveille pour absorber le surplus de gras des fritures. On en met trois ou quatre épaisseurs dans une assiette et on y dépose les fritures.

Si vos convives sont si intéressants que vous en avez oublié les bougies qui ont coulé sur la nappe, ne vous inquiétez pas, l'essuie-tout veille. Prenez-en une feuille, posez-la sur les taches de cire et faites-les-lui aspirer en passant un fer tiède sur le papier. Déplacez le papier jusqu'à ce qu'il ait absorbé toute la cire.

Vous tranchez des betteraves? Au lieu de tacher votre comptoir, posez dessus plusieurs feuilles d'essuie-tout sur lesquelles vous trancherez les betteraves. Même chose pour les tomates qui ne tachent pas, mais qui laissent échapper beaucoup de liquide.

Vous faites réchauffer un plat au micro-ondes? Il ne fera pas d'éclaboussures si vous prenez la précaution de déposer dessus une feuille d'essuie-tout. Vous avez préparé un plat et vous n'êtes pas prêt à le mettre au four (un gratin, par exemple), pour ne pas qu'il sèche, couvrez-le d'une feuille d'essuie-tout que vous aurez mouillée. Le plat que vous aviez mis sur la plaque a débordé et vous ne voulez pas que le liquide sèche à jamais dans le récipient? Éteignez la plaque, roulez une feuille d'essuie-tout, insérez le bout entre les éléments, et l'essuie-tout boira le liquide qui s'est échappé de la marmite que vous pourrez remettre aussitôt sur la plaque.

Vous voulez huiler une poêle ou beurrer un moule à gâteau? Quelques gouttes d'huile dans la poêle, une noisette de beurre dans le moule, et vous finissez le travail en vous aidant d'une feuille d'essuie-tout chiffonnée en boule. Vous faites frire des calmars ou d'autres aliments qui contiennent beaucoup d'eau et qui font gicler l'huile chaude jusqu'au plafond, malgré le tamis que vous avez posé sur la marmite? Placez une feuille d'essuie-tout sur le tamis et elle absorbera les fines gouttelettes qui trouvent leur chemin à travers les pores du tamis.

Vous coupez divers aliments qui adhèrent au couteau? Au lieu de laver votre couteau chaque fois et de le sécher ensuite, essuyez la lame avec une feuille d'essuie-tout.

Je pourrais continuer encore bien long-temps, mais laissez-moi finir en vous parlant de l'essuie-tout dégraisseur. La façon classique de dégraisser un bouillon est de le laisser tiédir et d'enlever le gras à l'aide d'une cuillère. Certaines personnes dégraissent avec une tranche de pain. Tout cela est bien beau, mais on a rarement le temps de laisser tiédir un plat avant de le dégraisser, et le truc de la tranche de pain n'est pas très commode. L'essuie-tout va vous tirer d'embarras. Vous coupez cinq ou six feuilles d'essuie-tout, vous en déposez une sur le plat très chaud. N'ayez crainte, elle ne boira que le gras. Vous continuez ainsi jusqu'à ce que l'essuie-tout commence à avaler du bouillon maigre. Comme c'est ce que vous voulez garder, abandonnez là l'opération et jetez les feuilles d'essuie-tout graisseuses à la poubelle.

Ah, si j'étais concepteur publicitaire, je saurais bien comment faire la promotion de l'essuie-tout, le meilleur aide-cuisinier qu'on ait inventé depuis longtemps !

ÉTABLISSEMENTS SPÉCIALISÉS

ADONIS

9 590, boul. de l'Acadie, Montréal, H4N 1L8
(514) 382 8 606
ou
4 601, boul. des Sources
Dollard-des-Ormeaux, H8Y 3C5
(514) 685 5050

pour l'agneau, le veau et leurs abats ; pour ses merguez et ses saucisses arméniennes ; pour tous les fromages du Proche-Orient et les olives ; pour les baklava et, enfin, pour tous les fruits qui poussent sur le pourtour de la Méditerranée.

ALFAFA INTERNATIONAL

7 061, rue Casgrain, Montréal
(514) 272 0683
pour la fleur de sel, les baies roses et beaucoup d'autres condiments.

À L'OLIVIER

23, rue de Rivoli, 75 004 Paris
01 48 04 86 59
pour les parfums de lavande, le miel et les huiles de Provence en plein cœur de Paris.

ANJOU-QUÉBEC

1025, rue Laurier, Montréal
(514) 272 4065
pour ses viandes qui sont toujours de grande qualité et bien ficelées, mais à quel prix, doux Jésus !

ATLANTIC BOUCHERIE DELICATESSEN

5 060, chemin de la Côte-des-Neiges, Montréal
(514) 731 4764
pour son veau.

AU BON MARCHÉ (la grande épicerie)

22, rue de Sèvres, 75007 Paris
pour rêver et avoir une idée de ce qu'on devait manger au paradis terrestre.

Établissements spécialisés

BERTHILLON

31, rue Saint-Louis-en-l'Île, 75 004 Paris

01 43 54 31 61

pour des sorbets d'un goût et d'un velouté peu communs... si on a le temps de faire la queue et si on tombe un jour où la boutique est ouverte !

BOULANGERIE ARTISANALE

2459, Rang 11, Lawrenceville, Québec

(450) 535 6646

pour son pain de seigle intégral extraordinaire, son pain blanc à la levure sans gras et sans sucre et des croissants qui sont sans pareils.

BOUCHERIE BECQUEREL

113, rue Saint-Antoine, 75 004 Paris

01 48 87 89 38

pour le meilleur agneau et les plus savoureuses volailles de France, pour le sourire de Madame et la grande dextérité de tous les bouchers.

CANARDS DU LAC BROME

40, chemin Centre, Knowlton, Québec

(450) 242 3825

pour ses canards, évidemment, et ses foies gras frais sous vide — presque toujours congelés, hélas !

CITARELLA

Broadway et 74 th St. West, New York

pour la meilleure viande et le meilleur poisson de tout New York.

COMPTOIR DU SAUMON & CIE

60, rue François-Miron, 75 004 Paris

01 42 77 23 08

pour tous ses poissons fumés et pas seulement pour le saumon aussi cher que goûteux.

DESPRÉS LAPORTE INC.

Laval, Trois-Rivières, Sherbrooke, Granby

pour tout le matériel et l'équipement de cuisine que vous souhaiteriez avoir et que vous risquez de ne pas trouver ailleurs.

ÉPICERIES DU QUARTIER CHINOIS

Montréal

pour le brocoli, les longs haricots, les mandarines, les mangues et les grosses papayes.

FAUCHON

26, place de la Madeleine, 75008 Paris

01 47 42 60 11

pour se rincer l'œil plutôt que pour s'approvisionner, car chez le plus célèbre traiteur de Paris, la délicatesse de ce qu'on fabrique ne s'est pas encore transmise au personnel.

FORTNUM and MASON'S

181 Piccadilly, W1, Londres

pour ses saumons fumés, ses plum-puddings, ses biscuits et pour réfuter la croyance que les Anglais ne savent pas manger...

FROMAGERIE DU MARCHÉ ATWATER

134, rue Atwater, Montréal

(514) 932 4653

pour ses prix raisonnables et la gentillesse d'un personnel qui connaît bien les fromages.

Établissements spécialisés

HARROD'S

87-135 Brampton Road, SW 1, Londres

for the eyes only, comme disent les Anglais, parce que je doute que même la famille royale ait les moyens de faire ses courses dans cet immense espace édouardien.

LA BOUCHERIE DU QUARTIER

961, rue Principale, Saint-Paul-d'Abbotsford, Québec

(450) 379 9008

pour Carole et Paul Bélanger qui font des pieds et des mains pour avoir du bœuf et de l'agneau de qualité, qu'ils ont la sagesse de faire vieillir avant de les découper pour les vendre.

LA CHARCUTERIE DE SAINTE-BRIGIDE

567, rue des Érables, Sainte-Brigide, Québec

(450) 293 5402

pour son jambon extraordinaire, ses saucisses, son chevreuil d'élevage et tant de fromages exquis importés de Suisse.

LA DOUCE MIELLÉE

2, rue Saint-Joseph, Waterloo, Québec

(450) 539 2782

pour du miel qui n'est ni si bon ni si beau que celui que produisent les apiculteurs français, mais qui réchauffe tout de même la gorge et le cœur.

LA VILLE DE RODEZ

22, rue Vieille-du-Temple, Paris 75 004

01 48 87 79 36

pour ses tommes, son jambon sec et ses conserves artisanales.

L'ÉPICERIE DU MONDE

30, rue François-Miron, 75 004 Paris

01 42 72 66 23

pour l'odeur, les loukoums, les noix et les pistaches et parce que, dans cette épicerie où il n'y a plus d'espace pour la clientèle, on trouve tout ce qui vient d'ailleurs. Et Françoise Izraël ou son mari vous l'offrent avec un gentil sourire et une explication.

LE RUCHER BERNARD BEE BEC

152, Main, Beebe, Québec

(819) 876 2 800

pour le meilleur miel en rayon que je connaisse.

LES DOUCEURS DU MARCHÉ

138, rue Atwater, étal 150, Montréal

(514) 939 3902

pour ses riz et ses pâtes d'Italie, pour ses huiles et tant de gâteries qui viennent des quatre coins du monde.

MAIN IMPORTING

1 188, rue Saint-Laurent, Montréal

(514) 861 5681

pour sa feta qu'on donne presque et pour ses noix et ses pistaches.

MARIAGE FRÈRES

30, rue du Bourg-Tibourg, 75004 Paris

01 42 72 28 11

pour les merveilleuses effluves qui embaument depuis 1854 la plus célèbre boutique de thés d'Occident.

Établissements spécialisés

MILANO
6862, rue Saint-Laurent, Montréal
(514) 273 8558
pour son jarret de veau (osso buco), ses fromages, ses olives, ses huiles et mille et une gâteries importées d'Italie.

MIYAMOTO PROVISIONS
382, rue Victoria, Westmount, Québec
(514) 481 1952
pour son vinaigre Marukan qu'on peut se procurer en bidons de 4 litres (16 tasses) à une fraction du prix et quelques autres condiments essentiels pour faire de la cuisine japonaise.

NOURA
27/29, avenue Marceau, 75016 Paris
01 47 23 02 20
pour son étalage de pâtisseries et de gâteaux du Proche-Orient que vous ne pouvez voir ni plus spectaculaire ni plus cher.

PETROSSIAN
18, boul. de la Tour-Maubourg, 75 007 Paris
01 45 51 70 64
pour connaître ce qu'est devenue la boutique des frères Petrossian qui introduisirent le caviar en France dans les années 20 et pour déguster la mini cuillerée de caviar qu'on vous offre bien gentiment.

POISSONNERIE ARCHAMBAULT
Marché Atwater, Montréal
pour ses crevettes du Maroc lorsqu'il y a un arrivage, malheureusement trop peu fréquent.

POISSONNERIE COWIE
538, boul. Boivin, Granby
(450) 375 6400
pour la gentillesse de Johanne, la gérante, qui connaît les poissons sur le bout de ses doigts.

POISSONNERIE LACROIX
30, rue Rambuteau, 75 003 Paris
01 42 72 84 07
parce qu'il n'y a pas poissons et fruits de mer plus frais (et plus chers...) au monde, sauf au marché de Tsukiji, à Tokyo.

POISSONNERIE NOUVEAU FALERO
5726A, av. du Parc, Montréal
(514) 274 5541
parce que tout ce qu'on y offre est si frais qu'il n'y a pas un choix fou, mais on s'en fout.

SLOVENIA
3653, rue Saint-Laurent, Montréal
(514) 842 3558
pour ses viandes de qualité qu'on ne massacre pas comme dans presque toutes les grandes surfaces.

ZIBAR'S
Broadway et 80 th St. West, New York
pour connaître enfin la signification de capharnaüm et pour tout le matériel de cuisine qu'on puisse imaginer.

Fenouil

Fèves et lentilles

Flétan

Fraises et framboises

Fromages

FENOUIL

Il y a les feuilles de fenouil avec lesquelles on peut remplacer l'aneth quand on fait du gravlax à la suédoise, mais ce sont les bulbes de fenouil auxquels je veux vous initier. Ce légume au bon goût d'anis se conserve bien, ne coûte pas cher et n'est pas mieux connu en France qu'au Québec. Tout au plus se contente-t-on souvent de le manger en salade après l'avoir coupé en fines rondelles. Je n'ai rien contre l'idée, mais le fenouil est tellement meilleur cuit que je ne vois pas pourquoi on en mangerait cru, car il est aussi croquant sous la dent que peut l'être du navet !

fenouil au parmesan

1 bulbe de fenouil par personne
Sel et poivre au goût
10 ml (2 c. à thé) d'huile d'olive
15 ml (1 c. à soupe) de parmesan râpé

Couper les bulbes de fenouil dans le sens de la longueur en tranches assez minces — moins de 1 cm (3/8 po) —, mettre dans une poêle ou une sauteuse, puis saler au goût. Mettre de l'eau pour couvrir et ajouter l'huile d'olive.

Faire cuire à feu vif, sans couvercle, jusqu'à ce que l'eau soit évaporée et que le fenouil soit cuit. Attention, certaines tranches resteront un peu plus croquantes que d'autres, et c'est très bien ainsi. S'il manque d'eau avant la fin de la cuisson, ajouter ce qu'il faut pour que le fenouil n'adhère pas à la poêle ou à la sauteuse.

Poivrer, saupoudrer de parmesan râpé — au moins 15 ml (1 c. à soupe) par bulbe de fenouil —, mélanger et remettre sur le feu jusqu'à ce que le fenouil commence à adhérer au plat de cuisson. Servir très chaud comme entrée.

fenouil braisé

POUR 4 PERSONNES

45 ml (3 c. à soupe) d'huile d'olive
15 ml (1 c. à soupe) d'huile de noisette
4 gros bulbes de fenouil
60 ml (1/4 tasse) de vermouth extra-dry
Le jus de 1/2 citron
2,5 ml (1/2 c. à thé) de sel
Poivre du moulin

Mélanger les deux huiles et en mettre la moitié dans une casserole allant au four. Parer les bulbes de fenouil en coupant la tête verte et le trognon, les couper en deux et les déposer dans la casserole, la partie ronde en haut. Ne pas en mettre plus d'une épaisseur. Arroser du reste des huiles, du vermouth et du jus de citron, puis saler.

Couvrir et amener au point d'ébullition sur la plaque. Mettre ensuite au milieu du four préchauffé à 180 °C (350 °F). Cuire environ 1 h ou jusqu'à ce que les bulbes soient bien tendres. Enlever le couvercle, allumer le gril et faire dorer légèrement. Poivrer au goût. Le fenouil braisé est délicieux avec du poulet ou de la dinde.

FÈVES ET LENTILLES

Les fèves sont, dit-on, consommées depuis la nuit des temps. Je ne raffole pas de ces légumes, mais toutes mes femmes (y compris ma mère...) ont prétendu qu'ils sont excellents pour la santé et qu'il n'y a pas mieux que les lentilles pour faire baisser le taux de mauvais cholestérol. Alors, de temps à autre, je fais attention à ma santé...

fèves au lard à ma façon
ENVIRON 4 LITRES (16 TASSES)

500 ml (2 tasses) de haricots secs
300 g (2/3 lb) de lard salé maigre, coupé en tranches
2 gousses d'ail finement hachées
30 ml (2 c. à soupe) de pâte de tomate
15 ml (1 c. à soupe) de moutarde de Dijon
5 ml (1 c. à thé) de thym moulu
5 ml (1 c. à thé) de graines de cumin
2 feuilles de laurier écrasées
250 ml (1 tasse) de sirop d'érable ou 160 ml (2/3 tasse) de mélasse
Sel et poivre au goût
2 ou 3 cuisses de canard confites séparées chacune en deux morceaux (facultatif)
1 oignon piqué de 5 ou 6 clous de girofle

Faire tremper les haricots dans de l'eau de 8 à 10 h. Les amener au point d'ébullition dans la même eau. Laisser mijoter environ 1 h jusqu'à ce que lève la peau des haricots quand on souffle dessus. Pendant ce temps, faire dessaler les tranches de lard en les mettant dans l'eau froide qu'on amène au point d'ébullition. On répète l'opération au moins une autre fois. Mélanger ail, pâte de tomate, moutarde, thym, cumin et laurier avec le sirop d'érable ou la mélasse, saler, poivrer et réserver. Quand les fèves sont cuites, les égoutter et garder l'eau pour la mélanger au sirop d'érable et au reste du mélange d'ingrédients. Réserver.

Garnir le fond d'un pot de grès ou de fonte émaillée de tranches de lard, recouvrir d'environ 4 cm (1 1/2 po) de haricots. Garnir encore de tranches de lard et de la moitié du canard confit, si désiré. Placer l'oignon au centre du pot. Ajouter le reste des fèves, puis garnir du lard qui reste et du reste du canard confit, si désiré. Verser le liquide sur les fèves. S'il ne les recouvre pas, ajouter de l'eau pour couvrir. Cuire au four à 120 °C (250 °F) de 7 à 8 h sans remuer. Après ce temps, si les fèves ne sont pas assez brunes, enlever le couvercle et augmenter la température du four à 160 °C (325 °F) environ 1 h. Servir tel quel ou avec des saucisses grillées.

fèves germées à la chinoise

POUR 4 À 6 PERSONNES

125 ml (½ tasse) d'huile d'olive

1 poivron rouge, mondé, épépiné et coupé
en dés

1 poivron vert, mondé, épépiné et coupé
en dés

1 oignon jaune pelé et coupé en dés

1 chili (facultatif)

1 kg (2 ¼ lb) de fèves germées

2 gousses d'ail émincées finement

Sel et poivre

Environ 60 ml (¼ tasse) de sauce soya

Faire chauffer l'huile d'olive dans une très
grande sauteuse, y mettre les poivrons,
l'oignon et le chili. Dès qu'ils ramollissent,
les porter à feu vif, ajouter les fèves
germées et les faire sauter tout en remuant
continuellement avec deux spatules de
manière qu'elles cuisent bien. Quand elles
sont tendres et ont réduit de près de la
moitié, ajouter l'ail. Quand les fèves sont
bien dorées, poivrer, puis ajouter la sauce
soya. Continuer de remuer quelques
minutes. Goûter (la sauce soya étant déjà
très salée), ajouter du sel s'il y a lieu et
poivrer. Servir bien chaud comme entrée.

soupe de lentilles à la libanaise

POUR 4 PERSONNES

1 oignon haché finement

45 ml (3 c. à soupe) d'huile d'olive

4 gousses d'ail écrasées

3 topinambours pelés et coupés en gros dés

250 ml (1 tasse) de lentilles sèches lavées
et égouttées

Eau

Sel et poivre

Jus de citron

Faire revenir dans une cocotte l'oignon
haché dans l'huile. Quand l'oignon est
doré, ajouter l'ail écrasé et les
topinambours, cuire ensuite quelques
minutes en remuant.

Ajouter les lentilles et bien remuer
pendant 3 à 4 minutes, puis couvrir les
lentilles d'eau — 500 ml (2 tasses) d'eau
pour 250 ml (1 tasse) de lentilles — et
laisser mijoter à feu moyen jusqu'à ce que
les lentilles soient tendres. Ajouter sel et
poivre au goût. On peut aussi rajouter de
l'eau si on trouve la consistance vraiment
trop épaisse. Servir la soupe chaude ou à
température de la pièce avec un petit pot
de jus de citron, chaque convive ajoutant
du jus de citron à son goût.

FLÉTAN

Comme la plupart des poissons, le flétan est
aujourd'hui beaucoup plus petit qu'il y a un
demi-siècle. Quand j'étais enfant, un flétan
pouvait peser jusqu'à 300 kg (660 lb). Maintenant, un flétan de 100 kg (220 lb) est digne
de mention. On pêche le flétan dans les eaux
froides de l'Atlantique qu'il fréquente à des
profondeurs de près de 1 000 m (3 280 pi).
J'aime bien sa chair blanche et ferme qui a le
goût du turbot, mais en mieux. Le flétan est
devenu cher, et il faut parfois quelques jours

avant que les poissonneries arrivent à l'écouler. Surtout, ne vous laissez pas leurrer par ceux qui prétendent que la chair du flétan a besoin de vieillir et de sentir un peu avant d'être goûteuse. Il n'y a rien de plus faux. Le flétan frais doit être d'un blanc immaculé et très luisant.

Les poissonniers aiment bien débiter le flétan en darnes parce qu'ils ont ainsi moins de pertes. Fileté, le flétan se présente en très beaux morceaux qu'on peut faire griller ou poêler. Si vous le cuisez en darnes, faites-les tailler assez épaisses et chacune des deux moitiés constituera une portion, car je tiens pour acquis que vous aurez la délicatesse de débarrasser chaque darne de son os et de sa peau.

flétan grillé

Compter environ 150 g (¹/₃ lb) pour des darnes et 125 g (4 ¹/₂ oz) pour des filets.

POUR 4 PERSONNES

60 ml (¼ tasse) d'huile d'olive
15 ml (1 c. à soupe) d'huile de noisette
15 ml (1 c. à soupe) de jus de citron jaune
15 ml (1 c. à soupe) de jus de citron vert
2 grosses darnes (4 petites) ou 500 g (env. 1 lb) de filets de flétan
10 ml (2 c. à thé) de poivre vert grossièrement broyé
2 gousses d'ail hachées finement
15 ml (1 c. à soupe) d'aneth ou de cerfeuil haché
Sel

Mélanger deux tiers des huiles et des jus de citron, puis en enduire généreusement le poisson. L'enrober ensuite du poivre vert en le faisant pénétrer dans la chair avec le bout des doigts. Mettre le poisson tout près d'un gril très chaud environ 4 à 5 minutes d'un côté, puis le retourner et le laisser encore de 3 à 4 minutes. Pendant ce temps, ajouter l'ail, l'aneth ou le cerfeuil dans les huiles et le jus qui restent, réchauffer légèrement sur la plaque (ou au micro-ondes). Parer les darnes ou couper les filets en quatre portions, saler, mettre dans des assiettes chaudes et y répartir l'huile, l'ail et les herbes. Servir avec un légume vert.

flétan poêlé

POUR 4 PERSONNES

45 ml (3 c. à soupe) d'huile d'olive
2 grosses darnes (4 petites) ou 500 g (env. 1 lb) de filets de flétan
45 ml (3. c. à soupe) de vermouth blanc extra-dry
15 ml (1 c. à soupe) d'huile de noisette
15 ml (1 c. à soupe) de jus de citron jaune
1 gousse d'ail hachée finement
La chair de ½ citron débarrassée de sa peau et coupée en très petits dés
15 ml (1 c. à soupe) d'aneth ou de cerfeuil haché
Sel et poivre

Dans une grande poêle ou une sauteuse, faire chauffer 30 ml (2 c. à soupe) d'huile d'olive. Quand elle est chaude, y déposer

les darnes ou les filets et les faire cuire
4 à 5 minutes de chaque côté. Quand les
darnes ou les filets sont cuits, les parer et
les mettre dans des assiettes chaudes.
Réserver au four tiède. Déglacer la poêle
au vermouth, le laisser réduire
légèrement, ajouter l'huile d'olive qui
reste, l'huile de noisette, le jus de citron et
l'ail, remuer et éteindre le feu. Répartir les
dés de citron et l'aneth ou le cerfeuil sur
le poisson, saler et poivrer. Remuer
encore la sauce et en napper le poisson.
Servir avec un légume vert préparé au
beurre ou à l'huile et au citron, ou encore
avec une pomme de terre vapeur
saupoudrée de persil haché.

salade de flétan froid
POUR 4 PERSONNES

Environ 350 g (12 oz) de flétan cuit
Un filet de jus de citron
15 ml (1 c. à soupe) de petites câpres
10 ml (2 c. à thé) de baies roses broyées
1 gousse d'ail hachée finement
15 ml (1 c. à soupe) d'aneth, de cerfeuil ou
    de persil frais haché
12 olives noires Calamata bien rincées
60 à 80 ml (¼ à ⅓ tasse) de mayonnaise
    fraîche
Sel au goût

Débarrasser le flétan de sa peau et de ses
os s'il y a lieu, le mettre en flocons avec les
doigts dans un bol à salade. L'arroser d'un
filet de jus de citron. Ajouter les câpres bien
égouttées, les baies roses, l'ail et l'aneth, le

cerfeuil ou le persil. Bien essuyer les olives,
les émincer et les ajouter dans le bol.
Mettre la mayonnaise, saler au goût et
remuer avec deux cuillères de bois. Servir
en entrée avec deux pointes de pain grillé
par assiette.

FRAISES ET FRAMBOISES

Les fraises sont comme les tomates, il faut les
manger en saison. Les fraises d'hiver (qui
viennent de Californie ou du Mexique ou de
je ne sais où) sont dures, sures et insipides.
Elles ne valent pas un clou et je suis convaincu qu'elles n'ont plus aucune des vertus
(surtout de la vitamine C) qu'on leur prête
pour la santé. Les meilleures nous viennent
de l'île d'Orléans. Elles sont plus petites, brillantes et hyper goûteuses, mais il faut
presque aller les consommer là-bas parce que
les fraises voyagent mal.

Fraises et framboises fraîchement cueillies n'ont besoin de rien de plus qu'un filet
de jus de citron, quelques gouttes de kirsch
ou d'alcool de framboise et un peu de chantilly pour constituer un délicieux dessert.

Note : Une fois lavées et égouttées,
mettez toujours les fraises dans un grand
bol de service, car elles sont si fragiles
qu'en multipliant les « étages », vous les
abîmerez sûrement. Ce conseil vaut aussi
pour les framboises qu'il faut se résigner
à manger sans les laver, car elles sont de
véritables éponges.

compote de fraises fraîches

POUR 4 PERSONNES

1 petit panier de fraises fraîches

1 mangue

1 mandarine

75 ml (5 c. à soupe) de miel

1 bâton de cannelle

1 petit verre à liqueur, soit 45 ml (1 ½ oz)
   d'eau-de-vie de framboise ou de kirsch

Laver les fraises et les équeuter. Prendre le
tiers des fraises et les couper en deux. Les
mettre dans une cocotte, ajouter la chair
d'une mangue coupée en dés, les quartiers
de mandarine coupés en deux morceaux
ainsi que le miel et le bâton de cannelle.
Faire cuire à feu assez vif jusqu'à ce que les
fraises soient presque translucides. Ajouter
l'alcool et retirer du feu. Mettre les fraises
entières qui restent dans un plat de service,
verser dessus le contenu de la cocotte après
avoir enlevé le bâton de cannelle et faire
refroidir. Servir comme dessert en surmontant
d'une bonne cuillerée de chantilly ou en
napper des portions de gâteau des anges ou
même de l'inénarrable *shortcake*…

coulis de fraise ou de framboise

non cuit

1 litre (4 tasses) de fraises ou de framboises
   fraîches ou 2 paquets de 300 g (10 oz)
   de fruits congelés

Environ 500 ml (2 tasses) de sucre à glacer
   si on utilise des fruits frais ou 80 ml
   (⅓ tasse) pour des fruits congelés

30 à 45 ml (2 à 3 c. à soupe) de jus de citron

30 ml (2 c. à soupe) de kirsch ou d'alcool
   de framboise

Club Soda (facultatif)

Réduire les fruits en purée dans un mélangeur
ou au robot culinaire, puis les passer au tamis
très fin. Verser le sucre à glacer dans un bain-
marie qu'on aura rempli d'eau chaude, mais
non bouillante. Quand le sucre commence à
être chaud, ajouter le citron, le kirsch ou
l'alcool ainsi qu'une partie de la purée, soit
environ 160 ml (⅔ tasse). Lorsque le sucre
est bien dissous, ajouter le reste de la purée,
bien remuer et faire refroidir. Si le coulis est
trop épais, l'éclaircir avec un peu de Club
Soda. Servir froid.

cuit

Fraises ou framboises

Sucre ou miel

Jus de citron

Faire cuire les fraises ou les framboises
lentement avec du sucre ou du miel.
Calculer environ 60 ml (¼ tasse) de sucre
ou de miel/250 ml (1 tasse) de fruits.
Passer ensuite les fruits au robot culinaire
ou au mélangeur. Ajouter 15 ml (1 c. à
soupe) de jus de citron/250 ml (1 tasse) de
fruits et passer au chinois.

On peut faire des coulis avec d'autres
fruits ou avec des combinaisons de fruits. Les
meilleures combinaisons sont les suivantes :

• fraises et framboises ;

• fraises et mangues ;

- pêches et kiwis ;
- abricots et prunes ;
- pommes et bananes.

Note : On fait des coulis uniquement avec des fruits très mûrs.

fraises vapeur

POUR 4 PERSONNES

1 gros panier de fraises très fraîches
12 feuilles de menthe
1 petit verre de kirsch, soit 45 ml (1 ½ oz)
30 ml (2 c. à soupe) de sucre à glacer

Laver les fraises, les égoutter et les équeuter. Les disposer du côté de la tige dans le panier d'un wok en insérant à intervalles réguliers les feuilles de menthe. Faire chauffer de l'eau dans le wok et, lorsqu'elle bout, y mettre le panier et son couvercle. Dès que les fraises sont très chaudes et avant qu'elles commencent à rabougrir, enlever le panier et le déposer dans une grande assiette de service. Arroser les fraises du kirsch et saupoudrer de sucre. Servir dans des assiettes à dessert avec une boule de crème glacée ou de sorbet décorée d'une feuille de menthe.

tarte à la framboise et aux bleuets de Maryse

TARTE D'ENVIRON 28 CM (11 PO) DE DIAMÈTRE POUR 10 À 12 PERSONNES

1 croûte faite de Pâte va-tout (voir recette p. 272)
1 recette de Crème pâtissière (voir recette p. 145)

1 panier de grosses framboises bien fraîches
Environ 125 ml (½ tasse) de gros bleuets
125 ml (½ tasse) de gelée de fraises, de framboises ou préférablement de cassis
30 ml (2 c. à soupe) de kirsch ou d'alcool de framboise
15 ml (1 c. à soupe) de sucre à glacer

Faire cuire la croûte, préférablement dans un moule dont on peut enlever le fond. La laisser refroidir. Y verser assez de crème pâtissière pour recouvrir la croûte d'au plus 1 cm (⅜ po). Disposer les framboises une par une, côté tige vers le bas, en partant du bord de la tarte et laisser au centre un espace circulaire d'environ 10 cm (4 po). Remplir cet espace en y disposant les bleuets un à un. Faire chauffer la gelée et l'alcool. Quand la gelée est bien liquide, en enduire le bord de la croûte et tous les fruits. Laisser reposer dans un endroit frais. Au moment de servir, saupoudrer la tarte de sucre à glacer, à l'aide d'une passoire.

Note : Ne jamais mettre cette tarte au frigo.

tarte aux fraises fraîches

TARTE D'ENVIRON 28 CM (11 PO) DE DIAMÈTRE POUR 10 À 12 PERSONNES

1 croûte faite de Pâte va-tout (voir recette p. 272)
1 recette de Crème pâtissière (voir recette p. 145)
1 gros panier de fraises lavées, égouttées et équeutées

125 ml (½ tasse) de gelée de fraises, de
framboises ou préférablement de cassis
30 ml (2 c. à soupe) de kirsch ou d'alcool
de framboise
5 ml (1 c. à thé) de jus de citron
15 ml (1 c. à soupe) de sucre à glacer

Faire cuire la croûte, préférablement dans
un moule dont on peut enlever le fond. La
laisser refroidir. Y verser assez de crème
pâtissière pour recouvrir la croûte d'au plus
1 cm (³/8 po). Disposer les fraises une par
une, côté tige vers le bas. Faire chauffer la
gelée, l'alcool et le jus de citron. Quand la
gelée est bien liquide, en enduire le bord
de la croûte et toutes les fraises. Laisser
reposer dans un endroit frais. Au moment
de servir, saupoudrer la tarte de sucre à
glacer, à l'aide d'une passoire.

Note : Ne jamais mettre cette tarte au
frigo.

FROMAGES

Si je m'écoutais, j'écrirais bien un livre entier
sur les fromages. Pas un livre qui soit une encyclopédie, car il en existe déjà, mais un long
poème lyrique dans lequel je chanterais les
vertus de chacune des 1 000 variétés de fromage qu'on trouve dans le monde. Mais je me
retiens... comme je me retiens de ne rien
manger d'autre que des fromages. Dans mon
for intérieur, il m'arrive d'envier ces bergers
d'autrefois qui, dit le poète Virgile lui-même,
se nourrissaient uniquement de fromages, de
fruits et d'un peu de miel. Même si on n'en

parle pas, j'imagine qu'ils cachaient tout de
même un peu de pain et de vin dans leur be-
sace. A-t-on besoin d'autres choses pour faire
bombance et vivre longtemps ?

Quand j'étais enfant, mon oncle Ovila, un
curé entomologiste qui aimait jouer au con-
naisseur, rapportait parfois de Montréal une
boîte de fromage Liederkranz (je crois que
c'est l'orthographe) fabriqué à Chicago — il
l'achetait chez le traiteur Aux délices qui eut
longtemps pignon sur rue au coin de Sainte-
Catherine et Drummond. Il lui arrivait aussi
de rapporter une petite meule d'Oka, pré-
tendant qu'on l'avait fait mûrir en pleine
terre entourée de fumier de mouton. Ces
deux fromages avaient en commun de sentir
à un kilomètre à la ronde et... pas la rose,
croyez-moi.

Au début, j'étais certain que mon oncle
curé en mangeait uniquement par provoca-
tion, mais, à la longue, et pour faire le fan-
tasque, je me risquai à en mettre de petits
morceaux sur ma langue. Le Liederkranz avait
quelque chose d'un fromage qu'on trouve en
Picardie — la baguette de Laon — et se
présentait, comme lui, sous la forme d'une
petite brique. On a fini par le retirer du
marché à cause d'un certain nombre de morts
dont il aurait été responsable, comme le
vacherin qu'on fabrique toujours, heureusement. Quant à l'Oka, il était infiniment plus
savoureux que celui qu'on fabrique aujour-
d'hui, même celui au lait cru que font encore
les trappistes.

Avant ces achats provocateurs de mon
oncle curé, les seuls fromages que nous

connaissions à la maison étaient le cheddar fort ou moyen et le Stilton, achetés chez M. Bird qui les recevait en meules énormes. Au milieu des années 50, quand je m'établis à Montréal, l'une de mes premières visites fut pour ce fameux traiteur Aux délices d'où je ramenais les quelques rares fromages qu'on importait alors de France : du camembert, du roquefort, du boursault et, au hasard des arrivages, du brie et du bleu de Bresse. Je ne sais plus combien de soirées nous avons terminées, Louise I et moi, en buvant du rouge et en mangeant du fromage. À cette époque, je m'occupais de syndicalisme, en particulier avec le comédien Pierre Boucher qui venait au moins une fois par semaine nous aider à venir à bout des fromages et du vin. Il partait souvent de la maison à 2 ou 3 h du matin pour regagner Longueuil où il demeurait.

Il fallut plusieurs décennies avant qu'on trouve à Montréal la plupart des grands fromages d'Europe. L'Expo de 1967 permit à des milliers de Québécois de découvrir le monde... et ses fromages, grâce aux nombreux restaurants qui ouvrirent leurs portes sur le site. Après avoir lancé son fameux « Vive le Québec libre ! » du balcon de l'hôtel de ville de Montréal, le général de Gaulle y alla de sa deuxième déclaration la plus fracassante : « Un peuple ayant 325 variétés de fromage est un peuple ingouvernable ! »

Les lignes aériennes se démocratisèrent et, voyageant par milliers au pays de leurs ancêtres, les Québécois découvrirent rapidement que si la France est le pays de la baguette et du pain, c'est d'abord parce

qu'elle est celui des fromages. Et, tout compte fait, elle en compte beaucoup plus que les 325 variétés dont avait parlé le général.

Si les fromages à pâte cuite pressée comme l'emmenthal et le gruyère ont la couenne dure et peuvent en prendre, ce n'est pas le cas des fromages qui atteignent leur maturité dans un temps déterminé et meurent assez rapidement par la suite. Ceux-là, quelles que soient les prétentions des grandes surfaces, c'est exclusivement chez un fromager ou dans un petit établissement spécialisé qu'on en trouve de bons. Ces fromages évolutifs sont trop délicats et trop exigeants pour survivre dans l'environnement anonyme d'une grande surface. Pour arriver à maturité, ils ont besoin de soins et de surveillance, ils ont besoin qu'on les connaisse et qu'on les aime, ils ont même besoin qu'on les dorlote.

Il y a quelques années, notre gouvernement fédéral, toujours soucieux de notre bien-être et toujours prêt à piétiner les plates-bandes des gouvernements provinciaux, résolut de bannir la vente des fromages au lait cru sous prétexte qu'ils constituaient peut-être une menace à notre santé. Son oukase ne fit pas grand bruit au Canada anglais, mais, heureusement, il occasionna une levée de boucliers de la part des Québécois et, disons-le, de tous les gourmets (il y en a...) établis dans les provinces anglophones. Je ne sais plus combien de dizaines de milliers de personnes signèrent une pétition dont on trouvait copie dans tous les établissements où on vend du fromage. L'édit du fédéral fut annulé. Loin d'avoir fait peur aux Québécois, il fit connaître les fromages

au lait cru à ceux qui ignoraient leur existence, et les ventes firent un bond spectaculaire. Sommes-nous à l'abri d'une nouvelle intervention gouvernementale? Sûrement pas, mais la prochaine risque de se buter à une opposition plus musclée encore.

Pourquoi du fromage au lait cru? Seuls ceux qui n'en ont jamais mangé posent la question. Il est incomparablement plus goûteux que celui qu'on fabrique au lait pasteurisé. C'est vrai que la fabrication de fromage au lait cru est délicate, qu'elle doit se faire dans des conditions d'hygiène parfaites et c'est vrai aussi qu'on peut trouver le germe de la listériose dans la croûte de certains fromages au lait cru. Si vous avez peur de la maladie, ne mangez pas la croûte. Vous réduirez alors les risques presque à néant. Quant à moi, j'aime trop la croûte des fromages pour m'en abstenir... et si j'en mourais à 99 ans, je n'aurais aucun regret!

Si les fromages vous intéressent et que vous ne les connaissez pas, achetez *Encyclopédie des fromages* publiée chez Gründ. Un petit livre d'à peine 250 pages qui vous apprendra tout ce que vous devriez savoir. Vous pouvez aussi vous contenter de la nomenclature que je dresse ici des fromages que je préfère et qu'on trouve un peu partout au Québec, d'où qu'ils viennent. La liste est loin d'être exhaustive, mais elle vous permettra de composer d'appétissants plateaux de fromage. À ce sujet, rappelez-vous toujours une règle d'or: mieux vaut servir un seul bon fromage à vos invités que de leur imposer un plateau de sept ou huit fromages médiocres.

Les fromages se mangent chambrés. Il n'y a absolument aucune exception. Une fois qu'on a fait chambrer un fromage, pas question de le remettre au frigo. Il faut donc avoir la sagesse de ne sortir que ce qu'il faut. Vous n'arriverez jamais juste. Il restera toujours du fromage sur le plateau. Si celui-ci n'a pas de couvercle, couvrez les fromages d'un linge humide et laissez-les à température de la pièce. Ils seront encore meilleurs le lendemain et même le surlendemain. Vous en disposerez uniquement lorsqu'ils sortiront eux-mêmes du plateau à la recherche de la poubelle la plus proche...

Rappelez-vous enfin qu'un gros morceau de fromage se conserve toujours mieux qu'un petit, qu'il faut garder les fromages dans leur emballage d'origine dans un récipient hermétique qu'on mettra au frigo. Une fois déballé, si on peut remettre le fromage dans son emballage original, c'est l'idéal. Sinon, un papier ciré prolongera sa vie, comparativement à la pellicule plastique dans lequel il finira par étouffer. Le parmesan restera frais longtemps enveloppé dans un morceau de coton et gardé ensuite dans un contenant de plastique.

Les meilleurs fromages qu'on trouve couramment au Québec:
- **Bel paese:** un des fromages italiens les plus connus avec le parmesan. Trop fade à mon goût;
- **Bleu d'Auvergne:** préférez celui au lait cru, mais il est rare. L'autre est très acceptable. C'est un bleu à pâte collante et aux moisissures très piquantes;

- **Bleu de Bresse :** rien pour écrire à sa mère, mais sa pâte onctueuse et persillée peut être agréable sous la dent ;
- **Boursault :** il n'a plus la qualité d'autrefois, mais il se laisse manger avec plaisir lorsqu'il est à point. Surveillez bien la date de péremption et ne le mangez ni avant ni après ;
- **Brebis des Pyrénées :** celui qu'on trouve le plus souvent au Québec est le Petit Basque. Il est cher, mais ne craignez pas d'en acheter une meule, car il se conserve presque indéfiniment. De toute manière, si vous en mangez avec de la confiture, il ne durera pas longtemps ;
- **Brie :** les plus courants sont ceux de Meaux et de Coulommiers, mais je préfère celui de Melun, plus robuste. Au Québec, le seul brie au lait cru est le brie de Meaux ;
- **Brillat-Savarin :** un fromage de fête qui n'est pas né au 18e siècle comme pourrait le laisser croire son nom, mais plutôt dans les années 30 ;
- **Camembert :** n'achetez que celui au lait cru qui est importé de Normandie, car tous les autres sont parfaitement insipides. Sous la boîte, il y a toujours une date de péremption. En général, le camembert est à son meilleur aux environs de cette date et souvent même deux ou trois semaines plus tard ;
- **Camembert de chèvre :** de plus en plus, on fabrique avec le lait de chèvre un fromage qui ressemble au camembert et qu'on appelle d'ailleurs «camembert» de chèvre. C'est très bon le matin avec des toasts ;
- **Cantonnier :** comme le migneron de Charlevoix, il est trop cher, mais si vous aimez la région des Bois-Francs, vous ne regretterez pas votre choix ;
- **Caprice des dieux :** seulement si on ne trouve pas de Brillat-Savarin ;
- **Chaumes :** je trouve bien fade ce fromage à pâte mi-dure, mais si vous voulez vous habituer à manger des fromages plus exotiques, ce n'est pas un mauvais choix ;
- **Cheddar :** notre pauvre cheddar a été bien galvaudé par les multinationales mais, heureusement, il en reste qui soit digne de ce nom. Saputo en vend au lait cru de 3, 5, 7 et même 10 ans d'âge. Presque aussi bon qu'un Stilton ;
- **Chèvre noir :** la fromagerie Tournevent le fabrique à Chesterville, au Québec. Un fromage de chèvre à pâte ferme qui se défend bien contre les petits français de même type ;
- **Crottin de Chavignol :** un vrai bon petit chèvre qu'il ne faut pas manger avant que la croûte bleuisse. Pour faire un chèvre chaud sur un lit de salade, il est merveilleux ;
- **Emmenthal :** n'achetez pas celui qu'on fabrique au Québec, il est sans saveur. Venu de France ou de Suisse, il se conserve bien, il a bon goût et sert vraiment à toutes les sauces ;
- **Époisses :** si son odeur puissante ne vous rebute pas. Napoléon l'adorait ;
- **Ermite :** le bleu des moines de Saint-Benoît-du-Lac. Quand on se donne la peine d'aller l'acheter à l'abbaye, il n'est pas mal du tout. Bien meilleur que les bleus danois qui n'offrent guère plus que leur piquant ;

- **Feta :** quelle misère que la feta qu'on nous vend fabriquée au lait de vache. À fuir comme la peste. Achetez seulement la véritable feta qui vient de Grèce ou de Bulgarie ;
- **Fourme d'Ambert :** presque aussi bonne que le roquefort, mais plus difficile à trouver ;
- **Gorgonzola :** le plus noble des bleus avec le roquefort et il a la rare qualité de pouvoir se tartiner joliment. Une nette gourmandise ;
- **Gratte-paille :** encore un fromage de fête que je préfère au Brillat-Savarin ;
- **Gruyère :** on en fabrique en France, mais le meilleur vient de Suisse. Pour déguster, préférez celui d'alpage fait avec du lait de vaches qui ont brouté tout l'été l'herbe et les fleurs des Hautes-Alpes. Incomparable ;
- **Laracan :** une espèce de petit reblochon fabriqué par les artisans qui font le Victor et Berthold. Agréable ;
- **Livarot :** comme l'Oka, il n'a plus le goût prononcé d'autrefois, et même son odeur est moins intense. Pour les vrais amateurs ;
- **Maroilles :** difficile de déterminer lequel, du Livarot ou du Maroilles, a le goût le plus prononcé et l'odeur la plus rébarbative ;
- **Mascarpone :** aucun autre fromage au monde ne fera un meilleur gâteau ;
- **Mi-carême :** peut-être le seul fromage à pâte molle du Québec qui mérite qu'on l'achète. Et puis, il nous arrive de la mystérieuse île aux Grues ;
- **Migneron :** trop cher, mais comme j'aime bien la région de Charlevoix, j'en achète quand même ;

- **Mimolette :** j'aime bien la mimolette vieille qu'on déguste par petits morceaux sans pain ni vin. Un fromage semblable à l'édam hollandais, mais plus rare et plus cher ;
- **Mont-d'or :** un extraordinaire fromage d'hiver qu'on sert à l'époque de Noël à même sa boîte de copeaux et qu'on mange à la cuillère. Miam-miam !
- **Morbier :** un bon petit fromage, un peu fade ;
- **Munster :** un de mes fromages préférés. On en vend au cumin, mais je le préfère au naturel lorsque, fait à cœur, il dégage une odeur qui fait fuir les timides. Au Québec, on trouve plus facilement le munster de Lorraine qu'on appelle le géromé ;
- **Oka :** le plus connu de nos fromages québécois. Quand il est au lait cru et à point, il vaut le détour ;
- **Parmesan :** le grana padano est très bon, mais préférez-lui le parmigiano reggiano qu'on fabrique en Émilie-Romagne. Achetez-en un bon bloc et mangez-en alors qu'il est encore frais. Gardez-le ensuite pour le râper. Acheter du parmesan déjà râpé est un sacrilège ;
- **Pecorino romano :** le parfait émule du parmesan et à bien meilleur compte. J'en utilise plus que le parmesan, pas seulement à cause du prix, mais parce qu'il est aussi plus goûteux ;
- **Pierre Robert :** moins goûteux que le gratte-paille et plus crémeux que le Caprice des dieux. Un fromage de fête pour palais fragiles et foies en santé ;
- **Pont-l'évêque :** je préfère le manger quand il a bien vieilli. Sinon, il est fade ;

- **Pouligny-Saint-Pierre :** selon moi, l'un des meilleurs fromages de chèvre qui soit. Sur votre table, cette pyramide de saveur risque de disparaître en deux temps, trois mouvements ;
- **Provolone :** on le trouve suspendu et généralement en forme de poire dans toutes les épiceries italiennes. Quand il a pris de l'âge, il a du goût ;
- **Reblochon :** si vous aimez le fromage et que vous trouvez un reblochon fermier, sautez dessus. Il y a 30 ans, au fond du col des Aravis, en Savoie, j'avais, avec Aimée, trouvé chez un fermier une meule de reblochon dont le goût de noisette me revient encore. Mais le col des Aravis est loin, et il y a longtemps que les fromageries savoyardes s'approprient tout le lait des bonnes vaches montbéliardes ;
- **Roquefort :** le roi incontesté des bleus, le plus cher et le meilleur de tous. Qui n'a pas mangé de roquefort ne peut savoir en quel délice on peut transformer le lait de brebis ;
- **Saint-Basile :** un fromage au lait cru fabriqué à Portneuf qui peut être très bon ou... très mauvais. Il faut bien le regarder avant de l'acheter. S'il est granuleux, laissez-le aux profanes ;
- **Saint-Marcellin :** souvent fabriqué au lait de vache, c'est encore au lait de chèvre comme à l'origine qu'il est le meilleur. Fait à cœur, on le mange à la cuillère et, quand il est sec, on l'humidifie de quelques gouttes d'huile d'olive et il dégage une saveur de noisette ;

- **Saint-Paulin :** il est fabriqué au lait cru depuis une dizaine d'années seulement. Sa pâte tendre d'un goût un peu fade est parfaite pour ceux qui font leurs débuts dans la dégustation des fromages. Pas très loin de l'Oka et, le croiriez-vous, moins cher que celui-ci, malgré ses origines françaises ;
- **Stilton :** de loin le meilleur fromage que fabriquent les Anglais. Attention, lorsqu'il est à point, il vieillit à la vitesse de l'éclair. Les puristes le dégustent toujours avec un vieux porto ;
- **Tomme de Savoie :** il y en a plusieurs variétés et certaines comme la tomme de Thônes, la tomme de chèvre de Belleville et la tomme des Bauges ont un goût très fin. Hélas, au Québec, les tommes qu'on vend sont juste bonnes pour la fondue ;
- **Victor et Berthold :** un bon fromage du Québec à pâte demi-ferme.

Comme j'avais résolu de m'en tenir aux fromages qu'on peut trouver de façon courante au Québec, j'arrête ici ma nomenclature pour vous parler de pain et de vin, mais en fonction des fromages.

Il y a quelques années est née (surtout au Québec) la mode de servir les fromages avec du porto. C'est snob et pas souvent heureux. Les excellents portos sont chers, et ce n'est pas parce qu'un porto est vieux de 10 ans qu'il est forcément bon. Son prix est souvent une meilleure indication que son âge. Le porto est un vin liquoreux, trop goûteux pour ne pas masquer le goût de la plupart des fromages. Si c'est un classique avec le Stilton, avec un roquefort ou un bleu d'Auvergne, préférez-lui, si vous voulez épater la galerie, une vendange tardive, un Sauternes et même un vin de dessert moins cher comme le Montbazillac.

Il est préférable de servir les fromages de chèvre avec du vin blanc, car il ne masque pas le goût du chèvre. Comme celui de la plupart des bleus, d'ailleurs. Mais le plateau de fromages arrive toujours à la fin du repas, et ce n'est pas facile de revenir à du vin blanc quand on a bu du rouge. Quand j'ai des invités, j'aime bien boire le meilleur vin avec le fromage. Comme on est déjà rassasié, on peut déguster lentement l'un et l'autre.

Une autre mode récente, c'est le pain aux noix avec les fromages. S'il se marie bien aux bleus et aux fromages très goûteux, il prend trop d'importance avec des fromages au goût plus discret. Ma suggestion : un choix de baguette, de pain de seigle et de pain aux noix. Laissez les maudits craquelins à la taverne et les biscottes à ceux qui croient encore qu'elles sont moins caloriques que le pain.

chèvre chaud en salade
POUR 2 PERSONNES

½ pied d'escarole ou de laitue frisée
2 tranches de pain légèrement grillées
Vinaigre de vin
Huile d'olive
Sel et poivre
Herbes fraîches (persil, estragon, thym ou
    marjolaine)
60 ml (¼ tasse) de chapelure
4 rondelles de fromage de chèvre affiné
    d'environ 2 cm (¾ po) d'épaisseur

Laver la laitue, l'assécher, la disposer dans deux assiettes en laissant au centre de l'espace pour une tranche de pain. Assaisonner la laitue de vinaigre, d'huile d'olive, de sel, de poivre et d'herbes au goût.

Bien enduire de tous les côtés les rondelles de fromage de chapelure après les avoir badigeonnées d'huile d'olive. Mettre à feu vif de l'huile d'olive à chauffer dans une poêle et y déposer les rondelles de fromage quelques minutes de chaque côté. Dès que les rondelles de fromage menacent de fondre, les déposer sur les tranches de pain et servir immédiatement.

feta à la hongroise
Je tiens cette recette de mon ami Pierre Vaïda, médecin à Bordeaux et hongrois d'origine, évidemment.

POUR 4 PERSONNES

Environ 500 g (1 lb) de feta
Environ 180 ml (¾ tasse) de crème épaisse
1 oignon haché finement
Environ 10 ml (2 c. à thé) de paprika

Faire tremper le bloc de feta au moins 2 ou 3 h dans l'eau froide pour le dessaler. L'assécher. Mettre la feta dans un bol et l'écraser avec une fourchette, tout en la mélangeant avec la crème. Quand le mélange est moelleux, ajouter l'oignon et bien mélanger. Ajouter ensuite le paprika et bien mélanger encore jusqu'à l'obtention d'une belle crème rose très épaisse. Servir comme entrée avec des pointes de pain grillé et un vin blanc sec.

feta à la libanaise

Acheter un bon bloc de feta d'au moins 1 kg (2 1/4 lb). Le couper en morceaux plus petits et les faire tremper quelques heures dans l'eau froide pour les dessaler. Assécher. Mettre la feta dans un grand bol et la pétrir avec les mains. Y ajouter de la cayenne moulue — environ 10 ml/kg (1 c. à thé/lb) de feta et la même quantité de graines de cumin grossièrement broyées. Bien pétrir avec les mains et former ensuite la feta en boules d'environ 6 à 7 cm (2 1/2 à 2 3/4 po) de diamètre. Mettre une bonne quantité de cumin moulu dans une assiette et y rouler les boules de feta afin de bien les enduire de cumin. Déposer les boules de feta sur une grille qu'on aura recouverte de six ou sept épaisseurs de papier essuie-tout. Laisser au frais — pas plus de 18 à 20 °C (65 à 68 °F) —, mais au sec pendant 2 jours en changeant les essuie-tout deux fois par jour. La feta perdra une partie de son eau, et la grosseur des boules réduira d'environ 20 %. Faire congeler les boules individuellement. Voici maintenant la façon de servir.

POUR 4 PERSONNES

2 boules de feta

1 petit oignon jaune, haché en petits dés

2 tomates pelées, épépinées et coupées en dés

Dès que les boules de feta commencent à décongeler, les hacher grossièrement avec un couteau chef. Mettre la feta dans un bol de service avec l'oignon et les tomates, mélanger délicatement et servir comme entrée avec du pain pita légèrement grillé.

fromage blanc

Si on trouve dans toutes les épiceries de France plusieurs variétés de fromage blanc, tel n'est pas le cas au Québec où il est quasi inexistant. Pourtant, un fromage blanc aux fraises ou aux framboises fraîches constitue un bon dessert. On peut aussi le manger au naturel, panaché d'un peu de crème épaisse et saupoudré de sucre ou, encore mieux, de sucre d'érable.

Vous pouvez aisément faire votre fromage blanc en faisant d'abord un Yogourt maison (voir recette p. 381). Une fois que le yogourt est fait, mettez-le dans un sac de coton et suspendez le sac au-dessus de l'évier ou d'un grand bol. Vous pouvez utiliser le sac à gelée et son support. Laissez égoutter le yogourt à température de la pièce une douzaine d'heures, puis versez-le dans un bol. Mettez un peu de sel, mélangez avec une fourchette et mettez le fromage blanc ainsi obtenu dans de petits contenants. Il se conservera plusieurs jours au frigo.

tartines de cheddar en haute friture

POUR 6 PERSONNES

6 tranches de pain à sandwich rassis

300 g (2/3 lb) de cheddar doux

1 œuf

1 pincée de sel

160 ml (2/3 tasse) de lait

125 ml (1/2 tasse) de farine

Huile d'olive (pour frire)

125 ml (1/2 tasse) de panure

Bouquets de persil frais

Enlever la croûte du pain et couper chaque tranche en deux. Couper 12 tranches de cheddar d'environ 0,5 cm (¼ po) d'épaisseur. On peut évidemment acheter du cheddar déjà en tranches. Battre l'œuf, le sel et le lait dans une assiette à soupe. Passer les tranches de cheddar dans cette mixture, puis les passer des deux côtés dans la farine. Déposer une tranche sur chaque morceau de pain et laisser reposer quelques minutes. Faire chauffer l'huile d'olive dans une sauteuse. Quand elle est très chaude, parsemer généreusement chaque tranche de pain de panure et faire frire les tranches jusqu'à ce qu'elles deviennent bien dorées. Égoutter quelques instants sur plusieurs feuilles de papier essuie-tout et servir immédiatement avec de gros bouquets de persil frais. On peut servir en entrée et, surtout, on peut donner aux enfants comme collation. Ils en raffoleront.

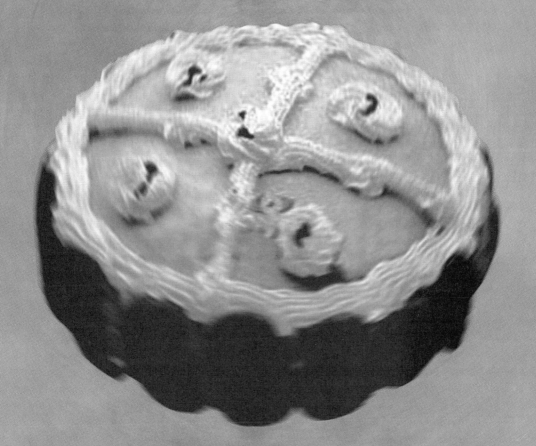

G

Gâteau

Gaufres

Gésiers confits

GÂTEAU

Si j'ai fait auprès de ma mère des dizaines de gâteaux et de poudings à la vapeur, j'avoue que j'ai un peu perdu la main depuis. Peut-être ai-je tant mangé de gâteaux que j'en ai perdu le goût. N'empêche qu'il est souvent plus rapide de faire des gâteaux que des tartes (à moins que la pâte soit déjà faite), même s'ils demandent plus de précision.

 gâteau au fromage d'Aimée
POUR 6 À 8 PERSONNES

1 fond de tarte de 22 cm (8 ¹/2 po) faite de biscuits Graham cuits

1 blanc d'œuf pour enduire le fond de tarte

3 jaunes d'œufs battus et chambrés

5 ml (1 c. à thé) de vanille pure (en poudre, si possible)

450 g (1 lb) de fromage à la crème Philadelphia ramolli

80 ml (¹/3 tasse) de sucre granulé, fin

125 ml (¹/2 tasse) de crème épaisse, chambrée

15 ml (1 c. à soupe) d'eau de rose

15 ml (1 c. à soupe) de zeste de citron râpé

30 ml (2 c. à soupe) de Tia Maria

50 g (2 oz) de noisettes nature, grillées et
    50 g (2 oz) de noix d'acajou nature, grillées, moulues jusqu'à l'obtention d'une pâte

3 blancs d'œufs battus en neige

Avec un pinceau, enduire le fond de tarte de blanc d'œuf, puis le faire cuire légèrement. Réserver et laisser refroidir. Préchauffer le four à 150 °C (300 °F). Au robot culinaire, mélanger les jaunes d'œufs avec la moitié de la vanille, le fromage ramolli, le sucre, la crème, l'eau de rose, le zeste de citron, la Tia Maria ainsi que les pâtes de noisette et de noix (on peut aussi le faire à la main, mais il faut s'assurer que le mélange est bien lisse).

Battre les blancs d'œufs en neige avec le reste de la vanille. Verser le mélange de fromage dans un bol et, à l'aide d'une spatule, incorporer sans trop mélanger les blancs d'œufs battus en neige. Verser le mélange ainsi obtenu dans le fond de tarte cuit.

Si le mélange excède ce qui est requis pour le fond de tarte, mettre le reste dans des ramequins individuels et le faire cuire en même temps que le gâteau. Faire cuire au four environ 45 minutes. Retirer le gâteau du four et laisser refroidir.

garniture et nappage

125 ml (¹/2 tasse) de purée de fraises sans sucre

30 ml (2 c. à soupe) de crème de cacao

45 ml (3 c. à soupe) de kirsch

80 ml (1/3 tasse) de sucre
50 g (2 oz) de noisettes avelines nature et
    50 g (2 oz) de noix d'acajou, grillées
Fraises entières (facultatif)

Mélanger la purée de fraises, les liqueurs et le sucre. En napper le gâteau, puis saupoudrer des noix grossièrement moulues. On peut disposer des fraises entières sur cette garniture et, si on le désire, napper de crème chantilly bien ferme, mais juste avant de servir. Le gâteau aura plus de saveur s'il a passé quelques heures au réfrigérateur. Avant de servir, il faut le faire chambrer au moins 30 minutes.

gâteau aux carottes

Il n'y a pas un Québécois qui n'ait craqué un jour ou l'autre pour du gâteau aux carottes. Quand j'ai donné des recettes à la télévision lors de l'émission Mon amour, mon amour!*, j'ai reçu des centaines de recettes de spectatrices assidues. Voici celle que je dois à Mme Louise Maurais.*

80 ml (1/3 tasse) d'huile d'arachide
250 ml (1 tasse) de sucre
2 œufs battus
250 ml (1 tasse) de farine
7,5 ml (1 1/2 c. à thé) de levure chimique
    (poudre à pâte)
1 pincée de sel
2,5 ml (1/2 c. à thé) de cannelle
10 ml (2 c. à thé) d'essence de vanille
375 ml (1 1/2 tasse) de carottes râpées
125 ml (1/2 tasse) de noix hachées

Préchauffer le four à 180 °C (350 °F). Mélanger ensemble l'huile, le sucre et les œufs. Tamiser tous les ingrédients secs au-dessus de ce premier mélange et bien mêler. Ajouter ensuite la vanille, les carottes et les noix, puis mélanger encore. Verser la préparation en ne remplissant que les trois quarts d'un moule soigneusement beurré et cuire environ 45 minutes.

gâteau aux carottes de Mme Lucie Dextrase

60 ml (1/4 tasse) d'huile d'arachide
250 ml (1 tasse) de sucre
2 œufs battus
250 ml (1 tasse) de farine
5 ml (1 c. à thé) de levure chimique
    (poudre à pâte)
3,5 ml (3/4 c. à thé) de bicarbonate de
    soude (soda à pâte)
1 pincée de sel
2,5 ml (1/2 c. à thé) de cannelle moulue
125 ml (1/2 tasse) d'ananas broyé
250 ml (1 tasse) de carottes râpées
60 ml (1/4 tasse) de raisins secs
60 ml (1/4 tasse) de noix hachées

La préparation se fait exactement comme dans la recette précédente.

glace

30 ml (2 c. à soupe) de beurre fondu
115 g (4 oz) de fromage Philadelphia
    ramolli à la fourchette
Quelques gouttes de lait (facultatif)

5 ml (1 c. à thé) d'essence de vanille

500 ml (2 tasses) de sucre à glacer

Mettre le beurre dans une cocotte à feu doux, ajouter le fromage et remuer (on peut ajouter quelques gouttes de lait pour aider le fromage à fondre). Incorporer vanille et sucre et bien brasser. En napper le gâteau quand il est encore tiède.

 ### gâteau aux fruits d'Aimée
POUR 4 MOULES À PAIN

450 g (1 lb) de raisins secs sans pépins

450 g (1 lb) de raisins secs Sultana

450 g (1 lb) de raisins de Corinthe secs

100 g (3 ½ oz) d'ananas confit

225 g (½ lb) de cerises confites

1,6 litre (6 ½ tasses) de farine tout usage

150 g (⅓ lb) d'amandes blanchies

150 g (⅓ lb) de noisettes

225 g (½ lb) de pacanes

2,5 ml (½ c. à thé) de sel

10 ml (2 c. à thé) de cannelle

10 ml (2 c. à thé) de muscade râpée

2,5 ml (½ c. à thé) de piment de la
   Jamaïque ou toute-épice

2,5 ml (½ c. à thé) de gingembre

2,5 ml (½ c. à thé) de clou moulu

450 g (1 lb) de beurre mou

500 ml (2 tasses) de sucre granulé fin

12 œufs battus un à un

125 ml (½ tasse) de rhum brun

30 ml (2 c. à soupe) de kirsch

10 ml (2 c. à thé) d'essence de citron

10 ml (2 c. à thé) d'essence de vanille

10 ml (2 c. à thé) d'essence d'amande

Dans un grand bol, mélanger les diverses variétés de raisins, ajouter l'ananas confit haché grossièrement et les cerises coupées en deux. Y verser 375 ml (1 ½ tasse) de farine et bien mélanger pour enrober les fruits. Ajouter aux fruits les amandes grossièrement broyées, de même que les noisettes et les pacanes grossièrement broyées, elles aussi. Mélanger le tout.

Tamiser plusieurs fois 375 ml (1 ½ tasse) de farine et réserver. Tamiser ensemble le reste de la farine avec le sel, la cannelle, la muscade, le piment de la Jamaïque, le gingembre et le clou. Tamiser au moins 7 ou 8 fois de manière que la farine soit la plus aérienne possible.

Dans un grand bol, mettre le beurre en crème, incorporer le sucre, puis incorporer graduellement la farine mêlée aux épices en alternant avec un œuf battu, et ainsi de suite jusqu'à ce que toute la farine et tous les œufs soient incorporés. Incorporer ensuite les alcools et les essences, puis, à la fin, la farine déjà tamisée qui a été réservée.

Beurrer et enfariner 4 moules à pain et y répartir la pâte également. Mettre les moules à pain dans une grande lèchefrite dans laquelle il y aura au moins 1 cm (⅜ po) d'eau tiède et mettre au four préchauffé à 120 °C (250 °F) de 2 h 30 à 2 h 45.

Quand les gâteaux sont tièdes, passer un couteau fin entre le gâteau et le moule, puis démouler. Laisser les gâteaux atteindre la température de la pièce, puis les envelopper de deux ou trois épaisseurs de mousseline à fromage et d'un papier d'aluminium résistant. Conserver le gâteau au frais au moins six mois avant de le manger. Tous les deux mois, ouvrir chaque gâteau et l'imprégner de 60 ml (¼ tasse) de brandy et de rhum brun mélangés. Refermer, puis remettre au froid. Une fois bien imprégnés d'alcool, ces gâteaux peuvent se conserver facilement 2 ans au frigo.

gâteau froid de ma mère

30 ml (2 c. à soupe) de Tia Maria
Environ 250 ml (1 tasse) de café très fort et très sucré
60 g (2 oz) de beurre mou
60 ml (4 c. à soupe) de sucre
1 jaune d'œuf
1 blanc d'œuf
24 biscuits petit-beurre
30 ml (2 c. à soupe) de cacao

Mélanger la Tia Maria au café, faire tiédir et réserver. Dans un bol, crémer le beurre à l'aide d'une cuillère de bois, puis ajouter le sucre et le jaune d'œuf. Brasser jusqu'à l'obtention d'un mélange onctueux. Incorporer ensuite le blanc d'œuf battu en neige. Dans un moule à gâteau, disposer une première couche de biscuits petit-beurre trempés dans le café. Recouvrir d'une couche de crème et ainsi de suite jusqu'à ce qu'il ne reste plus de biscuits. Terminer par une couche de crème et saupoudrer généreusement de cacao. Mettre au froid au moins 2 h avant de couper, puis servir.

glace à gâteau au chocolat

1 noix de beurre doux
150 g (⅓ lb) de chocolat doux-amer
60 ml (¼ tasse) de crème épaisse
375 ml (1 ½ tasse) de sucre à glacer
1 petit verre de kirsch ou de rhum, soit 45 ml (1 ½ oz)

Dans un bain-marie en fonte émaillée dont l'eau de la première casserole sera toujours gardée chaude, mais jamais bouillante, faire fondre beurre et chocolat, tout en brassant bien avec une cuillère de bois. Ajouter la crème à température de la pièce et bien brasser aussi. Ajouter assez rapidement le sucre à glacer tamisé deux ou trois fois au préalable en continuant toujours à brasser. Quand on a obtenu une belle consistance crémeuse et que le mélange est très chaud, ajouter l'alcool et brasser encore. Napper le gâteau de ce mélange, alors que le gâteau est encore tiède.

GAUFRES

 gaufres de Maryse

430 ml (1 ¾ tasse) de farine tout
  usage

10 ml (2 c. à thé) de levure chimique
  (poudre à pâte)

Une pincée de sel

15 ml (1 c. à soupe) de sucre granulé

3 jaunes d'œufs

45 ml (3 c. à soupe) d'huile d'olive

45 ml (3 c. à soupe) de beurre fondu

375 ml (1 ½ tasse) de lait entier

15 ml (1 c. à soupe) de rhum brun

5 ml (1 c. à thé) de zeste de citron finement
  haché

3 blancs d'œufs

2,5 ml (½ c. à thé) de muscade
  fraîchement râpée

Tamiser ensemble farine, levure chimique
(poudre à pâte) et sel, puis mettre dans un
bol à mélanger. Battre ensemble les jaunes
d'œufs avec le sucre et la muscade, l'huile,
le beurre fondu et tous les ingrédients
liquides ainsi que le zeste de citron, puis
verser au centre du bol. Incorporer
rapidement, sans chercher à en faire une
pâte lisse. Battre les blancs d'œufs en neige
et les incorporer à la spatule sans trop
mélanger. Faire cuire les gaufres dans un
gaufrier chaud déjà huilé avec un pinceau.
Servir avec des fruits frais, du yogourt, du
sirop d'érable, de la confiture ou du miel.

GÉSIERS CONFITS

Les gésiers confits se trouvent dans toutes
les épiceries fines... à prix d'or. Mais vous
pouvez les faire en un tournemain pour
presque rien, surtout si vous les achetez aux
Canards de Brome avec du gras de canard.

 **marinade sèche
pour préparer les gésiers**

POUR ENVIRON 24 GÉSIERS

*Les gésiers des canards de Brome sont si
jeunes qu'on n'a pas besoin de les
débarrasser de leur peau. Il suffit de les
parer rapidement en enlevant le gras et les
filaments qui adhèrent encore à la viande.
Mettre les gésiers confits dans une lèchefrite
après les avoir rapidement enduits de la
préparation suivante :*

Gros sel

2 feuilles de laurier hachées

5 à 6 baies de genièvre grossièrement
  broyées

12 graines de coriandre broyées

7,5 ml (1 ½ c. à thé) de zeste de citron
  finement haché

Couvrir d'un linge, ajouter un poids (un
gros dictionnaire, par exemple) et laisser
dégorger une demi-journée à température
de la pièce.

Entre-temps, faire fondre le gras de
canard et le filtrer pour ne conserver que la
graisse. La faire chauffer doucement dans
une grande cocotte en fonte émaillée.

Ajouter à la graisse 2 ou 3 clous de girofle et une pincée de cayenne.

Bien éponger les gésiers avec une serviette pour les débarrasser de leur sel, puis les mettre dans la graisse. Elle doit seulement frémir légèrement quand on met les gésiers — à peu près 85 °C (185 °F). Cuire les gésiers environ 2 h en maintenant le feu très doux. Mettre les gésiers en bocaux, puis les couvrir de la graisse. Faire refroidir et conserver au frigo ou au congélateur.

gésiers confits en chaud-froid

Pour servir les gésiers en chaud-froid, préparer d'abord une salade de laitue frisée bien relevée de vinaigre de framboise, de sel et de baies roses broyées, faire chauffer à feu vif les gésiers dans leur gras et, quand ils commencent à dorer, les verser avec leur graisse sur la laitue. Si on préfère les servir à température de la pièce, les mettre sur quelques feuilles d'essuie-tout et les passer quelques secondes au micro-ondes. Le papier absorbera tout le gras et on n'aura plus qu'à émincer les gésiers pour les disposer sur la laitue. Comme les gésiers auront été débarrassés de leur gras, il faudra, par ailleurs, mettre sur la laitue de l'huile en plus des autres condiments.

 ## gésiers confits en fricassée
POUR 2 PERSONNES

45 ml (3 c. à soupe) d'huile d'olive

1 petit panier de champignons de Paris nettoyés et coupés en lamelles

1 échalote hachée finement

2 gousses d'ail hachées finement

Sel et poivre

1 douzaine de gésiers confits, coupés en deux

30 ml (2 c. à soupe) de gras de canard

7,5 ml (½ c. à thé) de vinaigre de framboise

7,5 ml (½ c. à thé) de romarin frais, haché finement

Faire chauffer l'huile d'olive dans une sauteuse et y faire rissoler les champignons à feu vif en remuant constamment avec deux spatules ou deux cuillères de bois. Lorsque les champignons sont à moitié cuits, ajouter l'échalote et l'ail, puis continuer à remuer. Une fois les champignons cuits (les garder *al dente*, toutefois), saler, poivrer et réserver au chaud dans un bol. Dans la même sauteuse, faire dorer rapidement les gésiers dans le gras de canard, puis déglacer au vinaigre de framboise. Ajouter les champignons et le romarin, corriger l'assaisonnement s'il y a lieu, remuer et faire chauffer encore quelques minutes. Servir tel quel ou avec une pomme de terre vapeur.

H

Haricots

Herbes

Homard

Huiles

Huître

HARICOTS

Au Québec, malheureusement, on ne cultive pas beaucoup de variétés de haricots frais. À toutes fins utiles, il y a les jaunes et les verts. Depuis quelques années, on trouve de longs haricots qui viennent du Kenya. Ils sont tout fins et atteignent parfois 1 m (env. 3 pi) de longueur. Ils ont souvent l'air plus ou moins frais et, comme on les vend enroulés comme du boyau d'arrosage ou des rallonges électriques, on peut hésiter à en acheter. C'est une erreur, car ces haricots sont particulièrement savoureux. On les coupe en bouts pour les faire cuire, puis on les sert comme les haricots verts d'été.

Jaunes ou verts, les haricots se mangent lorsqu'ils sont petits et hyper frais. Ils doivent casser en deux en faisant presque un bruit sec. S'ils ont ramolli, laissez-les à d'autres. Même chose s'ils sont tachés de rouille. Voilà un légume qui se mange uniquement en saison, même si on trouve des haricots verts toute l'année sur les étals. Hors saison, ils sont fades et ne valent même pas la peine qu'on les prépare.

Si les haricots verts font un merveilleux légume d'accompagnement des viandes, rouges ou blanches, les haricots jaunes sont si fins qu'il vaut la peine de les manger seuls en entrée.

flageolets aux tomates
POUR 4 PERSONNES

1 grosse boîte de 796 ml (28 oz) de flageolets en conserve

1 petit bouquet de menthe fraîche

1 petit bouquet de coriandre fraîche

60 ml (4 c. à soupe) d'huile d'olive

2 tomates pelées, épépinées et coupées en gros dés

1 gousse d'ail hachée finement

10 ml (2 c. à thé) de jus de citron

Sel et poivre

Verser les flageolets dans une passoire et rincer abondamment sous le robinet de manière à bien les débarrasser de leur liquide gluant. Réserver. Hacher grossièrement les feuilles de menthe et de coriandre. Faire chauffer l'huile d'olive dans une cocotte, y ajouter les flageolets et mélanger délicatement avec une cuillère de bois le reste des ingrédients. Faire cuire lentement à feu doux jusqu'à ce que le tout soit très chaud. Attention, il ne faut pas faire bouillir. Préparés de cette manière, les flageolets sont délicieux et les tomates sont à peine cuites. On peut servir tel quel comme entrée ou comme accompagnement d'un gigot ou de côtelettes d'agneau.

haricots jaunes

POUR 4 PERSONNES

1 kg (2 ¼ lb) de haricots jaunes frais et
   encore presque verts
Sel et poivre du moulin
30 ml (2 c. à soupe) d'huile d'olive
15 ml (1 c. à soupe) d'huile de noisette
30 ml (2 c. à soupe) de beurre
7,5 ml (1 ½ c. à thé) de jus de citron
2 gousses d'ail émincées finement
15 ml (1 c. à soupe) de feuilles de
   marjolaine fraîche

Parer les haricots en coupant les deux
extrémités, puis les mettre dans une
écumoire et les laver sous le robinet. Faire
chauffer de l'eau dans une grande marmite
et la saler abondamment. Quand l'eau bout
à gros bouillons, y jeter les haricots et
couvrir. Pendant ce temps, mettre les huiles
dans un bol avec le beurre, le jus de citron
et l'ail. Faire chauffer quelques secondes au
micro-ondes, puis émulsionner à la
fourchette. Effeuiller les tiges de marjolaine
et mettre les feuilles dans la sauce avec du
poivre du moulin. Quand les haricots sont
cuits *al dente*, les égoutter et les remettre
dans la marmite sur la plaque chaude.
Ajouter la sauce, mélanger doucement avec
deux cuillères de bois ou deux grandes
fourchettes et servir immédiatement. À
défaut de marjolaine, on peut mettre des
feuilles d'origan, mais il faut réduire la
quantité d'au moins la moitié, car l'origan
est assez piquant. Et c'est moins bon…

 ## haricots verts à l'huile et au citron

POUR 4 PERSONNES

1 kg (2 ¼ lb) de haricots verts
Sel et poivre du moulin
30 ml (2 c. à soupe) d'huile d'olive
15 ml (1 c. à soupe) d'huile de noisette
30 ml (2 c. à soupe) de beurre
45 ml (3 c. à soupe) de chair de citron
   coupée en petits dés
1 gousse d'ail émincée finement
10 ml (2 c. à thé) de feuilles de marjolaine
   fraîche

Parer les haricots en coupant les deux
extrémités, puis les mettre dans une
écumoire et les laver sous le robinet.
Faire chauffer de l'eau dans une grande
marmite et saler abondamment. Quand
l'eau bout à gros bouillons, y jeter les
haricots et couvrir. Pendant ce temps,
mettre les huiles dans un bol avec le
beurre, les petits dés de citron et l'ail.
Faire chauffer quelques secondes au
micro-ondes, puis émulsionner légèrement
à la fourchette. Effeuiller les tiges de
marjolaine et mettre les feuilles dans la
sauce avec du poivre du moulin. Quand
les haricots sont cuits *al dente*, les
égoutter et les remettre dans la marmite
sur la plaque chaude. Ajouter la sauce,
mélanger doucement avec deux cuillères
de bois ou deux grandes fourchettes et
servir immédiatement.

variante

Ces haricots verts peuvent aussi se servir comme entrée à température de la pièce. On les prépare alors comme ci-dessus et on les laisse tiédir tranquillement dans un bol à salade. Si on les prépare d'avance et qu'on doit les mettre au frigo, il faut les sortir au moins 1 h avant de servir.

haricots verts poêlés au parmesan

POUR 4 PERSONNES

1 kg (2 1/4 lb) de haricots verts
Sel et poivre du moulin
30 ml (2 c. à soupe) d'huile d'olive
30 ml (2 c. à soupe) de beurre
1 gousse d'ail émincée finement
Un filet de jus de citron
4 à 8 tranches fines de parmesan

Parer les haricots en coupant les deux extrémités, puis les mettre dans une écumoire et les laver sous le robinet. Faire chauffer de l'eau dans une grande marmite et saler abondamment. Quand l'eau bout à gros bouillons, y jeter les haricots et couvrir. Quand les haricots sont cuits *al dente*, les plonger dans un bain d'eau froide pour arrêter la cuisson. Les déposer sur une serviette pour les assécher. Mettre l'huile et le beurre dans une sauteuse et, dès que le beurre cesse de frémir, mettre les haricots et les faire dorer légèrement en les retournant continuellement avec une cuillère de bois. Quand ils sont presque dorés, ajouter l'ail et le poivre, remuer encore quelques

secondes, puis arroser du jus de citron. Remuer encore une fois, puis répartir dans des assiettes chaudes en couvrant des tranches de parmesan. Servir immédiatement comme entrée.

salade de haricots mexicains

POUR 6 À 8 PERSONNES

450 g (1 lb) de haricots tachetés (*pinto*) séchés ou en conserve
1/2 concombre anglais, coupé en rondelles
1 oignon rouge de grosseur moyenne, coupé en rondelles
1/2 poivron vert, épépiné et coupé en dés
1/2 poivron rouge, épépiné et coupé en dés
15 ml (1 c. à soupe) de marjolaine fraîche ou d'estragon
Sel et poivre au goût
160 ml (2/3 tasse) d'huile d'olive
60 ml (1/4 tasse) de vinaigre japonais ou de vinaigre de cidre
Un filet de jus de citron

Mettre les haricots dans une cocotte et les faire tremper au moins 3 à 4 h dans l'eau froide. Les amener au point d'ébullition dans cette eau et les faire mijoter environ 1 h 30 ou jusqu'à ce qu'ils soient tendres. Laisser refroidir. (Si on emploie des haricots en conserve, il suffit de les rincer abondamment à l'eau froide et de les égoutter). Verser les haricots dans un bol de service, et ajouter les autres légumes. Saler et poivrer. Dans un bol, battre avec une fourchette le vinaigre, le jus de citron et l'huile, puis verser sur les légumes. Touiller et servir. Cette salade est excellente en entrée ou comme plat, accompagnée de jambon froid.

HERBES

Que ferait-on sans herbes aromatiques ? Une cuisine sans saveur comme celle que faisaient nos grands-mères et nos arrière-grands-mères qui semblaient ignorer qu'on pouvait relever les plats avec autre chose que du sel et du poivre. Il arrivait aux plus évoluées d'ajouter de la sarriette et de la ciboulette, mais là s'arrêtait l'audace de ces cuisinières en robe noire et grand tablier blanc.

En cuisine, il y a l'autre extrême aussi : ces cuisiniers amateurs qui mettent en vrac toutes sortes d'herbes dans leur plat, si bien qu'on ne sait plus rien distinguer. La coriandre fraîche cohabite avec les herbes de Provence et l'estragon avec le basilic. Ces mêmes amateurs n'utilisent pas plus de discrimination lorsqu'il s'agit de faire cuire leurs plats : ils y mettent du cerfeuil ou du basilic en début de cuisson comme si c'était du thym ou du romarin, des herbes musclées qui supportent bien la chaleur et qu'on a justement intérêt à utiliser en début de cuisson afin qu'elles puissent jouer leur rôle. Par ailleurs, si elles sont ajoutées en début de cuisson, des herbes comme le cerfeuil, le basilic ou la marjolaine n'ont plus aucun effet...

Combien de cuisiniers ai-je vu torturer les herbes ! Les herbes sont fragiles, et leurs feuilles encore plus. Hacher finement des feuilles de basilic ou de menthe, c'est leur faire

l'injure suprême qu'elles vous rendront bien en noircissant et en perdant presque toute leur saveur. On ne hache pas l'estragon, le thym et le romarin avec la tige. On commence par effeuiller, puis on hache les feuilles, si nécessaire... à moins qu'on veuille assaisonner un poulet en le bourrant de trois ou quatre branches d'estragon ou qu'on mette dans un plat du thym en bouquets dont on le débarrassera ensuite. Bannissez le robot pour couper les herbes, car il vous fera perdre la moitié de leurs vertus. Les herbes se hachent à la main avec un couteau chef ou se coupent finement avec un simple couteau d'office, pourvu qu'on les tienne en petit paquet entre les doigts.

On vend de plus en plus d'herbes produites en serre. L'hiver, on doit bien s'en contenter, même si elles sont moins savoureuses que les herbes de pleine terre. De serre ou de pleine terre, les herbes ne se conservent pas longtemps. Si vous n'avez pas de carré d'herbes à la maison et que vous devez les acheter chez le marchand de légumes, triez-les avec soin et lavez-les dans un peu d'eau vinaigrée dès votre arrivée à la maison. Gardez-les ensuite enroulées dans quelques feuilles de papier essuie-tout humide ou dans un contenant de plastique bien fermé. Elles se conserveront quelques jours au frigo.

Préférez les herbes que vous pouvez acheter avec la racine — la coriandre, le basilic et le cerfeuil. Elles se garderont quelques jours au frigo et même plus, si vous prenez soin de les laver à l'eau vinaigrée, sans couper la racine, toutefois.

Une fois séchées, les herbes perdent beaucoup de saveur ou en gagnent tellement qu'il faut réduire leur proportion dans les plats. La sauge qu'on fait sécher en bouquets reste belle et savoureuse tout l'hiver, mais l'estragon perd rapidement de sa saveur. Si vous avez beaucoup d'espace dans votre congélateur, vous pouvez congeler de gros bouquets d'estragon dans un sac de plastique et l'utiliser pendant l'hiver, mais n'allez pas croire qu'il sera beau à voir : il aura ramolli et noirci, mais il aura plus de saveur que l'estragon séché.

Même séchées, les herbes ne se gardent pas indéfiniment. Faites régulièrement le ménage de vos armoires et jetez tous les bocaux qui ont plus de 18 mois. Les herbes qu'elles contiennent sont si fades qu'elles n'auront plus guère de pouvoir d'assaisonnement.

Il y a plus d'herbes que celles dont je vous parle ici, mais je voulais me contenter de vous parler de celles qu'on trouve partout au Québec et qui sont les plus courantes.

aneth

Plusieurs Québécois à qui on parle d'aneth écarquillent les yeux, alors que si vous leur parlez de *dill*, ils savent tout de suite à quoi se référer parce que leurs grands-mères en agrémentaient toujours les cornichons en conserve. L'aneth est tout aussi allergique à la cuisson que peut l'être le basilic. Il a un petit goût d'anis, mais c'est un goût bien plus subtil que les feuilles de fenouil, un goût qui se marie bien, par exemple, au concombre, à certaines sauces à base de crème ou de yogourt, ainsi qu'au flétan et au saumon. Le goût de l'aneth se marie mal à celui d'une autre herbe.

basilic

Probablement la plus fragile de toutes les herbes, elle laisse dans la bouche un goût de poivre et de citron, et certaines variétés ont même un arrière-goût de réglisse. Une herbe d'été ou de serre qu'on ne brusque pas et qu'on ne cuit pas. Le basilic se sert avec des tomates ou en salade avec des laitues. S'il s'agit de basilic à petites feuilles, on ne le hache pas. Quant aux grosses, on les hache grossièrement. Lorsque j'écris que le basilic ne se cuit pas, j'exagère un peu. On peut en assaisonner des sauces tomate, on en met dans certaines soupes, mais toujours à la dernière minute et on ne laisse pas cuire plus longtemps qu'on laisserait cuire une feuille de laitue ou d'épinard. Dans ce cas, mieux vaut utiliser du basilic à grosses feuilles ou du basilic de couleur pourpre.

cerfeuil

Tout aussi fragile que le basilic et même plus encore, si c'est possible. C'est la plus belle des herbes. Ses feuilles ont la finesse du duvet et sont d'un vert tendre irrésistible. On ne le cuit pas et on le hache à peine.

ciboulette

Tous connaissent la ciboulette, et c'est sûrement l'herbe rustique et vivace qu'on trouve dans le plus grand nombre de potagers. Ses feuilles vertes ressemblent à de l'herbe, à cette différence qu'elles sont tubulaires. Heureusement, car il nous arriverait sûrement de manger autant d'herbe que de ciboulette, tellement celle-ci est difficile à sarcler. La saveur de la ciboulette rappelle celle de l'échalote. Si, en août, on arrache une touffe de ciboulette pour la transplanter dans un pot, on aura de la ciboulette fraîche jusqu'à Noël. La ciboulette dite chinoise supporte moins bien l'hiver, mais mieux la chaleur de nos maisons.

coriandre

La plus aromatique des herbes. Il ne faut pas en abuser, mais savoir bien la doser. Les fleurs sont délicieuses et les graines très utiles car, même si elles ne donnent pas aux plats le même goût que les feuilles, on peut les consommer quelle que soit la saison.

estragon

Je n'aime pas l'estragon séché qui a un goût indéfinissable, mais le frais est presque indispensable. Il parfume le poulet d'extraordinaire façon et il parfume bien plusieurs plats comme les salades, les poissons, les mayonnaises et les sauces.

marjolaine

Aucune herbe n'a ce parfum irrésistible. Malheureusement, on en cultive peu, car on lui préfère l'origan qui pousse comme de la mauvaise herbe et résiste même à l'hiver. Avec des betteraves, des haricots verts ou jaunes, ou encore du maïs, la marjolaine est presque un must.

menthe

Avant mon mariage avec Blanche, j'appréciais peu la menthe. J'en avais tout le long du ruisseau qui traverse mon terrain, mais je la laissais toujours aux insectes, sauf pour les feuilles dont je me servais pour mes fraises vapeur. Rien n'agrémente aussi bien les concombres et les sauces à salade à base de yogourt et de crème que la menthe. Et elle est indispensable au taboulé, aux salades de fruits et quoi encore. J'hésite entre vous conseiller la menthe verte ou la poivrée... mais j'ai un faible pour la poivrée. Quant aux nombreuses variétés qu'on vend maintenant en pépinière — citronnée, anisée et autres —, elles ne vous apporteront rien de plus que les deux grands types... peut-être, en fait, quelque chose de moins.

origan

Les Italiens en abusent, et presque tous les livres de recettes prétendent que l'origan et la marjolaine sont interchangeables. Si les feuilles se ressemblent et les fleurs aussi (celles de la marjolaine sont plus pâles), il suffit de goûter l'un et l'autre pour constater que l'origan est bien rustre par rapport à la si tendre marjolaine. Quoi qu'il en soit, vous en aurez besoin dans les sauces tomate et la ratatouille et pour remplacer la marjolaine que vous n'aurez pas eu la prévoyance d'acheter ou de planter.

persil plat et frisé

Si vous aviez eu une femme libanaise, jamais vous n'achèteriez de persil frisé, même s'il se conserve mieux. Le persil plat a un goût plus subtil et il est moins âcre. Je ne vous en dis pas plus parce que si vous ne connaissiez pas le persil, vous n'auriez pas acheté ce livre. Rappelez-vous seulement que si c'est l'herbe la plus utilisée en cuisine, c'est aussi celle dont on abuse le plus. Tout assaisonner au persil est aussi stupide que si vous n'assaisonniez qu'au sel et au poivre...

pourpier

Je m'en voudrais de ne pas vous parler du pourpier qui pousse comme de la mauvaise herbe dans nos plates-bandes de fleurs et dans nos potagers. Malheureusement, à peu près tous le considèrent comme de la mauvaise herbe. Quel dommage ! Arrachez-le plutôt avec respect, effeuillez-le et garnissez-en toutes vos salades d'été. Ses feuilles grasses et charnues ont un parfum acidulé qui vous ravira. Même les tiges, si elles sont jeunes, sont agréables à croquer.

romarin

Il ne viendrait à aucun Provençal l'idée de mettre un poulet ou un gigot d'agneau au four sans d'abord l'enduire de romarin frais haché. Je me demande parfois pourquoi ils n'ont pas encore pensé à faire brouter leurs agneaux dans des champs de romarin et à en gaver aussi leurs poulets... mais cela viendra peut-être.

Nous venions d'arriver à Gassin, ma femme et moi. Presque directement du Canada, puisqu'en mettant les pieds à Orly, nous avions sauté dans un autre avion pour Nice. Après avoir musardé en route et fait quelques courses au marché, il était bien 19 h quand nous avons finalement garé la voiture sur les hauteurs du village. Après avoir entré les valises... et le gigot d'agneau, je dis à ma femme que j'allais chercher du romarin à la petite épicerie qui fait dos à l'hôtel et à l'église. Vous auriez dû voir la tête de la bonne femme quand je lui demandai du romarin. N'en croyant pas ses oreilles, elle me fit répéter ma demande pour ensuite prendre à témoin les villageois qui causaient dans son commerce.

— Mais vous entendez ce monsieur, dit-elle, il veut acheter du romarin !

Et tous de pouffer de rire en me lorgnant comme si j'étais le dernier des débiles.

— Vous n'en avez pas ? ai-je ajouté, quand même agacé de son cirque.

Elle rit encore, puis me dit, plus sérieuse, qu'il n'est pas question de vendre en épicerie ce qui pousse partout le long des routes.

— Mais il fait noir, madame, je ne pourrai jamais en trouver.

Cette fois, elle me jeta un regard plein de sympathie, comme celui qu'on réserve aux malades et aux infirmes et, sur un ton bienveillant, elle me dit :

— Et à quoi il vous sert, ce nez ? Si vous voulez du romarin, promenez-vous le long de la route et sentez, monsieur, sentez !

Je revins à la maison avec une brassée de romarin. Ma femme trouva que j'en avais « acheté » pour les fous et les sages. C'est le lendemain seulement que je lui avouai qu'en Provence, dans un village, on ne vend jamais de romarin !

sarriette

Une herbe pour l'été, le pâté chinois et les haricots... si on n'a pas de marjolaine.

sauge

J'adore la sauge. C'est une herbe musclée, qui sèche bien, qui passe bien l'hiver en terre pour peu qu'on la protège de feuilles ou de paille, et qui parfume bien les viandes blanches comme le veau et le porc, et même les tomates en attendant le basilic. Si vous avez une belle plantation de sauge (il ne faut que deux ou trois plants qu'on laisse grandir d'été en été), voici une recette dont vous me donnerez des nouvelles.

bouquets de sauge en friture

POUR 2 PERSONNES

12 bouquets de sauge comportant chacun une dizaine de feuilles et une tige de 8 à 10 cm (3 à 4 po)

Eau, farine et sel

Huile d'olive ou d'arachide

Un filet de jus de citron

Laver les bouquets. Préparer une pâte très claire avec de l'eau, de la farine et un peu de sel. Dans une sauteuse, chauffer 1,5 cm (½ po) d'huile d'olive ou d'huile d'arachide jusqu'au point de friture. Tremper les bouquets de sauge dans la pâte claire, les égoutter et les faire frire en les tournant une seule fois. Quand ils sont frits, les mettre dans un plat de service et verser dessus un filet de jus de citron. Ces bouquets de sauge en friture sont un délice avec du veau ou du porc grillé ou rôti.

thym

Un hiver où nous avions passé des vacances en Guadeloupe, Louise II et moi, et que nous avions mangé très mal, la capitale Pointe-à-Pitre ayant subi de désastreuses inondations, nous sommes arrêtés un soir au hasard de la route dans un petit boui-boui qui n'offrait qu'une table et deux bancs de bois. La restauratrice nous dit qu'elle avait peu à manger : une salade de tomates à la rigueur et des écrevisses grillées. N'ayant pas le choix, c'est ce que nous commandâmes. Jamais je n'oublierai le parfum de la salade de tomates qu'elle nous servit : des tomates tranchées (même pas pelées), un filet d'huile d'olive et un filet de jus de citron vert, le tout saupoudré d'une abondance de feuilles de thym odorant comme seul sait le faire le soleil du Sud.

Séché ou frais, le thym s'ajoute en début de cuisson, et il n'est pas nécessaire de l'effeuiller si on le retire avant de servir. Quand on le sert frais dans des salades ou sur des légumes, on doit effeuiller le thym. Si dans une recette on parle de **bouquet garni,** le bouquet en question comporte obligatoirement du thym et du romarin. Deux classiques.

HOMARD

Est-ce parce qu'ils le payent la peau des fesses et qu'ils ne peuvent pas se l'offrir en d'autres temps qu'à Noël que les Français clament que le homard breton est le meilleur du monde ? Quant à moi, je n'y trouve rien que le homard des Îles-de-la-Madeleine et de Gaspésie n'ont pas déjà. Que le homard des côtes de Bretagne soit supérieur à celui du Maine, c'est vrai… mais uniquement parce que celui du Maine voyage mal. Quand on le déguste là-bas, frais sorti des cuves fumantes des fameux *lobster ponds*, même le crustacé américain n'a rien à envier à son homologue nordique.

Mon Dieu, quand je pense au nombre de Québécois qui achètent du homard cuit dans les poissonneries ou les grandes surfaces ! Qu'est-ce qu'ils manquent ? D'abord, le plaisir de faire cuire le homard eux-mêmes, puis le ravissement que peut constituer ma fricassée de homard qui ne s'accommode pas du homard bouilli ou cuit à la vapeur.

Moins le homard a passé de temps hors de son habitat naturel, meilleur il est. Le transport des Îles ou de la péninsule de Gaspé jusqu'au sud du Québec ne tue pas son goût, mais il l'affadit un peu. Comme l'affadit chaque jour de plus passé dans le vivier des restaurants ou des poissonneries.

Mâle ou femelle ? À l'époque de la ponte et si vous êtes un vrai amateur de homard, vous préférerez la femelle. Comment la reconnaître ? Ô surprise, elle a la queue plus longue que celle du mâle et, surtout, elle a deux petites palmes sous l'abdomen, palmes qui servent à retenir les œufs.

Le homard est bien vivant quand il replie brusquement la queue sous lui dès qu'on le touche. Si vous faites partie des paresseux ou des âmes fragiles qui achètent le homard cuit, assurez-vous au moins que la queue est repliée. C'est la preuve qu'il a été cuit vivant. Quand on plonge un homard dans l'eau bouillante, automatiquement, il replie la queue et elle reste ainsi jusqu'à ce qu'on le sorte de sa marmite. Même si on le fait refroidir en lui ajoutant un poids sur le dos, la queue gardera une courbure, celle que vous avez intérêt à reconnaître quand vous achetez le homard cuit.

Si vous êtes contre la violence, endormez votre homard avant de lui porter le coup fatal, soit avec un couteau, soit en le plongeant dans la marmite bouillante. On l'endort en lui caressant le dessus de la tête avec le bout du doigt jusqu'à ce qu'il s'écrase tout détendu. C'est à ce moment qu'on l'envoie vers son destin. Pour le couper vivant (mais endormi), on le pose sur une planche, on tient la queue avec un linge et on enfonce un couteau très pointu à hauteur de la tête. Pour le découper en deux parties, on continue à couper jusqu'à la jointure, on le met ensuite sur le dos et on coupe la partie de la queue.

Seules les écailles, la poche à gravier située sous la tête et le mince ruban intestinal du homard ne se mangent pas. Tout le reste est comestible, et un maniaque de homard comme moi préfère même les œufs et le caviar à la chair. À table, je m'assois toujours près de la personne qui lève le nez là-dessus…

Dernier détail, mais qui a son importance : achetez vos homards à la dernière minute et n'imitez pas mon jeune fils qui, pensant bien faire, avait un jour mis dans la baignoire tous les homards que j'avais achetés ! Même après bien peu de temps dans l'eau douce, les homards sont bons pour la poubelle. Si vous devez garder les homards une journée, il n'y a qu'une façon de le faire : les sortir de leur grand sac de polythène ou de plastique, les envelopper dans plusieurs épaisseurs de papier journal mouillé et les mettre au frigo dans un grand sac de papier kraft ou dans un grand plat. Si le poissonnier peut vous fournir des algues, vos homards risquent de rester vivants plus de 24 h si vous les entourez d'algues avant de les envelopper dans les dernières nouvelles...

homard aux nouilles
POUR 4 PERSONNES

2 homards d'un peu moins de 1 kg
    (2 1/4 lb) chacun
60 ml (1/4 tasse) d'huile d'olive
Sel et poivre au goût
1 petit bouquet de coriandre fraîche
1 petit oignon jaune, haché finement
1 carotte hachée finement
1 gousse d'ail hachée finement
1 petit verre de cognac, soit 45 ml (1 1/2 oz)
250 ml (1 tasse) de vermouth blanc extra-
    dry
125 ml (1/2 tasse) de crème épaisse
15 ml (1 c. à soupe) de pâte de tomate
1 grosse tomate fraîche pelée, épépinée et
    coupée en dés
200 g (7 oz) de nouilles très larges
    (pappardelles)
1 grosse noix de beurre
1 petit bouquet de persil frais

Couper les homards vivants en les sectionnant d'abord en deux parties dans le sens de la longueur, séparer les queues du coffre, puis séparer les bras des pinces. Réserver le corail et les œufs s'il y en a. Dans une sauteuse, faire revenir sans les superposer les morceaux de homard environ 5 minutes dans l'huile très chaude en les retournant deux ou trois fois. La coquille doit devenir très rouge. À mesure que les morceaux ont été rissolés, les déposer dans une marmite en fonte émaillée allant au four. Saler et poivrer.

Faire revenir ensuite dans la même sauteuse la coriandre, l'oignon, la carotte et l'ail jusqu'à ce qu'ils soient attendris. Les verser sur les morceaux de homard. Faire chauffer le cognac et flamber le tout. Ajouter le vermouth et amener au point d'ébullition sur la plaque. Couvrir et mettre à four moyen 20 minutes. Enlever les morceaux de homard et réserver dans un plat de service. Couvrir pour qu'ils ne sèchent pas. À feu vif, faire réduire d'au moins la moitié le liquide accumulé dans la cocotte. Filtrer le liquide dans une passoire et remettre dans la cocotte. Pendant ce temps, passer aussi à la fine passoire crème, pâte de tomate, corail et œufs des homards. Bien mélanger. On peut préparer le tout jusqu'à ce point et laisser attendre quelques heures.

Dégager la chair des homards, mais pas celle des quatre morceaux de la queue. Mélanger la crème passée avec le corail et les œufs au liquide tiède qui est dans la cocotte. Amener doucement au point d'ébullition, vérifier l'assaisonnement et laisser réduire d'environ un tiers, à feu doux. Ajouter la tomate coupée ainsi que la chair du homard et les quatre morceaux de queue. Amener encore doucement au point d'ébullition. Faire cuire les nouilles. Quand elles sont cuites, les égoutter et y ajouter une grosse noix de beurre et un peu de poivre, puis mélanger. Servir dans des assiettes à soupe bien chaudes de la façon suivante : déposer les nouilles au centre de l'assiette, faire une couronne du ragoût de homard, placer stratégiquement la demi-coquille de queue avec sa chair et décorer de persil frais. Servir immédiatement avec un Bourgogne aligoté ou un chablis.

homard bouilli

Mettre de l'eau très salée dans une cocotte assez grande pour contenir le nombre de homards que vous faites cuire, puis amener au point d'ébullition. Quand l'eau bout à gros bouillons, y plonger les homards. Dès que l'eau recommence à bouillir, compter 8 minutes pour le premier homard et une minute additionnelle pour chaque homard supplémentaire. Sortir les homards de l'eau, les égoutter en coupant un tout petit bout des pinces avec une paire de pinces ou des pinces à homards, puis les déposer sur plusieurs épaisseurs de papier journal recouvert d'un papier essuie-tout. Servir les homards chauds avec du beurre fondu à l'ail ou les servir froids avec une mayonnaise, préférablement à l'estragon.

homard grillé et farci

UN PETIT HOMARD — UN PEU MOINS DE 1 KG (2 1/4 LB) — OU LA MOITIÉ D'UN GROS HOMARD PAR PERSONNE

farce (quantité pour chaque homard)

15 ml (1 c. à soupe) de beurre mou
Œufs et corail du homard
1/2 gousse d'ail épluchée et coupée très finement
2,5 ml (1/2 c. à thé) de persil frais, émincé finement
15 ml (1 c. à soupe) de chapelure fraîchement faite
15 ml (1 c. à soupe) de pastis ou d'arak
Sel et poivre au goût
Huile d'olive

Faire bouillir les homards tel qu'indiqué dans la recette Homard bouilli, mais les laisser bouillir seulement la moitié du temps requis. Les laisser tiédir, les couper en deux dans le sens de la longueur, se débarrasser de la poche de gravier et des intestins, puis recueillir les œufs et le corail pour faire la farce.

farce

Bien mélanger le beurre mou au corail et aux œufs, ajouter l'ail, le persil, la chapelure et l'alcool, et bien mélanger encore une fois. Saler et poivrer. Coucher chaque moitié de homard sur une lèchefrite et répartir la farce dans la cavité de chacun. Avec un pinceau, badigeonner d'huile d'olive la partie ouverte des homards de même que l'écaille. Mettre sous le gril déjà chaud pendant 4 minutes. Servir avec du beurre chaud assaisonné d'ail émincé et avec des frites ou des chips nature, réchauffées au four.

homard vapeur au vin blanc

POUR 4 À 6 PETITS HOMARDS

500 ml (2 tasses) de vin blanc sec ou de
    vermouth blanc extra-dry

500 ml (2 tasses) d'eau

La moitié d'un bâton de céleri

Une carotte coupée en rondelles

Le zeste de 1/2 citron

2 gousses d'ail épluchées

Une branche d'aneth ou un bouquet de
    feuilles de fenouil

5 graines de coriandre

3 baies de genièvre

1 feuille de laurier

Sel et poivre

Dans une marmite assez grande pour contenir les homards et dont le couvercle est le plus hermétique possible, mettre tous les ingrédients et faire bouillir jusqu'à ce que le liquide ait réduit de près des deux tiers. Mettre les homards, couvrir et, dès que le liquide a recommencé à bouillir, compter de 10 à 15 minutes. Sortir les homards et les servir entiers ou coupés en deux dans le sens de la longueur avec du beurre à l'ail fondu et des quartiers de citron.

HUILES

Les vrais amateurs d'huiles ont autant de théories que les amateurs de whisky. Côté whisky, je suis plutôt *single malt*. Je préfère les whiskies qui ne sont pas « élaborés », qu'on n'a pas constitués de différents mélanges et qui dégagent l'arôme d'un fief ou d'une île écossaise en particulier. D'autres ne jurent que par les whiskies *blended*. S'ils lèvent le nez sur un Balvenie ou un Lagavulin, ils feraient des bassesses pour un verre de Chivas ou de Bannister.

Si je suis aussi puriste en whisky, j'ai une attitude tout à fait contraire en ce qui concerne les huiles. Quel que soit le plat que je cuisine ou que je prépare, j'utiliserai une huile seulement si je n'ai aucune autre possibilité... ce qui n'arrive qu'en temps de cuisine de guerre.

Les huiles doivent refléter notre état d'âme et être un véritable ajout à un plat. Il ne s'agit pas seulement de « mouiller » une laitue ou d'empêcher un poisson ou une viande d'adhérer à la poêle, il s'agit d'ajouter une saveur qui relèvera un plat et qui ira même jusqu'à révéler un goût que vous n'auriez jamais imaginé.

Je me souviens d'un homard grillé que j'avais servi un jour à mon ami metteur en scène Daniel Roussel. Un homard grillé, c'est pourtant tout simple : une farce vite faite à laquelle on mêle les œufs (si c'est une femelle, à l'époque de la ponte) et le corail du homard. On badigeonne ensuite le crustacé d'huile avant de le passer quelques minutes sous le gril. Cette fois-là, j'avais fait un mélange d'huiles où dominait l'huile de noisette (à ne pas confondre avec l'huile de noix, beaucoup moins subtile). Daniel, comme tout bon Français, s'extasia sur la qualité de mon homard. «C'est incroyable, dit-il, il a un goût de noisette...» Fantaisie de ma part ou désir de voir Daniel répandre par tout l'Hexagone cette particularité du homard des Îles-de-la-Madeleine, je ne lui révélai pas mon secret. N'empêche que ma mixture avait admirablement servi un crustacé déjà bien glorieux.

D'entrée de jeu, n'achetez jamais d'huile aromatisée à l'avance. C'est tout juste bon pour ceux qui n'ont aucun talent culinaire et, une fois la bouteille ouverte, elle ne se conserve que quelques mois... et encore.

Une exception, toutefois, une bonne huile italienne aromatisée à la truffe blanche et une autre aux cèpes. Il faut les acheter en très petites bouteilles — 340 à 510 ml (12 à 18 oz) au plus — et les garder au frigo, car elles se gâtent rapidement. On les utilise à très petites doses avec d'autres huiles, dans des plats bien précis. Les rognons, par exemple...

De grâce aussi, cessez de prêter l'oreille à tous ces «spécialistes» nord-américains (sans doute à la solde des grands producteurs d'arachides des États-Unis) qui prétendent que c'est dans l'huile d'arachide qu'on doit faire ses fritures et que l'huile d'olive a un point de fumée beaucoup trop bas. C'est archifaux.

Le point de fumée de l'huile d'olive varie (selon la qualité de l'huile) de 210 à 230 °C (410 à 450 °F) et, comme on fait frire à 180 °C (350 °F), il reste encore une marge plus que confortable. À cause de la mauvaise presse qu'on a fait chez nous à l'huile d'olive, elle se vend maintenant à la moitié du prix de l'huile d'arachide, pourvu qu'on l'achète en bidons de 3 ou 5 litres (12 ou 20 tasses). Raison de plus de ne pas s'en priver et de la renouveler fréquemment dans sa friteuse, même si l'huile d'olive rancit moins vite que toutes les autres huiles.

L'huile d'olive est monoinsaturée, alors que la plupart des autres huiles (tournesol, maïs et soya) sont polyinsaturées. Les monoinsaturées abaissent le taux de mauvais cholestérol, les LDL. À la différence des polyinsaturées, elles ne réduisent pas le bon cholestérol — les HDL. Comment expliquer autrement que tous les peuples qui bordent la Méditerranée et qui sont de gros mangeurs d'huile d'olive aient un des taux de mortalité cardiaque les plus bas du monde ?

Un prof de médecine de Californie, George Halpern, a soumis certains groupes de patients à trois types de cuisines pour savoir laquelle était la meilleure pour la santé : américaine, asiatique et provençale. C'est la provençale qui a gagné. Ceux qui s'en contentent (et c'est facile) ont beaucoup moins d'accidents cardiovasculaires que les autres. La cuisine provençale a remporté la palme à cause de l'huile d'olive, mais aussi à cause des légumes, du vin rouge et de l'ail qui en sont des éléments incontournables.

Voici les diverses appellations de l'huile d'olive :

L'huile d'olive vierge extra ou extra vierge. Elle doit avoir moins de 1 % d'acidité. On ne doit rien y ajouter et on doit la presser à froid par des procédés mécaniques seulement. L'huile d'olive pure peut avoir jusqu'à 3 % d'acidité, et on peut la presser à chaud ;

L'huile d'olive vierge. Elle est moins savoureuse que la précédente, mais elle est moins chère aussi. Son taux d'acidité peut être de 1,5 % et peut atteindre 3 %, selon son prix ;

L'huile d'olive pure. C'est la plus courante et celle qu'on utilise pour la friture. Malgré tout, l'huile vierge supporte des températures plus élevées et un plus grand nombre de fritures, mais elle coûte plus cher.

En principe, n'achetez ni l'huile d'olive raffinée, ni l'huile d'olive seconde pression, ni l'huile de grignons. Il y a suffisamment d'huiles d'olive de bonne qualité à prix modique pour que vous n'ayez pas à vous contenter de ces huiles satisfaisantes, soit, mais de qualité très inférieure.

L'huile d'olive, c'est une question de goût personnel. J'aime bien celles qui sont très fruitées, qui ont vraiment le goût de l'olive et, quand j'en trouve une de fabrication artisanale, je l'achète et je l'emploie à petites doses dans mes préparations.

Gardez toujours vos huiles d'olive au frais dans une armoire obscure et n'hésitez pas à garder au frigo vos huiles les plus coûteuses pour vous assurer qu'elles ne ranciront pas. Cela est particulièrement vrai pour l'huile de noisette. Les huiles se solidifient à 2 °C (35 °F)

mais, en principe, on garde son frigo à 5 °C (40 °F). Elles ne devraient donc pas se solidifier au frigo.

Une bonne cuisine ne saurait se priver d'huile de noix ou d'huile de noisette. L'huile de noisette est beaucoup plus chère que l'autre (au moins le double), mais sa saveur est fine et incomparable. L'huile de noisette a de plus la caractéristique d'éliminer le mauvais cholestérol. Je l'utilise dans la plupart de mes préparations d'huile et je la garde toujours au frigo. Comme l'huile de noix, presque trop goûteuse, qui rancit nettement plus vite que celle de noisette.

Enfin, gardez une bouteille d'huile de maïs et une bouteille d'huile de sésame dans votre armoire. La première pour faire des mayonnaises. Mêlée moitié-moitié avec l'huile d'olive, elle allège la mayonnaise et en allonge la durée de conservation. Comme presque toutes les femmes ont des problèmes de constipation, faites plaisir à la vôtre, en ajoutant de temps à autre à vos préparations un peu d'huile de sésame. Son goût est délicieux et ses effets ne se font pas attendre.

HUÎTRE

Quand j'étais enfant, nos huîtres n'étaient pas toutes pareilles et elles coûtaient une bagatelle. Est-ce à cause des trop nombreuses « parties » d'huîtres qu'on a tenues au Québec que les huîtres sont devenues rares et chères ? En outre, elles n'ont plus la qualité d'autrefois. À mon avis, les huîtres Malpèque ou les huîtres de Caraquet se valent et n'arrivent presque jamais à la hauteur des huîtres qu'on déguste en France.

C'est que là-bas, contrairement au Canada, l'ostréiculture est sévèrement réglementée et est devenue un art. Il y a plusieurs variétés d'huîtres, classées par catégorie selon leur poids, et deux grandes espèces se partagent les amateurs : les plates (parmi lesquelles se trouvent les belons) et les creuses qui se subdivisent en fines, spéciales, fines de claires et spéciales de claires. L'ostréiculture a si bien évolué qu'on mange des huîtres toute l'année en France. L'été, elles sont un peu plus laiteuses, mais quand on est friand d'huîtres...

Même s'il est préférable de ne pas brosser et laver les huîtres, il est impensable de ne pas le faire au Québec, tellement on nous les vend sales et boueuses. Il est impossible de les ouvrir sans faire pénétrer de la boue à l'intérieur, et personne n'oserait placer dans des assiettes des coquilles aussi sales. Résignons-nous donc jusqu'au jour où nos ostréiculteurs deviendront plus sophistiqués et plus soucieux des huîtres qu'ils produisent.

Je ne ferai pas l'affront d'indiquer aux amateurs comment manger les huîtres. Quelques gouttes de jus de citron ou quelques gouttes de vinaigre à l'échalote, du bon beurre doux bien froid et du pain de seigle, il n'en faut pas plus.

Les huîtres se cuisinent aussi. Si on cuisine des huîtres en écaille, le plat n'en sera que meilleur. L'autre possibilité, c'est d'utiliser les huîtres en vrac, laiteuses et un peu fades, qui nous viennent de Floride. Un se-

cret pour économiser : les partager moitié-moitié avec des huîtres en écaille.

 soupe aux huîtres à ma façon

POUR 5 À 6 PERSONNES

3 à 4 douzaines d'huîtres

Le jus de ½ citron

30 ml (2 c. à soupe) de beurre

30 ml (2 c. à soupe) d'huile d'olive

5 ml (1 c. à thé) d'huile de noisette

1 bâton de céleri coupé en très petits dés

1 échalote hachée finement

500 ml (2 tasses) de crème épaisse

500 ml (2 tasses) de lait entier

15 ml (1 c. à soupe) de ciboulette hachée finement

2,5 ml (½ c. à thé) de muscade fraîchement râpée

Une grosse noix de beurre

15 ml (1 c. à soupe) de cerfeuil ou de persil haché

Sel et poivre

Ouvrir les huîtres, puis les déposer dans un bol avec leur jus. Arroser du jus de citron et garder au froid.

Mettre le beurre et les huiles dans une cocotte en fonte émaillée, puis y faire cuire lentement le céleri et l'échalote. Quand les morceaux sont translucides, hors du feu, ajouter la crème épaisse et le lait à température de la pièce. Laisser chauffer légèrement, puis ajouter la ciboulette et amener très doucement au point d'ébullition.

Au moment de servir, mettre les huîtres dans la cocotte, ajouter la muscade et amener encore une fois très doucement au point d'ébullition. Ajouter une noix de beurre, le cerfeuil ou le persil, le sel et le poivre, puis servir la soupe tout de suite dans des assiettes à soupe très chaudes, accompagnée de croûtons à l'ail ou, si vous aimez, de ces petits craquelins qu'on fabrique aux État-Unis expressément pour les soupes aux huîtres et les *chowders*.

 ## velouté d'huîtres aux cèpes

POUR 4 PERSONNES

5 ou 6 cèpes ou shiitake séchés

2 à 3 douzaines d'huîtres

30 ml (2 c. à soupe) de beurre

1 échalote hachée finement

125 ml (½ tasse) de court-bouillon

500 ml (2 tasses) de crème épaisse

15 ml (1 c. à soupe) de ciboulette hachée finement

2,5 ml (½ c. à thé) de muscade fraîchement râpée

15 ml (1 c. à soupe) de baies roses grossièrement broyées

Le jus de ½ citron

Une noix de beurre

15 ml (1 c. à soupe) de cerfeuil ou de persil haché

Faire tremper dans l'eau 5 ou 6 cèpes séchés ou, à défaut, des shiitake séchés. Quand ils sont bien réhydratés (quelques heures), les laver sous le robinet et les essorer dans un morceau de tissu. Passer l'eau des champignons au tamis très fin doublé d'une feuille d'essuie-tout, puis réserver.

Ouvrir les huîtres et les déposer avec leur jus dans un plat qui peut aller au feu. Réserver.

Mettre le beurre dans une cocotte en fonte émaillée et y faire cuire lentement les champignons avec l'échalote. Ajouter le court-bouillon, puis la crème épaisse à température de la pièce. Laisser chauffer légèrement, puis ajouter la ciboulette et faire réduire un peu, à feu très doux. Il faut tout au plus que la crème frémisse. Ajouter ensuite la muscade et les baies roses.

Au moment de servir, mettre le jus de citron dans les huîtres et les faire chauffer dans leur plat jusqu'à ce qu'elles frémissent. Les incorporer au velouté. Ajouter une noix de beurre, le cerfeuil ou le persil, puis rectifier l'assaisonnement en sel s'il y a lieu. Servir tout de suite dans des assiettes à soupe très chaudes.

I

Île flottante

ÎLE FLOTTANTE

Il n'y a pas de meilleures îles flottantes que celles qu'on sert chez Bofinger, rue de la Bastille, à Paris. Il y a deux ans, j'étais au désespoir, car on les avait enlevées du menu. J'ai fortement protesté comme des centaines d'autres clients, j'imagine, et les îles flottantes sont revenues en force... mais moins bonnes qu'auparavant, puisqu'elles n'étaient plus panachées de pralin. J'espère que la direction est revenue à de meilleurs sentiments...

île flottante à ma façon

POUR 5 À 6 PERSONNES

6 blancs d'œufs
1 pincée de crème de tartre
1 pincée de sel
160 ml (2/3 tasse) de sucre granulé très fin
5 ml (1 c. à thé) de vanille blanche
Crème anglaise (voir recette, p. 140)

pralin

125 ml (1/2 tasse) d'amandes blanches effilées
125 ml (1/2 tasse) de sucre granulé
30 ml (2 c. à soupe) d'eau
15 ml (1 c. à soupe) de rhum brun

Battre les blancs en neige dans un cul-de-poule – ou au malaxeur, si on croit à l'électricité pour ce genre d'opération... Lorsqu'ils commencent à prendre, mettre la crème de tartre, le sel et la moitié du sucre tout en continuant à battre. Quand les blancs commencent à former des pics, ajouter le reste du sucre et la vanille, puis battre encore quelques instants. Beurrer un moule à soufflé et l'enduire de sucre. Renverser le moule pour enlever l'excès de sucre. Mettre les blancs en neige dans le moule, le déposer dans une lèchefrite dans laquelle il y a au moins 1 cm (3/8 po) d'eau, puis mettre au four préchauffé à 180 °C (350 °F) au plus 30 minutes. Afin que les œufs restent bien blancs, il est préférable de les couvrir d'un papier d'aluminium légèrement beurré. Les œufs doivent être juste assez cuits pour garder leur forme.

Mettre dans une grande assiette de service une quantité qui équivaut à une recette complète de crème anglaise. Dès que la meringue a commencé à tiédir, la démouler, puis la renverser sur la crème anglaise. Réfrigérer au moins 1 h avant de servir.

pralin

Faire griller les amandes sous le gril
(quelques minutes au plus) ou dans un four
préchauffé à 180 °C (350 °F). Les
amandes peuvent avoir été grillées
précédemment. Faire bouillir le sucre et
l'eau quelques minutes dans une petite
poêle. Lorsque le mélange prend une belle
teinte brune, ajouter, tout en remuant, les
amandes et le rhum.

   Ramener au point d'ébullition et juste au
moment de servir l'île flottante, la napper
du caramel et des amandes.

J

J

Jambon

JAMBON

« Au jambon, on connaît son compagnon ! » prétend un vieux proverbe. Heureusement qu'il n'a plus cours parce qu'avec la difficulté qu'on a de trouver du jambon de qualité, on regarderait tous ses compagnons de travers.

Ce qu'on nous vend, hélas, n'a plus de jambon que le nom ! L'industrie de la salaison fait ce qu'elle veut et offre des jambons qui sont de véritables éponges. Ils sont gorgés d'eau et d'additifs chimiques. Cette méthode industrielle a depuis longtemps remplacé le processus d'autrefois, alors que le jambon était immergé pendant des semaines dans une saumure qu'il absorbait petit à petit par capillarité.

Il reste quelques rares établissements qui fabriquent encore des jambons qui ont une certaine dignité. À Sainte-Brigide, on prépare du jambon de qualité. À Matane et à Stoke, près de Sherbrooke, et sûrement dans d'autres villes et villages que je ne connais pas. Si vous aimez le jambon, ouvrez l'œil et essayez d'en dénicher qui soit acceptable. Faites-le savoir à vos amis pour que les petits établissements qui le fabriquent aient un débit suffisant pour pouvoir survivre.

Ce type de jambon est toujours assez salé, et il vaut mieux le faire tremper plusieurs heures dans l'eau froide en changeant l'eau toutes les 6 h.

gratin de macaronis au jambon

POUR 6 PERSONNES

125 ml (½ tasse) d'huile d'olive

1 chili

1 gousse d'ail écrasée

1 oignon jaune finement haché

150 g (⅓ lb) de jambon cuit, haché finement

4 à 5 tomates mûres, pelées, épépinées et coupées en dés

Sel et poivre

450 g (1 lb) de macaronis

250 ml (1 tasse) de cheddar râpé

Faire chauffer l'huile dans une sauteuse, y faire revenir le piment et l'ail. Dès que l'ail a bruni, s'en débarrasser. Ajouter l'oignon. Faire cuire jusqu'à ce qu'il soit translucide. Ajouter le jambon, puis faire revenir 1 ou 2 minutes. Ajouter les tomates, le sel et le poivre. Cuire environ 30 minutes ou jusqu'à ce que l'huile se sépare de la sauce. Cuire les macaronis *al dente*. Les égoutter et en déposer une couche dans un plat en pyrex assez profond. Mettre une couche de sauce et de fromage, une couche de macaronis et ainsi de suite jusqu'à ce que tous les ingrédients soient utilisés. Faire gratiner 5 minutes et servir immédiatement.

Jambon

jambon de Louise II
à la façon de l'île Maurice

POUR 12 À 15 PERSONNES

1 fesse de jambon entière

2 oignons

2 gousses d'ail écrasées

12 clous de girofle

1 bâton de cannelle

30 ml (2 c. à soupe) de vinaigre de cidre

30 ml (2 c. à soupe) de graines de
moutarde

750 ml (3 tasses) de rhum blanc

2 ananas

Enlever la couenne du jambon, puis tracer un quadrillage à l'aide d'un couteau coupant et pointu. Couper les oignons en rondelles. Mélanger ail, oignons, clous, cannelle, vinaigre, graines de moutarde et rhum, puis verser sur le jambon. Laisser mariner 24 h en retournant souvent le jambon pour bien l'imprégner. Le badigeonner aussi souvent que possible.

Préchauffer le four à 135 °C (275 °F). Sortir le jambon de sa marinade, puis l'éponger avec une serviette. Retirer le bâton de cannelle. Poser le jambon sur une grande lèchefrite plate et le faire cuire environ 3 h en l'arrosant souvent de la marinade. Éplucher les ananas et les découper en tranches. Placer les tranches autour du jambon pour la dernière heure de cuisson. Sortir le jambon, le découper en belles tranches et les déposer dans un plat de service très chaud entourées ou couvertes des tranches d'ananas. Réserver au chaud. Déglacer la lèchefrite avec le reste de la marinade. Mettre la sauce dans une saucière, chaque convive s'en servant à son goût.

jambon paysan à ma façon

POUR 12 PERSONNES

1 épaule de jambon, encore dans son
coton, ou 1/2 fesse

15 ml (1 c. à soupe) d'huile d'olive

1 oignon tranché en fines rondelles

2 grosses carottes tranchées en fines
rondelles

4 gousses d'ail épluchées

1 bâton de céleri tranché en rondelles

8 graines de coriandre

8 grains de piment de la Jamaïque ou toute-
épice

3 feuilles de laurier

3 branches de thym ou 4 à 5 feuilles de
sauge

12 grains de poivre

250 ml (1 tasse) de vermouth blanc sec

250 ml (1 tasse) de vin blanc sec

250 ml (1 tasse) de bouillon de volaille

125 ml (1/2 tasse) de chapelure

125 ml (1/2 tasse) de cassonade ou de
sucre d'érable

sauce

125 ml (1/2 tasse) de porto de bonne
qualité

Beurre manié

Faire dessaler le jambon en le faisant tremper au moins 24 h dans l'eau froide.

Changer l'eau deux ou trois fois. Faire chauffer le four à 160 °C (325 °F). Enlever le coton sur le jambon, laver soigneusement la viande et bien l'assécher dans une serviette. Mettre l'huile d'olive à chauffer sur la cuisinière dans une grande cocotte épaisse, y déposer oignon, carotte, ail, céleri et tous les assaisonnements. Quand les légumes ont commencé à ramollir, ajouter vermouth, vin blanc et bouillon. Amener rapidement au point d'ébullition. Y déposer le jambon et ramener au point d'ébullition. Couvrir et mettre au four environ 1 h/kg (env. 30 minutes/lb). Quand le jambon est cuit, le déposer dans une lèchefrite plate. Enlever la couenne et presque tout le gras, puis enduire le jambon d'un mélange de chapelure et de cassonade ou de sucre d'érable.

Faire chauffer le four à 260 °C (500 °F) et y remettre le jambon environ 15 à 20 minutes, 10 à 12 minutes de plus si le jambon est presque froid. Dès que chapelure et cassonade sont caramélisées, ouvrir la porte du four. Le jambon peut rester à four ouvert une bonne heure.

sauce

Dégraisser le liquide dans lequel le jambon a cuit et le passer au chinois. Déposer ce bouillon dans une cocotte et l'amener au point d'ébullition après y voir mis le porto. Épaissir avec un peu de beurre manié.

Couper le jambon en tranches et servir avec un légume d'accompagnement de son choix.

L

Laitue et feuilles
de légumes
Langoustines
Lapin

LAITUE ET FEUILLES DE LÉGUMES

Vivre avec Louise DesChâtelets, c'est devoir manger de la laitue au moins une fois par jour et souvent deux. Louise est la plus grande mangeuse de laitues que je connaisse, ce qui explique, j'imagine, sa taille de guêpe, puisque la laitue est toujours chef de file dans les régimes minceur.

En France comme au Québec, on trouve à peu près les mêmes variétés de laitue, mais les Français ont le bon goût de laisser l'horrible iceberg aux Vietnamiens pour leurs rouleaux de printemps. Vous aurez tout de suite compris que j'ai horreur de la laitue iceberg dont la seule qualité est de se conserver plus longtemps que presque toutes les autres laitues. Mais si on achète pour la conservation, pourquoi ne pas lui préférer la romaine? Elle garde sa forme aussi longtemps que l'autre, mais elle a le mérite d'être moins fade.

Il en est des laitues comme des huiles. Si on veut composer une salade intéressante, mieux vaut le faire avec diverses variétés, plutôt que de se contenter d'une seule. De plus en plus, les mélanges de jeunes pousses deviennent populaires. Elles le sont depuis longtemps en France. Ces mélanges ne vous obligent pas à garder quatre ou cinq variétés

de laitue qui, à moins que vous ne cohabitiez avec Louise II, finiront par se flétrir avant que vous en veniez à bout. Ce qu'on appelle au Québec la Boston et qu'on appelle à Paris tout simplement laitue est l'une des variétés que je préfère... à condition qu'elle ait grandi en pleine terre, car celle de serre est mollassonne et insipide.

Si on fait une salade avec une seule variété de laitue, il faut savoir choisir. Je ne suis pas amateur de salade César, mais on ne la fait pas avec une autre laitue que la romaine. J'aime bien les salades aux lardons qui ne sauraient se passer de chicorée ou de feuilles de pissenlit. Pour un chèvre chaud en salade, chicorée, scarole ou frisée sont idéales. Pour une salade toute fine d'après repas, vive la Boston — que je mélange toujours avec une variété plus goûteuse: feuilles de chêne, radicchio, endive ou mâche. Les sauces au yogourt et à la crème sure préfèrent la frisée et ce qu'on appelle au Québec la laitue en feuilles.

Il y autre chose que les laitues traditionnelles. Si on est amateur de verdure, les jeunes feuilles d'oseille comme celles de betterave se marieront très bien avec une autre laitue, tout comme des feuilles de pourpier. Et quoi de mieux que de jeunes feuilles d'épinard ou de betterave ? Si vous avez beaucoup de patience, prenez quelques heures chaque printemps pour déraciner les pissenlits avant qu'ils envahissent votre pelouse. Il faut le faire dès que les feuilles commencent à se réveiller après le long assoupissement de l'hiver. On déracine avec un tournevis ou un petit couteau pointu, on lave dans plusieurs eaux vinaigrées ou citronnées, on coupe la racine même pour ne conserver que le bouquet. On assaisonne et on se fait une salade printanière à nulle autre pareille. Cent fois plus agréable que les feuilles de pissenlit qu'on achète sur le marché.

Les Français — et nous avons hélas hérité d'eux cette mauvaise habitude — tuent la plupart des salades qu'ils font en les gorgeant de vinaigrette. Mais est-ce moins pire que les Québécois qui utilisent les vinaigrettes toutes préparées qu'on trouve dans les grandes surfaces ? La plupart des salades n'ont que faire de ces abominables vinaigrettes lourdes qui ramollissent les feuilles et les écrasent. Ne faites pas comme les Français, faites comme les Italiens. En cuisine, ils peuvent sur plus d'un plan en montrer à leurs rivaux du Nord. Préparez votre salade, n'oubliez pas d'y ajouter une ou deux herbes fraîches (persil, basilic, sarriette, cerfeuil, estragon ou menthe) et, quelques minutes avant de servir, arrosez-la des huiles et des vinaigres que vous aurez choisis, salez, poivrez et touillez gentiment. Voilà, c'est simple comme bonjour et tellement meilleur.

Ma mère faisait souvent cuire de la laitue. J'ai gardé cette habitude.

Petit secret : soyez toujours celui qui lave la laitue... Discrètement pour ne pas faire de jaloux, coupez le trognon, ce qui vous facilitera la tâche pour détacher les feuilles. Peler le trognon et mangez-en le cœur. Presque aussi bon que du caviar !

oseille

Je ne sais pas pourquoi on ne mange pas plus d'oseille au Québec. L'oseille pousse comme de la mauvaise herbe, se répand d'année en année et résiste très bien à notre hiver. C'est la première laitue qu'on puisse manger fraîche au printemps, puisqu'elle sort la tête dès que la neige est fondue, et son goût acide en fait un ingrédient de choix dans les salades composées. Rien ne fait une meilleure sauce pour le saumon et puis moi qui n'aime pas tellement les potages, j'adore le potage à l'oseille.

sauce à l'oseille
POUR 4 PERSONNES

12 à 15 feuilles d'oseille

45 ml (3 c. à soupe) de beurre

250 ml (1 tasse) de crème épaisse

5 ml (1 c. à thé) de jus de citron

2,5 ml (½ c. à thé) de muscade
fraîchement râpée

Sel

Bien laver les feuilles, enlever la tige et la nervure centrale si elle est trop musclée. Mettre les feuilles et 15 ml (1 c. à soupe) de beurre dans une petite casserole, couvrir et faire fondre à feu très doux une quinzaine de minutes. Retirer du feu, ajouter la crème à température de la pièce et brasser vigoureusement avec une fourchette pour bien mélanger crème et oseille. Verser le jus de citron et brasser une seconde. Ajouter le beurre, la muscade et le sel, puis remettre à feu doux une quinzaine de minutes encore afin que la sauce épaississe. Attention, elle ne doit jamais bouillir. Servir avec du poisson, sur du poulet grillé ou du veau.

salade de laitues à la feta
POUR 4 PERSONNES

Un bloc de feta d'environ 150 g (¹/₃ lb)
20 olives noires Calamata
Un mélange de laitues
60 ml (4 c. à soupe) d'huile d'olive
15 ml (1 c. à soupe) d'huile de noisette
15 ml (1 c. à soupe) de vinaigre japonais
     ou de vin
Quelques gouttes de vinaigre balsamique
Un filet de jus de citron
2,5 ml (¹/₂ c. à thé) d'eau de rose
2,5 ml (¹/₂ c. à thé) d'eau de fleur
     d'oranger
15 ml (1 c. à soupe) de baies roses
     broyées

Faire dessaler la feta au moins 1 h dans un grand bol d'eau froide et l'assécher le plus possible dans une serviette. Bien rincer les olives sous le robinet et les assécher. Laver les laitues et les essorer. Les mettre dans un grand bol. Mélanger les huiles avec les vinaigres, le filet de jus de citron et les eaux de rose et de fleur d'oranger. Hacher grossièrement au grand couteau le bloc de feta, puis déposer le fromage sur la salade. Faire de même avec les olives. Saupoudrer des baies roses. Touiller légèrement et servir comme entrée. Laisser les convives saler à leur goût, car la feta et les olives sont déjà salées.

salade de laitues au roquefort
POUR 4 PERSONNES

Un mélange de laitues
60 ml (4 c. à soupe) d'huile d'olive
15 ml (1 c. à soupe) d'huile de noisette
15 ml (1 c. à soupe) de vinaigre japonais
     ou de vin
Quelques gouttes de vinaigre balsamique
Un filet de jus de citron
Un morceau de roquefort d'environ 150 g
     (¹/₃ lb)
15 ml (1 c. à soupe) de baies roses
     broyées

Laver les laitues et les essorer. Les mettre dans un grand bol. Mélanger les huiles avec les vinaigres et le filet de jus de citron. Hacher grossièrement le roquefort au grand couteau et le disposer sur la salade. Saupoudrer des baies roses. Touiller légèrement et servir comme entrée. Encore une fois, laisser les convives saler à leur goût, car le roquefort est déjà bien salé.

salade de laitue aux lardons

POUR 4 PERSONNES

225 g (1/2 lb) de lardons maigres

1 laitue frisée ou 1 chicorée

20 ml (4 c. à thé) de vinaigre japonais ou
au vin rouge

Quelques gouttes de vinaigre balsamique

10 ml (2 c. à thé) de baies roses
grossièrement broyées

10 ml (2 c. à thé) d'une herbe fraîche

Sel (si les lardons ne sont pas déjà salés)

Faire fondre les lardons à feu doux dans
une poêle. Pendant ce temps, laver la
laitue, l'essorer, puis la mettre dans un bol
à salade. Ajouter tous les assaisonnements.
Quand les lardons sont cuits, les verser sur
la laitue avec le gras qu'ils ont laissé
échapper. Rectifier l'assaisonnement en sel
et ajouter quelques gouttes d'huile, si le
gras n'est pas suffisant. Servir
immédiatement comme entrée.

salade de laitue aux pignons grillés

POUR 4 PERSONNES

1 laitue frisée ou 1 chicorée

5 ml (1 c. à thé) d'huile de noisette ou de
noix

10 ml (2 c. à thé) d'une herbe fraîche

3 ou 4 feuilles de menthe hachée

15 ml (1 c. à soupe) de vinaigre japonais
ou de cidre

Quelques gouttes de vinaigre balsamique

Sel

60 ml (1/4 tasse) d'huile d'olive

80 ml (1/3 tasse) de pignons (noix de pin)

10 ml (2 c. à thé) de baies roses
grossièrement broyées

Laver la laitue, l'essorer, puis la mettre dans
un bol à salade. Ajouter l'huile de noix ou
de noisette ainsi que les herbes, les
vinaigres et le sel. Mettre l'huile d'olive et
les pignons dans une poêle, puis les faire
dorer à feu doux en remuant constamment.
Attention, car une fois chauds, les pignons
brunissent très vite et on risque de les faire
brûler. Quand les pignons sont bien dorés,
les verser sur la laitue avec l'huile, ajouter
les baies roses, touiller légèrement et servir
comme entrée ou comme entremets.

LANGOUSTINES

langoustines grillées

POUR 4 PERSONNES

12 grosses langoustines
ou 24 petites

160 ml (2/3 tasse) de chapelure fraîche

15 ml (1 c. à soupe) de persil haché
finement

15 ml (1 c. à soupe) d'estragon haché
finement

15 ml (1 c. à soupe) de pastis ou d'arak

60 ml (1/4 tasse) d'huile d'olive

Avec des ciseaux, alors qu'elles sont encore
à demi congelées, enlever la membrane
couvrant le ventre des langoustines en
laissant la queue. Bien les laver et les

éponger. Mélanger la chapelure avec le persil, l'estragon et l'alcool, puis mouiller d'huile d'olive. Mélanger avec une fourchette jusqu'à l'obtention d'une pâte assez épaisse. Badigeonner les langoustines de cette farce et laisser reposer environ 1 h. Sur un gril posé sur une lèchefrite ou une tôle, étendre les langoustines sur le dos. Les faire griller au four, très près de l'élément chauffant, porte entrouverte, environ 3 minutes. Servir avec un riz à la tomate ou au safran.

LAPIN

Le lapin agricole qu'on obtient dans certaines boucheries françaises est bien plus goûteux que celui assez fade qu'on vend au Québec. Le lapin agricole qu'on étouffe et qu'on saigne à peine a la chair assez foncée et il n'est jamais sec. Notre pauvre lapin québécois, saigné à blanc et souvent congelé, a la fadeur des millions de lapins qu'exportent maintenant les Chinois.

Cela dit, même au Québec, ne vous privez pas de manger du lapin et, surtout, cessez de croire que vous vous ferez un jour passer un chat pour un lapin! Je l'ai dit au début de ce livre, le foie et les rognons du lapin sont un délice, et c'est parfois dommage qu'il faille acheter toute la bête pour en profiter...

lapin à l'italienne
POUR 4 À 5 PERSONNES

1 lapin d'environ 1,5 kg (3 1/4 lb) découpé en portions
125 ml (1/2 tasse) d'huile d'olive

125 ml (1/2 tasse) de céleri coupé en petits dés
2 gousses d'ail épluchées
160 ml (2/3 tasse) de vermouth blanc extra-dry
10 ml (2 c. à thé) de romarin frais haché
Sel et poivre au goût
30 ml (2 c. à soupe) de pâte de tomate
160 ml (2/3 tasse) de bouillon de volaille
1 pincée de sucre

Enlever le foie et les rognons, puis réserver. Si le boucher n'a pas découpé le lapin, le faire de la façon suivante : trancher la colonne vertébrale à la hauteur des cuisses et à la hauteur des épaules, puis couper le corps en trois parties égales. Séparer les pattes du devant entre les épaules, puis faire de même avec les cuisses. Laisser à votre toutou (ou à la poubelle) la peau des flancs.

Bien essuyer les portions de lapin. Choisir une sauteuse assez grande pour y placer tous les morceaux de lapin sans les superposer, mettre l'huile, le céleri, l'ail et le lapin, couvrir et cuire à feu doux sur la plaque pendant 1 h 15. Tourner la viande une fois ou deux pendant ce temps. Ajouter le foie et les rognons. Cuire encore quelques minutes. Enlever le couvercle, monter le feu et faire cuire jusqu'à ce que tout le liquide soit évaporé. Ajouter vermouth, romarin, sel et poivre. Mélanger la pâte de tomate dans le bouillon de volaille chaud, y mettre le sucre, puis verser dans la cocotte. Cuire encore de 12 à 15 minutes à feu doux, sans couvercle, en retournant la viande deux ou trois fois. Servir avec un légume vert.

M

Maïs

Marinade

Marlin (blue)

Mayonnaise

Menus

Morue

Moules

Muesli

MAÏS

Quand j'ai acheté ma maison à la campagne, elle était la propriété d'un très vieux monsieur qui s'appelait Buzzel. Il était venu d'Abbotsford, en Colombie-Britannique, au début du siècle dernier, et, vers 1950, il construisit la maison que j'habite. Après avoir été pomiculteur une grande partie de sa vie, il se contentait quand je l'ai connu de faire un grand potager. Il y cultivait quelques rangs de maïs. Quand je lui demandai pourquoi il se donnait cette peine alors que les environs étaient couverts de champs de maïs, il me répondit ce qui suit : « Le maïs se mange frais coupé et il faut faire chauffer l'eau dans laquelle il cuira juste avant d'aller le cueillir. À votre retour, si l'eau ne bout pas encore, jetez votre maïs et allez en cueillir d'autre ! »

Le bonhomme exagérait, il va sans dire, mais il n'était pas si loin de la vérité. Pour que le maïs soit à son meilleur, il doit s'écouler le moins de temps possible entre le moment de la cueillette et celui où on le mange. Quand on a la chance d'habiter la campagne, on va à la ferme chercher le maïs cueilli le matin ou en fin d'après-midi, on ne le réfrigère surtout pas et on le mange dans les heures qui suivent.

Enfant, je me souviens que mon père refusait de manger le maïs à même l'épi. Pour lui, cette façon de manger du maïs tenait de la plus pure barbarie. Et il n'avait pas de dentiers ! C'est l'une des idiosyncrasies que j'ai héritées du paternel, et s'il est un temps où je m'en suis félicité, c'est bien pendant les quatre années que j'ai passées avec des prothèses orthodontiques. Ceux qui en portent savent bien que le maïs en épi est un aliment dont ils doivent se passer... mais s'ils le mangeaient en grains comme je fais toujours, ils n'auraient pas à s'en priver.

Le maïs frais n'a presque pas besoin de cuisson. Je n'irai pas jusqu'à prétendre qu'il puisse se manger cru avec plaisir, comme Daniel Pinard le dit, mais de là à le faire bouillir 10, 12 minutes et même plus, il y a une marge. Dès que l'eau a recommencé à frémir, 5 ou 6 minutes suffisent à cuire du maïs frais.

 maïs au beurre et à l'huile

POUR 4 PERSONNES

12 épis de maïs bien frais

160 ml (2/3 tasse) de lait

45 ml (3 c. à soupe) d'huile d'olive

15 ml (1 c. à soupe) d'huile de noisette

45 ml (3 c. à soupe) de beurre

4 gousses d'ail hachées finement

15 ml (1 c. à soupe) de baies roses

Quelques gouttes de tabasco

15 ml (1 c. à soupe) de feuilles de

marjolaine fraîche ou, à défaut,

10 ml (2 c. à thé) de feuilles d'origan

Sel et poivre

Faire bouillir l'eau et le lait dans une grande cocotte. Éplucher le maïs et le mettre dans la cocotte. Dès que le liquide commence à frémir, compter 5 ou 6 minutes. Jeter le maïs dans une passoire et le laisser tiédir un peu. Dès qu'on peut tenir l'épi (on peut aussi porter une mitaine), en séparer les grains avec un couteau très tranchant. L'opération se réussit plus facilement si on égrène chaque épi dans un grand bol à mélanger. Verser les grains de maïs dans un plat de service très chaud, ajouter les huiles, le beurre et tous les autres ingrédients. Remuer comme il faut et servir immédiatement comme entrée.

maïs aux poivrons
POUR 6 À 8 PERSONNES

160 ml (²/3 tasse) de lait

12 épis de maïs bien frais

60 ml (¹/4 tasse) d'huile d'olive

1 oignon frais coupé en dés de la grosseur

des grains de maïs

1 poivron vert coupé en dés de même

grosseur

1 poivron rouge coupé de la même

manière

1 poivron jaune coupé de la même manière

15 ml (1 c. à soupe) d'huile de noisette

60 ml (¹/4 tasse) de beurre

4 gousses d'ail hachées finement

15 ml (1 c. à soupe) de baies roses

Quelques gouttes de tabasco

15 ml (1 c. à soupe) de feuilles de

marjolaine fraîche ou, à défaut,

10 ml (2 c. à thé) d'origan

Sel et poivre

Faire bouillir l'eau et le lait dans une grande cocotte. Éplucher le maïs et le mettre dans la cocotte. Dès que le liquide commence à frémir, compter 5 ou 6 minutes. Jeter le maïs dans une passoire et le laisser tiédir un peu. Pendant ce temps, dans une grande sauteuse, mettre l'huile d'olive et y faire revenir à feu doux l'oignon et les poivrons. Dès qu'ils sont translucides, arrêter la cuisson. Séparer les grains des épis avec un couteau très tranchant. Verser dans la sauteuse les grains de maïs, l'huile de noisette, le beurre et tous les autres ingrédients, puis faire chauffer à feu vif de 2 à 3 minutes en remuant constamment. Mettre dans un plat de service très chaud et servir immédiatement comme entrée. Ce maïs aux poivrons pourrait aussi constituer un légume d'accompagnement.

MARINADE

Les marinades peuvent être crues ou cuites et elles ont toujours pour but de parfumer, d'attendrir ou encore d'éviter qu'un poisson ou une viande ne se dessèchent. Quand on fait griller un aliment, on doit toujours utiliser une marinade à base d'huile si on ne veut pas que la pièce de viande ou le poisson finissent comme des morceaux de contre-plaqué. Certaines marinades sont longues à préparer, d'autres sont simples comme bonjour. Ce sont celles que je préfère.

Jamais je ne fais cuire le porc sans le laisser plusieurs heures à température de la pièce dans une marinade sèche. L'agneau, le bœuf ou le veau qu'on grille ou qu'on fait rôtir n'ont pas besoin de mariner aussi longtemps. Quant au poulet, 1 ou 2 h suffisent. Si le gibier est vieux et un peu trop ferme, on le fait mariner plusieurs heures. Du jeune gibier — comme du chevreuil — n'a besoin que de quelques heures.

La marinade se fait toujours sans sel. Si on en met, la viande comme le poisson se dessécheront.

Sauf pour le poisson et à moins d'exception, on fait toujours mariner à température de la pièce. C'est la température que doit avoir la viande quand on la passe sous le gril ou qu'on la saisit.

On ne jette pas une marinade. En général, on s'en sert pour déglacer ou pour faire une sauce. Dernier détail mais d'importance, jamais on ne met une pièce de viande dans une marinade chaude. Elle doit être à la température de la pièce.

marinade à barbecue
POUR BŒUF, POULET ET CÔTES LEVÉES

1 oignon haché finement
30 ml (2 c. à soupe) d'huile d'olive
1 kg (2 ¼ lb) de tomates pelées, épépinées et concassées
3 gousses d'ail pelées et hachées finement

30 ml (2 c. à soupe) de cassonade
30 ml (2 c. à soupe) de vinaigre de cidre ou de vinaigre japonais
30 ml (2 c. à soupe) de sauce Worcestershire
15 ml (1 c. à soupe) de pâte de tomate
5 ml (1 c. à thé) de sel de céleri
15 ml (1 c. à soupe) de coriandre en poudre
Poivre au goût

Faire dorer légèrement les oignons dans l'huile, puis ajouter tous les autres ingrédients et faire mijoter environ 1 h en remuant de temps à autre.

Note : On peut garder cette marinade au moins deux semaines au frigo.

marinade au citron
POUR ENVIRON 2 KG (4 ½ LB) DE VIANDE

8 grains de poivre écrasés
5 ml (1 c. à thé) de thym frais ou la moitié moins s'il est séché
15 ml (1 c. à soupe) de sauge fraîche ou la moitié moins si est elle est séchée
1 feuille de laurier
1 pincée de piment de la Jamaïque ou toute-épice
45 ml (3 c. à soupe) de jus de citron
60 ml (¼ tasse) d'huile d'olive
10 graines de coriandre
5 baies de genièvre
1 gousse d'ail émincée finement
2 branches de persil haché

Dans un bol, mélanger le jus de citron et l'huile. Broyer tous les ingrédients secs dans un mortier, puis les ajouter au mélange avec l'ail et le persil. Mettre la viande à mariner dans un bol ou une grande assiette et verser la marinade dessus. Retourner la viande de temps à autre.

marinade de Blanche pour l'agneau

160 ml (2/3 tasse) de yogourt nature bien brassé

2 gousses d'ail hachées très finement

Le jus de 1/2 citron

15 ml (1 c. à soupe) de feuilles de coriandre fraîche hachées finement

15 ml (1 c. à soupe) de feuilles de menthe fraîche hachées finement

1 pincée de cayenne

Bien mélanger tous les ingrédients et en enduire les morceaux d'agneau. Laisser mariner quelques heures à température de la pièce.

marinade pour le poisson

60 ml (1/4 tasse) d'huile d'olive

15 ml (1 c. à soupe) de jus de citron

10 ml (2 c. à thé) de persil frais haché finement

Poivre au goût

Bien mélanger tous les ingrédients à la fourchette et en badigeonner abondamment le poisson.

marinade sèche pour le porc

POUR ENVIRON 2 KG (4 1/2 LB) DE VIANDE

8 grains de poivre écrasés

8 graines de coriandre écrasées

5 ml (1 c. à thé) de thym frais ou la moitié moins s'il est séché

15 ml (1 c. à soupe) de sauge fraîche ou la moitié moins si est elle est séchée

5 baies de genièvre grossièrement écrasées

2 feuilles de laurier écrasées

1 gousse d'ail émincée finement

Mettre tous les ingrédients dans un mortier, écraser finement, puis en frotter le rôti ou les côtelettes. Placer la viande dans un bol couvert et la tourner de temps à autre. Avant de faire cuire, bien essuyer la viande.

marinade va-tout

Simple comme bonjour, c'est la marinade que je prépare avec la plupart des côtelettes que je fais griller (porc, veau et agneau). J'en enduis la viande et je laisse mariner 1 ou 2 h à température de la pièce.

POUR 2 CÔTELETTES ÉPAISSES — 2 CM (3/4 PO) — DE PORC OU DE VEAU OU 6 CÔTELETTES D'AGNEAU

5 ml (1 c. à thé) de sauce HP

2,5 ml (1/2 c. à thé) de sauce Worcestershire

5 graines de coriandre broyées

1 ml (1/4 c. à thé) de poivre fraîchement moulu

45 ml (3 c. à soupe) d'huile d'olive

10 ml (2 c. à thé) de moutarde de Meaux
   ou 5 ml (1 c. à thé) de moutarde de
   Dijon

10 ml (2 c. à thé) d'une herbe fraîche
   (romarin pour l'agneau ; sauge pour le
   porc ; thym pour le veau)

Mettre tous les ingrédients dans une assiette et les mélanger avec une fourchette. En enduire les côtelettes et laisser mariner au moins 1 h.

MARLIN (*blue*)

Dans les quelques poissonneries où on en vend, on parle toujours de *blue marlin*, alors qu'on devrait surtout parler de *white marlin*, puisque le marlin de l'Atlantique est blanc et non bleu. Le marlin bleu vient surtout des mers chaudes, tandis que le noir et le rayé se trouvent dans le Pacifique. Les marlins ne sont pas de petits poissons. Ils peuvent peser jusqu'à une tonne — soit 1 000 kg (2 200 lb), même si la plupart de ceux qu'on pêche sont plutôt de 90 à 135 kg (200 à 300 lb).

Le marlin rappellera de bons souvenirs à ceux qui ont lu *Le vieil homme et la mer* d'Ernest Hemingway.

Toutes les recettes que je donne pour le thon (y compris le thon cru) peuvent très bien se réussir avec du marlin et de l'espadon, qui coûtent une fraction du prix de l'autre. Comme le thon, le marlin doit être à peine cuit. Si c'était du bœuf, je dirais « à point » si j'étais en France ou « *medium* saignant » si j'étais au Québec.

MAYONNAISE

Quel dommage de manger de la mayonnaise qu'on achète en bocal à l'épicerie, alors qu'il est si facile d'en faire. Le goût de la mayonnaise maison est incomparable. Gardez celle du commerce pour faire un sandwich de temps à autre, mais faites votre propre mayonnaise chaque fois que vous en aurez besoin d'une certaine quantité.

Son seul inconvénient : on doit se décider au moins 1 h à l'avance, car c'est le temps requis pour que tous les ingrédients soient à température de la pièce.

 mayonnaise immanquable
DONNE ENVIRON 300 ml (1 ¼ TASSE)

1 jaune d'œuf

10 ml (2 c. à thé) de moutarde de Dijon

125 ml (½ tasse) d'huile d'olive et d'huile
   végétale mélangées

15 ml (1 c. à soupe) de vinaigre de vin

5 ml (1 c. à thé) de jus de citron

Sel et poivre blanc au goût

Utiliser un batteur à main, un batteur électrique ou un fouet. Battre le jaune d'œuf jusqu'à ce qu'il soit crémeux, ajouter la moutarde et battre encore quelques instants. Verser l'huile goutte à goutte au début, puis plus rapidement par la suite. Quand toute l'huile est émulsionnée, lier avec le vinaigre et le jus de citron bouillant. Poivrer au goût et ajouter un peu de sel.

Note : On peut conserver cette mayonnaise 3 à 4 jours au frigo.

variantes

Avec cette mayonnaise, on peut faire toutes les sauces mayonnaises qu'on souhaite : à l'ail en y ajoutant le jus d'une ou deux gousses d'ail ; à l'estragon en y ajoutant 15 ml (1 c. à soupe) d'estragon frais haché ; au raifort en y ajoutant 15 ml (1 c. à soupe) de raifort préparé et ainsi de suite.

Quand on parfume une mayonnaise, on le fait à la fin seulement, quand la mayonnaise est terminée, et on incorpore le nouvel ingrédient à la fourchette.

Note : Une mayonnaise aromatisée se conservera au frigo moins longtemps que celle qui ne l'est pas.

MENUS

Je ne sais pas combien de cuisiniers — je ne parle pas des chefs, je parle des cuisiniers de tous les jours comme moi — ont du mal à composer des menus. C'est vrai que ce n'est pas toujours simple, mais il faut s'y astreindre si on désire bien manger et, surtout, manger de manière variée. Presque tout le monde planifie sa journée de travail, alors pourquoi ne pas planifier aussi sa journée de bouffe ? Déterminer à l'avance au moins le menu du repas principal, qui doit toujours être un moment privilégié. Ce repas principal, qu'il soit le midi ou le soir, est celui qui donne à un homme et à une femme l'occasion de parler de leur journée ou de leurs états d'âme et aux parents, celle de se rapprocher de leurs enfants.

Une fois qu'on a compris que manger est une fête, plus rien n'est besogne, corvée ni fardeau. Même l'épluchage des légumes devient un petit bonheur, puisqu'il est un passage obligé vers la fête.

Personne n'a mieux saisi que la grande Colette la célébration qu'est un repas. Je ne peux m'empêcher de vous rappeler ce qu'elle écrit dans *Prisons et paradis* : « Tout est mystère, magie, sortilège, tout ce qui s'accomplit entre le moment de poser sur le feu la cocotte, le coquemar, la marmite et leur contenu, et le moment plein de douce anxiété, de voluptueux espoir, où vous décoiffez sur la table le plat fumant. »

Comme l'écrivain, l'artiste ou le comédien, le cuisinier a toujours le trac quand vient ce moment de « décoiffer sur la table le plat fumant ». Loin de s'amenuiser avec le temps, cet instant d'angoisse semble plutôt grandir. Quelle que soit son expérience, le cuisinier ne peut réprimer une certaine angoisse au moment où les invités prennent leurs premières bouchées. Quelle satisfaction quand il les voit savourer et, surtout, quand il entend les premiers compliments !

Ma femme est mon premier public et presque toujours le seul, en semaine. Si je vous avouais que j'ai la même inquiétude vis-à-vis elle que j'ai devant des amis que je n'invite pas souvent à ma table. Elle s'étonne chaque fois que j'appréhende sa première réaction. « Tu fais ce plat depuis des années… » C'est vrai, mais comme je le fais rarement deux fois de la même façon, comment pourrais-je ne pas attendre son verdict avec appréhension ?

Tous les cuisiniers répètent qu'ils ne cherchent pas les compliments, mais ne les croyez pas. Ils se rongeront les sangs tant qu'ils n'entendront pas votre opinion sur ce qu'ils ont préparé. Ils ont aussi besoin de la vérité. Le plat est-il trop relevé ? Il faut le dire... avec tact. Est-il trop salé, trop cuit, pas suffisamment ? Trouvez les mots pour le dire sans que le cuisinier ne vous morde ou ne vous plante sa fourchette entre les deux yeux.

Chaque fois qu'une femme est entrée dans ma vie, je lui ai toujours raconté à la blague qu'elle serait au moins 60 jours sans retrouver le même plat au menu. Honnêtement, je crois avoir tenu parole, car il s'écoule au moins deux ou trois mois avant que je refasse un plat. Nous ne mangeons donc jamais plus de 2 ou 3 pot-au-feu par an, jamais plus de 2 ou 3 rosbifs ou rôtis de porc, et ainsi de suite.

Composer le menu devient une seconde nature. Le matin, en me levant (après avoir embrassé ma femme, évidemment...), je compose le menu du soir, si je ne l'ai pas fait la veille en me couchant (après avoir fait ma prière, évidemment...).

Pour faciliter la composition des menus, nous écrivons quotidiennement dans un grand cahier ce que nous avons mangé au repas du soir, notre repas principal de la journée. Je n'ai qu'à feuilleter ce cahier pour me rappeler ce que j'ai mangé il y a un an ou le mois précédent ou pour vérifier si je n'ai pas fait tel plat trop récemment pour le remettre au menu.

Beaucoup de travail, direz-vous ? Moins que vous croyez. Cette minute passée à écrire le menu quotidien nous assure une alimentation variée et surtout bien équilibrée.

En plus de ce cahier, nous tenons un livre d'invités. Chaque fois que nous recevons à dîner, nous inscrivons le menu du repas dans ce livre, la place qu'occupaient les invités à table, les vins que nous avons servis, le temps qu'il faisait, l'occasion pour laquelle nous recevions et tous les autres détails qui nous semblent pertinents.

Ces livres d'invités dont le premier remonte à plus d'un quart de siècle ne sont pas seulement une référence extraordinaire, ils sont aussi les témoins de nos amitiés. Hélas, ils constituent aussi l'obituaire des amis disparus, mais un bien doux obituaire puisqu'en le feuilletant, nous retrouvons nos amis disparus souriants, blagueurs, commentant plats et vins, réglant les problèmes de l'humanité et échafaudant des projets de vacances ou de voyages.

Quand je dresse le menu quotidien, je commence toujours par déterminer le plat principal. S'il comporte déjà des légumes, je choisis une entrée qui n'en a pas, du saumon fumé, un carpaccio de bœuf ou de thon ou un poisson froid, par exemple. Si le plat principal est un risotto, des pâtes ou une viande dont l'accompagnement de légume est minimal, je ferai une entrée de légumes et ainsi de suite. Jamais deux plats froids de suite... à moins qu'il ne s'agisse d'un pique-nique. Ni deux plats de suite dont les féculents seraient la principale composante.

Il faut aussi travailler avec les saisons. On ne sert pas d'asperges au mois d'août, pas

plus qu'il n'est intéressant de servir des tomates fraîches en janvier. Il y a des plats d'été
et des plats d'hiver. S'il fait 30 °C (86 °F) à
l'ombre, un steak au poivre n'est pas très indiqué, pas plus que ne le serait une soupe de
concombre froide en plein janvier.

Viande comme poissons, fruits de mer et
légumes ont des saisons. C'est au printemps
et au début de l'été que l'agneau est le
meilleur. Et les homards du Maine qui sont
de très mauvais voyageurs n'ont pas, une fois
arrivés à Montréal, les qualités d'un homard
de Gaspé ou des Îles-de-la-Madeleine. Rien
n'est aussi savoureux qu'une aubergine
d'août ou de septembre cuite avec des tomates des champs et rien n'est plus triste que
des haricots verts ou jaunes en décembre.
L'hiver, on sort les céleris-raves, les navets
et tous les légumes de terre...

Il y a des manies à éviter lorsqu'on compose les menus. Après avoir mangé une entrée
et un plat principal qu'on fait souvent suivre
d'un dessert, oubliez la salade verte qui n'est
qu'un embarras, la plupart du temps. Il n'est
pas nécessaire d'en servir à tous les repas, à
moins que vous ayez de sérieux problèmes
d'intestins. Pensez plutôt à des salades en entrée. Sauf le cas où vous avez des invités, le
plateau de fromages n'a pas besoin d'en com-
porter six ou sept variétés. Les deux ou trois
fromages que vous préférez sont bien suffi-
sants. Même avec des invités, mieux vaut trois
bons fromages qu'une demi-douzaine de fromages quelconques.

En semaine, nous ne mangeons jamais de
dessert, Maryse et moi. C'est notre façon de

surveiller notre ligne... Après le repas, il arrive souvent qu'on ait une fringale de sucre.
On la fait taire avec une figue confite, une
cuillerée de miel ou un biscuit.

Pour vous aider à constituer des menus
de tous les jours, voici une série de combinaisons faites avec des recettes tirées
de ce livre :

Entrée de sardines
Langue de veau braisée
Fromages et dessert

Soupe au chou
Espadon aux olives
Fromages et dessert

Céleri-rave en salade
Spaghettis au thon et à l'huile
Fromages et dessert

Velouté de panais
Gratin de macaronis au jambon
Salade verte et dessert

Haricots verts à l'huile et au citron
Jarret de veau aux anchois
Fromages et dessert

Tomates confites à la feta et aux olives
Épinards au bœuf haché
Fromages et dessert

Gésiers confits en chaud-froid
Spaghettis au coulis de tomate
Fromages et dessert

Menus

Risotto au coulis de tomate et aux cèpes
Filets de morue aux olives
Salade verte et dessert

Salade de flétan froid
Soupe de poisson à ma manière et bruschetta
Dessert

Carpaccio de thon
Macaronis à l'aubergine
Salade verte et dessert

Maïs au beurre et à l'huile
Aile de raie pochée
Salade verte et dessert

Salade de tomates fraîches au basilic
Côtes levées aigres-douces et riz à l'antillaise
Fromages et dessert

Fenouil au parmesan
Filet de porc
Salade verte et dessert

Brocoli au citron et à l'ail
Thon frais aux olives
Fromages et dessert

Aubergines gratinées à la tomate
Crevettes grillées à l'arak et riz au four
Salade verte et dessert

Chou-fleur au vinaigre et à l'huile
Vivaneau dans sa brunoise de poivrons
Fromages et dessert

Aubergines farcies poêlées
Escalopes de veau au citron
Salade verte et dessert

Salade de carottes aux câpres
Flétan grillé et épinards à la crème
Fromages et dessert

Salade de laitue aux pignons grillés
Pâté chinois à ma façon
Fromages et dessert

Feta à la hongroise
Saumon poêlé
Salade verte et dessert

Salade de concombres
Spaghettis à la carbonara
Fromages et dessert

Poireaux tièdes aux baies roses
Cuisses de poulet aux cèpes
Fromages et dessert

Champignons sur toast
Calmars à la tomate
Salade verte et dessert

Poivrons à la marocaine
Steak à l'italienne avec frites
Fromages et dessert

Purée d'avocat
Foie à la vénitienne
Fromages et dessert

Salade de tomates fraîches et mozzarella
Morue fraîche à la sauce piquante
Fromages et dessert

Betteraves sautées au cumin
Rognons grillés
Salade verte et dessert

Salade d'endives et de clémentines de Maryse
Rôti de porc à ma façon
Fromages et dessert

Carpaccio de bœuf
Risotto aux crevettes
Salade verte et dessert

Betteraves râpées au vermouth blanc
Magret de canard et purée de navets
Fromages et dessert

Et pour vous mettre en appétit lors des grandes occasions, voici quelques menus de saison.

pour le jour de Pâques...
Carpaccio de pétoncles
Navarin d'agneau
Salade verte et fromages
Pouding chômeur à ma manière
                    *   *   *
Fettucines au saumon fumé
Jambon de Louise II
        à la façon de l'île Maurice
Salade verte et fromages
Mousse à l'érable d'Aimée

pour célébrer l'été...
Asperges gratinées au parmesan
Homard grillé et farci
Salade de jeunes pousses de laitue
Fromages
Fraises vapeur
                    *   *   *
Spaghettis aux herbes et aux tomates fraîches
Poulet rôti aux deux citrons et haricots verts
Salade verte et fromages
Tarte à la framboise et aux bleuets de Maryse

pour l'Action de grâces...
Soupe aux huîtres à ma façon
Épaule d'agneau confite
        et choux de Bruxelles
Salade verte et fromages
Tarte à la citrouille d'Aimée
                    *   *   *
Potage à la citrouille
Canard grillé et brocoli chinois
Salade verte et fromages
Gâteau humide aux pommes

pour le réveillon de Noël...
Saumon fumé sur pain de seigle panaché à
        l'œuf de caille
Tourtière du Lac-Saint-Jean
Salade verte et fromages
Plum-pudding et sa sauce
                    *   *   *
Poireaux au caviar d'esturgeon
Dinde farcie aux marrons et fenouil braisé
Vacherin et salade verte
Gâteau aux fruits d'Aimée et crème chantilly

pour le réveillon de la Saint-Sylvestre...

Foie gras de canard entier

Velouté de betteraves de Maryse

Gigot d'agneau et tian de légumes

Salade verte et fromages

Gâteau de crêpes

* * *

Carpaccio de pétoncles

Velouté d'huîtres aux cèpes

Faisan à ma manière

Salade verte et fromages

Tarte Tatin

MORUE

Je suis accro de la morue depuis ma plus tendre enfance. Comme si j'avais été Portugais dans une autre vie... J'avais même hâte de me coucher pour avaler la cuillerée d'huile de foie de morue que nous donnait ma mère tous les soirs. Encore aujourd'hui, je craque pour le foie de morue en semi-conserve que préparent les Gaspésiens et les Madelinots. Lorsque je suis en manque — ce qui est rare — je mange celui que les Danois mettent en conserve permanente dans son huile. Moins bon peut-être, mais quand on est en manque...

Aujourd'hui, la morue est devenue rare, donc hors de prix. C'est facile à comprendre quand on sait que depuis des décennies, on en pêchait chaque année plus de 4 milliards de kilos dans l'Atlantique Nord.

Chez mes parents, on mangeait beaucoup de morue. En bonne partie parce qu'elle était économique. J'imagine qu'à peu près tout le monde en mangeait pour la même raison. Chez M. Bird, l'épicier où nous faisions les courses, il y avait toujours une boîte de morue séchée et salée sur le comptoir. Des filets. C'est la moins bonne morue salée et séchée. Achetez plutôt de la morue séchée salée qui a encore sa peau. En général, elle vient du Portugal... après avoir été pêchée sur les bancs de Terre-Neuve ! Là-bas, elle fait l'objet de deux grandes opérations. On commence d'abord par recueillir le sel de mer, puis on fend les morues en deux, on les éviscère, on les presse et on les sale avant de les faire sécher au grand air, protégées du soleil trop intense par un toit de lattes. Ne vous étonnez pas de la payer aussi cher (sinon plus) que du saumon fumé.

Avant de la manger, il faut la réhydrater et la dessaler en la faisant tremper de 24 à 48 h dans l'eau froide qu'on change plusieurs fois par jour. Voici une bonne façon de le faire sans empester votre frigo pour des mois : mettre les morceaux de morue dans un grand bocal rempli d'eau à ras bord, visser le couvercle et changer l'eau chaque fois que vous y pensez...

On peut se contenter d'acheter des filets de morue salée et séchée — dessalage et réhydratation prendront beaucoup moins de temps —, mais ils seront toujours moins bons que la morue qui a été salée et séchée avec sa peau. Entre la peau et la chair, il y a une gélatine qui accentue la saveur de la morue et qui est quasi indispensable si on veut réussir une brandade bien moelleuse.

Les Portugais prétendent qu'ils ont 365 façons d'apprêter la morue. Une façon différente pour chaque jour de l'année. Je crois qu'ils exagèrent un peu, mais il n'en reste pas moins que la morue est le plus polyvalent des poissons et celui qui se prête le mieux à des dizaines de recettes différentes.

Si l'odeur de la morue salée et séchée vous rebute (pauvre vous...), vous pourrez avoir une idée du goût de la vraie morue en vous livrant à une petite opération de salage maison.

comment saler la morue

Saupoudrez chaque filet de morue fraîche d'un peu de sel, enveloppez les filets individuellement dans une pellicule plastique et gardez-les ainsi au frigo 24 h. Ne les dessalez pas avant de faire cuire... à moins d'avoir mis trop de sel en début d'opération.

Ne pavoisez pas trop, toutefois, cette morue salée maison ne vous permettra jamais de faire de la brandade...

brandade

Jusqu'à ces derniers temps, je faisais la brandade sur la cuisinière en la brassant interminablement avec une cuillère de bois. J'ai découvert que la brandade est tout aussi bonne faite au robot culinaire. On épargne ainsi beaucoup de temps, mais on épargne également un bon mal de bras.

POUR 7 À 8 PERSONNES EN PLAT PRINCIPAL ET POUR 12 PERSONNES EN ENTRÉE

2 feuilles de laurier, une branche de thym, une branche de céleri ou quelques feuilles de céleri aromatique

1 kg (2 ¼ lb) de morue séchée salée

200 g (7 oz) de pommes de terre (facultatif)

30 ml (2 c. à soupe) d'huile de noisette

Environ 430 ml (1 ¾ tasse) d'huile d'olive vierge

Environ 250 ml (1 tasse) de crème épaisse

Le jus de 3 gousses d'ail

Le jus d'un citron

5 ml (1 c. à thé) de poivre blanc fraîchement broyé

2,5 ml (½ c. à thé) de muscade fraîchement râpée

Dans une grande cocotte, mettre de l'eau froide, le laurier, le thym et le céleri ainsi que les morceaux de morue. Amener au point d'ébullition. Retirer du feu et laisser la morue pocher de 12 à 15 minutes. Peler les pommes de terre et les faire bouillir ou les faire cuire au four en robe des champs. Mélanger l'huile de noisette à l'huile d'olive, puis faire chauffer au micro-ondes ou sur la cuisinière. L'huile doit être un peu plus chaude que tiède. Même chose pour la crème.

Retirer la morue de son eau. Mettre le tiers des huiles dans le robot culinaire, défaire la morue en flocons en prenant garde d'en séparer les arêtes ainsi que la peau noire, puis mettre dans le robot. Essayer de conserver la gélatine qui se trouve entre la chair et la peau. Elle donne beaucoup d'onctuosité à la brandade. Quand toute la chair de morue est dans le robot, réduire en purée par petits coups, puis ajouter alternativement le reste des huiles et la crème chaudes jusqu'à l'obtention d'une belle purée. Si on met des pommes de terre, il faut d'abord les réduire en purée avec une fourchette ou un pilon, puis les ajouter encore chaudes à la brandade. On aura fait alors une purée un peu plus claire, puisque la pomme de terre l'épaissira. Ajouter ensuite l'ail, le jus de citron, le poivre et la muscade. Entre chaque ajout, actionner le robot une ou deux secondes.

Verser la brandade dans un grand bol, couvrir et mettre au frigo où elle se conservera plusieurs jours. Mieux vaut laisser la brandade reposer 24 h avant d'en manger une première fois, car elle devient de plus en plus goûteuse à mesure que le temps passe.

On peut servir la brandade en la faisant chauffer au micro-ondes et en l'accompagnant de deux ou trois morceaux de pain grillé. Quant à moi, je préfère la servir dans de petits plats à gratin. J'ajoute quelques noisettes de beurre et un peu de parmesan râpé et je fais gratiner quelques minutes sous le gril.

filets de morue aux olives
POUR 4 PERSONNES

450 g (1 lb) de filets de morue (en général 2 filets)

1 gros oignon tranché en rondelles minces d'environ 0,5 cm (¼ po)

60 ml (¼ tasse) d'huile d'olive

16 olives noires dénoyautées

2 gousses d'ail finement hachées

1 petit bouquet de persil frais, finement haché
Sel

15 ml (1 c. à soupe) d'huile de noisette

10 ml (2 c. à thé) de jus de citron

Quelques gouttes de tabasco

7,5 ml (1 ½ c. à thé) de baies roses broyées

Laver les filets, les couper en deux de façon à avoir deux portions raisonnables, puis les assécher. Dans une poêle ou une sauteuse, mettre les rondelles d'oignon à chauffer à feu doux dans la moitié de l'huile d'olive. Quand ils sont translucides, ajouter les olives, l'ail, le persil, le sel, puis éteindre le feu. Dans un plat à gratin ou un plat en pyrex, mettre l'huile d'olive qui reste ainsi que l'huile de noisette, le jus de citron et le tabasco. Émulsionner avec une fourchette, y déposer les filets de morue en les retournant deux ou trois fois pour bien les enduire du mélange, verser dessus les olives et saupoudrer de baies roses. Mettre au four préchauffé à 230 °C (450 °F) environ 12 minutes. Servir tel quel ou avec une pomme de terre nature.

filets de morue aux pommes de terre
POUR 4 PERSONNES

450 g (1 lb) de filets de morue (en général 2 filets)

Sel et poivre

2 à 3 pommes de terre coupées en tranches très minces d'environ 2 mm (moins de ⅛ po)

60 ml (¼ tasse) d'huile d'olive

1 gros oignon tranché en rondelles très minces

2 gousses d'ail émincées en rondelles fines

1 petit bouquet de persil frais, finement haché

5 ml (1 c. à thé) de zeste de citron haché finement

10 ml (2 c. à thé) de jus de citron

15 ml (1 c. à soupe) d'huile de noisette ou de noix

Laver les filets, les couper en deux de façon à avoir deux portions raisonnables par filet et les assécher. Mettre dans une cocotte les pommes de terre dans l'eau froide salée et les faire blanchir jusqu'à ce qu'elles soient *al dente*. Les égoutter dans une passoire et les arroser de la moitié de l'huile d'olive. Mettre les rondelles d'oignon à chauffer à feu doux dans l'autre moitié de l'huile d'olive jusqu'à ce que les oignons soient translucides. Déposer la moitié des pommes de terre et de l'oignon ainsi que la moitié de l'ail, du persil, du zeste et du jus de citron dans un plat à gratin ou un plat en pyrex, étendre les filets de morue, puis mettre le reste de la préparation, de l'ail, du zeste et du jus de citron par-dessus les filets. Arroser de l'huile de noisette. Mettre au four préchauffé à 230 °C (450 °F) environ 15 minutes. Après 5 minutes, on peut déposer un papier d'aluminium sur le plat de façon que les pommes de terre ne brûlent pas. Servir tel quel dans des assiettes chaudes.

filets de morue aux tomates

POUR 4 PERSONNES

450 g (1 lb) de filets de morue (en général 2 filets)

60 ml (¼ tasse) d'huile d'olive

1 gros oignon tranché en rondelles très minces

1 grosse tomate coupée en rondelles d'environ 0,5 cm (¼ po)

2 gousses d'ail émincées en rondelles fines

Sel et poivre

1 petit bouquet de persil frais, finement haché

10 ml (2 c. à thé) de jus de citron

Laver les filets, les couper en deux de façon à avoir deux portions raisonnables par filet, les assécher et réserver. Mettre dans une sauteuse les deux tiers de l'huile d'olive et les rondelles d'oignon, puis faire chauffer à feu doux jusqu'à ce que l'oignon soit translucide. Ajouter les rondelles de tomate et l'ail, saler et poivrer. Faire chauffer à feu doux jusqu'à ce que les rondelles de tomate aient ramolli. Déposer la moitié de cette préparation dans un plat à gratin ou un plat en pyrex ainsi que la moitié du persil, étendre les filets de morue dessus, le reste du persil, le jus de citron et le reste de la préparation. Arroser du reste de l'huile d'olive. Mettre au four préchauffé à 230 °C (450 °F) environ 15 minutes. Servir tel quel.

morue à la portugaise

POUR 6 PERSONNES

Environ 900 g (2 lb) de morue salée et séchée

3 poivrons rouges grillés, pelés et coupés en quatre parties chacun

1 gros oignon épluché et coupé en dés

60 ml (4 c. à soupe) d'huile d'olive

4 gousses d'ail émincées finement

5 tomates pelées, épépinées et coupées en dés

1 chili

Sel

10 ml (2 c. à thé) de zeste de citron haché finement

15 ml (1 c. à soupe) de persil frais haché

15 ml (1 c. à soupe) d'huile de noisette

pour faire pocher la morue

2 feuilles de laurier entières

5 ml (1 c. à thé) de thym séché
 ou 1 bouquet de thym frais

1 bâton de céleri coupé en morceaux

Dessaler la morue (voir p. 244) et la faire pocher de la façon qui suit: dans une grande cocotte, mettre de l'eau froide, le laurier, le thym, le céleri et les morceaux de morue. Amener au point d'ébullition. Retirer du feu et laisser tiédir dans son eau pendant 10 minutes. Enlever les morceaux de morue de leur court-bouillon, les débarrasser de leur peau et de toutes les arêtes, les couper en carrés de 3 x 3 cm (1 ¼ x 1 ¼ po) et réserver.

Faire griller les poivrons de tous les côtés le plus près possible du gril. Lorsqu'ils sont bien noircis, les mettre dans un sac de plastique et l'attacher. Lorsque les poivrons sont tièdes, les sortir du sac, les peler, les couper en deux, les épépiner et les couper encore en deux. Réserver.

Dans une sauteuse, faire cuire l'oignon dans les deux tiers de l'huile d'olive. Lorsqu'ils commencent à brunir, ajouter l'ail, la tomate et le chili. Quand les tomates sont cuites, saler au goût.

Dans un grand plat à gratin ou un plat en pyrex, mettre la moitié de la sauce et disposer les carrés de morue. Saupoudrer la morue du zeste de citron, puis verser le reste de la sauce. Disposer les quartiers de poivron, saupoudrer de persil et arroser du reste de l'huile d'olive et de l'huile de noisette. Mettre au four préchauffé à 200 °C (400 °F) environ 7 à 8 minutes.

 morue à l'échalote et à l'ail

Voici une façon très agréable de manger de la morue fraîche. Elle conserve sa saveur que l'ail et l'échalote font encore ressortir. À la rigueur, on peut employer la même recette pour le flétan frais ou ce qu'on appelle dans nos poissonneries «l'achigan de mer» ou «sea bass», mais c'est moins agréable qu'avec la morue.

POUR 4 PERSONNES

4 darnes de morue fraîche ou 2 filets d'environ 200 g (7 oz) chacun

80 ml (⅓ tasse) d'huile d'olive

Sel et poivre du moulin

15 ml (1 c. à soupe) d'herbes de Provence

15 ml (1 c. à soupe) d'huile de noisette

4 gousses d'ail en lamelles

4 échalotes en lamelles

Le jus de ½ citron

Bien laver les darnes (ou les filets) et les assécher avec une serviette. Les déposer sur la grille d'une lèchefrite après les avoir mouillées des deux côtés du tiers de l'huile d'olive. Saler, poivrer et saupoudrer des herbes de Provence. Mettre le reste de l'huile d'olive et l'huile de noisette à chauffer légèrement dans une petite poêle, puis y ajouter l'ail et l'échalote. Chauffer jusqu'à ce que l'ail et l'échalote soient translucides. Éteindre le feu. Préchauffer le gril et placer la morue à mi-four afin qu'elle ne brunisse pas. Après environ 5 minutes, tourner les darnes et les laisser encore 3 à 4 minutes. Enlever la peau des darnes, puis les disposer chacune dans une assiette. Les napper de l'ail et de l'échalote, puis arroser de jus de citron. Servir avec des haricots verts au beurre et au citron, ou encore avec des pommes de terre nature.

morue aux champignons

POUR 4 PERSONNES

Quelques cèpes séchés

12 champignons de Paris

80 ml (1/3 tasse) d'huile d'olive

1 gros oignon tranché en rondelles minces d'environ 0,5 cm (1/4 po)

3 gousses d'ail tranchées en fines lamelles

Sel et poivre

450 g (1 lb) de filets de morue (en général 2 filets)

10 ml (2 c. à thé) de jus de citron

Réhydrater les cèpes en les faisant tremper dans un bol d'eau au moins 6 h. Après ce temps, passer les cèpes sous l'eau du robinet, les assécher le plus possible et les couper en lanières. Filtrer leur eau dans une passoire fine doublée d'une feuille d'essuie-tout. Réserver. Nettoyer les champignons de Paris et les

couper en lamelles de 2 à 3 mm (env. 1/8 po). Dans une poêle ou une sauteuse, les faire rissoler rapidement dans les deux tiers de l'huile d'olive en les tournant souvent avec deux cuillères de bois ou deux spatules. Quand les champignons ont absorbé l'huile, ajouter les cèpes séchés et leur eau, puis continuer à remuer. Quand l'eau s'est évaporée et que les champignons commencent à rejeter leur huile, les enlever de la sauteuse et les réserver. Mettre dans la sauteuse le reste de l'huile d'olive et l'oignon, puis le faire cuire à feu doux jusqu'à ce qu'il devienne translucide. Ajouter l'ail émincé, puis les champignons. Saler et poivrer.

Dans un plat à gratin ou un plat en pyrex, mettre la moitié des oignons et des champignons, puis étendre les filets. Les arroser du jus de citron et y déposer le reste des oignons et des champignons. Mettre au four préchauffé à 230 °C (450 °F) environ 12 minutes.

morue fraîche à la sauce piquante

POUR 4 PERSONNES

450 g (1 lb) de morue fraîche

45 ml (3 c. à soupe) d'huile d'olive

1 oignon jaune, tranché finement

2 gousses d'ail émincées finement

2 grosses tomates pelées et non épépinées

1 petit piment chili frais, émincé finement

12 à 15 feuilles de coriandre fraîche hachées grossièrement

12 olives noires, dénoyautées et émincées

Sel au goût

Faire chauffer l'huile d'olive dans une poêle, y dorer légèrement l'oignon et l'ail, ajouter les tomates, le piment, la coriandre et les olives, saler et faire cuire à feu doux jusqu'à ce que l'huile se sépare. Napper un plat en pyrex ou en fonte émaillée d'un peu de sauce, ajouter les filets en un seul rang, saler, et verser dessus le reste de la sauce. Faire cuire au four à 230 °C (450 °F) de 5 à 8 minutes, selon la grosseur des filets. Servir tel quel ou avec une pomme de terre nature. On peut remplacer le piment par du poivre et les olives par des câpres, comme on peut remplacer la morue par de la plie.

pot-au-feu de morue

Voilà un plat qui ne se fait pas sans effort, mais qui épatera tous vos amis qui aiment la morue. Comme beaucoup de plats cuisinés, celui-ci a l'avantage de pouvoir se préparer bien avant qu'arrivent les invités. Vous pourrez donc boire l'apéro tranquillement avec eux en ne vous inquiétant pas de ce qui arrive à la cuisine.

Cette recette est une adaptation de celle que prépare Rick Moonen, le chef du restaurant Oceana à New York.

POUR 7 À 8 PERSONNES

1,5 kg (3 1/4 lb) de morue salée et séchée

pour faire pocher la morue

2 feuilles de laurier entières
5 ml (1 c. à thé) de thym séché ou
    1 bouquet de thym frais
1 bâton de céleri coupé en morceaux

pot-au-feu

1/2 ou 2/3 de chou blanc (selon sa grosseur) dont on aura enlevé le cœur et qu'on aura coupé en filaments d'au plus 3 cm (1 1/4 po) de largeur
15 pommes de terre grelots ou 4 à
    5 pommes de terre épluchées et coupées en deux
4 petits navets épluchés et coupés en tranches d'environ 2 cm (3/4 po)
16 petites carottes fraîches entières ou
    4 grosses carottes coupées en rondelles de 2 cm (3/4 po)
500 ml (2 tasses) de pois mange-tout ou de haricots verts, coupés en bouts de 4 cm (1 1/2 po)
375 ml (1 1/2 tasse) de petits oignons blancs partiellement cuits
30 ml (2 c. à soupe) de vermouth blanc extra-dry
30 ml (2 c. à soupe) d'huile d'olive
2,5 ml (1/2 c. à thé) de sucre
115 g (1/4 lb) de lardons fumés bien maigres
15 ml (1 c. à soupe) de thym frais effeuillé
6 baies de genièvre
15 ml (1 c. à soupe) de grains de poivre blanc
2 feuilles de laurier écrasées
625 ml (2 1/2 tasses) de bouillon de volaille
500 ml (2 tasses) d'eau
8 à 12 gousses d'ail épluchées
4 blancs de poireaux coupés en rondelles de 1,5 cm (1/2 po)
Sel au goût

sauce

180 ml (¾ tasse) de crème épaisse

125 ml (½ tasse) de yogourt

15 ml (1 c. à soupe) de moutarde de Dijon

45 ml (3 c. à soupe) de raifort préparé
  bien essoré

30 ml (2 c. à soupe) de persil frais haché

Sel au goût

Dessaler la morue (voir p. 243). Dans un bol, commencer à faire la sauce en mélangeant au fouet la crème, le yogourt et la moutarde, puis laisser à température de la pièce de 6 à 8 h.

Avant de commencer le pot-au-feu, faire pocher la morue de la façon qui suit : dans une grande cocotte, mettre de l'eau froide, 2 feuilles de laurier, le thym et le céleri ainsi que les morceaux de morue. Amener au point d'ébullition. Retirer du feu et laisser tiédir dans son eau pendant 10 minutes. Enlever les morceaux de morue de leur court-bouillon, les débarrasser de leur peau et de toutes les arêtes en essayant de les conserver le plus entiers possible, puis réserver après avoir couvert la morue d'un linge humide afin qu'elle ne sèche pas.

pot-au-feu

Blanchir séparément tous les légumes, à l'exception des poireaux. Dans une petite cocotte, mettre les oignons blancs épluchés avec le vermouth, les 30 ml (2 c. à soupe) d'huile d'olive, le sucre et la même quantité d'eau. Cuire à découvert jusqu'à ce que le liquide soit évaporé et que les oignons commencent à caraméliser. Laisser refroidir et réserver.

Dans une très grande casserole capable de contenir tous les ingrédients, faire cuire légèrement les lardons sans les faire rôtir. Ajouter le chou blanchi en le répartissant dans la casserole, puis ajouter le thym, les baies de genièvre, les grains de poivre et le laurier. Ajouter la moitié du bouillon et de l'eau, couvrir et amener au point d'ébullition. Réduire le feu et faire mijoter environ 10 minutes. Ajouter les oignons, les pommes de terre, les poireaux, les navets, les carottes et l'ail ainsi que le reste de l'eau et du bouillon. Couvrir et amener de nouveau au point d'ébullition. Faire mijoter environ 15 minutes et, pendant ce temps, préchauffer le four à 180 °C (350 °F).

On peut préparer le plat jusqu'à ce stade et le laisser attendre quelques heures sans le mettre au frigo.

Retirer la casserole du feu, mettre les pois mange-tout ou les haricots verts, placer les morceaux de morue au-dessus des légumes — la morue ne doit pas toucher au bouillon ; s'il y a trop de bouillon, en enlever et réserver. Saler, au besoin, couvrir et mettre au four jusqu'à ce que le tout soit très chaud.

sauce

Pendant ce temps, préparer la sauce. Fouetter quelques secondes la crème, le yogourt et la moutarde mélangés afin d'alléger un peu, ajouter le raifort et fouetter quelques secondes, puis incorporer le persil haché. La sauce doit avoir la consistance d'une crème chantilly. Si elle est trop épaisse, on peut l'éclaircir avec quelques cuillerées de bouillon du pot-au-feu.

Ce plat se sert dans des assiettes à soupe chaudes en faisant en sorte que chaque convive ait à peu près les mêmes quantités de morue, de légumes et de lardons. Dans chaque assiette, on ajoute une généreuse cuillerée de sauce.

Si on ne veut pas se donner la peine de préparer de la morue salée et séchée, on peut très bien réussir ce pot-au-feu avec des filets de morue fraîche. Dans ce cas, il faut saler les filets au moins 24 h. Pour ce faire, on dépose chaque filet sur une pellicule plastique, on le sale légèrement des deux côtés, de préférence avec du gros sel de mer, on l'enveloppe soigneusement et on le met au frigo. Avant de mettre le pot-au-feu au four, on étend les filets sur les légumes et on fait cuire jusqu'à ce qu'ils soient floconneux.

MOULES

Les meilleures moules sont celles qui viennent de Bretagne et qu'on appelle les moules bouchots. Elles sont très difficiles à trouver au Canada et elles se vendent très cher. Plus les moules sont petites, plus elles sont tendres. Elles doivent naturellement être très fraîches.

Quand on les prépare, on rejette celles qui sont franchement ouvertes et celles qui ne veulent plus se refermer. Attention, les moules sont des mollusques vivants qui s'ouvrent et se referment comme pour examiner le nouvel environnement dans lequel elles se retrouvent avant de passer de vie à trépas. Celles dont les coquilles

sont trouées, on s'en départit. On lave les moules individuellement à l'eau courante sous le robinet et si elles sont très sales, on les frotte avec une petite brosse. On arrache la «barbe» qu'elles semblent prendre plaisir à «mordre» solidement entre leurs deux coquilles.

La meilleure façon de manger les moules, c'est en utilisant une coquille vide dont on se sert comme une pince pour extraire chaque moule de sa coquille. Les Belges ne savent pas manger de moules sans une montagne de frites. Je trouve que les moules ont une saveur bien trop fine pour la masquer ainsi avec des frites... mais des goûts, on ne discute pas. Surtout pas du goût des Belges !

moules marinière classiques
POUR 4 PERSONNES

160 ml (2/3 tasse) d'eau

2 échalotes émincées finement

1 gros bouquet de persil émincé finement

Sel et poivre

250 ml (1 tasse) de vermouth blanc extra-dry

2 à 3 kg (4 1/2 à 6 3/4 lb) de moules fraîches

60 ml (1/4 tasse) de beurre

Dans une grande cocotte faire un court-bouillon avec l'eau, l'échalote, le persil, le sel et le poivre en faisant mijoter lentement jusqu'à ce que le liquide ait diminué des trois quarts. Ajouter le vermouth, puis laisser diminuer de moitié cette fois, toujours à feu très doux. Mettre le feu au maximum et jeter les moules dans la cocotte. Couvrir. Faire cuire environ 4 minutes en secouant la cocotte deux ou trois fois en cours de cuisson. Ajouter le beurre.

Servir les moules dans des assiettes creuses à l'aide d'une écumoire, puis répartir le jus dans les assiettes en prenant soin de ne pas écumer le fond de la cocotte, car du sable pourrait s'y être déposé.

Pour des moules à la crème, suivre la recette ci-dessus jusqu'à la fin de la cuisson des moules. Enlever les moules de la cocotte, les mettre dans un grand plat de service bien chaud et réserver au four. Extraire le jus qui est dans la cocotte, le passer dans un chinois doublé d'un coton et le verser dans une petite marmite. Ajouter 125 ml (½ tasse) de crème épaisse à température de la pièce, bien mélanger et amener au point d'ébullition sans laisser bouillir. Napper les moules de la sauce.

MUESLI

Pour un bon muesli maison qu'on peut manger avec du lait ou du yogourt, voici ma recette. Les proportions peuvent varier selon les goûts et on peut aussi ajouter des fruits secs, si on le désire.

 muesli à ma façon

2 noix de coco
Environ 250 ml (1 tasse) de noix mélangées (pignons, noix d'acajou, noix de Grenoble et noix du Brésil)
2,5 litres (10 tasses) de flocons d'avoine crue
Environ 250 ml (1 tasse) de psyllium (qu'on peut obtenir en flocons dans le commerce sous la marque Kellogg's)
60 ml (¼ tasse) de germe de blé
60 ml (¼ tasse) de graines de sarrasin
160 ml (⅔ tasse) de raisins secs

Ouvrir la noix de coco avec un marteau, séparer le coco de l'écorce dure, mais conserver la peau brune qui l'entoure. Mettre au robot culinaire pour réduire le coco en flocons. Réduire également les noix en flocons. Mettre la noix de coco dans une lèchefrite sous le gril et la faire blondir. Lorsqu'elle est bien blonde, la laisser à four entrouvert jusqu'à ce que le four soit froid. Faire de même avec les noix. Lorsque le coco et les noix en flocons ont pris la température de la pièce, les mélanger avec le reste des ingrédients.

Note : Garder le muesli dans un récipient bien fermé, au sec et au frais. Il peut se conserver ainsi pendant un bon mois. Au frigo ou au congélateur, il peut se conserver beaucoup plus longtemps.

Navet

Noix et amandes

NAVET

Le navet n'est pas le plus populaire des légumes, et c'est bien dommage, car il n'est pas très calorique et on le dit apte à favoriser le sommeil... Les insomniaques, mettez-vous au navet !

Tous les navets, sauf les navets primeurs, doivent être blanchis afin de leur enlever une certaine âcreté. On les épluche en leur ôtant une bonne couche de peau et on les blanchit au moins 10 minutes à l'eau bouillante. Quant aux navets primeurs, s'ils sont tout frais, on peut se contenter de les laver. Sinon, on les épluche à l'économe.

Le navet n'est pas seulement un légume essentiel dans les pot-au-feu, il fait une ex-cellente purée. Dans ce cas, il ne faut pas em-ployer de petits navets primeurs qui con-tiennent beaucoup trop d'eau.

navets poêlés

Dans cette recette, on peut employer des navets primeurs ou les gros navets d'hiver.

POUR 4 PERSONNES

1 gros navet d'environ 1 kg (2 ¼ lb) ou des petits
60 ml (¼ tasse) d'huile d'olive
1 pincée de sucre

Sel, poivre fraîchement broyé et muscade
10 ml (2 c. à thé) de feuilles de marjolaine fraîche ou de feuilles d'origan

Éplucher le navet et le couper en morceaux égaux d'environ 2 cm (¾ po) d'épaisseur (en rondelles de cette épaisseur, s'il s'agit de navets primeurs). Mettre de l'eau et du sel dans une cocotte, y mettre le navet, couvrir, amener au point d'ébullition, puis faire bouillir 10 minutes. Égoutter le navet et recommencer l'opération en faisait bouillir jusqu'à ce que le navet soit attendri. Passer le navet sous l'eau froide pour arrêter la cuisson. Dans une grande poêle, faire chauffer l'huile d'olive et y faire revenir les morceaux ou les rondelles de navet des deux côtés après les avoir très légèrement sucrés. Lorsqu'ils sont bien dorés, rectifier l'assaisonnement en sel, les saupoudrer de poivre et de muscade ainsi que de marjolaine ou d'origan frais. Mettre dans un plat de service chaud.

purée de navets

POUR 4 PERSONNES

1 gros navet d'environ 1 kg (2 ¼ lb)

1 grosse pomme de terre ou 2 ou 3 petites

8 gousses d'ail épluchées

Environ 160 ml (⅔ tasse) de crème épaisse tiède

60 ml (¼ tasse) de beurre

Sel, poivre fraîchement broyé et muscade râpée

80 ml (⅓ tasse) de parmesan fraîchement râpé

Éplucher le navet, le couper en morceaux et le faire blanchir. Le passer sous l'eau froide pour arrêter la cuisson. Le mettre dans une cocotte d'eau salée avec la pomme de terre épluchée, couvrir et amener au point d'ébullition. Ajouter les gousses d'ail. Faire bouillir jusqu'à ce que le navet soit bien tendre. Égoutter, baisser le feu au minimum et y remettre la cocotte avec ses légumes. Écraser au pilon ou à la fourchette. Quand les légumes sont réduits en purée, ajouter graduellement la crème tiède et la moitié du beurre, tout en continuant à remuer la purée. Rectifier l'assaisonnement en sel, ajouter le poivre et la muscade, puis brasser de nouveau. Beurrer légèrement un plat à gratin, y disposer la purée en la façonnant avec une spatule ou une fourchette, y répartir le reste du beurre en petites noisettes et la saupoudrer du parmesan. Passer sous le gril jusqu'à ce que le parmesan soit bien doré. Servir comme accompagnement du bœuf, de l'agneau ou du canard rôti.

NOIX ET AMANDES

Les noix et les amandes sont parmi les fruits les plus utiles en cuisine, mais les Québécois les utilisent peu. Allez donc savoir pourquoi...

Ces fruits deviennent vite rances et, pour préserver leur pureté, je les garde toujours au congélateur. Ce n'est rien de les sortir quelques minutes plus tôt pour avoir l'assurance qu'ils ne ranciront pas en quelques semaines.

Autant que possible, n'achetez pas de noix déjà hachées ou broyées, car elles ne sont pas de très bonne qualité et, surtout, elles sont loin d'être toujours fraîches. Faites le travail vous-même. Si vous achetez des noix, des pignons ou des amandes en vrac, goûtez avant d'acheter. Si vous avez un doute sur leur fraîcheur, achetez ailleurs.

Les noix de pin (pignons) n'ont pratiquement aucune saveur. Pour la faire ressortir, il faut les faire blondir dans un peu d'huile d'olive. La chaleur d'un gril fait aussi ressortir la saveur des noix et des amandes... tout comme quelques gouttes d'essence d'amande.

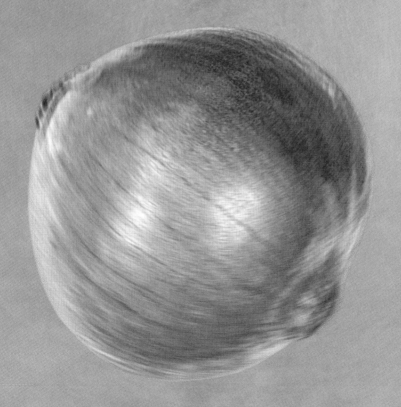

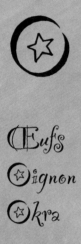

Œufs

Oignon

Okra

ŒUFS

On avait neuf ans, mon frère et moi, quand après avoir harcelé mon père pendant plusieurs mois, il consentit à nous acheter 100 poussins. Nous voulions faire l'élevage des poules. Des Plymouth Rock, que nous regardions avec envie dans un catalogue qui venait de je ne sais quel couvoir renommé. Avec leurs belles plumes gris et blanc, leur tête rouge et leurs yeux vifs, ces poules nous semblaient de véritables pin up de basse-cour.

Les poussins sont arrivés dans une grande boîte de carton, et nous les avons tout de suite installés dans un cabanon que nous voulions convertir en poulailler. À la chaleur d'une ampoule de 60 watts, comme le recommandait le couvoir, les poussins ont grandi à vue d'œil et sont devenus les poules que nous admirions dans le catalogue. Vite, très vite, nous avons été débordés par la complexité de l'aviculture ! Nous avions lu, soit, mais nos poules ne cessaient pas de nous étonner. D'abord, elles chiaient à un rythme qui dépassait toutes nos prévisions. Encore aujourd'hui, il me semble que nous n'en finissions jamais de débarrasser le poulailler de leurs fientes et d'y étendre de la paille propre et sèche. Et puis, en bonnes femelles, les plus hardies ne cessaient de s'acharner sur les plus faibles et presque chaque matin, nous en trouvions une tellement déplumée qu'on l'aurait crue prête à passer à la rôtissoire. Enfin, parvenus à la puberté, les coqs se mirent à harceler les poules avec tant de vigueur qu'elles seraient sûrement toutes mortes de plaisir si un voisin ne nous avait pas prévenus qu'il fallait cesser immédiatement la cohabitation et loger les coqs ailleurs.

Je passe sous silence les autres détails de cet élevage qui se termina dans les larmes l'année suivante. Les larmes et le carnage, car nos parents décidèrent que si nous voulions mettre fin à notre expérience, nous devions tuer nos coqs et nos poules au rythme d'un ou deux par semaine et, surtout, nous devions les manger en famille. Non seulement il fallut nous résigner à voir dans notre assiette une poule que nous avions baptisée d'un prénom affectueux, mais il fallait aussi la tuer. Et même sans tête, une poule fait beaucoup de chemin... plusieurs mètres en aspergeant les quatre points cardinaux de son sang. Nous avions donc, mon frère et moi, conçu une façon très originale d'abattre nos poules, un cérémonial sur lequel les bourreaux de l'Inquisition n'auraient pas levé le nez. Nous attachions la poule par les deux pattes et nous fixions la corde à un piquet fiché en terre à deux ou trois mètres du bûcher, une bûche de bois dur de bon diamètre. Après avoir couché la poule sur la bûche, nous lui passions au cou un nœud coulant et nous attachions cette nouvelle corde à un autre piquet, étirant le cou de manière qu'il se trouve au milieu de la bûche. D'un solide coup de hache, il ne restait plus qu'à sectionner le cou.

Les exécutions se sont étendues sur une période d'à peu près 40 semaines qui nous parurent un siècle.

Je ne me souviens plus très bien des notions d'aviculture que nous avions apprises, mais je me rappelle tout sur les œufs. On en apprend des choses sur les œufs pendant deux ans :

- Plus l'œuf est vieux, plus le jaune s'aplatit quand on le casse. L'œuf se déshydrate en vieillissant. Plonger l'œuf dans un bol d'eau. S'il flotte, le jeter. S'il flotte verticalement avec le côté arrondi vers le haut, il a au moins 2 semaines ;
- Il faut ranger les œufs dans le frigo la pointe en bas pour que le jaune reste centré. Les envelopper les fait durer plus longtemps. Après 3 semaines, les œufs sont bons... à jeter ;
- Non écalé un œuf cuit dur se garde de 4 à 5 jours... 2 jours une fois écalé (4, si on le garde plongé dans l'eau) ;
- Ne jamais fouetter un œuf trop froid ou essayer de faire une mayonnaise avec un œuf froid. Les faire chambrer ;
- Les œufs se cuisent toujours à feu doux, sauf les omelettes ;

- Il ne faut jamais ajouter un œuf (jaune ou blanc) dans un mélange chaud. Il faut battre une petite quantité de liquide chaud avec l'œuf afin de le réchauffer d'abord ;
- Quand on fait des blancs d'œufs battus, il faut toujours ajouter une pincée de sel (ça libère les protéines et facilite leur transformation en neige) ; par contre, on sale toujours après cuisson les œufs brouillés ou les œufs qu'on fait en omelette, sinon le sel a tendance à les liquéfier ;
- On ne fait jamais des œufs pochés dans de l'eau salée, mais toujours de l'eau un peu vinaigrée afin que les blancs ne s'effilochent pas sans fin ;
- Toujours séparer le blanc des jaunes en s'aidant de la coquille.

Les œufs sont-ils frais ?

C'est la question qu'on se pose souvent quand on voit les étalages au supermarché. Je vous réponds tout de suite : en général, ils ne le sont jamais...

S'il faut attendre 24 h avant de manger un œuf (de manière qu'il soit stabilisé), après 48 h, même conservé au frais, l'œuf commence à perdre de sa fraîcheur. Après sept jours, il n'est déjà plus assez frais pour être consommé autrement qu'au plat, brouillé ou en omelette. S'il a plus de deux à trois semaines, utilisez-le en pâtisserie...

C'est donc dire que la seule façon de consommer des œufs vraiment frais, c'est de trouver une ferme où on vend des œufs fraîchement pondus. Il y a trois façons infaillibles de juger de la fraîcheur d'un œuf.

Vous en cassez un. Si le jaune est bien bombé et le blanc gluant bien agglutiné autour du jaune, il est ultra-frais. Agitez l'œuf dans votre main. Si vous sentez un clapotis, la « chambre à air » qui se trouve dans chaque œuf s'est agrandie et il n'est donc plus très frais. Enfin, immergez votre œuf dans l'eau fraîche. Très frais, il restera bien couché au fond de l'eau. Moins frais, il se soulèvera légèrement du côté de sa « chambre à air ». S'il remonte à la verticale, il est bon pour la poubelle...

Même si vous aimez les « œufs bruns », sachez que la couleur de la coquille n'a rien à voir avec la qualité de l'œuf, mais uniquement avec la race de la poule qui l'a pondu. Mais pour la couleur du jaune, c'est différent. Si le jaune est orangé et très dense, c'est que la poule a été élevée en liberté — en parcours libre, disent les Français... — et qu'elle a mangé de la verdure. Ce sont les œufs que je préfère, mais ils sont aussi difficiles à trouver que du caca de pape.

les œufs en neige

N'essayez pas de battre en neige des œufs d'oie ou de canard. Seuls les œufs de poule se battent en neige et encore faut-il y aller de quelques précautions.

D'abord, sortez les œufs du frigo au moins 1 h avant de commencer l'opération, puis séparez bien les blancs des jaunes. S'il reste un filament de jaune dans le blanc, vous courez le risque de ne pas réussir à faire monter les blancs. Si, comme moi, vous préférez la bonne méthode d'huile de bras, mettez vos blancs dans un cul-de-poule en vous assurant qu'il est parfaitement propre, tout comme votre fouet. Que vous le fassiez au robot ou à la main, il y a une technique : commencez lentement, mettez une petite pincée de sel, puis accélérez le processus à mesure que le blanc se fouette. Dès que les blancs forment un pic quand vous soulevez votre fouet, arrêtez ! Si vous continuez, les blancs se décomposeront. S'il y a du sucre à incorporer, faites-le à la fin seulement et graduellement.

Quelle que soit la préparation à laquelle vous incorporerez vos œufs battus en neige, rappelez-vous qu'elle doit être tiède, sinon attendez-vous à un fiasco.

quelques conseils pour cuire les œufs à la coque

· Plongez-les dans de l'eau bouillante. Quand elle recommence à bouillir : comptez 10 minutes pas plus, sinon le blanc sentira le soufre et il sera coriace ;

· Plongez tout de suite les œufs cuits dans l'eau froide. Ils seront plus facile à écaler ;

· Comment reconnaître les œufs à la coque et les œufs crus : faites-les tourner sur eux-mêmes. Ceux qui tournent longtemps comme une toupie sont ceux qui sont cuits !

œufs au four à ma manière

POUR 2 PERSONNES

1 petite boîte de pois verts ou de maïs en
   grains ou de haricots verts coupés
4 œufs
80 ml (1/3 tasse) de crème épaisse
Sel et poivre au goût
80 ml (1/3 tasse) de gruyère râpé
1 noix de beurre
1 ml (1/4 c. à thé) de paprika ou de sumac
   en poudre

Beurrer deux ramequins en pyrex ou en fonte
émaillée, répartir la garniture de légumes,
déposer les œufs dessus en prenant soin de
ne pas crever les jaunes, recouvrir de la
crème, assaisonner de sel et de poivre, puis
saupoudrer du fromage. Y répartir quelques
petites noisettes de beurre et saupoudrer du
sumac ou du paprika. Mettre au centre d'un
four préchauffé à 180 °C (350 °F) de 8 à
12 minutes, selon qu'on souhaite les œufs
mollets ou cuits dur. Attention, ils continuent à
cuire dans les ramequins.

 **œufs aux flageolets
et aux tomates**

POUR 4 PERSONNES

500 ml (2 tasses) de flageolets bien lavés et
   égouttés
2 grosses tomates pelées, épépinées et
   coupées en dés
15 ml (1 c. à soupe) d'estragon, de
   marjolaine, de sauge ou encore de
   cerfeuil frais
Sel et poivre au goût

4 gros œufs ou 8 petits
250 ml (1 tasse) de crème épaisse
160 ml (2/3 tasse) de gruyère râpé ou
   125 ml (1/2 tasse) de romano
1 ml (1/4 c. à thé) de sumac
2 noisettes de beurre

Préchauffer le four à 180 °C (350 °F).
Beurrer légèrement quatre ramequins — d'environ
15 à 18 cm (6 à 7 po) de diamètre
chacun — en pyrex ou en fonte émaillée,
répartir flageolets et tomates ainsi que l'herbe
fraîche dans chacun, assaisonner de sel et de
poivre, déposer un ou deux œufs, selon le
cas, dans chaque ramequin, recouvrir de
crème, puis du fromage, saupoudrer de
sumac et mettre quelques tout petits morceaux
de beurre. Cuire au four de 8 à 12 minutes,
selon qu'on aime les œufs cuits plus ou moins
dur. Il ne faut pas surcuire, car les œufs
continuent à cuire dans le ramequin. Dans les
dernières minutes, passer sous le gril pour
faire gratiner. Excellent pour un repas léger.

 œufs brouillés

POUR 2 PERSONNES

30 ml (2 c. à soupe) de beurre
4 à 5 œufs
10 ml (2 c. à thé) de persil, de cerfeuil, de
   marjolaine ou d'estragon frais
Sel et poivre au goût

Beurrer le contenant supérieur d'un bain-
marie posé à feu doux sur la cuisinière.
Battre les œufs au fouet et les verser dans le
bain-marie. Continuer à battre

paresseusement jusqu'à ce que les œufs commencent à prendre, puis battre plus rapidement. Lorsque les œufs ont la consistance souhaitée, ajouter les assaisonnements ainsi que le reste du beurre par petites mottes afin d'arrêter la cuisson. Servir immédiatement.

œufs dans le sirop
POUR 3 À 4 PERSONNES

250 ml (1 tasse) de sirop d'érable
1 noix de beurre
2 œufs
2,5 ml (½ c. à thé) de vanille
1 pincée de sel

Mettre le sirop à chauffer sur la cuisinière, avec le beurre, dans une petite cocotte. Faire bouillir jusqu'à ce qu'il épaississe un peu (environ 5 minutes). Pendant ce temps, casser les œufs dans un bol, ajouter la vanille et le sel, puis fouetter légèrement avec une fourchette. Laisser tomber dans le sirop en ébullition, brasser quelques instants avec la fourchette pour que les œufs ne prennent pas en pain, retirer du feu immédiatement, puis laisser refroidir un peu et servir.

omelette à l'italienne
POUR 2 À 3 PERSONNES

500 ml (2 tasses) d'oignons jaunes coupés en fines tranches ou 250 ml (1 tasse) d'oignons et 250 ml (1 tasse) de tout autre légume frais (carottes, poivrons, champignons ou courgettes, coupés en dés ou en lamelles)

60 ml (¼ tasse) d'huile d'olive
4 œufs
80 ml (⅓ tasse) de parmesan fraîchement râpé
Sel et poivre au goût

Faire cuire très lentement d'abord les oignons et les légumes dans les deux tiers de l'huile d'olive. Quand ils sont cuits, les mettre dans un bol et réserver au chaud.

Battre les œufs au fouet ou à la fourchette, ajouter le fromage et le poivre, puis mélanger. Faire chauffer le reste de l'huile dans une poêle, y mettre les œufs, puis ajouter les légumes. Saler et poivrer. Faire cuire à feu doux de 12 à 15 minutes ou jusqu'à ce que les œufs soient pris. Passer ensuite l'omelette 1 ou 2 minutes sous le gril. Décoller avec une spatule et la glisser dans une assiette de service chaude. Servir en découpant en pointes comme une pizza. On peut aussi manger cette omelette tiède ou même froide.

omelette tamago de Charlot

Le musicien Charles Barbeau est un gourmand et un amateur de cuisine asiatique. C'est à lui que je dois cette recette d'omelette tamago, un délice pour tous les Japonais.

dashi

1 litre (4 tasses) d'eau froide
15 g (½ oz) de flocons de bonite séchée
1 morceau de kombu (algue japonaise)

tamago

8 œufs

80 ml (1/3 tasse) de dashi

15 ml (1 c. à soupe) de mirin

15 ml (1 c. à soupe) de sauce soya

120 g (4 oz) de sucre granulé

1 pincée de sel

30 ml (2 c. à soupe) d'huile végétale

dashi

Mettre le morceau de kombu dans l'eau froide, puis amener à ébullition. Retirer le kombu comme l'eau commence à frémir. Ajouter les flocons de bonite, ramener à ébullition, retirer du feu et faire reposer 10 minutes. Passer dans une mousseline à fromage et réserver. Le bouillon qui reste peut être congelé. Il constitue une excellente base pour toute soupe japonaise.

tamago

Casser les œufs dans un bol et bien mélanger au fouet. Ajouter le dashi, le mirin, la sauce soya, le sucre et le sel. Battre encore. À l'aide d'un petit morceau de papier essuie-tout chiffonné, étendre de l'huile dans une poêle japonaise carrée. Verser juste assez d'œufs pour couvrir le fond de la poêle. Une fois l'œuf cuit, le plier en deux avec une spatule, badigeonner d'huile la partie découverte de la poêle, ajouter de l'œuf et faire cuire. Replier encore. Répéter l'opération jusqu'à l'épaisseur désirée. On peut avoir un tamago « marbré » en faisant cuire l'œuf plus longtemps une fois sur deux.

tarte aux œufs à ma manière

1 croûte à tarte pour une assiette de 22 cm (8 1/2 po)

550 ml (2 1/4 tasses) de lait entier

3 œufs

15 ml (1 c. à soupe) de brandy ou de cognac

1 pincée de sel

80 ml (1/3 tasse) de sucre vanillé

5 ml (1 c. à thé) d'essence de vanille

1 ml (1/4 c. à thé) de muscade

1 kiwi pelé

Sucre à glacer

Préchauffer le four à 230 °C (450 °F). Porter le lait à ébullition au micro-ondes ou au bain-marie. Battre les œufs, l'alcool, le sel, le sucre et la vanille dans un bol et ajouter graduellement le lait chaud après l'avoir débarrassé de sa peau (on peut aussi le filtrer dans une passoire). Verser dans la croûte, saupoudrer de muscade et faire cuire au four 10 minutes. Baisser la température du four à 180 °C (350 °F) et faire cuire environ 45 minutes ou jusqu'à ce que la garniture soit cuite (elle ne doit plus coller à un cure-dent ou à la pointe d'un couteau quand on la pique). Lorsque la tarte est refroidie, garnir le dessus de fines tranches de kiwi légèrement dentelées et saupoudrer de sucre à glacer.

OIGNON

Avez-vous déjà réfléchi à ce qu'on deviendrait si les oignons cessaient d'exister? À l'exception des desserts, il y a de l'oignon dans presque tout ce qu'on cuisine. Et si, de plus, la tomate disparaissait, les cuisiniers n'auraient plus alors qu'à se suicider...

Est-ce parce qu'ils nous sont si nécessaires qu'ils ont engendré mille croyances? Essayons de démêler le vrai du faux...

C'est vrai qu'ils font pleurer quand on les prépare et c'est vrai aussi que les effets sont moindres si on les épluche sous le robinet... mais je n'ai encore rien trouvé de mieux pour éliminer leur effet lacrymogène que les faire éplucher... par ma femme!

C'est vrai que certaines personnes peuvent avoir du mal à digérer les oignons, mais pas si on prend la précaution de les blanchir. Pour les blanchir, on les met dans une casserole d'eau froide qu'on porte à ébullition le plus rapidement possible, puis on les passe sous l'eau froide pour arrêter la cuisson et les refroidir. Si les oignons sont très âcres, prolongez le blanchiment à 3 ou 4 minutes.

C'est vrai que les oignons hachés trop longtemps d'avance prennent un goût âcre et c'est vrai aussi qu'ils protègent des infections quand on s'en fait un bouillon.

Les petits oignons verts ne se conservent que quelques jours, les oignons rouges qu'on commence à récolter vers la fin juillet ont intérêt à être mangés dans les 2 ou 3 semaines, comme n'importe quel oignon frais. Les oignons jaunes se conservent toute l'année, à la cave de préférence, mais quand on les achète une fois l'hiver terminé, mieux vaut bien peser les filets. S'ils sont indûment légers, méfiez-vous: la moitié des oignons ont sans doute séché...

OKRA

C'est avec Blanche que j'ai appris à cuisiner les okras, qu'on appelle aussi gombos. Je m'étais essayé quelques fois auparavant, mais la pulpe gélatineuse qu'ils avaient régurgitée m'avait tout à fait découragé. C'est qu'il faut faire cuire les okras très rapidement à feu vif et moins de 4 à 5 minutes. Après ce temps, bonjour la gélatine!

 ### okras à l'orientale
POUR 4 À 6 PERSONNES

450 g (1 lb) d'okras de grosseur moyenne

125 ml (½ tasse) d'huile d'olive

1 ml (¼ c. à thé) de chacun des ingrédients suivants: cumin en poudre, thym sec broyé, menthe sèche, coriandre en poudre, cayenne en poudre

Sel et poivre au goût

2 à 3 os de veau ou de bœuf avec leur moelle

450 g (1 lb) de bœuf ou d'agneau coupé en cubes

10 à 12 feuilles de persil hachées

8 à 10 feuilles de menthe verte hachées

1 oignon jaune haché finement

30 ml (2 c. à soupe) de pâte de tomate

500 ml (2 tasses) de tomates étuvées

Après avoir coupé les extrémités des okras, les laver à grande eau, les laisser égoutter et bien les assécher avec une serviette. Dans une poêle, en remuant constamment, faire sauter les okras à feu très vif dans à peu près la moitié de l'huile d'olive. Quand ils sont bien dorés, les retirer et les déposer sur quelques feuilles de papier essuie-tout pour absorber l'huile de cuisson. Réserver. Mettre le reste de l'huile dans une cocotte, l'assaisonner avec le cumin, le thym, la menthe sèche, la coriandre et la cayenne. Saler et poivrer les os et la viande, puis faire d'abord revenir les os. Les retirer et les réserver. Faire revenir la viande et réserver

aussi. À ce stade, mettre le persil, la menthe et l'oignon dans la cocotte, puis les faire revenir. Ajouter les os, la viande et les okras. Incorporer la pâte de tomate aux tomates étuvées, puis les ajouter avec leur liquide. Bien remuer. Si nécessaire, ajouter de l'eau pour couvrir et rectifier l'assaisonnement en sel. Couvrir et laisser mijoter à feu moyen pendant environ 30 minutes ou jusqu'à complète cuisson de la viande et des légumes. Remuer de temps en temps. Servir tel quel ou accompagné de riz nature.

P

Pain

Panais

Pâte

Pâté chinois

Pâtes alimentaires

Pétoncles

Poire

Poireau

Pois verts

Poisson

Poivrons

Pommes

Pommes de terre

Porc

Pouding

PAIN

Après des décennies de pains sans saveur, caoutchouteux et massifs, voilà que le pain authentique a refait surface. Grâce à des boulangers artisans et grâce aussi à quelques boulangeries de grande qualité comme Au pain doré et Première Moisson, on ne mange plus du pain par nécessité, mais par goût.

Pourtant réputée pour son pain, la France a elle aussi connu des années difficiles. Le souci nouveau qu'ont les consommateurs pour des aliments de qualité a forcé même les boulangers français à refaire leurs classes. Il n'y a plus seulement de la baguette, du pain de mie et du pain de campagne sur leurs tablettes, mais quantité de pains savoureux, allant de la fougasse à tous les pains de levain dont le goût aigrelet est si particulier.

On peut aujourd'hui marier certains pains à certains aliments. Manger du pain de seigle ou du pumpernickel avec des poissons fumés, du pain aux noix avec certains fromages, faire des sandwichs avec du pain aux olives et ainsi de suite.

Les bons pains sont plus chers, mais ils finissent par être aussi économiques parce que comme ils sont plus nourrissants, on en mange moins.

Le pain a mauvaise réputation, et c'est bien à tort. À moins que ce ne soit la faute de ce damné Montignac, ce qui ne m'étonnerait pas... Il y a 100 ans, chaque personne consommait en moyenne 1 kg (2 1/4 lb) de pain par jour (eh oui !), alors qu'on n'en mange plus que 150 g (1/3 lb). Le pourcentage des personnes obèses est pourtant dix fois plus considérable qu'il y a un siècle. On ne peut tout de même pas rendre le pain responsable de tous nos problèmes de poids !

En général, ce n'est pas le pain qui fait engraisser, c'est ce qu'on met dessus : le beurre, la sauce, la graisse, voilà les vrais coupables. Et si on a l'impression que les biscottes font plus régime que le pain (ce qui est faux), c'est qu'il est assez difficile d'aller éponger avec une biscotte sèche comme du bois la sauce qui reste dans l'assiette...

Ceux qui habitent une grande ville ont moins de mal que les autres à trouver du pain de qualité. À la campagne, il faut souvent se résigner à faire congeler son pain si on ne veut pas être réduit au pain mastic. On ne fait congeler que du pain très frais et seulement une fois tranché, sinon il faudrait le décongeler en entier ou le trancher sur un banc de scie. Un petit secret, trouvez un boulanger qui peut le trancher un peu plus mince que ce qu'il a l'habitude de faire, au plus 1 cm (3/8 po) par tranche. Il décongèlera mieux et plus rapidement, surtout si c'est un pain très dense comme le pain de seigle, d'épeautre ou de son.

Le micro-ondes est le pire ennemi du pain. Il n'est donc pas question de lui confier sa décongélation. On décongèle le pain entier en le sortant du congélateur la veille ou on l'enveloppe dans un papier d'aluminium et on le met au four à au moins 180 °C (350 °F). Sinon, on sort les tranches une par une et on les met quelques instants ou quelques minutes dans le grille-pain.

PANAIS

Ne cherchez pas de panais à Paris, ça n'existe plus. Comme les salsifis que les marchands de légumes ont cessé de vendre frais parce que les Parisiennes trouvaient qu'ils tachaient les doigts !

Ne vous privez jamais de panais dans les pot-au-feu qui ont besoin de leur goût raffiné, à mi-chemin entre le salsifis et le céleri. Si vous êtes amateur de potage, ne vous privez surtout pas de ce velouté, le meilleur qui puisse se faire, ou d'une purée de panais au goût si subtil.

 velouté de panais
POUR 4 PERSONNES

30 ml (2 c. à soupe) de beurre
1/2 oignon jaune, coupé en rondelles
6 beaux panais bien pelés
750 ml (3 tasses) de bouillon
45 ml (3 c. à soupe) de riz blanc
Sel et poivre blanc au goût
160 ml (2/3 tasse) de crème épaisse
2,5 ml (1/2 c. à thé) de muscade
    fraîchement râpée

Faire fondre le beurre dans une cocotte épaisse, puis y déposer l'oignon et les panais coupés en fines rondelles. Cuire légèrement jusqu'à ce que l'oignon soit translucide. Ajouter le bouillon, le riz, le poivre et le sel, et cuire à feu doux au moins 30 minutes. Passer au malaxeur, puis au chinois et remettre à chauffer dans la cocotte en ajoutant la crème et la muscade. Servir avant que le velouté vienne à ébullition.

PÂTE

On a beau faire la cuisine depuis longtemps, il y a des choses qu'on a plus de mal à réussir que d'autres. Les femmes, c'est indiscutable, ont plus de talent que les hommes pour les pâtes de toutes sortes. C'est mon expérience, en tout cas. Je leur ai presque toujours laissé le soin de rouler la pâte pour me contenter de préparer plutôt les garnitures, lorsqu'il y en a. Et quand je fais moi-même la pâte, je simplifie tant que je peux. Ce sont ces recettes simplifiées que je vous livre.

pâte brisée

POUR 6 À 8 CROÛTES À TARTE

450 g (1 lb) de graisse végétale

1,375 litre (5 ½ tasses) de farine tout
   usage

7,5 ml (1 ½ c. à thé) de sel fin

Plus de 250 ml (1 tasse) d'eau glacée

Utiliser un bol à fond rond en plastique ou
en acier inoxydable, plus facile à
manipuler, et un coupe-pâte. Mettre tous les
ingrédients, sauf l'eau, dans le bol et
incorporer la graisse dans la farine.
Lorsque la pâte est bien brisée en morceaux
de la grosseur de petits pois, garder
seulement la quantité désirée et mettre le
reste au congélateur ou au frigo.

   Ajouter l'eau glacée — environ 60 ml
(¼ tasse) pour 2 croûtes. Après s'être
fariné les mains, façonner une boule. La
couper en deux et rouler la croûte sur un
comptoir enfariné après avoir aussi couvert
le rouleau de farine. Lorsque la pâte est à
l'épaisseur désirée, la plier en deux afin de
pouvoir la passer plus facilement du
comptoir à l'assiette. Faire cuire ou garnir.
Pour une tarte traditionnelle, rouler une
autre croûte. Avant de couvrir, mouiller les
bords de la première croûte, déposer la
seconde croûte et sceller les bords en
pressant du bout des doigts. Façonner la
tarte à la fourchette ou avec les doigts pour
lui donner son look final. Avant de mettre la
tarte au four, badigeonner la croûte du
dessus de blanc d'œuf ou l'asperger
légèrement d'eau froide.

pâte lisse à frire

POUR LÉGUMES OU POISSON

250 ml (1 tasse) d'eau légèrement gazeuse
   comme du Vichy

125 ml (½ tasse) de lait

1 œuf

250 ml (1 tasse) de farine tout usage

2,5 ml (½ c. à thé) de sel

15 ml (1 c. à soupe) d'huile d'olive

1 blanc d'œuf battu en neige

Battre ensemble eau, lait, œuf, farine et sel.
Ajouter l'huile et battre encore. Laisser
reposer au moins 1 h. Juste avant la friture,
incorporer un blanc d'œuf battu en neige.
Si la pâte est trop épaisse, on peut
l'éclaircir avec de l'eau ou du lait.

   La plupart des légumes peuvent être
trempés directement dans cette pâte avant
d'être cuits en haute friture.

   Quant aux filets de poisson, il faut
commencer par les enduire de farine et en
secouer le surplus avant de les tremper
dans la pâte à frire.

   On trempe directement les crevettes
dans cette pâte. Pour des crevettes à la
japonaise (tempura), on s'assure que la
pâte ait plutôt la consistance d'une crème
à 35 %.

   Pour faire cuire des fruits en haute friture
(beignets), on peut remplacer la moitié de
l'eau ou toute l'eau par du cidre.

Note : Je fais aussi une pâte lisse,
uniquement avec de l'eau, de la farine et
une pincée de sel.

pâte va-tout

200 g (7 oz) de farine

25 g (⁷/₈ oz) de sucre

30 ml (2 c. à soupe) de lait

100 g (3 ½ oz) de beurre doux ou demi-sel

1 pincée de sel (si du beurre doux a été utilisé)

1 œuf

Déposer tous les ingrédients, dans l'ordre, dans le robot culinaire. Mettre le robot en marche, puis retirer la pâte du robot dès qu'elle fait une boule. Faire refroidir de 30 minutes à 1 h au frigo avant d'abaisser la quantité de pâte nécessaire à l'aide d'un rouleau enfariné.

Lorsqu'on utilise cette pâte pour des quiches, des pissaladières ou d'autres mets qui ne sont pas des desserts, on omet le sucre.

PÂTÉ CHINOIS

J'ai fait une bonne demi-douzaine d'essais avant d'en arriver à la recette de pâté chinois qui suit. Et comme je ne fais jamais plus que deux pâtés chinois par an (un avec du maïs frais et l'autre avec du maïs en conserve), mes « recherches » ont donc duré plus de trois ans. Ce pâté chinois, on le verra bien, n'a rien à voir avec celui de nos vieilles mères, pas plus qu'il ne ressemble à celui dont *La petite vie* a fait la gloire. Mon pâté chinois faisait d'ailleurs dire à Louise DesChâtelets que « ce n'était plus du pâté chinois ».

Je maintiens envers et contre elle que c'est un véritable pâté chinois, et qu'il est désormais digne des meilleures tables. Au lieu de le calomnier, essayez et jugez vous-même !

 pâté chinois à ma façon

POUR 4 À 5 PERSONNES

viande

45 ml (3 c. à soupe) d'huile d'olive

1 oignon jaune, haché finement

150 g (¹/₃ lb) de porc haché, maigre

2 gousses d'ail hachées finement

60 ml (¼ tasse) de vermouth blanc extra-dry

500 ml (2 tasses) de rosbif ou de gigot d'agneau déjà cuit, haché au couteau

5 ml (1 c. à thé) de feuilles de thym ou 2,5 ml (½ c. à thé) s'il est séché

5 ml (1 c. à thé) de romarin frais ou 2,5 ml (½ c. à thé) s'il est séché

Sel et poivre

maïs

12 épis de maïs frais

60 ml (¼ tasse) de lait entier

30 ml (2 c. à soupe) de crème épaisse

10 ml (2 c. à thé) de feuilles de marjolaine fraîche (la moitié si elle est séchée) ou 5 ml (1 c. à thé) d'origan frais (la moitié s'il est séché)

5 ml (1 c. à thé) de baies roses grossièrement broyées

Quelques gouttes de tabasco

purée

4 pommes de terre

60 ml (1/4 tasse) de parmesan fraîchement
    râpé

Environ 180 ml (2/3 tasse) de lait chaud

1 ml (1/4 c. à thé) de sumac ou de paprika

4 petites noix de beurre

viande

Faire chauffer l'huile dans une sauteuse, y faire revenir l'oignon jusqu'à ce qu'il soit translucide, ajouter le porc haché et le défaire à la fourchette. Le faire cuire jusqu'à ce qu'il ait perdu sa couleur rose. Ajouter l'ail et le vermouth, puis le faire réduire complètement. Ajouter le bœuf ou l'agneau ainsi que les herbes, le sel et le poivre, mélanger et cuire quelques minutes à feu doux. Réserver.

maïs

Éplucher les épis de maïs et les débarrasser de leur barbe. Faire chauffer de l'eau dans une grande cocotte et y ajouter le lait. Quand l'eau bout, y mettre les épis de maïs. Ramener à ébullition, laisser bouillir 3 minutes, égoutter et laisser tiédir le maïs. Avec un couteau bien aiguisé, séparer les grains des épis. Prendre la moitié des grains et les mettre au robot culinaire avec la crème épaisse. Les réduire en purée. Verser dans un bol, ajouter les grains entiers ainsi que la marjolaine ou l'origan, les baies roses et le tabasco, puis mélanger à la fourchette. Réserver. Si on remplace le maïs frais par du maïs en conserve,

mélanger une petite boîte de maïs en grains à une petite boîte de maïs en sauce et éliminer la crème.

purée

Faire cuire les pommes de terre à l'eau ou à la vapeur. Quand elles sont cuites, les égoutter. Les réduire en purée à la fourchette ou avec un pilon, ajouter graduellement le lait chaud et continuer à réduire jusqu'à l'obtention d'une belle purée bien lisse. Réserver.

Dans un plat en pyrex rectangulaire ou un plat en fonte émaillée pour pâté et terrine, étendre d'abord le mélange de viande et bien presser ce mélange avec une spatule. Étendre le maïs par-dessus et presser encore avec la spatule. Étendre la purée de pommes de terre sur le dessus et presser aussi. Travailler joliment la purée avec une fourchette. Saupoudrer également de sumac ou de paprika, puis saupoudrer de fromage râpé. Disposer les noix de beurre à égale distance l'une de l'autre. Cuire au four à 190 °C (375 °F) pendant 15 minutes, puis passer 5 minutes sous le gril. Laisser reposer au four chaud au moins 30 minutes avant de servir tel quel.

PÂTES ALIMENTAIRES

Rien n'est plus facile à cuire que les pâtes alimentaires, mais on a raconté tellement d'absurdités sur leur cuisson que chacun s'imagine être seul à avoir la bonne façon. Même certains Italiens racontent plein de légendes urbaines là-dessus. Gravez à jamais dans votre mémoire la seule et unique façon de cuire les pâtes :

• 4 litres d'eau/450 g de pâtes (16 tasses d'eau/lb de pâtes) ;

• 30 ml (2 c. à soupe) de sel/4 litres (16 tasses) d'eau ;

• Mettre les pâtes d'un seul coup (sans les couper) dans l'eau qui bout à gros bouillons, remuer quelques fois avec une cuillère de bois, baisser un peu le feu dès que l'eau recommence à bouillir et cuire selon le temps exact inscrit sur le paquet ;

• Dès que sonne la minuterie, égoutter les pâtes rapidement dans une passoire, les secouer deux ou trois fois pour enlever le surplus d'eau et les mettre immédiatement dans un plat de service très chaud dans lequel il y a une noisette de beurre ou 15 ml (1 c. à soupe) d'huile d'olive ou la moitié de la sauce qui accompagnera les pâtes. Ajouter le fromage, remuer rapidement avec deux fourchettes, verser le reste de la sauce, remuer encore et servir immédiatement dans des assiettes très chaudes. Les pâtes n'attendent pas — sauf celles aux palourdes —, et elles se mangent obligatoirement *al dente*, c'est-à-dire croquantes.

Tout ce qu'on vous racontera d'autre sur la cuisson des pâtes est pure fantaisie. L'huile qu'on ajoute à l'eau, les pâtes dont on arrête la cuisson sous l'eau froide, les spaghettis que l'on coupe, et quoi encore, c'est de la foutaise. On raconte aussi que les pâtes fraîches sont bien supérieures aux pâtes séchées. Une légende de plus ! Presque toutes les pâtes fraîches qu'on vend sont sans in-térêt et tellement enfarinées qu'elles en souillent toute l'eau dans laquelle on les plonge.

Les pâtes fraîches de qualité sont si rares que dans 98 % des cas, mieux vaut acheter d'excellentes pâtes séchées comme les De Cecco, Martelli, Rustichella d'Abruzzo et, si vous en trouvez, les Cipriani, qui sont fabriquées à Venise. Les Cipriani sont lit-téralement les Ferrari des pâtes. Et, au poids, elles sont aussi chères sinon plus, d'ailleurs !

Vaut-il la peine de faire ses propres pâtes ? Oui, si vous avez beaucoup de temps et si vous ne pouvez vous procurer d'excellentes pâtes séchées dans le voisina-ge. J'ai fait des pâtes pendant au moins une douzaine d'années, mais je ne fais plus que les pâtes à lasagne parce que celles qu'on trouve en épicerie sont nettement moins goûteuses.

Jusqu'à l'invention du micro-ondes, les pâtes ne se réchauffaient pas. Ce n'est plus vrai. Si vous voulez réchauffer des pâtes, placez-les d'abord environ 2 h à température de la pièce, arrosez-les de quelques gouttes d'huile d'olive et passez-les 1 ou 2 minutes au micro-ondes recouvertes d'une feuille d'essuie-tout.

Quelles pâtes utiliser ?

Toutes les pâtes sont faites avec les mêmes ingrédients, mais selon leur forme parti-culière, on préparera différents plats.

En règle générale, on prend des spaghet-tis, des spaghettinis ou des linguines pour les sauces à base d'huile d'olive ainsi que pour les sauces aux fruits de mer. Je ne suis pas trop friand des linguines, plus difficiles à préparer *al dente*.

Si la sauce comporte des morceaux de viande, il faut des pâtes plus larges qui adhèrent bien à la sauce : fettucines, fusilis, tagliatelles ou même pappardelles (pour accompagner ma sauce chasseur, par exemple).

Les pennes sont presque des pâtes fourretout, mais c'est encore avec de la sauce tomate qu'ils sont les plus heureux. Je préfère les *maccheroncini* aux *maccheroni* que je trouve trop gros. Les cheveux d'ange (*capelli d'angelo*) sont merveilleux dans des bouillons et j'aime bien servir des coquilles (*conchiglie*) avec des fruits de mer comme les moules et les palourdes.

Si vous n'êtes pas un gros mangeur de pâtes, gardez seulement des spaghettis et des fettucines et vous pourrez presque tout faire avec bonheur. Les pâtes ne se conservent pas indéfiniment. Il leur faut un endroit sec et frais, et les meilleures portent une date de péremption.

Dans les recettes que je donne, j'indique une quantité approximative de pâtes. Certains, comme moi, aiment les sauces courtes, tandis que d'autres préfèrent moins de pâtes et une sauce plus abondante. Il appartient donc à chacun d'ajuster les recettes à ses préférences.

 coquilles aux grosses palourdes

POUR 4 PERSONNES

300 g (²/₃ lb) de coquilles (*conchiglie*)

pour faire cuire les palourdes

250 ml (1 tasse) d'eau

2,5 ml (¹/₂ c. à thé) de thym séché

1 bâton de céleri coupé en morceaux

1 bouquet de persil

2 feuilles de laurier

5 douzaines de palourdes

sauce

60 ml (¹/₄ tasse) d'huile d'olive

¹/₂ oignon jaune, tranché en petits cubes

1 bâton de céleri coupé en petits dés

2 gousses d'ail émincées finement

60 ml (4 c. à soupe) de vermouth blanc extra-dry

2,5 ml (¹/₂ c. à thé) de poivre noir grossièrement moulu

Sel au goût

1 noix de beurre

125 ml (¹/₂ tasse) de parmesan fraîchement râpé

10 ml (2 c. à thé) de persil frais, haché finement

Dans une grande cocotte, mettre l'eau, le thym, le céleri, le persil et le laurier, couvrir, puis amener au point d'ébullition. Laisser bouillir jusqu'à ce que le liquide ait diminué de moitié. Augmenter le feu, mettre les palourdes, couvrir et laisser cuire 3 minutes en secouant la marmite de temps à autre. Enlever les palourdes, les mettre dans un bol et réserver. Couler le bouillon dans une passoire doublée d'une mousseline à fromage. Réserver. Quand les palourdes sont tièdes, en garder une douzaine et extraire les autres de leurs coquilles, puis les mettre dans un bol.

Faire chauffer l'huile d'olive dans une cocotte en fonte émaillée ou en cuivre, ajouter oignon et céleri. Lorsqu'ils sont mi-cuits, ajouter l'ail et le vermouth. Laissez mijoter de 5 à 6 minutes à feu doux. Ajouter le bouillon des palourdes et laisser bouillir à feu doux pour réduire le liquide de moitié. Ajouter le poivre, le sel et les palourdes qui n'ont plus leurs coquilles. Quand le tout recommence à bouillir, retirer du feu, mettre la noix de beurre, remuer légèrement et réserver.

Pendant ce temps, faire cuire les pâtes (coquilles) de la façon habituelle. Quand elles sont prêtes, les égoutter. Verser la moitié de la sauce dans un grand bol de service bien chaud, puis ajouter les pâtes, le reste de la sauce et le parmesan. Remuer avec deux fourchettes. Décorer du persil haché et des palourdes dans leurs coquilles.

fettucines Alfredo

POUR 5 À 6 PERSONNES

500 g (env. 1 lb) de fettucines

1 gousse d'ail épluchée et légèrement écrasée

300 ml (1 ¼ tasse) de crème épaisse

60 ml (¼ tasse) de beurre

5 ml (1 c. à thé) de muscade fraîchement râpée

7,5 ml (1 ½ c. à thé) de baies roses grossièrement broyées

160 ml (²/3 tasse) de parmesan fraîchement râpé

Sel au goût

Frotter une cocotte épaisse de la gousse d'ail, puis jeter celle-ci. Mettre crème et beurre dans la cocotte et faire réduire à feu très doux en remuant jusqu'à ce que la crème ait épaissi. La crème doit à peine frissonner. Assaisonner de la muscade et des baies roses. Faire cuire les pâtes, les égoutter et les déposer dans la sauce, puis ajouter le parmesan. Mélanger rapidement, saler au goût et verser immédiatement dans un grand plat de service bien chaud.

fettucines au saumon fumé

POUR 6 PERSONNES

500 ml (2 tasses) de crème épaisse

80 ml (¹/3 tasse) de beurre

2,5 ml (½ c. à thé) de muscade fraîchement râpée

5 ml (1 c. à thé) de zeste de citron haché finement

15 ml (1 c. à soupe) de baies roses grossièrement broyées

6 portions de fettucines, soit environ 500 g (env. 1 lb)

3 bonnes tranches de saumon fumé

25 g (⁷/8 oz) de caviar d'esturgeon ou de lompe

Mettre crème et beurre dans une cocotte épaisse, puis faire cuire à feu très, très doux en remuant jusqu'à ce que la crème ait épaissi. La crème doit à peine frissonner. Assaisonner de muscade, du zeste et des baies roses. Pendant que cuisent les pâtes, découper en petits carrés d'environ 1 x 1 cm (³⁄₈ x ³⁄₈ po) le saumon fumé. Égoutter les pâtes cuites, puis les déposer dans la crème avec le saumon fumé. Mélanger rapidement et verser immédiatement dans un grand plat de service bien chaud. Répartir le caviar sur les pâtes et servir dans des assiettes très chaudes. Si on utilise des œufs de lompe, les débarrasser de leur encre en les mettant dans une petite passoire. Les passer sous le robinet jusqu'à ce que l'eau soit claire.

maccheroncini ou maccheroni à ma façon

POUR 4 À 5 PERSONNES

15 ml (1 c. à soupe) d'huile d'olive

1 oignon jaune finement émincé

250 ml (1 tasse) de jus de tomate

2 tomates fraîches pelées, épépinées et coupées en dés

2,5 ml (½ c. à thé) de carvi ou de cumin ou 5 ml (1 c. à thé) de basilic séché

Sel et poivre au goût

300 g (²⁄₃ lb) de *maccheroncini*

6 tranches de bacon coupées en dés

160 ml (²⁄₃ tasse) de cheddar fraîchement râpé

1 noix de beurre

Faire chauffer l'huile dans une cocotte, y faire revenir légèrement l'oignon émincé,

ajouter le jus de tomate, les tomates et les assaisonnements, puis faire cuire lentement jusqu'à ce que l'huile se sépare. Faire cuire les pâtes. Pendant ce temps, faire fondre le bacon dans une poêle jusqu'à ce qu'il soit croustillant. Quand les macaronis sont cuits, les égoutter rapidement, puis les verser dans une lèchefrite en pyrex avec la moitié du fromage et la noix de beurre. Mélanger rapidement avec une fourchette. Verser dessus la sauce tomate, puis y étendre le bacon sans son gras. Saupoudrer du reste du fromage et cuire au four préchauffé à 160 °C (325 °F) de 20 à 25 minutes. Passer ensuite sous le gril de 2 à 3 minutes.

pappardelles sauce chasseur

POUR 4 À 5 PERSONNES

4 foies de poulet

45 ml (3 c. à soupe) de petits oignons verts, émincés

60 ml (¼ tasse) d'huile d'olive

1 gousse d'ail finement hachée

1 tranche de pancetta coupée en petits morceaux

10 ml (2 c. à thé) de sauge fraîche, hachée

150 g (⅓ lb) de bœuf haché maigre

Sel et poivre

15 ml (1 c. à soupe) de pâte de tomate diluée dans 60 ml (¼ tasse) de vermouth blanc extra-dry

300 g (²⁄₃ lb) de pappardelles ou de tagliatelles

160 ml (²⁄₃ tasse) de parmesan fraîchement râpé

Couper les foies de poulet en petits morceaux, puis les assécher. Faire sauter à feu doux les oignons verts dans l'huile jusqu'à ce qu'ils soient translucides, ajouter l'ail, puis la pancetta et la sauge. Faire sauter environ 2 minutes en remuant. Ajouter le bœuf haché et le défaire avec une fourchette. Le faire cuire jusqu'à ce qu'il ait perdu sa couleur rouge. Saler, poivrer et augmenter le feu légèrement. Ajouter les morceaux de foie et cuire jusqu'à ce qu'ils aient perdu leur couleur sang. Ajouter le vermouth mélangé à la pâte de tomate et faire cuire environ 10 minutes à feu doux. Pendant ce temps, faire cuire les pâtes. Mélanger le parmesan aux pâtes, ajouter la sauce et déposer dans un plat de service chaud.

spaghettis à la carbonara
POUR 4 à 5 PERSONNES

225 g (½ lb) de lard salé très maigre

15 ml (1 c. à soupe) d'huile d'olive

2 gousses d'ail pelées et légèrement écrasées

60 ml (¼ tasse) de vermouth blanc extra-dry

3 œufs

125 ml (½ tasse) de parmesan fraîchement râpé

15 ml (1 c. à soupe) de persil frais, haché finement

450 g (1 lb) de spaghettis

Découper le lard en petits lardons et les faire fondre lentement dans une poêle avec l'huile d'olive et les gousses d'ail. Quand les gousses d'ail commencent à brunir, les enlever et les jeter. Lorsque les lardons sont bien cuits, ajouter le vermouth et laisser réduire presque complètement. Pendant ce temps, mettre les œufs dans un plat capable de contenir toutes les pâtes, les battre à la fourchette ou au fouet. Ajouter le fromage et le persil, puis battre encore. Faire cuire les pâtes et les égoutter. En déposer environ le tiers dans la sauce et mélanger vivement avec deux fourchettes. Ajouter ensuite le reste des pâtes et mélanger encore. Déposer les lardons et leur jus sur les pâtes, mélanger rapidement et servir aussitôt dans des assiettes bien chaudes.

spaghettis à la sauce tomate
POUR 4 PERSONNES

340 g (¾ lb) de spaghettis

sauce tomate

125 ml (½ tasse) d'huile d'olive

15 ml (1 c. à soupe) d'huile de noisette ou de noix

4 gousses d'ail émincées très finement

1 oignon jaune, coupé en petits dés

1 bâton de céleri coupé en petits dés

4 tomates pelées, épépinées et coupées en morceaux

1 pincée de sucre

20 ml (4 c. à thé) de pâte de tomate

60 ml (¼ tasse) de vermouth extra-dry

Quelques gouttes de tabasco

5 ml (1 c. à thé) de ciboulette hachée très finement

l (1 c. à thé) de persil frais haché très
finement
l (1 c. à thé) de coriandre fraîche
achée très finement
et poivre du moulin

re tous les ingrédients de la sauce, sauf
oivre, dans une cocotte épaisse,
anger avec une cuillère de bois et faire
cuire environ 1 h à 1 h 30 à feu doux en
remuant de temps à autre afin que la sauce
n'adhère pas à la cocotte. Faire cuire les
pâtes de la façon habituelle. Poivrer la
sauce et en verser la moitié dans un grand
plat de service chaud, ajouter les pâtes,
verser le reste de la sauce et mélanger avec
deux fourchettes. Servir immédiatement.

spaghettis à l'huile et à l'ail

POUR 4 PERSONNES

340 g (³/4 lb) de spaghettis
2 gousses d'ail émincées très finement
125 ml (½ tasse) d'huile d'olive
15 ml (1 c. à soupe) d'huile de noisette ou
    de noix
1 pincée de cayenne (facultatif)
10 ml (2 c. à thé) de ciboulette hachée très
    finement
10 ml (2 c. à thé) de persil frais, haché très
    finement
Poivre du moulin

Faire cuire les pâtes dans une eau un peu
plus salée qu'à l'habitude. Pendant ce
temps, mettre l'ail et les huiles dans une
petite casserole et faire chauffer à feu

moyen jusqu'à ce que l'ail se colore un
peu, baisser immédiatement le feu presque
complètement et ajouter tous les autres
ingrédients. Verser la moitié de la sauce
dans un grand plat de service, égoutter les
pâtes et les jeter dans la sauce. Verser
dessus le reste de la sauce, puis remuer
vivement avec deux fourchettes. Servir
immédiatement dans des assiettes chaudes.

spaghettis au cheddar

POUR 5 À 6 PERSONNES

30 ml (2 c. à soupe) d'huile d'olive ou de
    beurre
250 ml (1 tasse) de crème épaisse
160 ml (²/3 tasse) de cheddar fraîchement
    râpé
1 bouquet de sauge fraîche
450 g (1 lb) de spaghettis
Sel et poivre au goût
2,5 ml (½ c. à thé) de muscade
    fraîchement râpée

Dans une cocotte épaisse, assez grande pour
recevoir les spaghettis, faire fondre le beurre
ou faire chauffer l'huile d'olive. Ajouter la
crème, le fromage et le bouquet de sauge, puis
faire cuire à feu très doux tout en brassant
régulièrement jusqu'à ce que le fromage soit
fondu. Continuer à cuire à feu doux pour faire
épaissir légèrement la sauce. Saler et poivrer.
Faire cuire les spaghettis. Enlever le bouquet
de sauge et ajouter la muscade. Dès que les
spaghettis sont cuits, les égoutter rapidement,
puis les jeter dans la sauce. Remuer et servir
immédiatement dans des assiettes chaudes.

spaghettis au coulis de tomate

POUR 4 PERSONNES

340 g (³/4 lb) de spaghettis

coulis de tomate

125 ml (½ tasse) d'huile d'olive

2 gousses d'ail coupées en deux ou trois morceaux

1 oignon jaune, coupé en morceaux

4 tomates pelées, épépinées et coupées en morceaux

1 pincée de sucre

30 ml (2 c. à soupe) de pâte de tomate

Sel et poivre du moulin

1 noix de beurre

Mettre tous les ingrédients du coulis, sauf le poivre et le beurre, dans une cocotte épaisse, mélanger avec une cuillère de bois et faire cuire environ 1 h à 1 h 30 à feu doux en remuant de temps à autre afin que la sauce n'adhère pas à la cocotte. Quand tous les ingrédients sont bien cuits et que l'huile se sépare, passer au chinois et réserver au chaud en ajoutant le poivre et la noisette de beurre. Faire cuire les pâtes de la façon habituelle. Fouetter la sauce avec une fourchette et en verser la moitié dans un grand plat de service chaud, ajouter les pâtes, verser le reste de la sauce, puis mélanger avec deux fourchettes. Servir immédiatement.

 ## spaghettis au thon et à la crème

POUR 5 À 6 PERSONNES

300 ml (1 ¼ tasse) de crème épaisse

60 ml (¼ tasse) de beurre

2,5 ml (½ c. à thé) de muscade fraîchement râpée

5 ml (1 c. à thé) de zeste de citron haché finement

10 ml (2 c. à thé) de baies roses grossièrement broyées

500 g (env. 1 lb) de spaghettis

300 g (²/3 lb) de thon en conserve

15 ml (1 c. à soupe) d'estragon frais, haché, ou de cerfeuil haché ou d'aneth haché

Mettre crème et beurre dans une cocotte épaisse et faire cuire à feu très, très doux en remuant jusqu'à ce que la crème ait épaissi. La crème doit à peine frissonner. Assaisonner de muscade, du zeste et des baies roses. Faire cuire les pâtes. Pendant ce temps, émietter le thon. Égoutter les pâtes cuites, puis les déposer dans la crème avec le thon et l'estragon, le cerfeuil ou l'aneth frais. Mélanger rapidement et verser immédiatement dans un grand plat de service bien chaud.

 ## spaghettis au thon et à l'huile

POUR 3 PERSONNES

300 g (²/3 lb) de spaghettis

1 boîte de thon de 170 g (6 oz)

60 ml (¼ tasse) d'huile d'olive

15 ml (1 c. à soupe) d'huile de noisette

ı

10 ⸱

ou

5 ml (1

haché

1 gousse d'ail émincée fine

8 olives noires, rincées, dénoyautées

émincées

Poivre fraîchement broyé au goût

Sel au goût

Faire cuire les spaghettis. Pendant ce temps, mélanger tous les autres ingrédients, sauf le thon, dans un plat de service. Mettre le plat de service au chaud. Quand les spaghettis sont cuits, les égoutter et les verser dans le plat de service. Remuer avec deux fourchettes pour bien mélanger la sauce. Émietter le thon sur les pâtes, remuer une fois ou deux et servir.

Mettre tous les ingrédients de la sauce dans un bol, puis les brasser un peu. Faire cuire les spaghettis. Quand ils sont cuits, les égoutter. Verser la moitié de la sauce dans un grand bol de service bien chaud, y mettre les pâtes et le reste de la sauce. Remuer avec deux fourchettes pour bien mélanger et servir dans des assiettes très chaudes.

spaghettis aux herbes et aux tomates fraîches

POUR 4 À 5 PERSONNES

450 g (1 lb) de spaghettis

sauce

3 belles tomates pelées, épépinées grossièrement et coupées en dés

5 ml (1 c. à thé) de ciboulette hachée

5 ml (1 c. à thé) de sauge fraîche, hachée

5 ml (1 c. à thé) d'estragon haché

5 ml (1 c. à thé) de persil frais, haché

2,5 ml (1/2 c. à thé) d'origan frais, haché

5 ml (1 c. à thé) de zeste de citron jaune ou vert, haché très finement

2,5 ml (1/2 c. à thé) de coriandre fraîche, hachée

spaghettis aux petites palourdes

POUR 3 PERSONNES

60 ml (1/4 tasse) d'huile d'olive

1/2 oignon jaune en petits cubes

1/2 poivron vert en petits cubes

1 bâton de céleri coupé en petits dés

60 ml (4 c. à soupe) de vermouth blanc extra-dry

1 tomate fraîche pelée, épépinée et coupée en dés ou 6 à 7 morceaux de tomate séchée

3 gousses d'ail hachées finement

10 olives noires, émincées en fines lamelles

1 boîte de 142 g (5 oz) de petites palourdes en conserve

2,5 ml (1/2 c. à thé) de poivre noir grossièrement moulu

Sel au goût

300 g (2/3 lb) de spaghettis

12 petites palourdes fraîches (facultatif)

125 ml (1/2 tasse) de parmesan fraîchement
râpé

Faire chauffer l'huile d'olive dans une
cocotte en fonte émaillée ou en cuivre,
ajouter oignon, poivron et céleri. Lorsqu'ils
sont mi-cuits, ajouter le vermouth, la tomate,
l'ail et les olives noires. Laisser mijoter de 5 à
6 minutes à feu doux. Ouvrir une boîte de
palourdes et en verser le jus dans la cocotte.
Laisser bouillir à feu doux pour réduire le
liquide de moitié. Ajouter poivre, sel et
palourdes. Quand le tout recommence à
bouillir, retirer du feu et réserver.

    Faire cuire les pâtes de la façon habituelle.
Environ 3 minutes avant la fin de la cuisson,
jeter les palourdes fraîches dans l'eau, si
désiré. Lorsque les pâtes sont cuites, égoutter
rapidement pâtes et palourdes. Verser la
moitié de la sauce dans un plat de service,
ajouter les pâtes, verser le reste de la sauce,
ajouter le fromage, puis mélanger avec deux
fourchettes. Laisser attendre au four tiède au
moins 15 à 30 minutes avant de servir. Si on
n'a pas utilisé de palourdes fraîches, on peut
verser le tout dans un plat en pyrex et laisser
ces pâtes jusqu'à 5 h à température de la
pièce. Avant de servir, enlever le couvercle sur
les pâtes, y verser quelques gouttes d'huile et
mettre au micro-ondes 2 à 3 minutes ou faire
réchauffer les pâtes avec le couvercle dans un
four préchauffé à 180 °C (350 °F) environ
15 à 20 minutes.

spaghettis aux tomates et aux oignons

POUR 4 À 5 PERSONNES

80 ml (1/3 tasse) d'huile d'olive

Quelques gouttes d'huile de noisette

750 ml (3 tasses) d'oignons en tranches
très minces

5 belles tomates pelées, épépinées et
coupées en dés

Sel et poivre

450 g (1 lb) de spaghettis ou de
spaghettinis

160 ml (2/3 tasse) de parmesan fraîchement
râpé

Mettre les huiles dans une sauteuse et y faire
sauter les oignons à feu moyen pendant
1 minute. Baisser le feu, couvrir et laisser cuire
jusqu'à ce que les oignons soient légèrement
dorés et tendres. Enlever le couvercle, ajouter
les tomates et augmenter le feu. Cuire en
remuant fréquemment environ 5 à 6 minutes.
Ajouter le sel et le poivre. Les tomates doivent
être tendres, mais non défaites. Faire cuire les
spaghettis, puis les égoutter. Retirer la sauteuse
du feu et y ajouter les pâtes et le fromage.
Mélanger avec deux fourchettes et servir
immédiatement. On peut aussi verser la sauce
et les pâtes dans un plat de service chaud.

spaghettis bolognaise (avec *ragù*)

*Ceux qui ont voyagé en Italie savent depuis
longtemps que la sauce bolognaise que l'on
sert dans la plupart des restaurants
d'Amérique, même dans les restaurants*

italiens, n'a rien à voir avec le ragù, nom de l'authentique sauce bolognaise. Disons que plus d'un restaurant italien nord-américain a été ouvert par un camionneur ou un plâtrier qui n'avait aucune expérience de la restauration, mais la chance de porter un nom italien !

Vous voulez connaître la qualité d'un restaurant italien ? Commandez une sauce bolognaise, un spaghetti carbonara et un risotto. Si l'un et l'autre sont bons et cuisinés de façon classique, vous avez affaire à un restaurant qui vaut le détour. Si, au contraire, on vous sert un spaghetti bolognaise dans lequel il faut chercher les pâtes disparues sous une montagne de sauce tomate, de boulettes et de champignons, un spaghetti carbonara dont la sauce est faite à base de crème ou un risotto insipide, aux grains trop durs ou trop collants, n'y mettez plus les pieds, vous avez affaire à un cuisinier amateur.

POUR 6 À 8 PERSONNES

sauce bolognaise

45 ml (3 c. à soupe) d'huile d'olive
45 ml (3 c. à soupe) de beurre
1/2 oignon jaune, émincé finement
2 bâtons de céleri coupés finement
2 carottes coupées finement
450 g (1 lb) de bœuf haché très maigre
Sel
250 ml (1 tasse) de vermouth blanc extra-dry
125 ml (1/2 tasse) de lait entier

5 ml (1 c. à thé) de muscade fraîchement râpée
160 ml (2/3 tasse) de jus de tomate
5 tomates pelées, épépinées et coupées en gros morceaux

Mettre dans une casserole épaisse huile, beurre et oignon, puis faire cuire à feu moyen jusqu'à ce que l'oignon soit translucide. Ajouter céleri et carotte, puis, toujours à feu moyen, cuire de 5 à 8 minutes. Ajouter le bœuf haché, le défaire à la fourchette et continuer à cuire à feu moyen jusqu'à ce qu'il ait perdu sa couleur rouge. Ajouter le sel et le vermouth, et cuire à feu plus vif jusqu'à ce que le vermouth soit évaporé. Réduire le feu, puis ajouter le lait et la muscade. Faire cuire en remuant jusqu'à ce que le lait soit évaporé. Ajouter le jus de tomate et les tomates, bien remuer et cuire à feu très, très doux, sans couvercle, au moins 3 à 4 h. Remuer toutes les 30 minutes afin de s'assurer que la sauce n'adhère pas à la casserole. Servir les pâtes avec cette sauce et du parmesan fraîchement râpé.

 spaghettis vite faits au pistou

POUR 4 PERSONNES

45 ml (3 c. à soupe) de noix de pin (pignons)
2 gousses d'ail émincées finement
375 ml (1 1/2 tasse) de feuilles de basilic bien tassées
125 ml (1/2 tasse) d'huile d'olive

15 ml (1 c. à soupe) d'huile de noisette ou
de noix

125 ml (½ tasse) de parmesan fraîchement
râpé

Sel au goût

340 g (¾ lb) de spaghettis ou de
spaghettinis

Mettre au robot ou au mélangeur les pignons et l'ail, puis les réduire en morceaux. Ajouter les feuilles de basilic et l'huile d'olive, puis réduire encore jusqu'à ce que la sauce ait la vague consistance de la chapelure. Déposer la sauce dans un bol, ajouter l'huile de noisette ou de noix, le parmesan et le sel, puis fouetter à la fourchette jusqu'à ce que le tout soit bien mélangé. Faire cuire les pâtes de la façon habituelle. Déposer la moitié de la sauce dans un bol de service bien chaud, puis ajouter les pâtes et le reste de la sauce. Mélanger avec deux fourchettes et servir dans des assiettes très chaudes.

PÉTONCLES

Vous souvenez-vous dans quoi se tenait Aphrodite lorsqu'elle est sortie de la mer ? Une grosse coquille de pétoncle... Depuis, ces belles coquilles n'ont pas cessé d'orner les bâtiments, de faire partie des natures mortes de nos peintres, et l'une d'elle est même devenue l'emblème de l'apôtre saint Jacques, d'où le nom de coquilles Saint-Jacques que les Français ont donné aux pétoncles.

Le goût des pétoncles est si fin et si subtil que c'est presque une honte de ne pas tou-

jours les manger crus. De plus, si on les trouve avec leur corail, la gourmandise n'en est que plus grande. Malheureusement, seuls les pétoncles qui peuvent atteindre leur marché en moins de 24 h sont vendus avec leur corail car, contrairement aux huîtres, aux palourdes ou aux moules, le pétoncle ne se conserve pas. En Amérique du Nord, on ne vend donc que le muscle que les Français ont baptisé noix de Saint-Jacques. Et de temps à autre, on trouve dans nos poissonneries, les *bay scallops*, de petits pétoncles qui ne font pas plus que 1,5 cm (½ po) de côté. Bien frais, ils sont tout aussi délicieux que les autres, sinon plus.

 ### pétoncles à la provençale
POUR 2 PERSONNES

12 pétoncles bien frais

60 ml (4 c. à soupe) d'huile d'olive

1 échalote hachée finement

1 gousse d'ail hachée finement

1 grosse tomate pelée, épépinée et coupée
en petits morceaux

2,5 ml (½ c. à thé) de feuilles de coriandre
fraîche, hachées finement

5 ml (1 c. à thé) d'herbes de Provence

2,5 ml (½ c. à thé) de zeste de citron
haché finement

1 pincée de sucre

Sel et poivre au goût

15 ml (1 c. à soupe) de persil frais ou de
cerfeuil frais, haché

Laver les pétoncles à grande eau et bien les assécher dans une serviette. Réserver.

Faire chauffer l'huile dans une poêle à feu moyen, y déposer l'échalote, l'ail, la tomate, les herbes, le zeste, le sucre et le sel. Cuire à feu doux jusqu'à ce que l'huile se sépare. Monter le feu et, quand il est bien chaud, faire revenir les pétoncles environ 4 à 5 minutes dans la sauce en les retournant régulièrement. Poivrer, saupoudrer du persil ou du cerfeuil, puis servir immédiatement avec une pomme de terre vapeur persillée.

pétoncles à ma manière

POUR 2 PERSONNES

12 pétoncles bien frais

30 ml (2 c. à soupe) d'huile d'olive

15 ml (1 c. à soupe) de beurre

2 gousses d'ail hachées finement

1 échalote hachée finement

60 ml (¼ tasse) de vermouth blanc extra-dry

accompagnement

2 petites portions de nouilles larges (fettucines)

15 ml (1 c. à soupe) de beurre

15 (1 c. à soupe) d'huile d'olive

Sel et poivre au goût

15 ml (1 c. à soupe) de persil frais ou de cerfeuil frais, haché

Laver les pétoncles à grande eau et bien les assécher dans une serviette. Faire chauffer à feu vif huile et beurre dans une poêle, y déposer les pétoncles dès que le beurre est fondu, puis les faire revenir de tous les côtés

en les retournant constamment, mais délicatement, pendant 2 ou 3 minutes, à l'aide de deux spatules. Baisser le feu aussitôt, ajouter l'ail et l'échalote, et continuer à cuire en remuant pendant 1 minute. Déposer dans des assiettes chaudes et déglacer la poêle avec le vermouth. Faire réduire légèrement et verser sur les pétoncles.

Mettre les nouilles au feu avant de faire cuire les pétoncles. Quand elles sont cuites, les égoutter et les remettre dans leur cocotte avec beurre, huile et assaisonnements. Mélanger et déposer dans un plat de service bien chaud. Entourer les nouilles des pétoncles et saupoudrer abondamment de persil. Servir immédiatement dans des assiettes chaudes.

POIRE

J'ai dans mon jardin quelques poiriers qui produisent avec abondance grâce au micro-climat que me vaut une montagne dont j'habite le flanc. De l'autre côté de la route, un printemps sur deux, les fleurs des poiriers gèlent mais chez nous, elles ont gelé seulement deux fois en trois décennies.

La vraie période critique pour mes poires, c'est le moment de la récolte. Contrairement aux pommes, on ne peut pas laisser les poires mûrir sur l'arbre, car elles se ramollissent et la chair devient farineuse. Il faut donc les cueillir avant maturité, mais quand? En principe, lorsqu'on a un peu de mal à détacher le fruit de son pédoncule.

Quoi qu'il en soit, si on achète les poires chez le fruitier, le doute n'existe pas, puisqu'elles n'y sont jamais à maturité. On les laisse mûrir à température de la pièce, la queue en l'air, en les surveillant bien, car dès qu'elles commencent à devenir plus tendres, il ne leur faut souvent qu'une journée ou deux pour qu'elles se gâtent.

Les poires s'achètent sans tache et sans blessure, et un fruitier soucieux ne laisse pas le client les manipuler. Si vous les achetez dans une grande surface, bonne chance !

poires à la crème

POUR 4 PERSONNES

30 ml (2 c. à soupe) de beurre doux

6 poires pelées, le cœur enlevé et coupées
   en petits quartiers

60 ml (¼ tasse) de sucre granulé

1 verre de cognac, soit 45 ml (1 ½ oz)

160 ml (⅔ tasse) de crème épaisse à
   température de la pièce

15 ml (1 c. à soupe) d'alcool de poire

2,5 ml (½ c. à thé) de muscade
   fraîchement râpée

Faire fondre le beurre dans une grande poêle et y cuire les quartiers de poire à feu moyen jusqu'à ce qu'ils soient bien dorés de tous les côtés. Saupoudrer les poires de sucre et faire caraméliser légèrement. Déglacer avec le cognac et cuire encore quelques minutes. Mélanger la crème et l'alcool. La verser dans la poêle hors du feu et remettre la poêle sur la plaque. Laisser blondir un peu la crème en la faisant mijoter. Saupoudrer de muscade et servir immédiatement.

POIREAU

Dès qu'arrive la mi-juillet, les poireaux du Québec se retrouvent sur nos marchés. Les preneurs ne sont pas si nombreux, car les Québécois ne sont pas de grands amateurs de ce légume. La plupart se contentent d'en faire des potages et quelques-uns les incorporent à un pot-au-feu. Pourtant, il n'y a pas meilleure entrée que des poireaux encore tièdes, presque chauds même.

Quand on prépare des poireaux, on coupe le vert qu'on laisse aux lapins et on coupe la barbe (les racines), mais on en laisse assez long pour que le poireau ne se défasse pas. On fait une incision de quelques centimètres dans le sens de la longueur de manière à pouvoir écarter les feuilles et à les laver au cas où elles cacheraient de la terre ou du sable. Puis on attache chaque poireau avec une ficelle afin qu'il ne se défasse pas à la cuisson.

poireaux braisés

POUR 2 PERSONNES

8 petits poireaux ou 4 poireaux de taille
   moyenne

30 ml (2 c. à soupe) d'huile d'olive

15 ml (1 c. à soupe) de jus de citron

2,5 ml (½ c. à thé) de zeste de citron
   haché finement

Sel et poivre au goût

Faire cuire les poireaux à la vapeur. Quand ils sont al dente, les déposer sur une serviette. Dès qu'ils sont tièdes, les détacher, les répartir dans un plat de service chaud, puis les couper cinq ou six fois dans le sens de la longueur. Entre-temps, mettre l'huile, le jus et le zeste de citron dans un bol. Émulsionner légèrement avec une fourchette. Saler un peu, puis émulsionner encore 3 ou 4 secondes. Répartir la vinaigrette sur les poireaux et poivrer. Servir quand les poireaux sont encore tièdes.

poireaux tièdes aux baies roses

POUR 2 PERSONNES

8 petits poireaux ou 4 poireaux de taille
    moyenne
45 ml (3 c. à soupe) d'huile d'olive
15 ml (1 c. à soupe) d'huile de noisette
5 ml (1 c. à thé) de vinaigre japonais ou de
    vinaigre de vin
Quelques gouttes de vinaigre balsamique
10 ml (2 c. à thé) de jus de citron
Sel
20 ml (4 c. à thé) de baies roses broyées

Faire cuire les poireaux à la vapeur. Quand ils sont *al dente,* les déposer sur une serviette et les détacher. Dès qu'ils sont tièdes, les répartir dans un plat de service chaud, puis couper en deux ou en trois chaque moitié de poireau. Entre-temps, mettre les huiles, les vinaigres et le jus de citron dans un bol. Émulsionner légèrement avec une fourchette. Saler un peu, puis émulsionner encore 3 ou 4 secondes. Répartir la vinaigrette sur les poireaux et saupoudrer les poireaux et l'assiette de baies roses. Servir quand les poireaux sont encore tièdes.

POIS VERTS

Les petits pois, il faut bien l'avouer, furent longtemps avec les carottes et les pommes de terre les seuls légumes que mangeaient régulièrement les Québécois. Qu'on ne se trompe pas, ils mangeaient les petits pois en conserve. Y a-t-il un légume plus déprimant que les petits pois qui sortent d'une boîte de conserve et qu'on se contente de faire chauffer sans apprêt avant de les servir?

Voici deux ou trois recettes qui vous permettront de sauver la face si tout ce que vous avez comme légume sont des pois en conserve.

pois verts en entrée

POUR 2 PERSONNES

1 boîte de petits pois verts (les plus fins
    possible)
1 tomate pelée, épépinée et coupée en
    petits dés
1 oignon jaune moyen, coupé en petits dés
30 ml (2 c. à soupe) de persil frais, haché
    finement
15 ml (1 c. à soupe) de menthe fraîche,
    hachée
1 gousse d'ail hachée finement
10 ml (2 c. à thé) de jus de citron
30 ml (2 c. à soupe) d'huile d'olive
Sel et poivre du moulin au goût

Bien égoutter les pois, les verser dans un plat de service et y mélanger délicatement tous les autres ingrédients. Servir avec du pain grillé, beurré.

pois verts et cœur de laitue

POUR 2 OU 3 PERSONNES

15 ml (1 c. à soupe) d'huile d'olive

30 ml (2 c. à soupe) d'oignon haché finement

1 boîte de petits pois (les plus fins possible)

1 cœur de laitue

Sel et poivre du moulin

Mettre l'huile et l'oignon émincé dans une petite cocotte. Faire cuire l'oignon jusqu'à ce qu'il soit translucide. Ajouter le liquide des petits pois et le cœur de laitue. Couvrir et laisser cuire à feu doux jusqu'à ce que le cœur de laitue soit tendre. Ajouter les petits pois, saler et poivrer. Servir comme légume d'accompagnement dès que les petits pois sont très chauds.

pois verts et laitue aux pignons

POUR 4 PERSONNES

60 ml (¼ tasse) de pignons

1 petit oignon jaune, coupé en rondelles fines

15 ml (1 c. à soupe) d'huile d'olive

30 ml (2 c. à soupe) de beurre

1 pied ou 1 pomme de laitue (n'importe laquelle, sauf la iceberg) découpée en gros morceaux

1 boîte de petits pois verts en conserve (les plus fins possible)

Sel et poivre du moulin

Dans une casserole assez grande pour recevoir ensuite la laitue, faire dorer légèrement les pignons et l'oignon dans l'huile et le beurre. Ajouter la laitue, couvrir et laisser mijoter à feu doux jusqu'à ce que la laitue soit cuite (de 25 à 45 minutes, selon le type de laitue), ajouter les pois avec leur jus et garder à découvert. Dès que tout recommence à mijoter, baisser le feu presque complètement. Saler et poivrer. Servir très chaud avec une cuillère à trous de façon à égoutter pois, pignons et laitue en accompagnement d'une viande grillée ou poêlée.

pois verts mange-tout

Ces pois sont délicieux mais, hélas, on n'en trouve pas longtemps sur le marché, car la saison est très courte. Les mange-tout sont frais s'ils sont vert brillant et s'ils cassent avec un petit bruit sec. Pour les préparer, il faut avec un petit couteau couper le bout des cosses et les effiler des deux côtés.

Quand ils sont mondés, on les fait blanchir 1 minute dans l'eau bouillante salée, on les égoutte, on arrête la cuisson en les passant sous le robinet d'eau froide et on les étend sur une serviette afin de les assécher.

pois verts mange-tout à la chinoise

POUR 4 PERSONNES

Environ 1 kg (2 ¼ lb) de mange-tout

60 ml (¼ tasse) d'huile d'olive

2 gousses d'ail hachées finement

Environ 15 ml (1 c. à soupe) de sauce soya

Poivre du moulin

Blanchir les mange-tout. Faire chauffer l'huile dans une sauteuse, puis y faire sauter les mange-tout quelques minutes à feu assez vif en les remuant délicatement avec deux spatules. Une minute avant la fin de la cuisson, ajouter l'ail et la sauce soya, puis le poivre. Verser dans un plat de service chaud.

pois verts mange-tout à l'huile et à l'ail
POUR 4 PERSONNES

Environ 1 kg (2 ¼ lb) de mange-tout
45 ml (3 c. à soupe) d'huile d'olive
15 ml (1 c. à soupe) d'huile de noisette
2 gousses d'ail hachées finement
Sel et poivre du moulin
12 feuilles de menthe fraîche
10 ml (2 c. à thé) de jus de citron
Quelques gouttes de vinaigre balsamique

Blanchir les mange-tout. Faire chauffer les huiles dans une sauteuse, puis y faire sauter les mange-tout quelques minutes à feu assez vif en les remuant délicatement avec deux spatules. Une minute avant la fin de la cuisson, ajouter l'ail et le sel, puis le poivre. Verser dans un plat de service chaud, décorer des feuilles de menthe et arroser du jus de citron dans lequel aura été mêlé le vinaigre balsamique.

POISSON

Par les menus que je donne comme par le nombre de mes recettes de poisson, vous aurez deviné que j'en mange beaucoup. Au moins trois à quatre fois par semaine. Et quand je me trouve dans un lieu où le poisson frais est abondant (bord de mer ou Paris, par exemple), j'en mange six ou sept fois par semaine, et parfois plus. De ce côté, je suis insatiable...

Contrairement à ce que plusieurs pensent, on ne se lasse jamais du poisson. Il y a d'abord une plus grande variété de poissons que de viande et de volaille, et la façon de les apprêter est proprement infinie, ce qui n'est pas tout à fait le cas des viandes.

Quand on aime le poisson, on apprend vite à différencier celui qui est frais, et le poissonnier peu scrupuleux a bien du mal à refiler sa mauvaise marchandise. Un poisson vraiment frais a l'œil aussi vif que celui qui nage encore, et ses ouïes sont rouges et sanguinolentes. Le corps est brillant et ferme, et le mucus qui le couvre n'est pas un mauvais signe, bien au contraire. Quant aux poissons plats, s'ils ne sont pas visqueux, c'est qu'ils ne sont plus frais.

Le frais sent toujours bon, sauf la raie qui a une irréductible odeur d'ammoniaque, et c'est normal. Si le poisson que vous voulez acheter est déjà coupé en filets ou en darnes, il n'est plus question de lui examiner les yeux ou de lui toucher la peau. Reste la chair qu'on peut observer. Elle doit être luisante et ne pas se détacher de l'arête principale.

Même les poissons qu'on appelle gras sont plus maigres que les viandes maigres. Ils ont sur ces dernières la vertu extraordinaire d'abonder en acides gras polyinsaturés qui réduisent la teneur du mauvais cholestérol. Se bourrer de viande et se priver de poisson, c'est s'exposer à des maladies cardiovasculaires précoces.

Le hareng, l'anguille, le saumon et le thon sont les plus caloriques, alors que l'aiglefin, la morue fraîche, la plie et la raie sont parmi ceux qui le sont le moins.

Ceux qui lèvent le nez sur le poisson ont souvent éprouvé des expériences malheureuses : ils en ont trop mangé qui n'était pas frais, ils l'ont toujours mangé trop cuit ou on les a gavés de ces cochonneries, hélas trop populaires, qui s'appellent *fish sticks*. Aussi bien manger du carton ondulé !

Quand vous achetez du poisson, si frais soit-il, demandez toujours qu'on vous l'emballe avec de la glace si vous ne retournez pas immédiatement à la maison. Une fois à la maison, mettez-le dans un sac rempli de glaçons. Ou couvrez le fond d'un plat de glaçons et déposez-y le poisson que vous recouvrirez encore de glaçons. Ne le lavez qu'au moment de le faire cuire et épongez-le toujours avec une serviette, pas avec un papier essuie-tout qui resterait irrémédiablement collé à la chair.

Si le poisson n'a pas déjà été congelé, vous pouvez le faire congeler de la façon suivante : mettez-le dans un contenant, couvrez-le d'eau et déposez le contenant au congélateur. Dès que la glace sera bien prise, enlevez le bloc de son contenant en le passant rapidement sous l'eau chaude et fourrez le poisson et sa prison de glace dans un sac de plastique que vous fermerez avec une attache. Quand vous serez prêt à le manger, faites-le dégeler rapidement en mettant le bloc de glace dans un grand bol d'eau froide sous le robinet que vous ouvrirez juste assez pour laisser échapper un filet d'eau. En moins d'une heure, il sera décongelé et prêt à cuire.

Il y a des poissons assez courants pour lesquels je n'ai pas donné de recettes. C'est intentionnel, sinon ce livre serait trop volumineux. Avec un peu d'imagination, vous n'aurez aucun mal à adapter à un autre poisson la recette que je donne pour un poisson assez semblable.

Pour vous aider un peu, voici quelques idées pour des espèces qui ne font pas l'objet d'une ou de plusieurs recettes.

aiglefin

En principe, c'est le poisson qu'utilisent les Anglais pour faire leurs fameux *fish and chips*, toujours meilleurs dans les pubs que dans les restaurants. Si vous voulez vous lancer dans les *fish and chips*, achetez de l'aiglefin. Meunière ou pané, l'aiglefin est excellent, mais il doit être assez relevé, car il est fade. On ne le fait pas cuire au four, à moins de vouloir le manger en miettes...

éperlan

Si vous en trouvez de très frais et de très petits — 3 à 4 cm (env. 1 ½ po) de longueur —, préparez une pâte lisse ou une pâte à l'œuf et plongez-les tout entiers (tête, queue et viscères incluses) dans un bain de haute friture. Avec quelques quartiers de citron jaune, c'est un délice... mais un délice assez calorique...

maquereau

Je le préfère froid en entrée avec une petite vinaigrette. Le restaurant Le Paris, 1812, rue Sainte-Catherine Ouest, à Montréal, en a toujours au menu. On peut le faire poêlé, en le cuisant dans l'huile d'olive environ 5 minutes de chaque côté, ou grillé, à peu près selon les mêmes temps.

omble de l'Arctique

Il y a plusieurs variétés d'ombles mais l'omble qu'on vend au Québec, on le prépare comme du saumon. Plus fade et plus sec que du saumon, toutefois.

plie

On a le droit de la vendre partout au Canada sous le nom de « sole », un petit cadeau du gouvernement à nos pêcheurs. Quant à moi, j'estime que c'est de la fausse représentation... Est-ce pour cela que je refuse de manger de la plie ? En partie oui, mais aussi parce que je trouve la plie fade et que, quand j'en mange, j'ai l'impression de prendre une bouchée de ouate. C'est un poisson qu'on fait cuire meunière et qu'il ne faut surtout pas surcuire.

tilapia

Ce poisson d'élevage est de plus en plus populaire au Québec en raison de son prix presque ridicule. Je le prépare comme du doré. Fade, il doit être bien relevé.

truite

La truite d'élevage qu'on vend partout n'a pas beaucoup de saveur. Mieux vaut l'acheter fumée. La fraîche est à son meilleur quand on la fait cuire en papillote. La truite sauvage, c'est une autre chose. La façon de l'apprêter dépend beaucoup de sa variété et surtout de sa grosseur. C'est poêlée à feu vif dans un peu d'huile et de beurre, puis assaisonnée de sel, de poivre et d'un filet de jus de citron que la petite truite saumonée est à son meilleur.

turbot de Baffin

Quelques semaines par année, on trouve chez les poissonniers du Québec ce poisson de bonne taille à la chair blanche immaculée. C'est un merveilleux poisson que l'on peut apprêter selon les recettes de morue fraîche.

POIVRONS

C'est le comédien Robert Gadouas qui m'initia aux poivrons. Pour une raison que j'ignore, jamais ma mère n'a préparé de poivrons. Elle prétendait que ce légume était indigeste et sans aucune valeur nutritive. C'est vrai que le poivron n'est pas très nourrissant, mais c'est faux de dire qu'il est indigeste... à moins d'être flétri.

Je revois encore Robert préparer de grosses salades de poivrons verts qu'il assaisonnait d'un peu d'huile, de vinaigre, de sel et de poivre. Il adorait les poivrons qu'il mangeait surtout crus.

En Amérique, nous avons de la chance parce que nous produisons, et de loin, les meilleurs poivrons du monde. Des verts, des jaunes, des rouges, des orangés et même des violets. Un poivron frais a une belle peau lisse et brillante, et son pédoncule est bien vert.

Les poivrons crus n'ont guère besoin de préparation. On coupe le chapeau ou on les coupe en deux pour enlever les pépins et les filaments, et il ne reste plus qu'à découper les poivrons à son goût, en fines lanières ou en dés.

fausse ratatouille de poivrons

Je qualifie de fausse cette ratatouille dont l'élément essentiel est le poivron et qui n'a pas grand-chose à voir avec la ratatouille qui, l'été, embaume toutes les cuisines de Provence. Mais cette fausse ratatouille a sur l'autre un énorme avantage : elle se fait en un tournemain, elle est très digeste et a un bon goût de frais.

POUR 6 À 8 PERSONNES

2 ou 3 courgettes coupées en rondelles de 1 cm (³/8 po)
Environ 125 ml (½ tasse) d'huile d'olive
Sel et poivre du moulin
1 oignon jaune, coupé en fines rondelles
1 poivron vert, 1 jaune et 1 rouge, coupés en lanières de 6 à 7 mm (env. ¼ po)
60 ml (¼ tasse) de vermouth blanc extra-dry
30 ml (2 c. à soupe) de pâte de tomate

2 ou 3 tomates pelées, épépinées et coupées en dés
3 gousses d'ail émincées finement
5 ml (1 c. à thé) de persil frais finement haché
10 ml (2 c. à thé) de sauge fraîche, hachée

Sans faire dégorger les rondelles de courgette, les faire revenir à feu vif dans une grande poêle dans laquelle on aura mis environ le tiers de l'huile d'olive. Tourner les rondelles quand elles sont bien dorées d'un côté, les saler et les poivrer, puis les faire dorer de l'autre côté. Réserver. Pendant ce temps, mettre le reste de l'huile d'olive dans une sauteuse et y faire cuire l'oignon et le poivron d'abord à feu vif, puis en réduisant le feu. Quand ils commencent à devenir tendres, monter le feu, verser le vermouth mélangé à la pâte de tomate, puis laisser réduire presque complètement. Ajouter les tomates et l'ail, baisser le feu et faire mijoter en remuant de temps à autre jusqu'à ce que l'huile se sépare. Ajouter les herbes et les courgettes, brasser délicatement avec une cuillère de bois, puis corriger l'assaisonnement. Servir aussitôt que les courgettes sont chaudes.

poivrons à la marocaine
POUR 2 PERSONNES

2 poivrons rouges
30 ml (2 c. à soupe) d'huile d'olive
15 ml (1 c. à soupe) d'huile de noisette
Quelques gouttes de vinaigre balsamique
2 gousses d'ail émincées très finement
Sel et poivre du moulin

À four entrouvert, faire griller les poivrons de tous les côtés jusqu'à ce que la peau devienne noire et boursouflée. Sortir les poivrons du four, les mettre dans un sac de plastique, l'attacher et laisser tiédir complètement. Sortir les poivrons du sac et les peler. Les couper en deux dans une grande assiette afin de ne pas perdre leur précieux jus de cuisson, retirer les pépins et couper en fines lanières. Arroser des huiles mélangées avec le vinaigre balsamique, saupoudrer d'ail, saler, poivrer et servir à température de la pièce. On peut couvrir les poivrons d'une pellicule plastique et les garder quelques jours au frigo, mais il faut les faire chambrer au moins 1 h avant de les manger.

POMMES

Je connais bien les pommes, non seulement parce que j'ai étudié mon petit catéchisme et que j'y ai appris que c'est à elles (et à Ève aussi...) qu'on doit tous les maux qui nous affligent, mais aussi parce que j'ai un petit verger depuis plus de trois décennies.

Pommes et vergers ont bien changé. Plusieurs variétés de pommes de mon enfance (les fameuses, les Alexandre, les Saint-Laurent, la Wolf River, les Northern Spy, etc.) ont disparu comme ont disparu presque tous les grands pommiers capables de supporter je ne sais combien de centaines de livres de fruits et dans lesquels on montait allègrement.

Aujourd'hui, la plupart des vergers sont constitués de pommiers nains ou semi-nains et s'il était possible, au début du siècle, pour un pomiculteur de vivre de quelques centaines de pommiers, il lui en faut maintenant entre 15 000 et 30 000 pour être capable de... survivre.

Dans mon enfance, presque toutes les pommes étaient piquées et tavelées, ce qui ne nous empêchait pas de nous en gaver. Il n'y a plus de pommes piquées ni tavelées parce que les vergers sont constamment arrosés de produits chimiques. Une quinzaine et plus d'arrosages par été, souvent faits par avion. J'appelle ça «la guerre des pommiers». Et la guerre commence tôt en saison parce qu'au moment de la floraison, s'il y a risque de gel, dès le milieu de la nuit, on appelle des hélicoptères qui volent à quelques mètres de la cime des pommiers afin de refouler la chaleur au sol. Habiter comme moi au milieu des vergers prend parfois des allures de Kosovo ou de Guerre du golfe ! Mais les pommes sont belles, et Ève y succomberait encore.

Au supermarché, les pommes sont plus attrayantes que dans les arbres, puisqu'on les enduit d'une couche de cire brillante qui rend la peau bien désagréable à manger. Malgré tout cela, le proverbe voulant qu'une pomme par jour éloigne le médecin est toujours de mise, surtout si on mange sa pelure. L'après-midi, s'il vous vient un petit creux, croquez une pomme. Elle n'affectera en rien votre régime parce qu'elle est nutritive et peu calorique.

Il n'est pas facile de s'y retrouver parmi toutes les variétés de pommes sur le marché. En voici une nomenclature simple que je vous fais chronologiquement, c'est-à-dire selon le temps où les pommes sont mises en vente.

juillet

Montréal pêche

Elle est très savoureuse, mais elle est si hâtive qu'on ne peut la garder plus d'une journée ou deux. Quand elle est mûre, j'en mange deux ou trois de suite et, quelques jours après, je retrouve toutes les autres sur le sol.

jaune transparente

Une pomme molle et juteuse, la première dans laquelle on a l'occasion de croquer. Elle se conserve à peine une semaine. On en fait une extraordinaire compote.

août

vista bella

Une bonne pomme à croquer à chair un peu molle. C'est la meilleure pomme d'été, mais elle ne se conserve pas.

melba

Une pomme extrêmement savoureuse aussi bonne à croquer qu'à cuire ou à faire du jus.

jerseymac

Pas très acide, pas très sucrée, elle fait de l'excellent jus. On peut la conserver jusqu'à six semaines.

paulared

Acide, très ferme. Une pomme à croquer.

summerred

Une pomme ferme et parfumée, excellente pour le jus et la cuisson.

septembre

lobo

On la fait souvent passer pour une McIntosh, à laquelle elle ressemble comme une jumelle. Sa chair est ferme et acide, mais moins parfumée que celle de la McIntosh. On la trouve presque toute l'année sur le marché. La jonamac est la sœur jumelle de la lobo. Une pomme à croquer.

McIntosh

Parce qu'elle n'est ni trop sucrée ni trop acide, que sa chair est ferme et parfumée, elle a supplanté plusieurs variétés. On la trouve toute l'année. Une vraie bonne pomme à croquer, mais dépêchez-vous d'en manger, car elle finira par disparaître. Comme elle est bien sujette aux maladies, les pomiculteurs la remplacent graduellement par d'autres variétés.

spartan

Très ferme et très parfumée, faite pour être croquée comme l'empire, plus sucrée que la spartan.

cortland

Une pomme sucrée à chair ferme. Idéale pour la cuisson.

octobre

russet

Petite pomme vert brunâtre à la saveur unique. Il n'y a pas, selon moi, meilleure pomme pour la cuisson. Pour la tarte Tatin, elle est irremplaçable. Elle a un peu le goût de la pomme reinette qu'on vend en France.

empire

C'est une bonne pomme de table. Sur le plan du goût et sur celui de la texture, elle est à mi-chemin entre la McIntosh et la délicieuse.

délicieuse

Rouges ou jaunes, les délicieuses du Québec n'atteignent pas la grosseur de celles qui viennent de Colombie-Britannique, mais elles sont tout aussi savoureuses. La délicieuse doit mûrir après la récolte, et c'est à l'époque de Noël qu'elle est à son meilleur. Une de mes préférées.

granny smith

Développée en Australie, elle est très populaire depuis quelques années, mais il lui faut une saison assez longue. Celles qu'on vend au Québec viennent de Colombie-Britannique. J'ai un pommier de granny smith qui me donne des pommes une saison sur deux... mais elles n'ont pas la grosseur de celles de Colombie.

comment cueillir les pommes

Comme c'est la mode de cueillir soi-même ses pommes et comme je vois chaque automne des citadins cueillir à la fois la pomme de cette année et celle de la saison prochaine (ce qui arrive quand on arrache avec la pomme les bourgeons des futurs fruits), voici la façon correcte de cueillir une pomme : la soulever un peu avec la main et exécuter un léger mouvement de torsion. Si la pomme est mûre, elle se détachera facilement de l'arbre en gardant son pédoncule et en laissant sur la branche les pommes de la saison suivante. Les pommes sont comme des œufs : on ne les jette pas négligemment dans son panier, mais on les dépose avec précaution. Une pomme, même très légèrement meurtrie, ne se conservera que quelques jours.

croustade aux pommes
POUR 6 PERSONNES

1 litre (4 tasses) de pommes pelées, vidées
   et coupées en grosses lamelles
Le jus de 1/2 citron
30 ml (2 c. à soupe) de kirsch, de rhum
   brun ou encore de calvados
1 pincée de sel
2,5 ml (1/2 c. à thé) de muscade râpée
1 ml (1/4 c. à thé) de gingembre moulu
1 ml (1/4 c. à thé) de clous de girofle moulus
2,5 ml (1/2 c. à thé) de cannelle moulue
125 ml (1/2 tasse) de farine tout usage
2,5 ml (1/2 c. à thé) de vanille en poudre
125 ml (1/2 tasse) de cassonade
80 ml (1/3 tasse) de beurre

Une fois les pommes mondées, les mettre dans un bol, y ajouter citron, alcool, sel et toutes les épices. Bien enduire les pommes en les remuant avec deux cuillères de bois. Dans un bol, mettre la farine et la vanille en poudre, la cassonade et le beurre, puis bien mélanger avec un coupe-pâtisserie jusqu'à ce que le mélange soit granuleux. Déposer les pommes dans un plat en pyrex, bien les tasser et verser dessus le mélange

en le pressant un peu avec une spatule.
Mettre dans un four préchauffé à 190 °C
(375 °F) environ 30 minutes. Si on n'a pas
de vanille en poudre, on peut mettre 5 ml
(1 c. à thé) d'essence de vanille avec
les pommes.

gâteau humide aux pommes

POUR 5 À 6 PERSONNES

Le jus d'un citron ou de ½ citron s'il est très
    gros et juteux
6 pommes
30 ml (2 c. à soupe) de beurre
45 ml (3 c. à soupe) de sucre
45 ml (3 c. à soupe) de calvados ou de
    kirsch
1 ml (¼ c. à thé) de gingembre
2,5 ml (½ c. à thé) de muscade
2,5 ml (½ c. à thé) de cannelle

pâte

4 œufs
300 ml (1 ¼ tasse) de sucre granulé
1 pincée de sel
5 ml (1 c. à thé) d'essence de vanille
5 ml (1 c. à thé) de calvados ou de kirsch
Le zeste de ½ citron
550 ml (2 ¼ tasses) de farine tout usage
250 ml (1 tasse) de beurre mou

Enlever le zeste du citron et le réserver.
Peler les pommes et enlever le cœur. Les
arroser du jus du citron. Faire fondre les
30 ml (2 c. à soupe) de beurre dans une
cocotte et y faire blondir les pommes, tout

en les tournant de tous les côtés. Quand
elles ont blondi, ajouter le sucre et baisser
le feu pour que les pommes caramélisent.
Les flamber avec les 45 ml (3 c. à soupe)
de calvados, les saupoudrer des épices
et réserver.

pâte

Battre ensemble deux par deux les œufs
entiers, incorporer le sucre, le sel, la vanille
et le calvados jusqu'à ce que le mélange
soit bien lisse. Ajouter le zeste du citron
haché finement, la farine tamisée, puis le
beurre mou (mais non fondu).

    Dans un moule qui va au four — moule
à gâteau des anges dont on peut enlever le
fond, par exemple —, préalablement
beurré et saupoudré de sucre granulé,
disposer un fond de pâte, puis les pommes
entières (on peut aussi les couper en deux
et les disposer en demies). Verser ensuite le
reste de la pâte.

    Mettre dans un four préchauffé à
190 °C (375 °F) de 50 minutes à
1 h. Démouler chaud et servir tiède. On
peut aussi servir sans démouler.

pommes au vin rouge

POUR 6 PERSONNES

6 grosses pommes
250 ml (1 tasse) de sucre
Le zeste de ½ citron
1 bouteille de bon vin rouge
La moitié d'une noix de muscade
1 anis étoilé
1 morceau de gingembre frais

5 clous de girofle

1 bâton de cannelle

1 petit verre de calvados ou de kirsch, soit
45 ml (1 ½ oz)

Peler les pommes, les couper en deux, puis
enlever le cœur. Les déposer dans une
cocotte avec le sucre, le zeste et le vin.
Mettre la muscade, l'anis, le gingembre, les
clous de girofle et la cannelle dans une
mousseline à fromage de manière à
pouvoir les enlever, une fois les pommes
cuites. Cuire sans couvercle, sur la plaque
de la cuisinière, à feu moyen-doux (le plat
doit mijoter). Quand les pommes sont très,
très tendres, ajouter l'alcool, remuer, puis
retirer du feu. Lorsque le mélange est tiède,
retirer les épices. Faire refroidir et servir
avec de la crème épaisse ou de la crème
chantilly.

pommes dorées
POUR 6 PERSONNES

1 litre (4 tasses) de pommes pelées, vidées
et coupées en quartiers

45 ml (3 c. à soupe) de beurre fondu

15 ml (1 c. à soupe) de jus de citron

125 ml (1 tasse) de cassonade

1 petit verre de rhum brun ou de calvados,
soit 45 ml (1 ½ oz)

Placer les pommes dans une lèchefrite
plate, puis les arroser du beurre fondu et du
jus de citron. Les mettre dans un four
préchauffé à 190 °C (375 °F) jusqu'à ce
qu'elles soient tendres.

Les sortir du four, les saupoudrer de la
cassonade et les arroser d'alcool.

Mettre les pommes sous le gril jusqu'à
ce qu'elles soient caramélisées. Servir
immédiatement.

soufflé aux pommes
POUR 3 À 4 PERSONNES

250 ml (1 tasse) de lait

7,5 ml (1 ½ c. à thé) de vanille

60 ml (¼ tasse) de sucre

60 ml (¼ tasse) de farine tout usage

1 noix de beurre

30 ml (2 c. à soupe) de calvados

3 jaunes d'œufs battus à température de la
pièce

1 grosse pomme (ou 2 petites)

Quelques gouttes de jus de citron

3 blancs d'œufs

1 pincée de sel

15 ml (1 c. à soupe) de sucre granulé

60 ml (4 c. à soupe) de calvados (pour
flamber)

Réserver 45 ml (3 c. à soupe) de lait et faire
chauffer le reste avec la vanille dans une
cocotte jusqu'au point d'ébullition. Dans un
bol, mélanger le sucre et la farine, puis les
45 ml (3 c. à soupe) de lait réservé. Ajouter
le lait chaud lentement en remuant bien avec
une spatule. Remettre dans la cocotte et faire
bouillir doucement pendant 2 minutes. Retirer
du feu, mélanger le beurre et le calvados.
Couvrir et laisser tiédir. Quand le mélange est
à température de la pièce, y ajouter les
jaunes d'œufs battus, puis mélanger.

Peler la pomme et en couper des lamelles minces — 2 mm (moins de 1/8 po). Les arroser de quelques gouttes de jus de citron. Battre les blancs d'œufs en neige, puis ajouter une pincée de sel. Quand ils sont à demi battus, ajouter le sucre et continuer à battre jusqu'à consistance ferme. Incorporer les blancs d'œufs en neige au mélange précédent. Beurrer le moule à soufflé et le saupoudrer de sucre granulé. Mettre une couche de pomme au fond, ajouter la moitié du mélange, mettre une autre couche de pomme, ajouter l'autre moitié du mélange, puis couronner le tout de trois ou quatre morceaux de pomme. Placer le soufflé au four préchauffé à 180 °C (350 °F) environ 25 minutes. Au moment de servir, faire chauffer légèrement le calvados, le répandre sur le soufflé et flamber.

 tarte Tatin
POUR 8 PERSONNES
POUR UNE ASSIETTE À HAUT BORD DE 24 CM (9 1/2 PO)
1 croûte de pâte brisée
6 à 8 pommes
250 ml (1 tasse) de sucre granulé
80 ml (1/3 tasse) de beurre fondu
2,5 ml (1/2 c. à thé) de cannelle
2,5 ml (1/2 c. à thé) de muscade fraîchement râpée
1 ml (1/4 c. à thé) d'anis étoilé moulu
1 ml (1/4 c. à thé) de clou moulu
Le jus de 1/2 citron
1 noisette de beurre

30 ml (2 c. à soupe) de calvados, de rhum brun ou encore de kirsch
45 ml (3 c. à soupe) de sucre à glacer

Peler les pommes, enlever le cœur, et couper chacune d'entre elles en quatre quartiers ou en huit, si elles sont très grosses. Dans un bol, mettre la moitié du sucre, la moitié du beurre fondu, la cannelle, la muscade, l'anis, le clou et le jus de citron, puis bien mélanger. Mettre les quartiers de pomme dans le bol et les brasser avec deux cuillères de bois jusqu'à ce qu'ils soient bien enduits du mélange. Beurrer l'assiette à tarte avec la noisette de beurre et y saupoudrer le reste du sucre. Disposer les quartiers de pomme de manière qu'ils soient le plus tassés possible, puis y déposer le reste du beurre.

Mettre la croûte à tarte sur les pommes. La croûte doit être plus épaisse qu'à l'accoutumée — 3 à 4 mm (environ 1/8 po) — et un peu plus grande que l'assiette, de manière à retomber un peu sur le bord. Mettre au four préchauffé à 190 °C (375 °F) environ 1 h. Si la croûte du dessus brunit trop rapidement, y déposer une feuille de papier d'aluminium, côté brillant vers le haut. Dès que la tarte est cuite, la déposer tête en bas dans une assiette de service capable d'aller au four. La façon simple d'y arriver est de mettre l'assiette de service sur la tarte, de prendre l'assiette à tarte ainsi que l'assiette de service à deux mains (protégées par des mitaines !) et, dans un mouvement bien assuré, de retourner les deux. Il ne reste plus qu'à enlever l'assiette à tarte en replaçant dans la tarte les quartiers de pomme qui auraient pu adhérer à l'assiette. Une fois ce travail accompli, arroser la tarte de l'alcool. Quelques minutes avant de servir, saupoudrer généreusement la tarte du sucre à glacer et la passer sous le gril chaud jusqu'à ce que le sucre ait caramélisé.

Si on n'a pas d'assiette de service capable de résister à la chaleur d'un gril, on peut arriver au même résultat en procédant de la manière suivante. Avant de disposer les quartiers de pomme dans l'assiette à tarte, on la beurre, on la saupoudre de la moitié du sucre qui reste, puis on pose l'assiette à tarte sur la plaque à feu moyen et on l'y laisse jusqu'à ce que le sucre ait caramélisé, et on poursuit la recette telle que décrite plus haut. Au moment de servir, les pommes étant déjà caramélisées, on peut mettre la tarte au four quelques minutes si on veut la servir tiède ou on peut la servir à température de la pièce en la saupoudrant ou non de sucre à glacer.

POMMES DE TERRE

À nous deux, Maryse et moi, nous ne mangeons pas une livre de pommes de terre par mois. Louise II, elle, pouvait aisément en manger tous les jours, particulièrement si c'étaient des frites. Mon frère jumeau ne saurait vivre sans pommes de terre et, chaque fois qu'il vient manger à la maison, si le menu n'en comporte pas, j'en prépare spécialement pour lui. Le plus drôle de tout ça, c'est que je ne déteste pas les pommes de terre. C'est simplement qu'il y a toujours un autre légume d'accompagnement qui me paraît plus approprié et meilleur que la pomme de terre !

Lors de mes séjours à Paris, je mange davantage de pommes de terre pour la bonne raison que celles que l'on trouve en France sont bien supérieures à celles qu'on vend au Québec. Ici, les marchands de légumes se fichent carrément des variétés de pommes de terre qu'ils vendent. Dans les étals, il y a l'Idaho pour faire des pommes de terre en robe des champs, la patate sucrée et toutes les autres en vrac sans plus de distinction. En France, peut-être parce que c'est le pays d'Augustin Parmentier, on choisit ses pommes de terre parmi une trentaine de variétés, et chaque variété a son usage.

Il ne viendrait à aucun bon cuisinier français l'idée de faire une purée avec une belle de Fontenay ou une Roseval, idéales pour faire rissoler dans de la graisse d'oie ou de canard. En purée ou en frites, quand on s'y connaît, on prend la Bintje ou l'Urgenta. Veut-on faire un gratin ? On achète une Charlotte, et c'est la Monalisa qui remplace notre Idaho. Nature, on préférera la Nicolas ou encore la Roseval. On a même une pomme de terre particulière pour les chips : la Manon, jaune et déjà juste de la bonne taille pour couper en chips.

gratin à la mode savoyarde
POUR 6 PERSONNES

250 ml (1 tasse) de bouillon de bœuf ou de
volaille
60 ml (¼ tasse) de crème épaisse
1 kg (2 ¼ lb) de pommes de terre
1 noisette de beurre
2 gousses d'ail écrasées
Sel et poivre du moulin
10 ml (2 c. à thé) de muscade fraîchement
râpée
250 ml (1 tasse) de gruyère râpé
grossièrement
80 ml (⅓ tasse) de beurre

Préchauffer le four à 220 °C (425 °F).
Mélanger le bouillon et la crème, puis
amener au point d'ébullition. Réserver.
Éplucher les pommes de terre, les laver et
les couper en lamelles de 2 à 3 mm (env.
⅛ po) d'épaisseur. Les assécher dans une
serviette. Avec la noisette de beurre,
graisser un plat en pyrex d'au plus 5 cm
(2 po) de profondeur, puis le frotter avec les
gousses d'ail écrasées. Disposer des
gousses. Étendre la moitié des pommes de
terre dans le plat, saler et poivrer au goût,
saupoudrer de la moitié de la muscade,
puis étendre la moitié du fromage. Déposer
le reste des pommes de terre, saler, poivrer
et saupoudrer du reste de la muscade.
Verser le bouillon fumant dans le plat.
Répartir le fromage qui reste ainsi que tout
le beurre sous forme de petites noisettes.
Mettre sur la plaque jusqu'à ce que le
liquide commence à frissonner. Placer au

four préchauffé à 220 °C (425 °F) de
45 minutes à 1 h ou jusqu'à ce que les
pommes de terre soient bien tendres.

pommes de terre à la crème
POUR 6 PERSONNES

250 ml (1 tasse) de crème épaisse
250 ml (1 tasse) de crème à café
1 gousse d'ail en purée
2,5 ml (½ c. à thé) de muscade
fraîchement râpée
1 ml (¼ c. à thé) de poivre blanc
fraîchement moulu
2 feuilles de laurier
1 feuille de sauge séchée
Sel au goût
6 belles pommes de terre épluchées et
tranchées en rondelles d'environ 3 à
4 mm (⅛ de po) d'épaisseur

Déposer la crème, l'ail et tous les
condiments dans une cocotte épaisse et
faire chauffer sur la cuisinière jusqu'à ce
que la crème frissonne. Y déposer les
pommes de terre et faire frissonner la crème
de nouveau. Saler. Cuire jusqu'à ce que les
pommes de terre soient tendres, soit plus de
2 h. Le liquide doit seulement frissonner,
sinon la crème tournera. Deux ou trois fois
en cours de cuisson, remuer avec une
cuillère de bois afin que les pommes de
terre ne collent pas sur les bords de la
cocotte. On peut faire cuire les pommes de
terre à l'avance, à la condition de les faire
réchauffer sans amener au point

d'ébullition. Ces pommes de terre sont excellentes avec du rosbif, un gigot d'agneau ou du jambon.

pommes de terre à l'ail

POUR 4 PERSONNES

4 grosses pommes de terre
4 à 6 gousses d'ail émincées finement
45 ml (3 c. à soupe) d'huile d'olive
Sel et poivre du moulin au goût
15 ml (1 c. à soupe) d'une herbe fraîche :
   persil, sarriette, thym ou sauge (la moitié
   de la quantité si l'herbe est séchée)

Éplucher les pommes de terre, les laver, puis les couper en lamelles. Mettre dans une cocotte avec tous les ingrédients et ajouter de l'eau pour couvrir. Faire cuire sur la plaque, à découvert, à feu assez vif jusqu'à ce que les pommes de terre soient bien tendres et que le bouillon soit presque entièrement évaporé. Servir de préférence avec des viandes grillées.

pommes de terre brunes

La meilleure façon de bien réussir des pommes de terre brunes est la suivante :
· Éplucher les pommes de terre, les laver, puis les assécher avec une serviette ;
· Faire chauffer de l'huile d'olive dans une cocotte et, quand l'huile est chaude, y faire rissoler les pommes de terre jusqu'à ce qu'elles soient bien dorées ;
· Saler et poivrer les pommes de terre, puis les ajouter à un rôti environ 30 minutes avant la fin de la cuisson.

À partir du moment où les pommes de terre ont rissolé, on peut les laisser attendre quelques heures à température de la pièce. En suivant cette méthode, vos pommes de terre brunes seront toujours brunes et, surtout, elles seront beaucoup plus goûteuses, car en les rissolant, vous aurez emprisonné les saveurs.

pommes de terre frites

Ce n'est pas si simple de faire des frites, comme on peut le constater en mangeant les frites molles, huileuses ou trop cuites de plusieurs restaurants, et pas les moindres... Parlons d'abord de l'huile.

On peut faire les frites dans du saindoux ou du gras de bœuf (comme les Belges), mais je préconise l'huile, plus légère et moins difficile à trouver. Mais quelle huile ? Une mode récente veut que l'huile d'arachide soit la meilleure huile pour les frites. Ce n'est pas forcément vrai. Une chose est certaine, c'est actuellement la plus chère. Pourquoi ne pas employer l'huile d'olive ? C'est la moins chère à la condition que vous ayez la sagesse de l'acheter dans des contenants de 3 et même 5 litres (12 et 20 tasses), que vous trouverez dans la plupart des grandes surfaces ou dans les épiceries grecques ou italiennes.

Le « point de fumée » de l'huile d'olive est à peu près le même que celui de l'huile d'arachide, donc plus élevé que celui de plusieurs autres huiles, dont l'huile végétale. De toute manière, on a une certaine marge, puisqu'on fait cuire les frites à 170 et à 180 °C (340 et 355 °F) et que l'huile d'olive fume à 210 °C (410 °F).

Après chaque cuisson de frites, il est important de filtrer l'huile dans une passoire fine ou une mousseline à fromage, sinon les résidus de pomme de terre la feront rancir rapidement. Si vous utilisez une grosse friteuse (style SEB), il n'est pas toujours facile de filtrer l'huile à chaque cuisson. Il importe donc d'enlever le gros des dépôts avec une petite passoire et il faut vous résigner à changer l'huile plus souvent (toutes les 10 ou 12 cuissons, par exemple) ou à peu près tous les 2 ou 3 mois, si vous ne faites pas de frites très souvent.

Parlons maintenant des pommes de terre elles-mêmes. Elles ne donnent pas toutes les mêmes résultats. Les pommes de terre nouvelles sont à proscrire, tout comme les vieilles pommes de terre ramollies qui commencent à germer. Les unes et les autres donnent des frites mollasses. L'Idaho est bonne à frire, et on en trouve toute l'année, mais elle est chère. Il ne faut pas non plus mélanger les variétés de pommes de terre, car elles ne cuisent pas toutes également.

Pour les frites, ne prenez pas de pommes de terre que vous avez conservées au frigo, car elles risquent d'avoir un goût désagréablement sucré.

Il faut que les pommes de terre soient coupées en tronçons qui ont à peu près tous la même grosseur. Dès que les pommes de terre sont coupées, les laver sous le robinet, à l'eau chaude, afin d'en éliminer le sucre et l'amidon. On peut aussi le faire en mettant les pommes de terre dans un grand bol d'eau assez chaude et en les brassant énergique-ment avec une cuillère de bois. Il faut ensuite refroidir complètement les pommes de terre soit sous l'eau du robinet (ce qui n'est pas idéal), soit en les laissant tremper environ 1 h dans un grand bol d'eau froide à laquelle on ajoute quelques glaçons.

Une fois que les pommes de terre sont très froides, les égoutter, puis les assécher complètement dans une ou deux serviettes, si nécessaire. Moi, je les fourre dans une poche de coton de sucre ou de farine que l'on peut acheter dans presque toutes les grandes surfaces.

Plusieurs prétendent que les frites ont besoin de deux cuissons. Une ou deux, je n'ai jamais vu la différence. Si les pommes de terre sont coupées très finement (genre allumettes), une seule cuisson s'impose.

Si on fait deux cuissons, la première durera environ 7 minutes et la deuxième, au plus 4 minutes. Il ne faut pas attendre plus de 30 minutes entre les deux et bien secouer les frites pour les débarrasser de leur huile quand on les sort de la friteuse.

Quand les frites sont prêtes, secouer leur panier n'est pas toujours suffisant pour les débarrasser de leur surplus d'huile. La façon la plus astucieuse que j'ai trouvée pour y arriver est de mettre les frites dans un sac de papier brun et de secouer le sac énergiquement. On peut ensuite saler directement les frites dans le sac qu'on secoue encore une fois ou deux pour bien répartir le sel. Il ne faut surtout pas saler les frites avant de les faire cuire, car elles ramolliraient irrémédiablement.

N'en faites jamais une trop grande quantité à la fois, car votre huile refroidira beaucoup trop lorsque vous y plongerez les pommes de terre et elles ne seront pas croustillantes. Elles ne le seront pas non plus si l'huile est trop vieille ou si la température de l'huile est trop élevée.

La façon la plus sécuritaire de faire des frites est dans une friteuse électrique de bonne qualité (les friteuses françaises ou allemandes sont les meilleures), car vous serez certain que l'huile ne chauffera jamais plus que nécessaire (à moins que la friteuse ne fasse défaut).

Si vous faites des frites sur la cuisinière dans une friteuse ordinaire, faites-les toujours à l'aide d'un thermomètre pour bien contrôler la température. Dans l'un et l'autre cas, ne quittez jamais la cuisine et encore moins la maison... à moins que vous ne teniez pas à votre maison.

Une frite bien faite est un délice, une frite mal faite est une horreur...

pommes de terre sur charbon ou au four

POUR 4 PERSONNES

4 belles pommes de terre (Idaho, de préférence)
15 ml (1 c. à soupe) d'huile d'olive
Sel

sauce

60 ml (¼ tasse) de crème épaisse
10 ml (2 c. à thé) de jus de citron
60 ml (¼ tasse) de yogourt ou de crème sure
2 petits oignons verts, hachés très finement
1 gousse d'ail hachée très finement
15 ml (1 c. à soupe) de persil frais, haché finement
Sel et poivre du moulin au goût

Préchauffer le four à 190 °C (375 °F). Brosser et laver les pommes de terre. Bien les essuyer. À l'aide d'un pinceau, les badigeonner d'huile, puis les saler. Mettre au four sur une grille environ 1 h.

Pendant ce temps, mélanger la crème, le jus de citron, le yogourt ou la crème sure, les oignons, l'ail et le persil.

Quand les pommes de terre sont cuites, les couper jusqu'à la moitié en deux ou en quatre, de manière à pouvoir les ouvrir. Servir en nappant chaque pomme de terre du quart de la sauce et en saupoudrant de poivre du moulin.

Si on fait cuire sur charbon de bois, précuire les pommes de terre au four environ 30 minutes. Les badigeonner d'huile et saler avant de terminer la cuisson sur le gril.

PORC

Les Québécois ont toujours été friands de «porc frais». Mon grand-père qui est mort à 92 ans en mangeait presque toujours une tranche avant d'aller se coucher... l'été, avec un concombre frais cueilli dans le potager. Mais je ne suis pas prêt à dire que ce fut le secret de sa longévité.

J'aime bien le rôti de porc, surtout si le boucher en a fait un roulé avec de la longe. Demandez-lui de vous conserver l'os qui donnera un goût encore plus savoureux à votre jus de cuisson.

côtes levées aigres-douces

 POUR 2 PERSONNES

500 g (1 ¼ lb) de côtes levées de porc

2 gousses d'ail hachées finement

8 graines de coriandre

3 baies de genièvre

2,5 ml (½ c. à thé) de persil séché

2,5 ml (½ c. à thé) de sauge séchée

5 ml (1 c. à thé) de feuilles de laurier hachées

45 ml (3 c. à soupe) de cassonade

7,5 ml (1 ½ c. à thé) de sauce HP ou
  7,5 ml (1 ½ c. à thé) de sauce
  Worcestershire

Poivre du moulin

30 ml (2 c. à soupe) d'huile d'olive

125 ml (½ tasse) de vermouth blanc extra-dry

20 ml (4 c. à thé) de vinaigre japonais ou
  de cidre

Sel au goût

Mettre tous les ingrédients (sauf l'huile, le vermouth, le vinaigre et le sel) dans un plat de verre et les mélanger. Détacher les côtes levées (si elles ne le sont pas déjà) et passer chacune dans le mélange pour qu'elles en soient bien enduites. Laisser reposer de 3 à 4 h à température de la pièce. Faire chauffer l'huile dans une sauteuse, puis y faire saisir les côtes levées de chaque côté. Quand elles sont bien dorées, déglacer avec le vermouth, ajouter le vinaigre, saler, couvrir et laisser cuire à feu doux au moins 1 h. Tourner les côtes deux ou trois fois en cours de cuisson. Si le liquide venait à manquer, ajouter un peu d'eau. Servir avec du riz.

cretons de porc de ma mère

500 g (1 ¼ lb) de panne de porc

680 g (1 ½ lb) de porc haché maigre

225 g (½ lb) de veau haché

1 gros oignon jaune, haché très finement

1 gousse d'ail hachée très finement

250 ml (1 tasse) de chapelure

2,5 ml (½ c. à thé) de sauge moulue

1 ml (¼ c. à thé) de coriandre moulue

Eau, sel et poivre

Enlever la peau de la panne, couper la panne en petits dés, puis faire fondre lentement dans une cocotte épaisse en ajoutant environ 125 ml (½ tasse) d'eau. Quand les morceaux de panne sont bien dorés, passer le tout au chinois en écrasant comme il faut tous les morceaux. Remettre dans la cocotte, ajouter les autres ingrédients, saler, poivrer au goût et bien mélanger. Ajouter de l'eau pour couvrir. Cuire sans couvercle à feu doux environ 2 h 30 à 3 h. Bien brasser avec la cuillère de bois avant de verser dans de petits bols ou dans de petits bocaux préalablement refroidis. Peut se garder un bon mois au frigo.

escalopes ou côtes de porc à la sauce fraîche

 POUR 2 PERSONNES

15 ml (1 c. à soupe) d'huile d'olive

2 belles escalopes de porc ou 2 côtes

60 ml (¼ tasse) de farine

8 à 10 feuilles de sauge fraîche

Sel et poivre du moulin

60 ml (¼ tasse) de vermouth blanc extra-dry

15 ml (1 c. à soupe) de beurre

Faire chauffer l'huile dans une poêle à feu assez vif. Pendant ce temps, passer les escalopes ou les côtelettes dans la farine et en secouer l'excédent. Déposer les escalopes ou les côtelettes dans la poêle avec les feuilles de sauge. Après 2 minutes, retourner la viande et la sauge. Saler. Après 2 minutes encore, baisser le feu et cuire jusqu'à ce que des gouttes claires apparaissent à la surface de la viande quand on la pique avec une fourchette. Les feuilles de sauge doivent être croquantes. Réserver les escalopes au chaud dans une assiette, puis déposer dessus les feuilles de sauge. Enlever le surplus de gras, déglacer avec le vermouth en grattant bien tous les sucs collés au fond de la poêle, ajouter le beurre, puis faire réduire de moitié. Poivrer la viande, y verser la sauce et servir immédiatement… avec un légume vert ou une purée de pommes de terre.

filet de porc

POUR 2 PERSONNES

1 filet de porc

La moitié de la recette de Marinade sèche (voir recette p. 236)

7 bouquets de sauge fraîche

1 gousse d'ail coupée en deux ou trois morceaux

60 ml (¼ tasse) d'huile d'olive

15 ml (1 c. à soupe) de farine

60 ml (¼ tasse) de vermouth blanc extra-dry

60 ml (¼ tasse) de bouillon de poulet

5 ml (1 c. à thé) de sauce à brunir

3 carottes coupées en rondelles de 2 cm (¾ po)

2 pommes de terre de grosseur moyenne bien lavées ou épluchées

Sel et poivre du moulin

Enduire tous les côtés du filet de Marinade sèche et le plier en deux sur lui-même après avoir déposé en son centre un bouquet de sauge fraîche et les morceaux d'ail. L'attacher en deux ou trois endroits avec de la corde de boucher. Laisser mariner au moins une demi-journée à température de la pièce. Dans une cocotte juste assez grande pour contenir tous les ingrédients, mettre la moitié de l'huile et faire rissoler le filet à feu vif de tous les côtés. Quand il est bien doré, jeter l'huile et remettre le filet sur le feu. Le saupoudrer de farine. Arroser du vermouth et du bouillon, laisser évaporer l'alcool (1 ou 2 minutes), ajouter la sauce à brunir, remuer, couvrir et fermer le feu. Mettre le reste de l'huile dans une poêle ou une sauteuse, puis faire rissoler les carottes et les pommes de terre jusqu'à ce qu'elles soient bien dorées. Les mettre dans la cocotte en les tournant bien dans le bouillon. Faire dorer ensuite les six bouquets de sauge jusqu'à ce que les feuilles soient presque cassantes. Les déposer sur le filet et les légumes. Poivrer, couvrir et mettre la cocotte au four

préchauffé à 180 °C (350 °F) de 45 minutes à 1 h. Servir immédiatement en
découpant le filet en belles tranches d'un
bon centimètre (3/8 po) d'épaisseur et en
l'entourant des légumes et des bouquets
de sauge.

jarret de porc aux anchois

POUR 4 PERSONNES

1 jarret de porc de 1,3 kg (3 lb)
1 petit bouquet de persil
1 petit bouquet de sauge
1 petit oignon jaune ou une échalote
1 petit bâton de céleri
5 gousses d'ail
10 à 12 baies de genièvre
30 ml (2 c. à soupe) d'huile d'olive
Poivre
80 ml (1/3 tasse) de vermouth blanc extra-
dry
250 ml (1 tasse) de bouillon de poulet
45 ml (3 c. à soupe) de farine tout usage
6 filets d'anchois

Acheter un jarret de porc (patte arrière, car
elle est plus charnue). Le faire couper à
demi en trois morceaux à peu près égaux.
Hacher finement les herbes, l'oignon et le
bâton de céleri, puis les faire dorer avec
l'ail émincé dans une casserole en fonte
juste assez grande pour contenir le jarret
de porc. Ajouter les baies de genièvre.
Mettre l'huile d'olive dans une sauteuse et
faire rissoler le jarret de porc à feu vif de
tous les côtés. Faire chauffer le gril du four.
Quand le jarret est bien rissolé, le transférer

dans la cocotte, poivrer (ne pas mettre de
sel, car les filets d'anchois sont déjà très
salés), puis remettre sur la plaque à feu vif.
Ajouter le vermouth et le bouillon de poulet.
Quand le liquide recommence à bouillir,
saupoudrer un côté du jarret de la moitié
de la farine, puis passer sous le gril jusqu'à
ce que la farine soit brunie. Retourner le
jarret, mettre le reste de la farine de l'autre
côté du jarret, puis recommencer
l'opération sous le gril. Mettre ensuite le
four à 180 °C (350 °F). Dessaler les filets
d'anchois en les passant sous le robinet
d'eau tiède, les éponger et les étendre sur
le jarret. Couvrir et remettre au four. Cuire
au moins 3 h en retournant le jarret deux
ou trois fois. Si le bouillon a tendance à
trop réduire, ajouter de l'eau bouillante. À
la fin de la cuisson, il devrait rester environ
250 ml (1 tasse) de bouillon dans la
casserole.

Servir avec du chou émincé qu'on aura
préparé de la façon suivante :
1/2 gros chou blanc
30 ml (2 c. à soupe) d'huile d'olive
160 ml (2/3 tasse) de bouillon de poulet
Sel et poivre du moulin
12 baies de genièvre

Émincer le chou et le faire blanchir. Mettre
l'huile dans une cocotte et y faire cuire le
chou en y ajoutant le bouillon de poulet, le
sel, le poivre et les baies de genièvre.
Couvrir et faire cuire à feu assez vif environ
10 minutes ou jusqu'à ce que le chou soit
al dente.

rôti de porc à la sauce au vinaigre

POUR 6 PERSONNES

2 gousses d'ail
1 rôti de porc désossé et roulé
Marinade sèche (voir recette p. 236)
45 ml (3 c. à soupe) d'huile d'olive
Sel
12 grains de poivre
45 ml (3 c. à soupe) de vinaigre de vin rouge ou de vinaigre de cidre
3 petits bouquets de sauge fraîche
4 baies de genièvre

Couper chaque gousse d'ail en 2 ou 3 lamelles et les piquer dans le rôti. Enduire le rôti de Marinade sèche. Faire mariner le rôti une demi-journée à température de la pièce.

Prendre une casserole épaisse, qui ferme bien, juste assez grande pour contenir le rôti. Faire chauffer l'huile à feu moyen et y faire revenir le rôti jusqu'à ce qu'il soit doré de tous les côtés. Saler, ajouter le poivre et le vinaigre. Monter le feu pour bien décoller tous les résidus qui ont pu adhérer à la casserole quand on a fait rissoler, mais ne pas faire évaporer plus du quart du vinaigre. Ajouter la sauge et les baies de genièvre. Couvrir et faire cuire à feu très doux pendant au moins 2 h. Bien surveiller pour que le liquide ne s'évapore pas complètement. Dans ce cas, ajouter un peu d'eau. Couper la viande en tranches, la déposer dans un plat de service, puis l'arroser du jus de cuisson. Servir avec une purée de pommes de terre ou de navets.

rôti de porc à ma façon

POUR 4 À 6 PERSONNES

1 rôti de porc roulé (épaule ou faux filet) d'environ 1 kg (2 1/4 lb)
Marinade sèche (voir recette p. 236)
30 ml (2 c. à soupe) d'huile d'olive
1 oignon coupé en quartiers
1 pomme coupée en quartiers
125 ml (1/2 tasse) de vermouth extra-dry
15 ml (1 c. à soupe) de vinaigre de cidre
125 ml (1/2 tasse) de bouillon de poulet
5 ml (1 c. à thé) de sauce à brunir
4 à 6 pommes de terre brunes (voir recette p. 301)

Piquer le roulé d'ail, l'enduire de Marinade sèche et le faire mariner une demi-journée à température de la pièce.

Mettre l'huile à chauffer à feu assez vif dans une casserole allant au four juste assez grande pour le rôti et les pommes de terre. Éponger le rôti avec une serviette, car il aura sué en marinant. Le faire dorer de tous les côtés. Ajouter l'oignon et la pomme, puis déglacer le tout avec le vermouth auquel aura été mélangé le vinaigre. Laisser le vermouth s'évaporer en partie et ajouter le bouillon auquel aura été mélangée la sauce à brunir. Couvrir et cuire au four préchauffé à 190 °C (375 °F) environ 1 h. En cours de cuisson, arroser le rôti au moins deux fois avec son jus. Ajouter les pommes de terre et cuire encore environ 20 minutes. Servir tel quel ou avec un légume vert, en plus des pommes de terre.

**rôti de porc au lait
à la façon basque**

POUR 4 À 6 PERSONNES

1 rôti de porc roulé (épaule ou faux filet)
 d'environ 1 kg (2 ¼ lb)
2 gousses d'ail coupées en 4 ou
 5 morceaux
Marinade sèche (voir recette p. 236)
625 ml (2 ½ tasses) de lait entier
30 ml (2 c. à soupe) d'huile d'olive
Sel et poivre du moulin au goût
4 feuilles de laurier
2,5 ml (½ c. à thé) de muscade râpée
8 feuilles de sauge
Beurre ou beurre manié (facultatif)

Piquer le roulé d'ail (pour un goût moins
prononcé, mettre l'ail dans le lait au moment
d'ajouter ce dernier), enduire le rôti de
Marinade sèche et le faire mariner une demi-
journée à température de la pièce.

Faire chauffer l'huile dans une casserole
juste assez grande pour contenir le rôti.
Faire saisir la viande de tous les côtés.
Saler et poivrer. Retirer la casserole du feu,
puis ajouter le lait, le laurier, la muscade et
la sauge. Remettre sur le feu et ramener au
point d'ébullition. Réduire le feu de façon
que le plat mijote doucement. Cuire environ
2 h. Tourner la viande de temps à autre.
Quand elle est cuite, réserver au four.
Dégraisser le bouillon s'il y a lieu et faire
réduire jusqu'à ce qu'il reste au plus
160 ml (⅔ tasse) de sauce qui deviendra
très dorée. S'il ne reste pas suffisamment de
sauce quand la viande est cuite, ajouter un

peu de lait et faire réduire. S'il y a lieu,
épaissir la sauce avec du beurre ou du
beurre manié. Découper la viande et la
napper de la sauce.

POUDING

Il n'existe pas de dessert plus québécois et
plus connu que le fameux pouding chômeur.
J'en ai mangé souvent dans mon enfance,
mais je l'avais délaissé au profit de desserts
plus sophistiqués. C'était oublier la tradition... Quand, à la demande de mes propres
enfants, j'ai recommencé à faire du pouding
chômeur, je me suis mis en tête de lui donner meilleure allure et meilleur goût. Voici la
recette à laquelle j'en suis arrivé après
quelques essais.

 **pouding chômeur
à ma manière**

POUR 4 À 6 PERSONNES

pouding

30 ml (2 c. à soupe) de beurre à
 température de la pièce
2 œufs battus
125 ml (½ tasse) de sucre granulé
250 ml (1 tasse) de farine tout usage
3,5 ml (¾ c. à thé) de levure chimique
 (poudre à pâte)
1 pincée de sel
60 ml (¼ tasse) de lait entier
2,5 ml (½ c. à thé) de muscade râpée
1 ml (¼ c. à thé) de cannelle
5 ml (1 c. à thé) de zeste de citron haché
 très finement

5 ml (1 c. à thé) d'essence de vanille

45 ml (3 c. à soupe) d'amandes blanches, effilées

sirop

250 ml (1 tasse) d'eau

500 ml (2 tasses) de sirop d'érable

60 ml (¼ tasse) de crème épaisse

45 ml (3 c. à soupe) de rhum brun

pouding

Défaire le beurre en crème, puis incorporer les œufs battus. Incorporer ensuite le sucre et la farine tamisée avec la levure chimique (poudre à pâte) et le sel en mouillant graduellement avec le lait parfumé de la muscade, de la cannelle, du zeste et de la vanille. Bien mélanger pour en faire une pâte épaisse et lisse.

sirop

Mélanger l'eau, le sirop et la crème, faire bouillir environ 10 minutes puis, hors du feu, ajouter le rhum. Verser ce sirop bouillant dans un moule en pyrex. Déposer la pâte dans ce sirop, répartir les amandes effilées sur la pâte, et faire cuire environ 35 minutes au four préchauffé à 180 °C (350 °F). Le pouding est cuit quand on peut y piquer un cure-dent qui reste sec. Servir tiède à même le moule.

Québec

QUÉBEC

Comme le Québec a changé depuis mon enfance! Dans les années 30, presque tous les Québécois mangeaient une nourriture fade, grasse et peu variée. Il y avait toujours de la soupe sur le poêle — meilleure tout de même que les affreuses soupes qu'on mange dans les familles françaises — et toujours sensiblement les mêmes viandes au menu: bœuf, porc et poulet. Le fromage, on n'en parlait guère et on n'en mangeait guère non plus. Les plus audacieux se risquaient à manger du cheddar mi-fort de temps à autre et les casse-cou, de l'Oka. Pour les autres, c'était le fromage en grains ou le cheddar doux à consistance de caoutchouc.

Heureusement, il y avait toujours du dessert. Beaucoup de dessert et très sucré. Des tartes aux œufs, des tartes aux raisins, des tartes aux pommes, ou encore des tartes au suif ou à la ferlouche. Des poudings vapeur et des gâteaux. Blancs et dégoulinants de sucre à la crème mou. Des gâteaux aux carottes ou aux tomates et des biscuits. Surtout des biscuits à la farine d'avoine. C'était économique et nourrissant. Ceux qui avaient les moyens achetaient des biscuits feuille d'érable, des Whippets de Viau et des biscuits à la guimauve de toutes les couleurs.

La chère Jehane Benoit, que j'ai connue quand elle s'est établie à Knowlton sur le bord du lac Brome, fut la première à secouer les puces des cuisinières. Forte de ses études en chimie alimentaire à la Sorbonne, elle entreprit une longue et difficile croisade pour modifier nos habitudes alimentaires. En plus d'enseigner la cuisine à plus de 8000 élèves, elle publia *L'encyclopédie de la cuisine canadienne*, une bible qui comporte des centaines de recettes assez timides pour ne pas bousculer les habitudes des ménagères, mais assez convenables pour modifier les goûts de la plupart et mettre en appétit. Son encyclopédie connut un succès bœuf et relégua aux oubliettes *La cuisine raisonnée* des Sœurs de la Congrégation Notre-Dame qui enseignaient une cuisine de presbytère.

Puis vint le temps de Margaret Oliver. Je la revois encore avec sa grosse tignasse blonde penchée sur les aliments que photographiait avec beaucoup de soin Charlie King pour le magazine hebdomadaire *Weekend*. Grâce aux bons soins d'Isabelle Lefrançois, qui traduisait ses recettes, et de *Perspectives* qui les publiait, Margot Oliver en vint rapidement à envahir presque tous nos foyers où elle introduisit l'influence de sa cuisine «continentale américanisée».

Puis il y eut le professeur Bernard qui déniaisa quelques centaines de femmes de médecins, d'ingénieurs ou d'avocats, et, surtout, les Québécois commencèrent à voyager en grand nombre. En France, en Espagne, en Italie et au Portugal, leurs lieux privilégiés en Europe, ou en Guadeloupe, en Martinique, à Cuba ou en République dominicaine, leurs îles de soleil favorites, ils découvrirent d'autres saveurs, d'autres épices et des plats pourtant communs dont leurs mères et grands-mères ignoraient même l'existence.

Puis il y a eu l'Institut d'Hôtellerie et Sœur Angèle. L'un et l'autre sont toujours là, mais sévissent moins... Sœur Angèle, que j'aime bien, a rajeuni les traditions mais trop oublié qu'elle vient du pays où on mange le mieux au monde, l'Italie, pendant que l'Institut enfourchait la nouvelle cuisine pour la lancer tous azimuts. On doit tout de même à l'une et à l'autre de beaucoup mieux manger dans la plupart des villes et villages du Québec, même si les anciens élèves n'ont pas encore tous découvert que les cinq haricots verts et la pelure de tomate en rosace dont on décore des tranches de viande flanquées de confiture, c'est dépassé.

Nos restaurants où on annonçait des spécialités «canadiennes, italiennes et chinoises» ont disparu graduellement pour faire place à des restaurants de spécialité authentiques. Ils ne sont pas tous bons, loin de là, mais au moins, ils respectent les principales caractéristiques de la cuisine qu'ils annoncent.

Depuis quelques années sont aussi apparus d'excellents livres de cuisine et de bons cuisiniers comme Daniel Pinard, Jean Soulard, François Dompierre et mon frère Claude, par exemple. Ils sont venus à la radio et à la télévision faire oublier le verbiage souvent inepte des dames Taillefer ou de maman Dion.

Tout compte fait, quoiqu'on n'ait pas au Québec de grands restaurants comme la France en possède, on peut dire que sur une base quotidienne, on mange aussi bien ici que là-bas. Et, en général, à bien meilleur compte...

Raie

Rhubarbe

Riz

Rose

RAIE

La raie n'est pas un poisson très ragoûtant, et c'est dommage que tant de personnes se laissent arrêter par son apparence rébarbative, car elle est savoureuse et elle se vend pour presque rien.

De la raie, on ne mange que les ailes. Elle est dépourvue d'arêtes, ce qui arrange bien les choses. Elle possède seulement un grand cartilage plat qui se retire aisément dès que la raie est cuite.

Une aile de raie fraîche est visqueuse et sent presque toujours l'ammoniaque. C'est pourquoi il faut la faire tremper dans l'eau glacée au moins 2 ou 3 h avec le jus de la moitié d'un citron ou 45 ml (3 c. à soupe) de vinaigre blanc. Une fois qu'elle a trempé, on la lave à grande eau sous le robinet et on la brosse avec une brosse à légumes pour la débarrasser de son enveloppe visqueuse.

 aile de raie pochée
POUR 2 PERSONNES

1 aile de raie d'environ 1 kg (2 1/4 lb)

court-bouillon

1 petite carotte coupée en gros dés
1 bâton de céleri coupé en gros dés
1 feuille de laurier
1 oignon jaune émincé
Sel et poivre

sauce

30 ml (2 c. à soupe) d'huile d'olive vierge
15 ml (1 c. à soupe) de beurre
1 échalote coupée en rondelles très minces
30 ml (2 c. à soupe) de petites câpres
1 petit bouquet de persil haché très finement
15 ml (1 c. à soupe) de jus de citron
1 gousse d'ail hachée finement
Poivre du moulin

Préparer un court-bouillon avec la carotte, le céleri, le laurier, l'oignon émincé, le sel et le poivre, puis faire mijoter environ 1 h sur la plaque de la cuisinière dans une sauteuse assez grande pour recevoir l'aile de raie. Entre-temps, brosser la raie afin d'en nettoyer la peau et bien la rincer. Faire cuire la raie dans le court-bouillon en couvrant la sauteuse. Dès que l'eau a recommencé à bouillir, faire cuire à feu doux de 8 à 12 minutes, selon la grosseur de l'aile.

sauce

Pendant ce temps, dans une petite cocotte ou une petite poêle, faire revenir dans l'huile et le beurre, à feu doux, les rondelles d'échalote jusqu'à ce qu'elles soient transparentes. Fermer le feu, puis ajouter les câpres, le persil haché, le jus de citron, l'ail et le poivre.

Lorsque la raie est cuite, la retirer du feu, la poser sur une assiette et enlever la peau. Détacher la chair de la dorsale, et la déposer dans des assiettes déjà très chaudes. Verser dessus la petite sauce aux câpres. Servir avec une pomme de terre nature.

RHUBARBE

Je me demande souvent si j'achèterais de la rhubarbe si je n'en avais pas dans mon jardin. Sans doute que non... Cela dit, consciencieusement, je fais une compote de rhubarbe chaque mois de juin quand les fraises sortent et, chaque fois, je me dis que c'est bon et que je devrais en faire plus souvent... ce que j'oublie aussitôt.

compote de rhubarbe
750 ml (3 tasses) de rhubarbe
500 ml (2 tasses) de sucre granulé
1 pincée de sel
Le zeste d'une orange
375 ml (1 ½ tasse) de fraises fraîches
60 ml (¼ tasse) de Grand Marnier

Bien laver la rhubarbe, enlever environ la moitié de la pelure en coupant la feuille et en coupant la racine, puis couper la rhubarbe en petits tronçons d'environ 2 cm (¾ po). Laver les fraises et les équeuter.

Laver une orange et en extraire le zeste. Déposer la rhubarbe dans une cocotte et mettre à cuire d'abord à feu doux. Dès que la rhubarbe a rejeté une partie de son eau, ajouter le sucre, le sel et le zeste, puis faire bouillir rapidement à feu vif. Écumer. Réduire le feu très légèrement, ajouter les fraises et faire bouillir environ 15 minutes. Retirer du feu, ajouter le Grand Marnier, puis mélanger. Servir froid avec de la crème épaisse ou de la crème chantilly.

RIZ

J'ai toujours détesté le riz jusqu'à ce que je voyage en Chine, en Inde et en Italie. C'est en Chine que j'ai découvert combien délicieux pouvait être le riz vapeur, et j'ai encore dans les narines l'odeur si envoûtante du riz basmati qui flotte au-dessus de chaque ville indienne. Enfin, il ne faut pas avoir de goût pour ne pas craquer devant une grande assiette à soupe remplie de risotto fumant à Venise.

Je ne saurais trop insister sur les vertus du basmati. Réglons tout de suite une chose : avec du basmati, on ne fait surtout pas de risotto. Ce serait un sacrilège sans nom. Mais à l'exception du risotto (pour lequel je n'utilise que du riz d'Italie) et du riz vapeur (pour lequel je préfère un riz plus gras et moins parfumé), toutes les recettes que je donne s'accommodent à merveille du basmati.

J'enrage quand, à l'épicerie, je vois des mères de famille payer une fortune pour une petite boîte de riz Uncle Ben's, alors qu'elles pourraient pour 10 à 12 $ acheter un sac de

4,5 kg (10 lb) de basmati. Ce riz très maigre à grains longs est le plus parfumé et le plus savoureux de tous les riz.

Si vous n'aimez pas le riz, c'est sûrement que vous n'en avez jamais mangé qui soit bien cuisiné. En règle générale, on est bien maladroit chez nous avec le riz. Moins qu'en France, heureusement, où, jusqu'à ces derniers temps, le riz était apprêté, c'est le cas de le dire, à toutes les sauces.

Parlons d'abord du risotto, le roi des plats qu'on prépare avec du riz...

Pendant quatre décennies, je me suis souvent privé de faire du risotto parce que je ne voulais pas me donner la peine de rester 30 minutes la bedaine collée contre la cuisinière. Le risotto, avais-je appris, ne doit jamais être laissé à lui-même. Il faut lui tenir compagnie, lui rappeler sa présence en le remuant sans cesse, sinon le riz qu'on obtiendra ne sera pas digne de s'appeler risotto. Et cette présence astreignante ne souffrant pas de distraction dure de 20 à 25 minutes. Un pensum pour n'importe quel cuisinier qui doit préparer un repas.

C'est ce qu'on m'avait expliqué en long et en large en Italie, et c'est aussi ce qu'explique dans tous ses livres la réputée Marcella Hazan lorsqu'elle parle de « l'unique technique italienne » pour faire du risotto.

Un soir que je mangeais un risotto au restaurant Le Piémontais à Montréal avec quelques amis dont le juge Claudette Picard, celle-ci me raconta qu'elle avait lu dans le *New York Times* qu'il était possible de réussir du risotto sans le remuer constamment.

Je l'écoutai attentivement sans la croire une seule seconde... « Ça marche, m'avait-elle dit, je l'ai essayé moi-même... » Mais allais-je lui prêter foi, tout juge qu'elle fût? Non... Je ne crus pas davantage l'article dont elle m'envoya une télécopie dans les jours qui suivirent.

À l'automne 1999, un miracle faillit se produire. Je lus dans le quotidien *Le Figaro* qu'un restaurateur du nom de Toni Vianello venait de publier un petit recueil intitulé *Le risotto*, et que cet irréductible Italien installé à Paris avait un restaurant très exclusif, L'Osteria, rue de Sévigné, dans le 4e arrondissement. Comme c'est à deux pas de chez moi, je me rendis rue de Sévigné sans pouvoir trouver le restaurant. C'est plus tard seulement que des amis qui connaissaient L'Osteria me dirent que la maison ne voulant pas accueillir n'importe qui n'avait ni enseigne ni éclairage extérieur et qu'on pouvait la croire déserte. « Mais le risotto de Vianello est divin... », dirent-ils aussi.

Je fis une nouvelle excursion rue de Sévigné pour enfin trouver le restaurant où j'entrai prendre une carte. Un garçon assez rébarbatif me prévint qu'il fallait réserver. Normal, c'est à peine si l'établissement compte dix petites tables... Préférant presque toujours manger chez moi, je décidai d'acheter d'abord le petit bouquin de Vianello avant d'aller goûter son risotto. Le livre fut aussi difficile à trouver que le restaurant. Je finis par mettre la main dessus un mois plus tard...

Le feuilletant au hasard, je tombai en page 37 sur le paragraphe suivant :

«Il y a deux écoles. L'une qui préconise de mouiller peu à peu le riz avec le bouillon en remuant jusqu'à la fin de la cuisson et l'autre, celle que j'ai adoptée, la plus pratique en définitive, qui consiste à mouiller immédiatement le riz avec la quantité de bouillon nécessaire.»

Les deux bras m'en tombèrent. Comment un authentique Italien qui, d'après *Le Figaro*, faisait le meilleur risotto du monde pouvait-il raconter pareilles balivernes? Et comme pour donner du poids à son affirmation, Vianello termine la page par une citation tirée du livre d'Auguste Escoffier *Le guide culinaire*: «Le riz ne doit pas être remué durant la cuisson. Il est du reste un principe absolu de ne pas remuer du riz en cuisson quel qu'il soit pour la raison qu'il en résulte un déplacement de liquide et que cela produit un attachement au feu de la casserole.» Malgré tout le respect que je dois à Escoffier, qu'est-ce qu'un Français pouvait-il donc nous apprendre en matière de riz? Je refermai le petit livre de Vianello avec dédain et regrettai même les 95 francs qu'il m'avait coûté.

Quelques mois plus tard, Maryse reprit le livre, le parcourut et me suggéra d'essayer tout de même la méthode Vianello. Je le fis à contrecœur. Ô surprise! le risotto que nous mangeâmes ce soir de février nous sembla le meilleur que j'avais fait jusqu'alors. C'était sûrement un hasard... Ma foi en ce qu'on m'avait toujours enseigné était telle que même ce fabuleux risotto ne réussit pas à l'ébranler. Il me fallut répéter l'expérience deux ou trois fois, mon risotto étant toujours

de mieux en mieux, pour me convaincre qu'on m'avait fait embrasser une religion qui n'était pas, comme on me l'avait affirmé, la seule bonne. Je fais amende honorable et affirme bien haut que le risotto laissé à lui-même est meilleur que celui qu'on se donne tant de mal à remuer.

Voici donc pour les incrédules comme moi la méthode que préconise ce diable de Toni Vianello:

Dans une casserole qui conduit bien la chaleur (cuivre ou fonte émaillée), faire revenir dans l'huile d'olive un peu d'oignon coupé en petits dés. Dès qu'il est attendri, remonter un peu le feu et verser le riz dans la casserole. Le remuer avec une cuillère de bois de 5 à 8 minutes, jusqu'à ce que le riz devienne nacré. Il ne faut pas trop le chauffer, car on détruirait l'enveloppe qui protège la partie interne du grain contenant l'amidon, élément essentiel pour réussir un risotto. On ajoute un peu de vin, on le laisse évaporer complètement, puis on mouille avec du bouillon fumant. On met deux fois plus de bouillon que de riz. On couvre la cocotte et on laisse cuire 12 minutes à feu doux. Après ce temps, on ajoute la garniture et on poursuit la cuisson de 3 à 4 minutes. Pour finir, on enlève du feu, on rectifie l'assaisonnement, on ajoute du beurre froid et du parmesan, puis on laisse reposer 2 minutes à couvert. On découvre, on brasse énergiquement avec la cuillère de bois afin de lier le risotto (une opération qui s'appelle *mantecare*, en italien) et on sert immédiatement.

Dès 1858, dans une lettre à une amie, Prosper Mérimée parlait de l'extraordinaire risotto qu'il avait mangé à Milan. Ce risotto, il va sans dire, avait été concocté avec du riz de la région de Venise, le plus fin de tous.

Les meilleurs riz de Vénétie qu'on peut trouver uniquement dans les épiceries fines, que ce soit à Montréal ou à Paris, sont les suivants : l'arborio, le baldo et le carnaroli. On trouve aussi le nano, moins fin mais qui cuit plus vite. Selon qu'on souhaite le risotto très *al dente* ou un peu plus cuit, la cuisson des trois premiers sera de 16 à 18 minutes et celle du nano, de 13 à 15 minutes.

On ne lave jamais le riz qu'on utilise pour le risotto. D'un autre côté, quand on emploie du basmati, mieux vaut le laver sous le robinet d'eau froide jusqu'à ce que l'eau en sorte claire. Par la suite, on laisse le riz dans la passoire au moins 30 minutes afin qu'il s'assèche bien.

Le risotto peut être servi comme entrée ou comme plat principal.

risotto au coulis de tomate et aux cèpes

POUR 4 PERSONNES

80 ml (1/3 tasse) de cèpes séchés ou 250 ml (1 tasse) de cèpes frais

45 ml (3 c. à soupe) d'huile d'olive

15 ml (1 c. à soupe) d'huile de noix ou de noisette

45 ml (3 c. à soupe) d'oignon haché finement

375 ml (1 1/2 tasse) de riz italien

2 gousses d'ail hachées finement

125 ml (1/2 tasse) de vermouth blanc extra-dry

750 ml (3 tasses) de bouillon de volaille bouillant

80 ml (1/3 tasse) de Coulis de tomate (voir recette, p. 353)

15 ml (1 c. à soupe) de sauge fraîche hachée ou de persil frais

Poivre et sel

80 ml (1/3 tasse) de parmesan fraîchement râpé

1 grosse noix de beurre

Bien brosser les cèpes, les couper en lamelles et les faire rissoler quelques minutes dans un peu d'huile d'olive à feu vif. Réserver. S'il s'agit de cèpes séchés, les faire tremper pendant au moins une demi-journée dans un verre d'eau tiède et mêler ensuite l'eau des cèpes au bouillon.

À feu moyen, faire chauffer les huiles, y mettre l'oignon quelques secondes, puis ajouter le riz. Remuer constamment de 5 à 8 minutes, jusqu'à ce que le riz devienne nacré. Ajouter l'ail, mettre le vermouth et laisser évaporer complètement, tout en remuant légèrement. Ajouter le bouillon fumant et laisser cuire à couvert exactement 8 minutes. Ajouter le Coulis de tomate, la sauge ou le persil et les champignons. Continuer de faire cuire à couvert exactement 8 minutes. Éteindre le feu, ouvrir la casserole, mettre le poivre et le sel, si nécessaire, ainsi que le parmesan et la noix de beurre. Couvrir et laisser reposer 2 minutes exactement. Brasser vigoureusement avec une cuillère de bois et servir immédiatement dans des assiettes très chaudes.

risotto au parmesan

POUR 4 PERSONNES

45 ml (3 c. à soupe) d'huile d'olive

15 ml (1 c. à soupe) d'huile de noix ou de
noisette

45 ml (3 c. à soupe) d'oignon haché
finement

375 ml (1 ½ tasse) de riz italien

1 gousse d'ail hachée finement

125 ml (½ tasse) de vermouth blanc extra-
dry

750 ml (3 tasses) de bouillon de volaille
bouillant

Poivre et sel

80 ml (⅓ tasse) de parmesan fraîchement
râpé

1 grosse noix de beurre

À feu moyen, faire chauffer les huiles, y
mettre l'oignon quelques secondes, puis
ajouter le riz. Remuer constamment de 5 à
8 minutes, jusqu'à ce que le riz devienne
nacré. Ajouter l'ail, mettre le vermouth, puis
laisser évaporer complètement tout en
remuant légèrement. Ajouter le bouillon
fumant et laisser cuire à couvert exactement
16 minutes. Fermer le feu, ouvrir la
casserole, mettre le poivre et du sel, si
nécessaire, ainsi que le parmesan et la noix
de beurre. Couvrir et laisser reposer
2 minutes exactement. Brasser
vigoureusement avec une cuillère de bois
et servir immédiatement dans des assiettes
très chaudes.

variante

Toutes les fantaisies sont permises. Pour un
risotto aux crevettes, par exemple, utiliser
⅔ de bouillon de poulet et ⅓ de jus de
palourde. Environ 5 à 6 minutes avant que le
riz soit cuit, ajouter les crevettes décortiquées
et une tomate pelée, coupée en dés.

 ### risotto au safran

Suivre la recette du risotto au
parmesan, mais ajouter au bouillon autant
de safran que votre porte-monnaie peut
vous le permettre !

 ### risotto au thon

POUR 4 PERSONNES

45 ml (3 c. à soupe) d'huile d'olive

15 ml (1 c. à soupe) d'huile de noix ou de
noisette

45 ml (3 c. à soupe) d'oignon haché
finement

375 ml (1 ½ tasse) de riz italien

1 gousse d'ail hachée finement

125 ml (½ tasse) de vermouth blanc extra-
dry

375 ml (1 ½ tasse) de bouillon de volaille
bouillant

375 ml (1 ½ tasse) de fumet de poisson

Poivre et sel

80 ml (⅓ tasse) de parmesan fraîchement
râpé

1 grosse noix de beurre

170 g (6 oz) de thon en conserve

15 ml (1 c. à soupe) d'estragon frais haché
ou de persil haché

À feu moyen, faire chauffer les huiles, y mettre l'oignon quelques secondes, puis ajouter le riz. Remuer constamment de 5 à 8 minutes, jusqu'à ce que le riz devienne nacré. Ajouter l'ail, mettre le vermouth et laisser évaporer complètement tout en remuant légèrement. Ajouter les deux bouillons fumants et laisser cuire à couvert exactement 16 minutes. Éteindre le feu, ouvrir la casserole, mettre le poivre et du sel, si nécessaire. Ajouter le parmesan, la noix de beurre, le thon émietté ainsi que l'estragon ou le persil. Couvrir et laisser reposer 2 minutes exactement. Brasser vigoureusement avec une cuillère de bois et servir immédiatement dans des assiettes très chaudes.

risotto aux fruits de mer

S'il s'agit de fruits de mer frais (crevettes, langoustine, homard, palourdes, etc.), on suit la même recette que pour le risotto au thon, mais on ajoute les fruits de mer choisis exactement 8 minutes après le début de la cuisson à couvert. On aura évidemment coupé les crevettes en deux ou trois tronçons, si elles sont grosses, et on aura coupé le homard vivant pour ensuite en tronçonner la chair.

Si on choisit de faire un risotto aux pétoncles, les couper en deux ou trois morceaux et les ajouter seulement 4 minutes avant la fin de la cuisson à couvert.

risotto aux légumes

Procéder comme pour le Risotto au parmesan (voir recette p. 322). Couper les légumes en dés et les faire blanchir dans de l'eau bouillante plus ou moins longtemps, selon la tendreté du légume même. Ajouter les légumes au risotto 8 minutes avant la fin de la cuisson à découvert.

riz à l'antillaise

POUR 3 PERSONNES

60 ml (¼ tasse) de riz sauvage
125 ml (½ tasse) de riz basmati
45 ml (3 c. à soupe) d'huile d'olive
15 ml (1 c. à soupe) d'huile de noisette ou de noix
½ oignon jaune, coupé en dés
½ poivron jaune ou vert, coupé en dés
½ poivron rouge, coupé en dés
2 gousses d'ail hachées finement
20 feuilles de coriandre fraîche, hachées
1 chili broyé
Sel
1 tomate pelée, épépinée et coupée en dés
15 ml (1 c. à soupe) de pâte de tomate
300 ml (1 ¼ tasse) de bouillon de poulet ou de légume
15 ml (1 c. à soupe) de persil frais, haché

Faire tremper le riz sauvage pendant au moins 4 h. Laver le riz basmati, le mélanger au riz sauvage et faire égoutter le tout. Faire chauffer les huiles dans une cocotte allant au four. À feu moyen, y faire attendrir l'oignon et les poivrons sans les faire rôtir, en remuant de temps à autre.

Ajouter l'ail, la coriandre et le piment séché, puis remuer quelques minutes. Saler au goût. Pendant ce temps, amener le bouillon au point d'ébullition avec les dés de tomate et la pâte. Remonter le feu, mettre le riz dans la cocotte et remuer quelques minutes pour faire blanchir le riz. Ajouter le bouillon et ce qu'il contient. Ramener au point d'ébullition, puis ajouter le persil. Couvrir et mettre au four préchauffé à 180 °C (350 °F) pendant 20 minutes précises.

riz au four

RECETTE DE BASE POUR 5 À
6 PERSONNES

30 ml (2 c. à soupe) d'oignon jaune ou
    petits oignons verts, émincés finement
45 ml (3 c. à soupe) d'huile d'olive
15 ml (1 c. à soupe) d'huile de noisette ou
    de noix
375 ml (1 ½ tasse) de riz basmati
Sel et poivre du moulin
1 ou 2 gousses d'ail émincées finement
15 ml (1 c. à soupe) de feuilles de
    marjolaine fraîche ou 5 ml (1 c. à thé)
    s'il s'agit de marjolaine séchée
750 ml (3 tasses) de bouillon très chaud

Prendre une cocotte d'au plus 2 litres (8 tasses) allant au four. Sur la cuisinière, y faire dorer légèrement les oignons dans les huiles, ajouter le riz (bien lavé et essoré). Le faire cuire en remuant quelques minutes avec une cuillère de bois jusqu'à ce qu'il devienne laiteux. Ajouter du sel s'il y a lieu,

le poivre, l'ail et la marjolaine fraîche ou séchée, puis le bouillon fumant. Dès que le tout recommence à bouillir, couvrir et mettre au four préchauffé à 180 °C (350 °F) pendant 20 minutes précises. Ouvrir le couvercle et remuer légèrement le riz avec une fourchette pour en apprécier la consistance. Le riz est prêt à servir, mais on peut le laisser attendre un bon 30 minutes au four entrouvert, à feu éteint. Si on préfère un riz plus humide, on remet alors le couvercle sur la cocotte. Pour un riz plus croquant, on ferme la cocotte à demi seulement.

On peut remplacer 250 ml (1 tasse) de liquide par la même quantité de jus de tomate pour un riz tomaté ou 250 ml (1 tasse) de liquide par la même quantité de vin blanc.

riz nature au vermicelle

POUR 4 PERSONNES

30 ml (2 c. à soupe) d'huile d'olive
15 ml (1 c. à soupe) de beurre
1 écheveau de vermicelle
250 ml (1 tasse) de riz basmati
375 ml (1 ½ tasse) d'eau bouillante
Sel au goût et poivre du moulin

À feu moyen, faire chauffer l'huile et le beurre dans une cocotte. Dès que le beurre a fini de mousser, y casser un écheveau de vermicelle. Faire dorer légèrement. Ajouter le riz et remuer quelques minutes avec une cuillère de bois jusqu'à ce que le riz soit laiteux. Ajouter l'eau bouillante et remuer encore. Saler et poivrer. Mettre le couvercle, mais ne pas le fermer. Remuer de temps à autre. Quand il ne reste plus d'eau, fermer le couvercle complètement, ainsi que le feu, puis laisser reposer 15 minutes.

riz sauvage

Je ne suis pas très friand du riz sauvage qu'on mange sans le mélanger à une autre variété de riz. D'autant plus que le riz sauvage n'a plus la qualité d'autrefois. De toute manière, n'essayez pas de faire cuire du riz sauvage sans d'abord le faire tremper au moins 4 à 5 h. Par la suite, je vous conseille de le mélanger à du riz basmati. Moitié-moitié ou deux parties de basmati pour une partie de riz sauvage.

ROSE

Quand on aime les roses comme je les aime, on ne se contente pas de les cultiver, on les mange ! Peut-on rendre à cette fleur, qui existait sur terre bien avant l'homme, plus bel hommage que celui-là ? Soyez sans crainte, je ne fais pas que manger les roses : je les hume, je m'extasie devant leur beauté et je bichonne mes rosiers comme des enfants. Je les connais tous et il se passe rarement une journée sans que nous échangions quelques signes d'amitié.

De toutes les fleurs que je cultive, la rose est la seule à qui je n'ai jamais fait faux bond. Plusieurs fleurs ont disparu de mon jardin, mais la rose est toujours restée. Bon an, mal an, je remplace deux bonnes douzaines de rosiers que l'hiver m'a ravis ou que leur grand âge a rendus improductifs et, lors de la première floraison, en juin, j'essaie de trouver le temps de transformer mes roses en gelée ou en confiture. C'est plus facile qu'il n'y paraît, et un petit pot de gelée de rose épate toujours les amis.

confiture de rose

Suivre la même recette que pour la Gelée de rose. Mais au lieu de passer dans une mousseline à fromage les pétales de rose qui ont macéré dans l'eau bouillante, dès que l'eau a tiédi, les faire bouillir jusqu'à ce qu'une bonne consistance de confiture soit atteinte. Mettre dans des bocaux stérilisés.

Dans tous les cas, pour ajouter de la saveur, on peut remplacer 60 ml (¼ tasse) d'eau par la même quantité d'eau de rose.

gelée de rose

1 litre (4 tasses) de pétales de rose
750 ml (3 tasses) d'eau bouillante
Le jus de 4 citrons
625 ml (2 ½ tasses) de sucre

Cueillir les roses lorsqu'elles sont fraîches et les examiner afin qu'elles ne contiennent pas d'insectes. Enlever les pétales et les déposer dans une cocotte en fonte émaillée. Les arroser d'eau bouillante, couvrir et laisser refroidir 3 h. Passer le tout au chinois fin ou dans une mousseline à fromage, ajouter à l'eau de rose ainsi obtenue le jus des citrons et le sucre, puis amener rapidement au point d'ébullition. Laisser bouillir à gros bouillons jusqu'à ce que la température de la gelée soit atteinte, soit environ 115 °C (235 °F), et mettre dans des bocaux stérilisés. En principe, il n'est pas nécessaire d'ajouter de pectine artificielle.

variante

1 litre (4 tasses) de pétales de rose
750 ml (3 tasses) d'eau bouillante
3 pommes vertes
625 ml (2 ½ tasses) de sucre
Le jus de 2 citrons

Mettre les pétales dans une cocotte en fonte émaillée, ajouter l'eau bouillante, ajouter 2 ou 3 pommes vertes en morceaux, puis faire bouillir une dizaine de minutes, jusqu'à ce que les pommes soient cuites. Laisser tiédir, passer dans une mousseline à fromage, puis ajouter le sucre et le jus de 2 citrons. Faire bouillir rapidement jusqu'à ce que la température de la gelée soit atteinte et mettre dans des bocaux stérilisés. Quand on fait la gelée de cette façon, il n'est jamais nécessaire d'ajouter de pectine artificielle.

 miel de rose et de trèfle

Je tiens cette étonnante recette de Mme Simone Champoux-Poirier dont la fille Denise travaille chez moi depuis plusieurs années. Ce miel a une saveur bien particulière et je crois qu'il rendrait jalouses les abeilles les plus perfectionnistes.

250 ml (1 tasse) d'eau
1 litre (4 tasses) de sucre granulé
Gros comme une fève d'alun
8 à 10 roses entières très fraîches
20 fleurs de trèfle blanc
10 fleurs de trèfle rouge

Faire chauffer l'eau dans une casserole et y dissoudre le sucre et l'alun. Faire bouillir exactement 5 minutes. Retirer du feu, puis ajouter les roses et les fleurs de trèfle. Remettre sur le feu éteint pendant 10 minutes et remuer quatre ou cinq fois durant cette période. Couler dans une mousseline à fromage et verser dans des bocaux stérilisés.

S

SABAYON

sabayon
POUR 2 PERSONNES

2 jaunes d'œufs
60 ml (1/4 tasse) de sucre granulé
60 ml (1/4 tasse) de marsala dry

Faire chauffer un peu d'eau dans le bas d'un bain-marie. Pendant ce temps, mettre les jaunes et le sucre dans la partie du haut, puis fouetter jusqu'à ce que les jaunes aient atteint une consistance crémeuse et une couleur jaune pâle. Dès que l'eau commence à bouillir, baisser le feu pour qu'elle ne bout pas à gros bouillons, puis déposer le haut du bain-marie sur le bas. Tout en fouettant, ajouter graduellement le marsala. Le mélange deviendra de plus en plus crémeux et léger. Le sabayon est prêt quand il forme de petits pics qui se tiennent. Servir dans des coupes à champagne ou des coupes à sorbet.

SARDINES

entrée de sardines
1 BOÎTE DE SARDINES PAR PERSONNE
(ACHETER DES SARDINES NATURE À L'HUILE OU À L'EAU DE SOURCE)

ingrédients pour chaque boîte de sardines :

1 gousse d'ail
5 ml (1 c. à thé) de jus de citron
30 ml (2 c. à soupe) d'huile d'olive
2,5 ml (1/2 c. à thé) de baies roses broyées

Bien égoutter les sardines de leur huile ou de leur eau, les débarrasser de leur peau et de leur arête (si on le souhaite), puis les déposer dans une assiette. Presser la gousse d'ail pour en extraire le jus, mélanger avec le jus de citron et ajouter l'huile goutte à goutte en fouettant avec une fourchette. Napper les sardines de cette sauce, saupoudrer des baies roses et servir avec du pain de seigle grillé.

SAUCES
sauces à fondue chinoise

Les recettes qui suivent proviennent de Mme Claudine Mathieu, de Shilo, au Manitoba.

sauce à l'ail

180 ml (³/₄ tasse) de mayonnaise
1 gousse d'ail hachée très finement
60 ml (¼ tasse) de ketchup
15 ml (1 c. à soupe) d'huile d'olive
15 ml (1 c. à soupe) de vinaigre de cidre
1 petit oignon vert, haché finement
5 ml (1 c. à thé) de feuilles de thym
Sel et poivre

sauce moutarde

60 ml (¼ tasse) de mayonnaise
15 ml (1 c. à soupe) de moutarde de Dijon
15 ml (1 c. à soupe) de lait
1 oignon jaune haché finement
Sel et poivre au goût

sauce relish

60 ml (¼ tasse) de relish
60 ml (¼ tasse) de mayonnaise
15 ml (1 c. à soupe) de lait
1 oignon jaune haché finement
Sel et poivre au goût

sauce rouge

160 ml (²/₃ tasse) de sauce chili
60 ml (¼ tasse) de ketchup
2,5 ml (½ c. à thé) de sauce Worcestershire
1 pincée de sucre
15 ml (1 c. à soupe) de persil haché finement
Sel et poivre au goût

Note : Pour toutes ces sauces, une fois qu'on a préparé les ingrédients aux justes proportions, il suffit de mélanger avec soin. Les sauces sont alors prêtes à servir.

sauces diverses

sauce à la tomate crue

450 g (1 lb) de tomates mûres, pelées, épépinées et concassées
30 ml (2 c. à soupe) de basilic frais, haché
5 ml (1 c. à thé) de coriandre fraîche, hachée
30 ml (2 c. à soupe) de jus de citron
1 pincée de sucre
5 ml (1 c. à thé) de zeste de citron haché finement
Sel et poivre du moulin au goût

Faire dégorger les tomates dans une passoire environ 1 h. Les passer au mélangeur avec les autres ingrédients, sauf zeste, sel et poivre. Ajouter le zeste, saler et poivrer. Mettre au frigo au moins 1 h avant de servir.

sauce au yogourt

60 ml (¼ tasse) de crème épaisse
125 ml (½ tasse) de yogourt nature
15 ml (1 c. à soupe) de ciboulette fraîche, hachée finement
15 ml (1 c. à soupe) de feuilles de menthe fraîche, hachées finement
Sel et poivre au goût

Mêler crème et yogourt à la fourchette, ajouter les autres ingrédients, bien mélanger, saler et poivrer.

sauce aux œufs

2 jaunes d'œufs cuits dur
1 jaune d'œuf cru
5 ml (1 c. à thé) d'eau
125 ml (½ tasse) de crème épaisse
15 ml (1 c. à soupe) de jus de citron
Sel et poivre au goût

Passer les 2 jaunes cuits dur au tamis, les mélanger ensuite avec le jaune d'œuf cru, puis ajouter l'eau pour faire une pâte lisse. Ajouter la crème, cuillerée par cuillerée, en brassant toujours. Éclaircir avec le jus de citron, saler et poivrer.

Note : Peut se conserver 2 ou 3 jours au frigo.

sauce bordelaise maison

POUR 3 À 4 PERSONNES
45 ml (3 c. à soupe) de moelle de veau ou de bœuf pochée et coupée en petits cubes
375 ml (1 ½ tasse) de bon vin rouge
2 échalotes hachées finement
1 gousse d'ail hachée finement
15 ml (1 c. à soupe) de cognac
15 ml (1 c. à soupe) de sauce HP fruitée
4 à 6 gouttes de tabasco
5 ml (1 c. à thé) de sauce Worcestershire
5 ml (1 c. à thé) de jus de citron
Sel au goût et poivre du moulin

1 grosse noix de beurre manié avec au plus 5 ml (1 c. à thé) de farine

Faire pocher les os à moelle en les plongeant environ 4 minutes dans l'eau bouillante. Les retirer et les laisser refroidir avant d'extraire la moelle avec un petit couteau, puis la couper en petits dés.

Faire cuire doucement vin, échalote et ail jusqu'à ce que le vin ait réduit de moitié. Ajouter le cognac, amener au point d'ébullition, puis ajouter la sauce HP, la sauce tabasco et la sauce Worcestershire, le jus de citron, le sel et la moelle. Amener encore une fois au point d'ébullition. Rendre la sauce veloutée en y fouettant le beurre légèrement mêlé de farine.

Cette sauce est excellente avec des rognons de veau ou d'agneau poêlés et découpés en lamelles ou sur du steak de bœuf ou des côtelettes d'agneau grillées.

sauce passe-partout

POUR 6 À 8 PERSONNES
500 ml (2 tasses) de bouillon de bœuf ou de volaille
15 ml (1 c. à soupe) de sauce HP fruitée ou de sauce A1
5 ml (1 c. à thé) de sauce Worcestershire
125 ml (½ tasse) de vin blanc ou rouge
Sel et poivre
30 ml (2 c. à soupe) de beurre manié
30 ml (2 c. à soupe) de brandy ou de cognac
5 ml (1 c. à thé) de sauce à brunir (facultatif)

Mettre le bouillon à chauffer avec les sauces et le faire réduire du tiers. Ajouter le vin et le faire réduire du quart. Ajouter sel et poivre au goût. Faire réduire encore du quart. Épaissir la sauce en y fouettant le beurre manié. Laisser bouillir au moins 5 minutes. Ajouter le brandy ou le cognac et laisser bouillir 2 minutes. Pour une sauce foncée, ajouter le liquide à brunir avant l'alcool. Si la sauce doit attendre, déposer 1 ou 2 noisettes de beurre sur le dessus.

 ### sauces pour faire trempette

1 gousse d'ail épluchée

15 ml (1 c. à soupe) de vinaigre ou de jus de citron

15 ml (1 c. à soupe) de moutarde de Dijon à température de la pièce

1 pincée de sucre

1 pincée de sel

1 pincée de poivre

3 gouttes de tabasco

4 à 5 gouttes de sauce Worcestershire

125 ml (½ tasse) d'huile d'olive à température de la pièce

Frotter avec soin un bol avec la gousse d'ail, puis la jeter. Déposer dans le bol tous les ingrédients, sauf l'huile, puis fouetter avec une cuillère ou une fourchette. Ajouter l'huile, 5 ml (1 c. à thé) à la fois, et émulsionner avec la fourchette ou la cuillère. Se conserve 1 à 2 semaines au frigo, mais doit être chambrée au moins 1 h avant d'être servie.

 ### sauce à plum-pudding (*hard sauce*) ou à gâteaux aux fruits

POUR 6 PERSONNES

250 ml (1 tasse) de sucre à glacer

75 ml (5 c. à soupe) de beurre mou

1 pincée de sel

5 ml (1 c. à thé) de vanille

5 ml (1 c. à thé) de rhum, de kirsch, de brandy ou de jus de citron

60 ml (¼ tasse) de crème

Tamiser le sucre à glacer deux ou trois fois, bien fouetter le beurre avec une fourchette, puis y incorporer le sucre à glacer jusqu'à l'obtention d'une crème homogène. Ajouter le sel, la vanille, l'alcool ou le jus de citron, puis la crème. Fouetter jusqu'à consistance homogène encore une fois. Réfrigérer ou mettre au congélateur dans de petits moules individuels. Faire chambrer quelques secondes ou une vingtaine de minutes si la sauce sort du congélateur, puis servir sur le pudding chaud.

Note : Peut se garder 2 à 3 mois au congélateur.

 ### sauce à plum-pudding de Louise Dompierre

Même si j'aime bien la hard sauce *précédente, qui est très traditionnelle, j'ai mangé chez François Dompierre une délicieuse sauce à plum-pudding (ou à gâteau aux fruits). Et sa femme Louise a eu la gentillesse de m'en refiler la recette.*

125 ml (½ tasse) de beurre
250 ml (1 tasse) de sucre
2 jaunes d'œufs bien battus
60 ml (¼ tasse) de xérès
2 blancs d'œufs battus en neige

Dans un bain-marie, faire mousser le beurre et le sucre en remuant vivement avec un fouet. Quand le sucre est fondu et que le mélange est bien lié, toujours en battant vivement, ajouter graduellement les jaunes d'œufs battus dans lesquels on aura à la fin incorporé le xérès, puis incorporer finalement les blancs d'œufs. Servir immédiatement.

SAUMON

Est-ce le plus vieux poisson du monde ? Sans doute, puisqu'on en a trouvé des fossiles dans les cavernes de l'âge de pierre et que la grotte du poisson aux Eyzies, en Dordogne, abrite un bas-relief qui montre un saumon en détail. Il paraît que les indigènes de Colombie-Britannique s'en faisaient des banquets 11 000 ans avant Jésus-Christ.

La première fois de ma vie que j'ai vu un saumon « en personne », je devais avoir six ou sept ans. Mon oncle Ovila Fournier, qui était allé à la chasse aux maringouins dans la péninsule gaspésienne — il était entomologiste à l'Université de Montréal — avait expédié de Causapscal, dans la vallée de la Matapédia, un énorme saumon. Par un bel après-midi de juin, un camion du Canadien National s'était arrêté devant la maison, et les deux camionneurs en livrée de la compagnie ferroviaire avaient descendu de leur véhicule une grande boîte de bois qui ressemblait à un cercueil. Comme la boîte dégoulinait de tous ses interstices, maman leur dit de la laisser sur la galerie. Elle signa un reçu et, malgré la hâte que nous avions de voir ce que contenait la fameuse boîte, maman nous ordonna de nous en éloigner jusqu'à l'arrivée de papa qui aurait la délicate tâche de l'ouvrir.

À son arrivée du bureau, il alla chercher son marteau et un pied-de-biche et entreprit de déclouer la boîte. Une fois les planches du dessus enlevées, nous n'aperçûmes qu'une grosse couche de papier journal froissé, si détrempé que c'est à peine si nous pûmes reconnaître le quotidien de Québec, *L'action catholique*. Papa enleva le papier, et un énorme saumon apparut. De son gros œil rond et luisant, le poisson nous regardait fixement.

Mon père n'était pas friand de poisson. Ce saumon est à peu près le seul poisson que je l'ai vu manger, sauf les perchaudes, les crapets-soleil et les rares achigans qu'il pêchait lui-même dans les eaux de la rivière Yamaska. Lever le nez sur ce saumon eut été sacrilège, et il n'alla pas jusqu'à le commettre, quoiqu'il abandonna après un seul repas. Le saumon étant énorme, nous avons bien dû en manger pendant presque une semaine sans jamais désirer autre chose. Si mon souvenir ne me trompe pas, il avait un petit goût de sapinage et de crevette.

Ces saumons sauvages sont devenus aussi rares que des diamants et presque aussi chers. Il faut être riche pour en manger… ou avoir des amis comme Gaston Lepage (ou Jean-Claude Lauzon avant que son appareil s'écrase au retour d'un voyage de pêche sur la rivière Moisie) qui possède un avion ou un hélico. Les saumons sauvages ne se trouvent plus que dans le Grand Nord québécois.

Au Québec, on a toujours parlé du saumon de l'Atlantique et du saumon de Colombie. Pourtant, trois variétés différentes de saumon viennent de l'océan Pacifique : le coho, le chinook et le sockeye, des saumons plus petits et surtout beaucoup moins charnus que celui de l'Atlantique.

Qu'il soit de l'Atlantique ou du Pacifique, le saumon « naturel » se fait rare et sans l'élevage intensif de ce qu'on appelle toujours le saumon de l'Atlantique, ce poisson aurait déjà subi le sort que les pêches abusives ont fait subir à la morue.

caviar de saumon à la russe

POUR 4 PERSONNES

2 œufs à la coque cuits dur
150 g (1/3 lb) d'œufs frais de saumon
1 échalote
1 citron coupé en quartiers
7,5 ml (1 1/2 c. à thé) de baies roses broyées

Séparer le blanc des jaunes et hacher finement le blanc. Hacher ensuite finement les jaunes, puis l'échalote. Déposer les œufs de saumon dans une assiette de service, garnis des jaunes d'œufs hachés, des blancs hachés, de l'échalote et des

quartiers de citron. Saupoudrer les œufs de saumon et l'échalote des baies roses. Servir comme entrée avec du pain de seigle grillé ou non ainsi qu'avec une motte de beurre non salé bien froid. Accompagner de vodka glacée.

escalopes de saumon au vinaigre

POUR 4 PERSONNES

4 escalopes de saumon d'environ 100 g
   (3 1/2 oz) chacune, tranchées très mince
   — 5 mm (1/4 po) au plus
60 ml (4 c. à soupe) de mayonnaise
   maison
30 ml (2 c. à soupe) de court-bouillon de
   poisson
15 ml (1 c. à soupe) de vinaigre à
   l'estragon
30 ml (2 c. à soupe) de ciboulette hachée
   finement
15 ml (1 c. à soupe) d'huiles d'olive et de
   noisette mélangées
7,5 ml (1 1/2 c. à thé) de fleur de sel
15 ml (1 c. à soupe) de baies roses broyées

Faire en sorte que tous les ingrédients soient à température de la pièce, y compris les escalopes de saumon. Incorporer à la mayonnaise le court-bouillon, le vinaigre et la ciboulette, puis réserver. Tremper un morceau de papier essuie-tout chiffonné dans les huiles et en huiler les quatre assiettes dans lesquelles les escalopes seront servies. Déposer une escalope par assiette et mettre au milieu du four très chaud, soit à 230 °C (450 °F), environ 3 minutes. Sortir du four, saupoudrer les escalopes de fleur de sel, déposer sur chacune une bonne cuillerée de mayonnaise, saupoudrer toute l'assiette des baies roses et servir immédiatement.

Attention, il faut choisir des assiettes qui peuvent tolérer une telle chaleur et penser que les escalopes continuent à cuire dans l'assiette, une fois qu'elles sont servies.

Servir avec des haricots verts ou une pomme de terre vapeur.

gravlax

C'est Birquita, une artiste suédoise qu'a épousée mon ami designer Jean Saint-Cyr, de Montréal, qui m'a montré à faire du gravlax. De grâce, n'en achetez plus dans une poissonnerie. Faites le vôtre, c'est si facile et, la plupart du temps, bien meilleur.

1 SAUMON ENTIER (PETIT OU GROS, SELON LE NOMBRE DE PERSONNES À SERVIR)
30 ml (2 c. à soupe) d'akvavit
1 gros bouquet d'aneth frais ou de fenouil frais

marinade
60 ml (¼ tasse) de gros sel de mer
60 ml (¼ tasse) de cassonade
60 ml (¼ tasse) de sucre
8 baies de genièvre broyées grossièrement
15 ml (1 c. à soupe) de poivre blanc broyé grossièrement

Acheter un saumon entier bien frais. Le faire parer ou le parer vous-même en grattant les écailles, en coupant la tête et les nageoires, puis en le séparant en deux grands filets de manière à dégager l'arête centrale. Avec des pinces à sourcil, enlever toutes les arêtes qui restent, puis essuyer le poisson soigneusement avec une serviette. À l'aide d'un pinceau à pâtisserie, peindre les deux filets d'akvavit, côté chair.

Mélanger tous les ingrédients de la marinade. Placer dans une grande assiette le premier filet de saumon, peau contre assiette. Y répartir les deux tiers de la marinade sèche, puis déposer un bouquet d'aneth ou de fenouil pour couvrir tout le filet. Mettre l'autre filet par-dessus le premier et y saupoudrer le reste de la marinade. Couvrir d'un solide papier d'aluminium et d'un certain poids : une autre assiette, une planche à découper ou autre chose du genre. Mettre au frigo 48 h et tourner le poisson deux ou trois fois pendant cette période en épongeant avec du papier essuie-tout l'eau qu'il aura rejetée. Après avoir essuyé le saumon, le servir comme du saumon fumé, mais en découpant des tranches plus épaisses. Accompagner de la sauce à gravlax.

sauce à gravlax
45 ml (3 c. à soupe) d'huile d'olive
15 ml (1 c. à soupe) d'huile de noisette ou de noix
15 ml (1 c. à soupe) de sucre
1 pincée de sel

1 ml (¼ c. à thé) de poivre blanc moulu
30 ml (2 c. à soupe) de moutarde de Dijon
7,5 ml (1 ½ c. à thé) d'akvavit
45 ml (3 c. à soupe) d'aneth ou de fenouil
    haché finement

S'assurer que tous les ingrédients sont à température de la pièce. Bien les mélanger, sauf l'aneth ou le fenouil. Dès l'obtention d'une belle pâte lisse, ajouter l'aneth ou le fenouil.

Servir le gravlax et sa sauce avec du pain de seigle légèrement grillé et de l'akvavit bien froid. Si on préfère, on peut remplacer l'akvavit partout par de la vodka de bonne qualité.

saumon fumé à ma façon

Je fume mon saumon depuis des années et, chaque fois que j'en sers à mes invités, ils sont renversés que je puisse réussir à fumer mon propre saumon. C'est pourtant l'enfance de l'art de fumer du saumon, comme tout autre poisson, d'ailleurs.

Passez d'abord chez Baron Centre de Sport Ltée, 932, rue Notre-Dame Ouest à Montréal — (514) 866-8848 — et procurez-vous un petit fumoir maison Little Chief fabriqué aux États-Unis, en Oregon, plus précisément. Pour moins de 100 $, vous aurez un fumoir et plus de copeaux de bois qu'il vous en faut pour une vie entière. Ces merveilleux petits fumoirs sont inusables. Je possède le mien depuis 20 ans et, croyez-moi, il en a fumé des saumons et des truites.

C'est l'hiver qui est le plus propice à la fumaison, car on peut alors vraiment fumer à froid, de loin la meilleure façon. Par un froid sibérien, on installe son fumoir sur le patio ou sur la galerie et on est alors certain que la fumée qui enveloppera le poisson sera toujours froide.

préparation

Acheter un saumon entier bien frais. Le faire parer ou le parer vous-même en grattant les écailles, en coupant la tête et les nageoires et en le séparant en deux grands filets de manière à dégager l'arête centrale. Avec des pinces à sourcil, enlever toutes les arêtes qui restent, puis essuyer le poisson avec une serviette. Dans un endroit frais, étendre une douzaine de feuilles de papier journal sur une table ou un établi, puis mettre quelques feuilles de papier essuie-tout par-dessus. Étendre environ 100 g (3 ½ oz) de gros sel de mer sur l'essuie-tout, puis y déposer les deux filets de saumon côté chair. Étendre à peu près la même quantité de sel sur la peau des filets, couvrir de plusieurs feuilles de papier essuie-tout et de quelques feuilles de papier journal, mettre un morceau de contreplaqué assez grand pour couvrir le saumon et déposer sur cette planche un poids d'environ 10 kg (22 lb). Laisser reposer ainsi environ 8 à 12 h.

Après ce temps, le saumon aura perdu une grande partie de son eau. Laver les filets à grande eau sous le robinet afin de les débarrasser de leur sel, puis les essuyer avec une serviette. Étendre quelques feuilles de papier ciré sur la table ou l'établi, y déposer les filets, peau en dessous, et, avec un séchoir à cheveux, les assécher pendant 15 à 30 minutes.

marinade

Préparer l'une ou l'autre des deux marinades suivantes, ou encore l'une et l'autre afin d'avoir deux variétés de saumon fumé.

marinade à la vodka

60 ml (¼ tasse) de cassonade

2 feuilles de laurier bien broyées

6 baies de genièvre broyées

12 grains de poivre broyés

45 ml (3 c. à soupe) de vodka de bonne qualité

2 branches de sapin (facultatif)

Mélanger tous les ingrédients dans un bol jusqu'à l'obtention d'une pâte lisse.

marinade au sirop d'érable et au cognac

60 ml (¼ tasse) de sirop d'érable

2 feuilles de laurier bien broyées

12 grains de poivre broyés

45 ml (3 c. à soupe) de cognac

Mélanger tous les ingrédients dans un bol. Dès que la ou les marinades sont prêtes, en enduire généreusement le saumon, côté chair, avec un pinceau à pâtisserie. Laisser reposer au frais environ 8 h après avoir déposé sur chaque filet une branche de sapin.

fumaison

Si le saumon est de bonne taille, couper chaque filet en deux parties avant de suspendre le saumon dans le fumoir. Envelopper chaque morceau dans quelques épaisseurs de mousseline à fromage. Percer un trou dans chaque morceau en s'assurant de bien transpercer la peau (avec un clou ou un poinçon), y passer une bonne corde de boucher, puis faire un nœud coulant. Attacher deux ou quatre morceaux dans le haut du fumoir. Sortir celui-ci à l'extérieur, le brancher et ajouter un récipient de copeaux de bois. Quand les copeaux de bois sont réduits en cendres (après environ 1 h 30), ajouter à peu près la même quantité de copeaux (la moitié moins, si on désire un saumon moins fumé). Attendre que les copeaux soient en cendres, puis sortir le saumon du fumoir. Envelopper chaque morceau dans du papier d'aluminium et mettre au frigo pendant 24 h. Après ce temps, le saumon est prêt à manger ou à être congelé. On le décongèle en le laissant 12 h au frigo ou quelques heures à température de la pièce. Le couper en tranches avant qu'il soit trop chambré, toutefois.

saumon fumé sur pain de seigle panaché à l'œuf de caille

C'est chez Fortnum and Mason's à Londres qu'on prépare le saumon fumé de la façon la plus inventive. Un jour, en observant le cuisinier préparer une entrée, j'ai suivi son manège que j'interprète de la façon suivante:

POUR 4 PERSONNES

4 tranches de pain de seigle

Quelques gouttes d'huile d'olive

4 œufs de caille

80 ml (1/3 tasse) de mascarpone

24 tranches de saumon fumé tranchées très
mince — 1 à 2 mm (à peine 1/8 po)

Baies roses grossièrement broyées

sauce

4 feuilles d'oseille

1 noisette de beurre

125 ml (1/2 tasse) de crème épaisse (utilisée
séparément)

20 ml (4 c. à thé) de raifort préparé, bien
essoré

salade

750 ml (3 tasses) de jeunes pousses de
laitue

45 ml (3 c. à soupe) d'huile d'olive

15 ml (1 c. soupe) d'huile de noisette

7,5 ml (1 1/2 c. à thé) de jus de citron

5 ml (1 c. à thé) d'eau de rose

Sel

7,5 ml (1/2 c. à thé) de vinaigre japonais

sauce

Hacher les feuilles d'oseille et les faire
fondre dans une petite cocotte à feu très
doux en y ajoutant la noisette de beurre.
Quand elles sont fondues, enlever du feu,
ajouter 15 ml (1 c. à soupe) de crème,
réduire en purée très lisse avec une
fourchette ou une cuillère et faire tiédir.

salade

Laver les jeunes pousses de laitue et les
déposer dans un bol. Y ajouter les huiles, le
jus de citron, l'eau de rose, le sel et le
vinaigre, puis mélanger délicatement avec
deux cuillères de bois. Réserver.

Ajouter à l'oseille la crème qui reste et le
raifort. Bien mélanger en fouettant avec un
fouet ou une fourchette. Réserver.

Faire griller le pain de seigle.

Mettre quelques gouttes d'huile d'olive
dans une poêle et y casser les œufs de
caille. (Pour casser un œuf de caille, il faut
faire dans l'écaille une petite incision avec
un couteau coupant). Les faire cuire au
miroir à feu très doux.

Pendant ce temps, répartir la salade
dans les assiettes en faisant une couronne.
Laisser libre le centre de l'assiette ainsi
qu'un autre endroit. Y déposer une cuillerée
à soupe de sauce. Tartiner chaque tranche
de pain de seigle d'une généreuse portion
de mascarpone, puis en déposer une au
milieu de chaque assiette. Répartir sur
chaque tranche le quart du saumon fumé.
Panacher le saumon de l'œuf de caille, puis
saupoudrer l'assiette de baies roses. Servir
immédiatement.

saumon poché

Si vous achetez un saumon entier, le faire
parer ou le parer vous-même en grattant les
écailles, en coupant les nageoires, mais en
gardant la tête. Bien gratter les écailles
si vous n'achetez qu'un morceau de saumon. Préparer un court-bouillon (voir

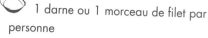

recette p. 85), puis le mettre dans une pois-sonnière ou une cocotte assez grande pour recevoir la pièce de saumon. Amener le court-bouillon au point d'ébullition et y dé-poser le saumon. Couvrir. Dès que le court-bouillon a recommencé à bouillir, tourner le saumon avec deux spatules de plastique ou deux cuillères de bois. Couvrir de nouveau et ramener au point d'ébullition. Éteindre le feu et laisser reposer ainsi de 20 à 25 minutes.

Pendant ce temps, mettre dans un bol du beurre fondu et de l'huile d'olive chaude (moitié-moitié), ajouter un peu de jus de ci-tron (1 partie de jus pour 5 à 6 parties d'huile et de beurre), puis émulsionner.

Sortir le saumon et le déposer sur plusieurs feuilles de papier essuie-tout. En-lever la peau du dessus en vous servant d'un petit couteau effilé pour la décoller de la chair, puis enlever la chair brune et la jeter. Transférer le saumon dans un plat de ser-vice. Le badigeonner avec un pinceau du mélange de beurre et d'huile, puis le saupoudrer de baies roses broyées.

Servir immédiatement tel quel ou avec une sauce à l'oseille.

Si le saumon poché doit être servi froid, le mettre 1 h au frigo après l'avoir sorti de la poissonnière et l'avoir paré. Pendant ce temps, couper un citron en tout petits quartiers et laver une jolie branche d'es-tragon. Avant de servir, décorer le saumon des quartiers de citron et de la branche d'es-tragon. Servir avec une mayonnaise ou une sauce à l'oseille froide.

saumon poêlé

1 darne ou 1 morceau de filet par personne

1 branche de romarin ou de basilic frais par darne

5 ml (1 c. à thé) d'huile d'olive et d'huile de noix ou de noisette mélangées par darne

Sel et poivre du moulin

5 ml (1 c. à thé) de jus de citron par darne

Bien assécher le saumon. Faire chauffer les huiles dans une poêle à feu doux, puis y déposer les morceaux de saumon. Faire cuire ainsi à feu doux environ 3 à 4 minutes. Saler et poivrer, puis retourner le saumon. Mettre le romarin ou le basilic. Faire cuire encore environ 3 à 4 minutes. Arroser du jus de citron, saler et poivrer, puis servir immédiatement avec une pomme de terre vapeur, des épinards ou des haricots verts.

SEL

Comme je souffre d'hypertension depuis quelques années, je ne devrais surtout pas vous parler de sel. Tiens, je ne vous en dirai rien, mais je vous parlerai plutôt de la fleur de sel qu'on peut maintenant se procurer dans toutes les bonnes épiceries fines.

Grâce à un système complexe de digues et de canaux, les paludiers entreposent l'eau de mer au moment des grandes marées. Sous l'effet conjugué du soleil et de l'air, l'eau s'é-vapore graduellement et le sel finit par se cristalliser. De juin à septembre, les paludiers en font la cueillette. Dans des gestes habiles, ils remontent le gros sel gris et n'en récoltent que la fleur toute blanche en s'aidant de grands râteaux. Cette fleur de sel, on l'achète généralement en petits sachets de plastique. Quand on ouvre un sachet, mieux vaut le verser dans un bocal qui ferme hermétiquement pour que le sel ne perde pas son humidité. À table, on n'en met que quelques cuillerées à soupe dans un petit contenant, juste ce qu'il faut pour quelques jours, et on se sert de sel avec le bout de l'index et du pouce ou avec une toute petite cuillère en acier inoxydable ou en argent.

La plus fameuse fleur de sel vient de France. De Guérande, en Loire-Atlantique, et de l'île de Ré, en Charente-Maritime.

SIROP D'ÉRABLE

Chaque région productrice de sirop d'érable prétend produire le meilleur, mais j'ai un faible pour celui qui vient des érablières montagneuses de la Beauce et des Cantons-de-l'Est.

grands-pères au sirop d'érable

250 ml (1 tasse) d'eau
375 ml (1 ½ tasse) de sirop d'érable
250 ml (1 tasse) de farine
5 ml (1 c. à thé) de levure chimique
   (poudre à pâte)
1 ml (¼ c. à thé) de muscade
2,5 ml (½ c. à thé) de cannelle
1 pincée de sel
125 ml (½ tasse) de lait entier

2 œufs battus
5 ml (1 c. à thé) de vanille
30 ml (2 c. à soupe) de rhum brun

Mettre à bouillir eau et sirop, puis faire réduire légèrement. Pendant ce temps, tamiser ensemble avec la farine tous les ingrédients secs, ajouter le lait, les œufs battus et la vanille, puis mélanger jusqu'à obtention d'une belle pâte lisse. Hors du feu, ajouter le rhum au sirop. Remettre sur le feu et déposer la pâte par bonnes cuillerées dans le sirop bouillant. Laisser cuire environ 15 minutes et servir avec le sirop.

mousse à l'érable d'Aimée

250 ml (1 tasse) de sirop d'érable
500 ml (2 tasses) de crème épaisse
15 ml (1 c. à soupe) de rhum brun
30 ml (2 c. à soupe) d'eau froide
5 ml (1 c. à thé) de gélatine
2 jaunes d'œufs battus
5 ml (1 c. à thé) de vanille
1 pincée de sel

Dans un bain-marie, faire chauffer le sirop et la moitié de la crème, tout en remuant de temps à autre. Mélanger le rhum et l'eau, puis y faire dissoudre la gélatine. Ajouter au mélange dans le bain-marie, remuer quelques instants et retirer du feu. Laisser tiédir légèrement. Incorporer graduellement les jaunes d'œufs battus avec la vanille au mélange en remuant constamment pour que les jaunes ne cuisent pas. Laisser refroidir complètement. Fouetter le reste de la crème et y ajouter une pincée de sel. Incorporer la crème fouettée au premier mélange, verser dans un moule de fantaisie et faire prendre au congélateur ou dans la neige. On peut servir la mousse dès qu'elle est bien prise.

sucre à la crème de mon père

500 ml (2 tasses) de sirop d'érable

45 ml (3 c. à soupe) de beurre

250 ml (1 tasse) de crème épaisse à température de la pièce

30 ml (2 c. à soupe) de rhum brun

125 ml (½ tasse) de noix de Grenoble hachées grossièrement

Mettre le sirop et le beurre dans une casserole. Faire bouillir à feu moyen jusqu'à ce que le sirop soit épais. Retirer du feu et ajouter la crème, tout en brassant vivement. Remettre sur le feu et laisser cuire jusqu'à 120 °C (250 °F) au thermomètre, tout en remuant de façon constante. Retirer du feu, ajouter l'alcool et les noix. Remuer vivement pour faire refroidir le mélange et, au moment où il paraît vouloir se changer en sucre, le déposer dans une assiette déjà beurrée. Découper en morceaux avec la pointe d'un couteau avant que le sucre soit entièrement pris.

tarte au sirop d'érable d'Aimée

1 croûte à tarte de 20 cm (8 po) de diamètre

2 œufs

250 ml (1 tasse) de cassonade

1 pincée de sel

10 ml (2 c. à thé) de vinaigre blanc

125 ml (½ tasse) de sirop d'érable

90 ml (6 c. à soupe) de beurre fondu

80 ml (⅔ tasse) de pacanes

Battre les œufs légèrement, ajouter la cassonade, le sel, le vinaigre et le sirop, puis battre encore. Incorporer le beurre fondu et les pacanes. Verser dans la croûte à tarte non cuite. Cuire au four à 230 °C (450 °F) pendant 10 minutes, baisser la température du four à 180 °C (350 °F) et cuire encore de 20 à 25 minutes. Servir tel quel, tiède ou à température de la pièce, avec de la crème chantilly.

tarte au sirop d'érable de la mère de Louise II

1 croûte à tarte de 20 cm (8 po) de diamètre déjà cuite

250 ml (1 tasse) de sirop d'érable

125 ml (½ tasse) de farine

180 ml (¾ tasse) d'eau froide

125 ml (½ tasse) de crème épaisse à température de la pièce

60 ml (¼ tasse) de noix de Grenoble grossièrement hachées

Faire bouillir le sirop dans une cocotte. Quand il bout, incorporer doucement la farine bien délayée dans l'eau froide, tout en remuant vivement. Retirer la cocotte du feu et incorporer la crème. Remettre à bouillir à feu moyen en remuant constamment, jusqu'à consistance très épaisse. Verser tout de suite dans la croûte, égaliser le mélange avec une spatule, parsemer des noix et faire refroidir avant de servir.

SORBET

On peut très bien réussir un sorbet sans sorbetière, mais il est souvent moins moelleux et il requiert beaucoup d'attention, puisqu'on doit le mettre au congélateur, le sortir toutes les heures pendant au moins 3 h, le mélanger de nouveau avec un batteur à main et le remettre au congélateur.

Presque tous les sorbets — sauf certains comme le sorbet à la fraise, à la framboise ou à la poire — se font avec un sirop à 28 degrés.

 sirop à 28 degrés
1,25 litre (5 tasses) de sucre fin
1,06 litre (4 ¼ tasses) d'eau

Mettre sucre et eau dans une casserole, puis amener au point d'ébullition à feu vif, tout en remuant avec une cuillère de bois. Quand le sirop bout à gros bouillons, le retirer du feu et le laisser refroidir. On peut conserver ce sirop au frigo plusieurs mois dans un bocal hermétique.

 recette universelle de sorbet
POUR ENVIRON 1,25 LITRE (5 TASSES) DE SORBET
Environ 600 g (1 ¼ lb) de fruits sans pelure ou environ 1 kg (2 ¼ lb) de fruits avec la pelure

30 ml (2 c. à soupe) de jus de citron (sauf pour les fruits acides)
300 ml (1 ¼ tasse) de Sirop à 28 degrés — 60 à 75 ml (env. ¼ tasse) de plus pour des fruits acides comme le citron ou le pamplemousse
1 pincée de sel
30 ml (2 c. à soupe) de kirsch, de rhum, d'alcool de framboise ou de poire, ou encore de liqueur de melon ou d'un autre fruit (selon le fruit avec lequel on fait le sorbet)
80 ml (⅓ tasse) d'eau de Vichy, si on souhaite un sorbet plus léger (facultatif)
1 blanc d'œuf battu en neige ou 60 ml (¼ tasse) de crème

préparation

Dans tous les cas, il faut éplucher les fruits à pelure ou laver les autres et les monder, s'il y a lieu. Les réduire en purée au mélangeur, puis les passer au tamis pour qu'il n'y ait pas de fibre ni de pépins. Ajouter le jus de citron. Bien mélanger le liquide ainsi obtenu avec le sirop, le sel et l'alcool — et l'eau de Vichy, s'il y a lieu. Faire prendre dans une sorbetière. Après 2 ou 3 minutes, ajouter le blanc d'œuf ou la crème et continuer à faire geler jusqu'à la consistance voulue. Un sorbet peut se conserver une bonne semaine au congélateur dans un récipient bien fermé. On le met au frigo environ 1 h avant de servir dans des coupes déjà refroidies.

recette universelle de sorbet sans sirop

Cette recette sert surtout à faire des sorbets à la fraise, à la framboise ou à la poire.

POUR ENVIRON 8 PERSONNES

1 litre (4 tasses) de framboises ou de
    fraises, ou encore 5 à 6 poires bien
    mûres
1 pincée de sel
30 ml (2 c. à soupe) de jus de citron
250 ml (1 tasse) de sucre fin
30 ml (2 c. à soupe) d'alcool de framboise
    (pour le sorbet à la fraise ou à la
    framboise) ou d'alcool de poire (pour le
    sorbet à la poire)
1 blanc d'œuf battu en neige ou 60 ml
    (1/4 tasse) de crème

Équeuter les fraises et les laver ou éplucher les poires et enlever le trognon. Quel que soit le fruit utilisé, le réduire en purée dans le mélangeur et le passer au tamis. S'il s'agit de framboises, passer la purée au tamis deux ou trois fois afin d'éliminer le plus de pépins possible. Ajouter le sel. Ajouter le jus de citron à la purée, y mettre le sucre et remuer jusqu'à ce qu'il soit dissous. Ajouter l'alcool. Mettre dans la sorbetière. Après 5 minutes ou plus (selon la sorbetière) ou dès que le mélange montre des signes de congélation, ajouter le blanc d'œuf ou la crème. Congeler jusqu'à la consistance voulue.

SOUPES

Au grand désespoir de Maryse qui adore les soupes, je n'en mange à peu près jamais. Quand je veux être complètement de mauvaise foi, c'est-à-dire plus que je le suis au naturel, je dis que la soupe n'est bonne que pour les malades. Alors, au cas où vous ne vous sentiriez pas bien, voici quelques recettes de soupes.

 soupe de poisson à ma manière

POUR 5 À 6 PERSONNES

80 ml (1/3 tasse) d'huile d'olive
1 oignon jaune, épluché et coupé en dés
2 bâtons de céleri coupés en dés
2 carottes coupées en dés
60 ml (1/4 tasse) de navet coupé en dés
2 blancs de poireaux coupés en fines
    rondelles — 2 à 3 mm (env. 1/8 po)
15 ml (1 c. à soupe) de zeste de citron
    haché finement
Environ 2 à 3 litres (8 à 12 tasses) d'eau
2 tomates pelées, épépinées et coupées en
    dés
45 ml (3 c. à soupe) de riz
30 ml (2 c. à soupe) de persil frais, haché
15 ml (1 c. à soupe) de feuilles de
    coriandre hachées
8 gousses d'ail épluchées
8 baies de genièvre ou 15 ml (1 c. à
    soupe) de safran
Sel et poivre du moulin

1 ou 2 arêtes centrales de poisson (selon sa grosseur) avec la queue, les nageoires et la tête (vivaneau, turbot, flétan, plie, doré, morue, aiglefin, etc., mais ni raie ni saumon, thon ou autre)

Mettre l'huile à chauffer dans une grande cocotte en porcelaine émaillée ou en acier inoxydable (pas d'aluminium !), y mettre l'oignon, le céleri, les carottes et le navet, puis faire cuire doucement tout en remuant. Quand les légumes sont attendris, ajouter les blancs de poireaux et le zeste de citron, faire cuire quelques minutes, puis ajouter toute l'eau. Amener au point d'ébullition, puis ajouter la tomate, le riz, le persil, la coriandre, l'ail et les baies de genièvre ou le safran. Saler et poivrer, puis amener encore au point d'ébullition. Ajouter l'arête de poisson, amener de nouveau au point d'ébullition et faire bouillir 25 minutes. Enlever l'arête de poisson, en détacher les morceaux de poisson qui y sont restés attachés et les remettre dans la soupe. Rectifier l'assaisonnement et servir.

Note : Si on ne veut pas d'arêtes dans la soupe, on peut envelopper l'arête centrale dans une mousseline à fromage, mais la soupe est un peu moins goûteuse. Attention de ne pas laisser l'arête plus que le temps requis. Non seulement cela n'ajouterait rien à la soupe, mais elle risquerait de prendre un goût âcre.

 ## soupe de tomate

POUR 4 À 6 PERSONNES

45 ml (3 c. à soupe) d'huile d'olive

6 tomates pelées, épépinées et coupées en gros dés

1 petit oignon tranché finement

2 feuilles de laurier

4 baies de genièvre

2 gousses d'ail épluchées

1 pincée de sucre

30 ml (2 c. à soupe) de pâte de tomate

30 ml (2 c. à soupe) de farine tout usage

30 ml (2 c. à soupe) de beurre fondu

250 ml (1 tasse) de lait à température de la pièce

Environ 250 ml (1 tasse) de bouillon

15 ml (1 c. à soupe) de basilic ou d'origan frais, haché

Faire chauffer l'huile dans une cocotte et y faire cuire à feu doux tomates, oignon, laurier, genièvre, ail, sucre et pâte de tomate. Dans un bol, mêler la farine au beurre jusqu'à l'obtention d'une pâte lisse, puis incorporer le lait en fouettant. Enlever de la cocotte le genièvre, l'ail et les feuilles de laurier, puis ajouter le lait. Amener à ébullition en remuant légèrement. Ajouter du bouillon chaud jusqu'à la consistance souhaitée, puis le basilic ou l'origan. Servir avec des croûtons ou du pain grillé.

Note : Si on veut faire de la crème de tomate, ajouter deux pommes de terre en gros dés avec les tomates et passer tout au mélangeur avant d'ajouter lait, farine et bouillon.

soupe thaïlandaise de Pierre Gauthier

Pierre Gauthier est un musicien montréalais qui adore la nourriture thaïlandaise. Cette soupe s'appelle Tom Kha Kai quand elle est faite avec du poulet et Tom Kha Kung quand on lui substitue des crevettes !

POUR 6 PERSONNES

1,25 litre (5 tasses) de lait de coco
8 tranches fines de galanga pelé
1 jonc odorant (citronnelle), coupé en
   morceaux
30 ml (2 c. à soupe) d'huile d'olive
5 ml (1 c. à thé) d'ail haché finement
225 g (1/2 lb) de poitrine de poulet coupée
   en dés ou en lamelles ou 12 crevettes
   coupées en morceaux
125 ml (1/2 tasse) de champignons blancs,
   coupés en lamelles
45 ml (3 c. à soupe) de sauce de poisson
   thaïe
45 ml (3 c. à soupe) de jus de citron vert, frais
10 ml (2 c. à thé) de pâte de chili grillé
30 ml (2 c. à soupe) d'oignon vert, haché
4 petits bouquets de feuilles de coriandre
   fraîche

Mélanger le lait de coco, le galanga et la citronnelle dans une cocotte épaisse, puis amener rapidement au point d'ébullition. Baisser le feu et faire mijoter jusqu'à ce que le tout soit réduit d'environ le quart (20 à 25 minutes). Cueillir le galanga et la citronnelle avec une petite passoire et les jeter. Faire chauffer l'huile dans une petite poêle, ajouter l'ail et le faire sauter jusqu'à ce qu'il soit légèrement doré. Ajouter l'ail à la soupe déjà réduite, mettre aussi le poulet et tous les autres ingrédients, sauf l'oignon vert et la coriandre, puis ramener au point d'ébullition. Verser dans une soupière et décorer avec l'oignon vert et la coriandre fraîche.

soupe tricolore

POUR 4 PERSONNES

680 g (1 1/2 lb) de pommes de terre
   coupées en dés
60 ml (1/4 tasse) d'oignon haché finement
75 ml (5 c. à soupe) d'huile d'olive
90 ml (6 c. à soupe) de carottes coupées
   en tout petits dés
90 ml (6 c. à soupe) de céleri coupé en tout
   petits dés
80 ml (1/3 tasse) de parmesan fraîchement
   râpé
250 ml (1 tasse) de lait
500 ml (2 tasses) de bouillon de poulet
45 ml (3 c. à soupe) de persil frais, haché
   finement
Sel et poivre du moulin

Faire bouillir les pommes de terre dans juste assez d'eau pour les couvrir. Une fois cuites, les réduire en purée dans leur eau et réserver. Dans une poêle, faire légèrement dorer les oignons dans l'huile, puis y faire cuire très légèrement carottes et céleri pendant 4 minutes. Ajouter le tout dans la cocotte où se trouve la purée de pommes de terre. Incorporer le parmesan, le lait et le bouillon. Brasser et faire cuire quelques minutes, jusqu'à ce que la soupe prenne la consistance de la crème. Saler et poivrer. Si elle est trop épaisse, éclaircir avec un peu d'eau. Ajouter le persil et servir immédiatement avec des croûtons.

T

Taboulé

Thon

Tian

Tomate

Tourtière

TABOULÉ

Je tiens cette recette de Blanche et, croyez-moi, c'est l'authentique recette de taboulé tel qu'on le fait au Liban. Tous les autres taboulés, disait toujours Blanche, sont à rejeter...

taboulé (le vrai)

60 ml (¼ tasse) de blé concassé n° 1*

30 ml (2 c. à soupe) de cumin

Le jus de 2 citrons

3 bouquets de persil italien lavé, égoutté et haché finement

2 tomates moyennes bien fermes, hachées en petits dés

10 feuilles de menthe verte, hachées finement

2 feuilles de laitue romaine finement hachées

2 oignons verts finement hachés

1 gros oignon jaune finement haché

5 ml (1 c. à thé) de sel

2,5 ml (½ c. à thé) de poivre noir en poudre

1 ml (¼ c. à thé) de cayenne

15 ml (1 c. à soupe) de sumac

125 ml (½ tasse) d'huile d'olive

préparation

Dans une petite passoire, laver le blé concassé et bien l'essorer. Le mettre dans un petit bol, le saupoudrer des trois quarts du cumin et le couvrir de jus de citron. Laisser tremper ainsi pendant 15 minutes. Dans un saladier, déposer sans les mélanger persil, tomates, menthe, laitue, oignons (vert et jaune), puis le blé concassé dès qu'il est prêt. Ajouter ensuite sel, poivre, cayenne, sumac et huile. Mélanger le tout 30 minutes au plus avant de servir afin de garder les verts en bon état. Vérifier l'assaisonnement. On peut, au goût, ajouter jus de citron, cumin et sumac, et même de la menthe en poudre et plus d'huile. Le taboulé s'accompagne de feuilles de laitue romaine et de pain pita.

* Il n'est pas recommandé de remplacer le blé concassé par de la semoule de blé ou par du couscous. On peut facilement trouver du blé concassé dans tout bon marché oriental sous le nom de bulghur. Le n° 1 représente la finesse de la mouture.

THON

Depuis que les sushis et les sashimis sont à la mode, il est devenu très facile de trouver du thon frais dans nos poissonneries. Le malheur, c'est qu'il est cher. Très cher même. Seule consolation, le thon est extrêmement nourrissant et il suffit de 100 g (3 ½ oz) pour remplir un bon estomac. Tout compte fait, il est donc moins cher que du filet mignon !

Par contre, le thon en conserve ne coûte pas cher. Et il est bien utile lorsqu'on veut faire des pâtes ou un risotto au thon. Il ne faut jamais faire cuire ni même chauffer le thon en conserve. Si on le fait, il devient insipide et sec. On laisse la chaleur des pâtes ou du riz le réchauffer.

Encore plus que le bœuf, le thon frais se mange saignant. Comme le bœuf, il faut donc le faire cuire quand il est à température de la pièce, sinon la chair restera froide au centre. Petite différence, toutefois, on ne fait pas chambrer le thon pendant une demi-journée ou plus comme on fait pour le bœuf ou l'agneau. Une heure suffit amplement.

thon aux graines de sésame

POUR 4 PERSONNES

125 ml (½ tasse) d'huile d'olive

1 gousse d'ail hachée, épluchée et légèrement écrasée

125 ml (½ tasse) de graines de sésame

5 ml (1 c. à thé) de zeste de citron haché finement

Un morceau de thon d'environ 400 g (14 oz)

Sel et poivre du moulin

Faire chauffer les deux tiers de l'huile d'olive avec la gousse d'ail. Pendant ce temps, déposer le reste de l'huile d'olive dans une grande assiette. Dans une autre, mettre toutes les graines de sésame et y mélanger le zeste de citron. Enduire la tranche de thon d'huile, puis l'enduire de graines de sésame et de zeste. Dès que l'huile est chaude, enlever la gousse d'ail et faire revenir la tranche comme on le ferait pour du steak. Après 2 ou 3 minutes, retourner la tranche de thon et cuire encore 1 ou 2 minutes. Saler, poivrer et servir immédiatement avec un légume vert préparé à l'huile, au citron et à l'ail.

thon frais aux olives

POUR 4 PERSONNES

80 ml (⅓ tasse) d'huile d'olive

15 ml (1 c. à soupe) d'huile de noisette ou de noix

2 oignons jaunes tranchés en rondelles fines

2 gousses d'ail hachées finement

1 petit bouquet de coriandre haché finement

5 ml (1 c. à thé) de romarin frais haché ou 2,5 ml (½ c. à thé) de romarin séché

1 petit piment fort (facultatif)

2 petites tomates ou 1 grosse, pelées, épépinées et hachées grossièrement

15 ml (1 c. à soupe) de pâte de tomate

45 ml (3 c. à soupe) de vermouth extra-dry

5 ml (1 c. à thé) de zeste de citron haché finement

Sel et poivre du moulin

1 pincée de sucre
Un morceau de thon d'environ 400 g
    (14 oz)
12 à 18 olives noires dénoyautées

Faire chauffer les huiles dans une sauteuse, puis y ajouter les oignons. Quand ils sont translucides, ajouter l'ail, les herbes, le piment fort, les tomates, la pâte de tomate délayée dans le vermouth, le zeste de citron, le sel, le poivre et le sucre, puis faire cuire à feu doux jusqu'à ce que tous ces ingrédients soient tendres. Réserver. Préchauffer le four à 220 °C (425 °F) et mettre la moitié de la sauce dans un plat à gratin juste assez grand pour recevoir la sauce et le thon. Déposer la tranche de thon après l'avoir bien asséchée, y verser le reste de la sauce et mettre les olives noires. Couvrir, mais pas hermétiquement, d'une feuille d'aluminium et placer au four de 12 à 15 minutes. Servir chaud, tel quel.

On peut, si on le souhaite, couper la tranche de thon en quatre portions égales. Dans ce cas, le thon cuira plus vite et il vaudra mieux le laisser quelques minutes de moins au four.

TIAN

Rien n'accompagne mieux un gigot d'agneau ou un rosbif et rien n'est plus spectaculaire qu'un tian de légumes, mais vous n'en trouverez de recettes, hélas! dans aucun livre. La plupart des dictionnaires ignorent même le mot...

En Provence, on appelle tian un récipient de terre cuite plutôt plat. Et on appelle aussi tian, le plat de légumes qu'on fait cuire dans un tian. Voilà pour la partie encyclopédique de l'affaire, maintenant passons à l'action.

tian de légumes

Pour faciliter l'assemblage d'un tian de légumes, mieux vaut choisir des légumes qui ne soient pas trop gros. Les tomates italiennes, par exemple, sont beaucoup plus faciles à manier que la tomate ordinaire. Les quantités de légumes que j'indique sont approximatives, et il est plus que possible qu'une fois le tian assemblé, il vous reste des légumes... dont vous ferez une fausse ratatouille.

POUR 8 PERSONNES
4 courgettes
8 tomates italiennes
1 poivron rouge
1 poivron vert
1 poivron orange
1 poivron jaune
4 oignons
10 ml (2 c. à thé) de zeste de citron finement haché
80 ml (1/3 tasse) d'huile d'olive
1 gousse d'ail épluchée et légèrement écrasée
15 ml (1 c. à soupe) d'huile de noisette ou de noix
Sel et poivre du moulin

Laver et parer les légumes sans les peler, sauf les oignons, évidemment. Couper tous les légumes en tranches de 4 à 5 mm (env. ¼ po). Prendre un grand plat à gratin ou un grand plat en pyrex capable de contenir les légumes, le huiler avec 15 ml (1 c. à soupe) d'huile d'olive et le frotter de la gousse d'ail. Faire autant de rangées que le plat peut en contenir en alignant les légumes côte à côte et en les plaçant en alternance. Quand ils sont bien disposés et bien tassés dans le plat, les arroser du reste de l'huile d'olive et de l'huile de noisette mêlées ensemble, saler et poivrer. Faire cuire au milieu d'un four préchauffé à 180 °C (350 °F) environ 1 h ou jusqu'à ce que les légumes soient tendres. Servir à table pour que les invités puissent apprécier la beauté du plat.

TOMATE

Depuis toutes ces années où je fais la cuisine, souvent je me suis dit que si un légume (serait-ce un fruit ?) mérite un livre à lui tout seul, c'est bien la tomate. Que serait sans elle la cuisine moderne ? Que deviendraient mes amis Italiens privés de tomates ? N'importe quelle mort, mais pas celle-là… Si j'étais président de l'Espagne ou de la France, j'accorderais bien l'indépendance aux Basques pour avoir eu la bonne idée dès le XVIe siècle d'emporter du Nouveau-Monde dans les poches de leurs vareuses quelques graines de tomates qui mirent beaucoup de temps à germer. C'est seulement au XVIIIe siècle que les Européens du Nord finirent par comprendre que la tomate n'était pas le poison qu'on clamait.

Mais je ne vous en dis pas plus long. Ce livre sur la tomate dont j'ai longtemps rêvé, il existe désormais. Écrit par Lyndsay et Patrick Mikanowski et illustré des photos de Jean-Louis Guillermin, il vous apprendra tout sur les tomates. Un livre à laisser sur la table du salon.

S'il y a plusieurs variétés de tomates, nos maraîchers n'en cultivent généralement que quelques-unes : les rouges, les roses, les italiennes et, depuis peu, les jaunes (moins acides) et les tomates cerises. Mais ces rouges et ces roses ne sont pas toutes de la même variété, même si on les vend uniquement selon la couleur.

Jusqu'à tout récemment, on pouvait affirmer que les meilleures tomates sont celles qui mûrissent au soleil… mais la culture hydroponique en serre s'est tellement bien développée que les tomates de serre n'ont plus grand-chose à envier aux autres.

Un cuisinier qui respecte ses invités pèle toujours les tomates… comme il pèle toujours les asperges.

Pour décoller la peau des tomates, on commence par couper un cône tout autour de la queue en dégageant un peu de chair avec la partie dure, puis on se débarrasse de la queue. On fait une légère incision en croix à la base de la tomate. On plonge les tomates dans l'eau bouillante et on récite à haute vitesse un Ave Maria (7 à 8 secondes) ou un Pater noster (10 à 15 secondes), si les tomates ne sont pas très mûres…

On refroidit immédiatement les tomates sous l'eau froide, et on commence à enlever la peau en partant de la queue ou de la base en s'aidant d'un petit couteau.

Quand on fait cuire des tomates, il vaut toujours mieux enlever les graines, car c'est très désagréable de manger des sauces ou des ragoûts pleins de graines... Pour épépiner les tomates, je les coupe en deux et je les nettoie avec la pointe d'un couteau à huître.

coulis de tomates

60 ml (¼ tasse) d'huile

1 oignon

4 à 5 tomates

2 bâtons de céleri

3 gousses d'ail

Sel et poivre

1 pincée de sucre

2 feuilles de laurier

15 ml (1 c. à soupe) de basilic ou d'origan

½ petit piment séché

250 ml (1 tasse) de vermouth blanc extra-dry

5 baies de genièvre

15 ml (1 c. à soupe) de pâte de tomate

Le zeste de ⅓ de citron

1 tranche de jambon (facultatif)

Couper ou hacher tous les ingrédients très grossièrement, y compris le jambon, et faire bouillir à petits bouillons pendant environ 2 h. Passer au tamis.

tomates confites

Les tomates confites accompagnent bien les côtes de porc, de veau ou d'agneau. On peut aussi les utiliser dans des salades ou en faire des entrées.

Tomates

Ail

Sel et poivre

Sucre

Huile d'olive

Basilic, thym, coriandre ou romarin, frais

Feuilles de menthe fraîche (facultatif)

Pour bien réussir les tomates confites, les tomates doivent être mûres et plutôt grosses. On commence par bien les monder, c'est-à-dire en enlever le nombril, la pelure et les pépins, puis on les coupe en quatre quartiers. Une fois coupées, on les étend sur une tôle, on insère dans chaque quartier au moins une lamelle d'ail, on sale, on poivre et on sucre, les trois légèrement. Puis, à l'aide d'un pinceau, on badigeonne chaque quartier d'huile d'olive dans laquelle on a préalablement mélangé le basilic, le thym, la coriandre ou le romarin, finement haché. Si on le désire, on peut ajouter quelques feuilles de menthe hachées.

On glisse la tôle au centre du four préchauffé à 110 °C (225 °F) et on laisse de 3 à 4 h. Les tomates sont alors prêtes à manger. On n'a qu'à les arroser d'un filet d'huile d'olive.

Comme les tomates diminuent beaucoup, il faut en compter au moins deux par personne, donc huit quartiers.

tomates confites à la feta et aux olives

C'est une délicieuse entrée, très appétissante et très jolie si on la sert en portion individuelle dans des ramequins.

PAR PORTION

1 tranche de feta d'environ 8 x 8 cm (3 x 3 po) et 1 cm (³/8 po) d'épaisseur
8 quartiers de tomate confite
6 olives noires dénoyautées et coupées en lamelles
2,5 ml (½ c. à thé) de zeste de citron (jaune ou vert) finement haché
5 ml (1 c. à thé) d'une herbe fraîche (la même qui assaisonne les tomates confites) finement hachée
15 ml (1 c. à soupe) d'huile d'olive mélangée à quelques gouttes d'huile de noisette et de vinaigre balsamique
Sel et poivre, si nécessaire

Faire dégorger les tranches de feta quelques heures dans l'eau froide afin de les dessaler et en mettre une tranche au centre du ramequin. Entourer joliment des huit quartiers de tomate confite, disposer au mieux les lamelles d'olive, saupoudrer du zeste de citron et de l'herbe fraîche, puis arroser des huiles. Bien couvrir le ramequin d'un papier d'aluminium et mettre au centre du four préchauffé à 180 °C (350 °F) de 5 à 8 minutes. Servir immédiatement tel quel ou avec une tranche de pain aux olives, grillée.

 tomates séchées

Tomates italiennes non pelées
Sel
Ail
Romarin, basilic ou origan frais

Couper les tomates en deux dans le sens de la longueur et les placer sur une grille, côté pelure. Les saupoudrer de sel fin. Les mettre au four à 50 °C (120 °F) au moins 24 h. Faire stériliser des bocaux, y déposer les tomates séchées en ajoutant dans chaque bocal une gousse d'ail pelée et quelques feuilles de romarin, de basilic ou d'origan. Conserver dans un endroit frais et sec, puis laisser reposer deux semaines avant de consommer.

TOURTIÈRE

Tous ceux qui viennent de la région du Lac-Saint-Jean ou du Saguenay (comme ma mère et sa famille) savent depuis toujours que ce qu'on appelle tourtière dans toutes les régions du pays n'a rien à voir avec ce qu'on appelle tourtière dans le Royaume. « Leurs » tourtières ne sont que de vulgaires pâtés à la viande.

Dans les faits, personne n'a raison, puisque la tourtière est le moule dans lequel on fait une pâtisserie de forme ronde qu'on nomme tourte et qui contient soit de la viande, soit du poisson.

N'empêche que si vous avez la patience et plusieurs invités (ou une grosse famille), vous ne mangerez jamais rien d'aussi bon que la tourtière du Lac.

Je tiens cette recette (que j'ai faite à plusieurs reprises avec le plus grand succès) de mon frère Claude qui, lui, la tient d'une cuisinière du Lac-Saint-Jean. Elle ne saurait donc être plus authentique.

 ## tourtière du Lac-Saint-Jean (ou du Saguenay)

POUR 15 À 18 PERSONNES

2 perdrix (qui peuvent être remplacées par 2 canards sauvages, 1 canard du lac Brome ou 1 pintade)

1 lièvre (qui peut être remplacé par un lapin)

250 g (env. ½ lb) de lardons gras

30 ml (2 c. à soupe) d'huile d'olive

2 carottes

2 oignons

2 branches de céleri

5 ml (1 c. à thé) de thym

5 ml (1 c. à thé) de sarriette

3 feuilles de laurier broyées

750 ml (3 tasses) de vermouth blanc extra-dry

Sel et poivre au goût

farce

12 pommes de terre épluchées et coupées en dés

2 gros oignons épluchés et coupés en petits dés

2 échalotes hachées finement

3 gousses d'ail hachées finement

60 ml (¼ tasse) de brandy ou de cognac

2,5 ml (½ c. à thé) de thym

2,5 ml (½ c. à thé) de sarriette

2,5 ml (½ c. à thé) de feuilles de laurier broyées

2,5 ml (½ c. à thé) de persil haché

450 g (1 lb) de viande hachée d'orignal, de chevreuil ou de bœuf

450 g (1 lb) de porc haché maigre

450 g (1 lb) de veau haché

Sel et poivre au goût

croûte

1,25 litre (5 tasses) de farine tout usage

Sel

225 g (½ lb) de shortening

115 g (¼ lb) de beurre

2 œufs (utilisés séparément)

30 ml (2 c. à soupe) de gras de bacon

Environ 250 ml (1 tasse) d'eau

Une noix de beurre

Faire cuire séparément les perdrix (canard ou pintade) et le lièvre (lapin).

Faire fondre lentement la moitié des lardons dans 15 ml (1 c. à soupe) d'huile. Lorsqu'ils commencent à être croustillants, faire rissoler la moitié des carottes, de l'oignon et du céleri ainsi que la moitié des herbes. Faire dorer ensuite les oiseaux de tous leurs côtés. Déglacer ensuite avec la moitié du vermouth, saler, poivrer, couvrir et laisser cuire à feu doux jusqu'à ce que la chair des oiseaux soit tendre.

Procéder exactement de la même façon avec l'autre moitié des ingrédients pour la cuisson du lièvre.

Si le lièvre est remplacé par un lapin, faire mariner le lapin de 24 à 48 h au frais dans la marinade suivante : 750 ml (3 tasses) de vermouth blanc extra-dry, une carotte et un oignon hachés finement, 60 ml (¼ tasse) de brandy, 12 grains de poivre, 8 baies de genièvre, une petite branche de sapin et une petite branche de cèdre.

Une fois les oiseaux et le lièvre cuits, les retirer de leurs cocottes et les laisser tiédir. Passer les jus de viande et les réserver. Découper les oiseaux et le lièvre en morceaux d'une ou deux bouchées, puis réserver.

farce

Mettre les pommes de terre dans un grand bol avec l'oignon, l'échalote, l'ail, le brandy, le thym, la sarriette, le laurier et le persil ainsi que l'original, le chevreuil ou le bœuf, le porc et le veau hachés. Saler et poivrer, puis mélanger soigneusement avec les mains. Réserver.

croûte

Pour faire la croûte, mélanger farine et sel, couper le shortening et le beurre froid en menus morceaux, travailler avec un coupe-pâte pour intégrer la farine jusqu'à ce que le tout soit floconneux, ajouter un œuf, le gras de bacon et l'eau. Pétrir 1 minute. Refroidir la boule de pâte au frigo pendant au moins 2 h.

Au moment d'assembler la tourtière, rouler une très grande pâte d'un seul morceau et à peu près deux fois l'épaisseur d'une pâte à tarte. La déposer dans une rôtissoire bien enduite de beurre d'au moins 12 cm (4 ½ po) de profondeur sur environ 40 x 24 cm (16 x 10 po). Dans un premier temps, étendre la moitié de la farce, étendre ensuite les morceaux de gibier, puis couvrir de l'autre moitié de la farce. Verser tous les jus de viande, puis rectifier l'assaisonnement en sel et en poivre. Les jus de viande doivent être à la hauteur de la viande. Sinon, ajouter un peu d'eau. Replier ensuite la pâte sur elle-même en gardant au centre une cheminée d'environ 6 à 8 cm (2 ½ à 3 po) de diamètre. S'il y a des déchirures ou des joints dans la pâte, bien les sceller en mouillant la pâte avec un peu d'eau. Battre l'œuf qui reste et en enduire le dessus de la pâte à l'aide d'un pinceau à pâtisserie de manière qu'elle devienne bien dorée en cuisant.

Mettre la rôtissoire sans son couvercle dans un four préchauffé à 180 °C (350 °F) pendant 1 h. Baisser la température du four à 120 °C (250 °F), couvrir (avec le couvercle si possible ou avec un papier d'aluminium) et cuire de 4 à 6 h. Enlever le couvercle (ou le papier d'aluminium) 30 minutes avant la fin de la cuisson. La tourtière peut facilement attendre 1 h au four, si on réduit la température de moitié. Servir tel quel.

Ne pas craindre les restes, car cette tourtière est encore meilleure une fois réchauffée.

Veau

Vin

Vinaigres

Vivaneau

Volaille

VEAU

Ne cherchez plus de veau de lait, il n'y en a plus qu'en Europe, encore qu'il se fasse rare, là aussi. Le veau de lait est exclusivement nourri du lait de sa mère. Trois tétées par jour, pas plus. On lui met une muselière pour s'assurer qu'il ne mange pas de paille ou de foin. Dense et savoureuse, sa viande blanche, légèrement rosée, fait la joie du gourmet. On ne la mange pas bien cuite, mais rosée.

Depuis longtemps, on vend au Québec du veau de grain. Pour moi, ce n'est plus du veau, mais une viande qui est à mi-chemin entre le veau et la génisse et qui n'a pas beaucoup d'intérêt.

Par contre, depuis quelques années, on a mis sur le marché du veau qu'on appelle « veau écolait ». Cela n'a rien à voir avec le véritable veau de lait, mais rien à voir non plus avec le veau de grain. Si on prend soin de ne pas trop le faire cuire, mais de le garder bien rosé, il est délicieux. Il est plus cher que le veau de grain, mais sa saveur est incomparable.

On ne fait pas mariner le veau, à moins de vouloir le faire griller et, dans ce cas, il n'est pas nécessaire de le faire mariner plus que quelques minutes avant la cuisson. Le veau supporte très mal les hautes températures, et sa viande est en général très maigre. C'est donc utile de faire barder les rôtis qui s'assécheraient autrement. Comme pour la plupart des viandes, on fait cuire le veau quand il est à température de la pièce.

Les escalopes sont coupées dans le quasi, la noix ou la sous-noix, c'est-à-dire le haut de la fesse et un côté ou l'autre de la cuisse, au-dessus du jarret. On peut aussi en découper dans l'épaule. Elles doivent être tranchées mince et dans le sens contraire à la fibre de la viande, sinon les fibres se contractent et la viande « frise » à la cuisson. Une fois coupées, on peut encore amincir les escalopes en les plaçant dans une serviette et en les roulant avec un rouleau à pâtisserie ou, si on a quelque aptitude de boucher, en les aplatissant avec une feuille à fendre. Mais il faut donner un coup fuyant ou brossé, comme dirait un tennisman. Plus que toute autre découpe du veau, l'escalope ne doit pas être trop cuite. Si on ne la garde pas très rose, elle sera dure et sans intérêt.

**côtes de veau grillées
à la sauge**

POUR 4 PERSONNES

Pâte lisse (voir recette, p. 271)

4 côtes de veau assez épaisses, soit 1,5 cm
(½ po)

Marinade va-tout (voir recette p. 236)

180 ml (¾ tasse) d'huile d'olive

8 gros bouquets de sauge très fraîche

15 ml (1 c. à soupe) de jus de citron

5 ml (1 c. à thé) de vinaigre balsamique

Sel et poivre du moulin

45 ml (3 c. à soupe) de parmesan
fraîchement râpé

Faire une pâte lisse. Réserver. Lorsqu'elles
sont à température de la pièce, enduire les
côtes de veau de la marinade. Les faire
cuire sous le gril, le plus près possible du
gril, environ 4 minutes d'un côté, puis
environ 3 minutes de l'autre.

Pendant ce temps, faire chauffer l'huile
d'olive dans une grande sauteuse. Passer
chaque bouquet de sauge fraîche dans la
pâte lisse, les secouer pour enlever
l'excédent de pâte et les plonger dans
l'huile très chaude. Faire dorer les bouquets
jusqu'à ce qu'ils soient presque
croustillants.

Mettre les côtes de veau dans des
assiettes très chaudes et garnir chaque
assiette de deux bouquets de sauge frite
qu'on aura arrosés d'un peu de jus de
citron et de vinaigre balsamique, puis
saupoudrés de sel, de poivre et de
parmesan râpé.

 **escalopes de veau
à la milanaise**

POUR 2 PERSONNES

45 ml (3 c. à soupe) d'huile d'olive

1 œuf

5 ml (1 c. à thé) d'eau

2 escalopes de veau

125 ml (½ tasse) de chapelure

Sel et poivre du moulin

Le jus de ½ citron

60 ml (¼ tasse) de parmesan fraîchement
râpé

Faire chauffer l'huile dans une poêle à feu
assez vif. Battre l'œuf et l'eau, y tremper les
escalopes avant de les passer dans la
chapelure et les déposer dans la poêle. Faire
cuire quelques minutes, retourner, saler et
faire cuire jusqu'à ce que des gouttes roses
apparaissent à la surface quand on pique
avec une fourchette. Déposer les escalopes
sur 2 ou 3 épaisseurs de papier essuie-tout
pour les dégraisser, les déposer dans les
assiettes chaudes, les arroser de jus de citron,
les poivrer et les saupoudrer du parmesan.
Servir avec des Spaghettis au coulis de
tomate (voir recette p. 280).

 **escalopes de veau
à la sauge fraîche**

POUR 2 PERSONNES

30 ml (2 c. à soupe) d'huile d'olive

2 escalopes de veau

80 ml (⅓ tasse) de farine

8 à 10 feuilles de sauge fraîche

Sel et poivre du moulin

60 ml (¼ tasse) de vermouth blanc extra-dry

15 ml (1 c. à soupe) de beurre

Faire chauffer l'huile dans une poêle à feu assez vif. Pendant ce temps, passer les escalopes des deux côtés dans la farine et en secouer l'excédent. Déposer les escalopes dans la poêle et faire frire à côté les feuilles de sauge. Après quelques minutes, retourner les escalopes et les feuilles de sauge. Saler et faire cuire jusqu'à ce que des gouttes roses apparaissent à la surface quand on pique les escalopes avec une fourchette. Les feuilles de sauge doivent être croquantes. Mettre les escalopes au chaud dans une assiette et déposer dessus les feuilles de sauge. Enlever le surplus d'huile, déglacer avec le vermouth en grattant bien tous les sucs, ajouter le beurre et faire réduire de moitié. Poivrer les escalopes, les napper de la sauce et servir immédiatement, de préférence avec un légume vert.

 ### escalopes de veau au citron
POUR 2 PERSONNES

30 ml (2 c. à soupe) d'huile d'olive

2 escalopes de veau

80 ml (⅓ tasse) de farine

Sel et poivre du moulin

15 ml (1 c. à soupe) de jus de citron

30 ml (2 c. à soupe) de vermouth extra-dry

15 ml (1 c. à soupe) de beurre

15 ml (1 c. à soupe) de persil frais, haché finement

6 tranches de citron tranchées très, très mince et sans zeste

Faire chauffer l'huile dans une poêle à feu assez vif. Pendant ce temps, passer les escalopes dans la farine, des deux côtés, et secouer l'excédent. Déposer les escalopes dans la poêle. Faire cuire quelques minutes, retourner, saler et faire cuire jusqu'à ce que des gouttes roses apparaissent à la surface quand on pique avec une fourchette. Saler et poivrer les escalopes, puis les mettre au chaud dans une assiette. Enlever le surplus d'huile de la poêle. Hors du feu, déglacer avec le jus de citron et le vermouth en grattant bien tous les sucs, puis ajouter le beurre et le persil en remuant bien. Napper les escalopes de la sauce et garnir des tranches de citron. Servir avec une salade verte ou un légume vert.

 ### escalopes de veau au marsala
POUR 2 PERSONNES

30 ml (2 c. à soupe) d'huile d'olive

2 escalopes de veau

80 ml (⅓ tasse) de farine tout usage

Sel et poivre du moulin

60 ml (¼ tasse) de marsala extra-dry

15 ml (1 c. à soupe) de beurre

Faire chauffer l'huile dans une poêle à feu assez vif. Pendant ce temps, passer les escalopes dans la farine des deux côtés et en secouer l'excédent. Déposer les escalopes dans la poêle. Faire cuire quelques minutes, retourner, saler et faire cuire jusqu'à ce que des gouttes roses apparaissent à la surface quand on pique avec une fourchette. Mettre les escalopes au chaud dans une assiette, enlever le surplus d'huile, déglacer avec le marsala en grattant bien les sucs, ajouter le beurre, puis faire réduire de moitié. Poivrer les escalopes, y verser la sauce et servir immédiatement avec une salade verte, un légume vert comme des asperges, du brocoli légèrement gratiné ou des haricots.

escalopes de veau d'Aimée
POUR 2 PERSONNES

6 filets d'anchois
1 œuf à la coque cuit dur
30 ml (2 c. à soupe) d'huile d'olive
1 œuf
5 ml (1 c. à thé) d'eau
2 escalopes de veau un peu plus épaisses
    qu'à l'accoutumée
80 ml (⅓ tasse) de chapelure
Sel et poivre du moulin
½ citron
5 ml (1 c. à thé) de persil frais, haché
    finement

Dessaler les filets d'anchois et les essuyer. Réserver. Hacher assez finement, mais séparément, le blanc et le jaune de l'œuf à la coque. Réserver.

Faire chauffer l'huile dans une poêle à feu assez vif. Battre l'œuf et l'eau, y

tremper les escalopes avant de les passer dans la chapelure et les déposer dans la poêle. Faire cuire quelques minutes, retourner, saler et faire cuire jusqu'à ce que des gouttes roses apparaissent à la surface quand on pique avec une fourchette. Déposer les escalopes sur 2 ou 3 épaisseurs de papier essuie-tout pour les dégraisser, les poivrer et les mettre dans des assiettes chaudes. Les saupoudrer du jaune et du blanc d'œuf haché, de même que du persil, puis répartir les filets d'anchois sur les escalopes. Servir avec un quartier de citron et un légume vert.

jarret de veau aux anchois
POUR 3 À 4 PERSONNES

1 jarret de veau non coupé
½ oignon haché finement
45 ml (3 c. à soupe) d'huile d'olive
125 ml (½ tasse) de vermouth blanc extra-
    dry
1 gousse d'ail hachée finement
5 ml (1 c. à thé) de zeste de citron haché
    finement
Poivre du moulin
180 ml (¾ tasse) de bouillon
6 filets d'anchois

Prendre une casserole épaisse, juste assez grande pour contenir le jarret. Faire sauter les oignons dans l'huile jusqu'à ce qu'ils soient translucides. Ajouter le vermouth, puis le jarret, l'ail, le zeste et le poivre. Faire réduire le vermouth légèrement, tout en tournant le jarret 2 ou 3 fois. Ajouter le bouillon, amener au point d'ébullition, étendre les filets d'anchois sur le jarret, couvrir et mettre au four préchauffé à 180 °C (350 °F) de 2 h 30 à 3 h. Tourner le jarret à peu près toutes les 20 minutes. Servir avec des pommes de terre vapeur ou avec des oignons entiers qu'il faut alors ajouter au moins 1 h avant la fin de la cuisson.

VIN

Que dire des vins que *Le grand livre du vin*, cette bible monumentale, éditée par la Société Édita de Suisse, n'a pas déjà écrit? Quoi ajouter au *Guide du vin* que publie chaque année Michel Phaneuf aux Éditions de l'Homme?

Chacun a ses goûts et ses habitudes pour le vin, et s'il est des goûts dont il vaut mieux ne pas discuter, ce sont bien ceux-là. Les grands amateurs de bourgognes — dont j'ai été pendant trois décennies jusqu'à ce que les bons bourgognes deviennent hors de prix — connaissent peu les bordeaux et vice versa. Et si vous êtes Français, vous ne savez rien des vins qu'on produit hors de l'Hexagone. Les Italiens sont tout aussi chauvins et sans doute moins difficiles à contenter que les Français, puisque leurs meilleurs crus se trouvent plus facilement hors d'Italie qu'à Rome, Venise ou Florence.

Depuis quelques années, les producteurs américains ont fait des pas de géant. Les producteurs canadiens aussi, en particulier ceux de l'Ontario et de la Colombie-Britannique. La Champagne ne peut même plus reven-

diquer l'exclusivité des meilleurs vins mousseux, puisqu'on produit maintenant de remarquables mousseux en Californie, notamment les Roederer Estate et les Chandon. Certains rouges californiens, le Liberty School, par exemple, si on les laisse bien respirer, n'ont pas beaucoup à envier aux meilleurs bordeaux.

Les amateurs de vin du Québec sont gâtés. La Société des Alcools du Québec qui veille au commerce des vins et des spiritueux a une politique extrêmement dynamique et importe de tous les coins du monde. Je ne connais pas un seul endroit où on puisse se procurer comme au Québec autant de vins provenant de tous les pays producteurs. Du Chili, du Portugal, d'Espagne, d'Australie, d'Afrique du Sud ou d'autres pays dont la réputation tient à tout autre chose que le vin nous viennent des rouges et des blancs à prix très modiques qui constituent d'honnêtes vins de table.

Comme je laisse à Michel Phaneuf le soin de vous guider dans vos choix de vin, je vais me contenter de vous encourager à monter une cave. La mienne, installée depuis 30 ans, m'a coûté moins de 2 500 $ (à l'époque) et m'a sûrement fait économiser des milliers de dollars. En trois décennies, j'ai perdu au plus une douzaine de bouteilles et, la plupart du temps, des vins de table que j'avais oubliés sur une tablette inférieure. Par contre, je me suis délecté de Musigny, de Puligny-Montrachet, de Meursault, et même de Pouilly-Fuissé qui avaient plus de 20 ans; de Pommard, de Hautes-Côtes-de-Nuit et de Gevrey-Chambertin aussi vieux, sans parler de Saint-Émilion, de

Graves, de Médoc ou de Pomerol plus âgés que ma cave elle-même. Mais ce qu'il y a de plus merveilleux dans le fait d'avoir une cave, c'est de pouvoir acheter des vins de table sans prétention qu'on boit 12 à 18 mois plus tard et qui donnent en bouche l'impression de vins beaucoup plus chers.

Pour monter une cave à vin modeste comme la mienne (environ 1 200 bouteilles), il faut environ 5 000 $ pour sa construction et la même somme chaque année pendant deux ou trois ans afin de se faire une réserve de bouteilles. J'oubliais la volonté ! Il en faut. Il en faut même beaucoup, car on doit se résigner à laisser vieillir des vins qu'on aurait la tentation de boire tout de suite !

VINAIGRES

Il y en a des dizaines de variétés, surtout qu'on ne cesse de les commercialiser déjà aromatisés : aux herbes, aux sirops, à l'ail, à l'orange, à la framboise, cherchez-en un, vous le trouverez presque à coup sûr. Un vrai fléau… D'autant plus que plusieurs personnes ont la mauvaise habitude d'apporter une jolie bouteille de vinaigre lorsqu'ils sont invités chez des amis. J'écris mauvaise habitude parce que le vinaigre est un choix aussi « personnel » qu'une cravate ou qu'un… dentifrice. Sans compter que tous ces maudits vinaigres déjà aromatisés ont un temps de conservation assez court. Comme les bouteilles sont très jolies, je vide donc le vinaigre, je me débarrasse — souvent à grand-peine — des piments ou des branches qu'on y a placés et j'utilise la bouteille pour y piquer des fleurs…

Puisque le vinaigre est un choix personnel, je ne vais pas essayer de vous imposer les miens. Si vous gardez de façon régulière quatre à cinq variétés de vinaigre, vous avez tout ce qu'il vous faut pour établir de goûteuses préparations. Je trouve néanmoins qu'il y a certains vinaigres qu'on doit garder à la maison.

vinaigre balsamique

Pas de ces vinaigres balsamiques à 7 ou 8 $ la bouteille qui n'ont de balsamique que l'étiquette. Résignez-vous à payer entre 30 $ et 60 $ une petite bouteille de vinaigre balsamique — de 340 à 510 ml (12 à 18 oz) —, qui vous durera de toute manière plus d'une année. Dites-vous que vous allez consacrer au vinaigre balsamique entre 50 cents et un dollar par semaine. Il n'y a pas mille endroits où l'acheter à Montréal. Quelques épiceries italiennes, dont Milano, rue Saint-Laurent, et Les douceurs du marché, au marché Atwater. Pour « fêter » l'an 2000, on y vendait quelques minuscules bouteilles de vinaigre balsamique à 1 000 $ pièce…

C'est beaucoup trop pour mes moyens. Mais il ne suffit pas, comme le prétend mon camarade Daniel Pinard, de faire réduire en le faisant bouillir du vinaigre balsamique bon marché pour en obtenir un qui soit de qualité supérieure. Daniel est un trop bon cuisinier pour avoir tort, mais il est parfois porté à l'exagération.

La théorie de Daniel sur le vinaigre balsamique tient sûrement au fait que ce vinaigre est élaboré avec du moût des raisins du

Lambrusco qu'on réduit longuement par une lente cuisson. On décante, on filtre et on fait mûrir dans des fûts de bois de diverses essences, des fûts de plus en plus petits à mesure que l'évaporation réduit le vinaigre. Strict minimum de vieillissement, 12 ans. Mais celui qu'on vendait à prix d'or au marché At-water avait un siècle !

Le vinaigre balsamique, c'est le cas de le dire, on ne l'emploie pas à toutes les sauces, mais uniquement pour relever un mets d'une ultime touche de raffinement. Quelques gouttes suffisent. Et on le mélange toujours à un autre vinaigre, à des huiles ou à du jus de citron.

vinaigre de riz

Pas n'importe lequel ! On en vend plusieurs qui sont tout à fait insipides. Mon préféré est celui qu'on utilise pour préparer les sushis, le Marukan à étiquette orange (attention, celui dont l'étiquette est bordée de vert n'a pas du tout la même saveur sucrée). On ne le trouve pas partout et on le vend parfois beaucoup trop cher. Quant à moi, je l'achète en cruche de 4 litres (16 tasses) pour moins de 20 $ chez Miyamoto, une épicerie japo-naise de la rue Victoria, à Westmount. Le vinaigre de riz est très doux, et son taux d'acidité est très bas. Il est idéal pour les salades, les légumes, le poisson et tous les plats aigres-doux. Un must dans toutes les bonnes cuisines.

Si vous n'avez pas de vinaigre de riz, gardez toujours sur vos tablettes un vinaigre très doux, mais qui ne soit pas aussi sucré que le vinaigre de framboise, par exemple. Un vinaigre de cidre, caractérisé par un bon goût de pomme et une belle teinte dorée, constitue un substitut acceptable. On fa-brique maintenant de manière artisanale d'excellents vinaigres de cidre dans la région d'Abbotsford, en particulier au Coteau Saint-Jacques, au 990 du grand rang Saint-Charles.

vinaigre commun

C'est celui qu'on achète pour presque rien dans les supermarchés. Moi, je le trouve im-propre à la consommation humaine, mais il faut en avoir car il est hyper utile. Une tasse dans un seau d'eau fait briller vos parquets de bois franc. Ajouté en petite quantité à l'eau de lavage des légumes, il les purifie et permet de les conserver beaucoup plus longtemps au frigo, les herbes en particulier. Il détache de façon moins brutale que l'eau de Javel. Et on peut lui trouver de nom-breuses autres utilisations.

vinaigre de vin

Il y en a pour tous les goûts. Contentez-vous d'un bon « vinaigre vieux de vin rouge » qui n'a pas été aromatisé et d'un bon vinaigre de vin blanc. Sa qualité dépend de la qua-lité du vin avec lequel on l'a fabriqué. En général, plus il est cher, meilleur il est. Laissez tous les autres vinaigres de vin aux aromates, aux herbes et aux assaison-nements les plus incongrus à ceux qui ne trouvent rien de mieux à apporter aux amis qui les invitent à dîner...

vinaigre de framboise

De tous les vinaigres aromatisés, de celui à l'estragon à ceux au miel, à la menthe ou à l'orange, c'est le seul que je tolère dans ma cuisine. Pour déglacer le foie à la vénitienne, il est souverain, et il l'est aussi, à petites doses, dans certaines préparations ou pour déglacer le jus des gésiers confits ou des magrets de canard.

vinaigre de xérès

Je m'en passe allègrement, mais si vous n'avez pas les moyens d'utiliser un vinaigre balsamique de qualité, vous pouvez à la rigueur lui substituer le vinaigre de xérès. On l'utilise à peu près comme le vinaigre de cidre, mais c'est un vinaigre plus corsé.

Après avoir lu ce qui précède, courez vite à vos armoires et jetez tous les vinaigres ouverts et bon marché qui ont plus d'un an. Et ne les jetez pas à la poubelle, ils risqueraient d'empoisonner le chien du voisin...

Dernière recommandation : le vinaigre se garde toujours à la noirceur dans un endroit frais. La cave (mais jamais la cave à vin) est le meilleur endroit.

Voici les autres variétés de vinaigres les plus connues avec leurs particularités :

· vinaigre d'alcool. Moins utilisé, incolore, plus puissant. Souvent aromatisé au citron.

· vinaigre de malt. Fait avec de la bière, souvent coloré brun avec du caramel. Dans les plats anglais, il est parfait.

· vinaigre à l'estragon. C'est le plus connu des vinaigres aux herbes. Il est excellent dans les salades, avec le poisson et très bon avec la salade de pommes de terre, en particulier.

· vinaigre à l'échalote. Il est excellent avec les crustacés crus, les huîtres, les moules, les palourdes et autres.

Il y a également une infinité d'autres vinaigres : au romarin, à l'ail, aux fraises, aux framboises, etc.

faire son vinaigre, un jeu d'enfant...

Pour faire son vinaigre, il faut une « mère » qu'on peut se procurer chez un pharmacien. Il arrive qu'il s'en forme une aussi dans une vieille bouteille de vinaigre. On peut remplacer la mère par environ 160 ml (2/3 tasse) de vinaigre non pasteurisé. Ajouter à 1 bouteille de vin rouge qu'on aura versée dans un bocal stérilisé. On recouvre le bocal de quelques épaisseurs de mousseline à fromage, on l'attache et on laisse reposer environ 1 mois dans un endroit chaud. Pour du vinaigre blanc, on met moitié eau et moitié vin blanc, et on garde ainsi pendant 3 mois. Il ne faut pas remuer. On goûte ensuite pour vérifier si tout a fonctionné... Et si ça n'a pas marché, on recommence ! C'est agréable, et ça ne coûte presque rien.

vinaigre aux fraises ou aux framboises

On prend 450 g (1 lb) de fraises ou de framboises, on les met à macérer dans un bocal stérilisé avec une bouteille de vin blanc. On ferme le bocal hermétiquement, on le place dans un endroit sec au moins

2 à 3 semaines. On remue le bocal de temps à autre. On filtre ensuite le vinaigre dans de la mousseline à fromage ou un filtre à café, en écrasant les fruits pour maximiser la saveur. On ajoute à peu près 125 ml (½ tasse) de sucre et on fait frémir sur la cuisinière pendant 10 minutes. On met en bouteille stérilisée, et le tour est joué.

vinaigre aux herbes

On prend des herbes fraîches, mais bien lavées, on les enferme dans un bocal stérilisé, on verse dessus 1 bouteille de bon vinaigre bouillant pour faire ressortir la saveur des herbes. On ferme et on laisse macérer au moins 2 à 3 semaines. On remue le bocal de temps à autre. On filtre ou on garde tel quel. On peut aussi ajouter quelques graines de coriandre.

VIVANEAU

Ce que bon nombre de restaurants québécois nous vendent comme du rouget — ce petit poisson rouge si commun en France et presque introuvable au Québec — est en fait du vivaneau que les anglophones appellent *red snapper*. Le vivaneau est le poisson le plus populaire des Antilles et, en Martinique comme en Guadeloupe, on le surnomme « ti-yeux » à cause de sa grosse tête (qui constitue le tiers de son poids) percée de tout petits yeux.

C'est un poisson à chair ferme et onctueuse qui n'a qu'un défaut : il ne reste pas frais longtemps. Quant au reste, il n'a

que des vertus, puisqu'il a une saveur délicate, qu'il ne coûte pas trop cher et, surtout, que sa tête et son squelette si important en font un excellent candidat pour la soupe de poisson.

On peut apprêter le vivaneau comme le rouget. Si on le fait griller entier, il faut se méfier, car un vivaneau de 1 kg (2 ¼ lb), une fois en filets, ne sert pas plus de deux personnes.

vivaneau dans sa brunoise de poivrons

POUR 2 PERSONNES

½ poivron rouge
½ poivron vert
½ poivron orange
1 petit oignon jaune épluché
2 petites tomates pelées et épépinées
60 ml (¼ tasse) d'huile d'olive
15 ml (1 c. à soupe) d'huile de noisette ou de noix
1 gousse d'ail émincée finement
5 ml (1 c. à thé) de zeste de citron émincé finement
Sel et poivre du moulin
Environ 60 ml (¼ tasse) de farine tout usage
2 filets de vivaneau
Un filet de jus de citron

Couper les poivrons et l'oignon en très petits dés — 2 à 3 mm (env. ⅛ po) — ainsi que la tomate. Faire chauffer la moitié de l'huile d'olive avec l'huile de noisette, puis y faire revenir à feu doux poivrons et oignon jusqu'à ce qu'ils soient tendres, mais encore fermes. Ajouter l'ail, le zeste, puis la tomate, saler et poivrer. Éteindre le feu ou le baisser à presque rien pour que la tomate cuise un peu, sans toutefois se défaire.

Faire chauffer le reste de l'huile dans une poêle. Déposer la farine dans une grande assiette, y passer les deux filets, secouer l'excédent de farine et faire poêler à feu assez vif environ 2 à 3 minutes de chaque côté. Répartir la brunoise dans deux assiettes très chaudes, coucher le filet de vivaneau par-dessus et l'arroser d'un filet de jus de citron. Servir immédiatement sans autre accompagnement.

VOLAILLE

Louise II est une grande mangeuse de volaille, une viande qu'elle préfère à toute autre, et je n'ai jamais mangé autant de poulet que sous son règne.

Quelques fermes d'élevage spécialisées, presque toutes entre les mains d'éleveurs d'origine française, produisent de bons poulets et de bonnes pintades, des pigeons, des perdrix et des faisans. On les vend presque toujours congelés, mais pour peu qu'on n'achète que des volailles récemment surgelées, elles sont fort acceptables.

cailles à ma manière
POUR 2 PERSONNES

30 ml (2 c. à soupe) d'huile d'olive
100 g (3 ½ oz) de lard salé maigre, coupé en lardons et dessalé
6 cailles ou 4, si elles sont grosses
30 ml (2 c. à soupe) de brandy
2 carottes coupées en rondelles
1 tout petit navet pelé et coupé en gros dés
1 branche de céleri coupée en petits dés
1 petit oignon jaune coupé en petits dés
2 petites pommes de terre épluchées
Environ 180 ml (¾ tasse) de bouillon de poulet
1 gousse d'ail émincée
10 ml (2 c. à thé) de romarin frais ou d'estragon haché finement
1 tomate pelée, épépinée et coupée en dés
Sel et poivre du moulin
Beurre manié

Faire chauffer l'huile dans une sauteuse et y faire rissoler les lardons à feu moyen pendant quelques minutes. Entre-temps, attacher les pattes et les ailes des cailles. Les faire dorer avec les lardons. Déglacer la sauteuse avec le brandy et laisser évaporer l'alcool. Réserver volailles et lardons au chaud. Faire revenir tous les légumes, sauf la tomate et déglacer avec 60 ml (¼ tasse) de bouillon. Remettre volailles et lardons dans la sauteuse avec l'ail, le romarin ou l'estragon et les tomates. Ajouter le reste du bouillon, saler et poivrer, couvrir et faire cuire environ 1 h sur la cuisinière, à feu moyen. Au moment de servir, déposer volaille, lardons et légumes dans un plat de service, épaissir le bouillon avec du beurre manié, le servir dans une saucière ou en napper les cailles.

 ## canard aux olives

POUR 4 PERSONNES

1 canard du lac Brome

Abats du canard hachés finement

60 ml (¼ tasse) d'huile d'olive

Sel et poivre du moulin

15 ml (1 c. à soupe) de brandy

12 à 18 grosses olives vertes dénoyautées

1 oignon jaune coupé en dés

2 carottes coupées en fines rondelles

1 os de veau

3 gousses d'ail épluchées

125 ml (½ tasse) de vermouth blanc extra-dry

15 ml (1 c. à soupe) d'une des herbes
suivantes : thym, romarin ou sauge

15 ml (1 c. à soupe) de beurre manié
(facultatif)

Dans une grande cocotte, mettre suffisamment d'eau pour couvrir le canard, porter l'eau à ébullition, puis y plonger le canard pendant 10 minutes. Le sortir de l'eau bouillante et l'éponger soigneusement avec une serviette. Réserver.

Parer le gésier et le couper en petits dés, puis hacher grossièrement le foie et le cœur. Faire sauter le tout dans le tiers de l'huile d'olive. Saler et poivrer. Déglacer avec le brandy. Écraser les abats avec une fourchette, farcir les olives de cette pâte, les mettre dans la cavité du canard et en coudre l'ouverture.

Mettre le reste de l'huile d'olive dans une sauteuse et y faire sauter les légumes avec l'os de veau, à feu assez vif. Ajouter l'ail quelques minutes plus tard. Quand les légumes sont bien dorés, déglacer avec le vermouth, ajouter l'herbe, le sel et le poivre. Mettre le tout, y compris l'os, avec le canard dans une marmite allant au four. Couvrir et faire cuire au four préchauffé à 180 °C (350 °F) environ 1 h 30. Déposer le canard dans une assiette et réserver au four tiède. Pendant ce temps, jeter l'os de veau et couler le bouillon en écrasant bien les légumes. Dégraisser soigneusement, ajouter un peu d'eau et faire bouillir de nouveau. Si la sauce est trop claire, épaissir avec du beurre manié. Corriger l'assaisonnement. Découdre le canard et le servir entouré de ses olives et de sa sauce. L'accompagner, si on le souhaite, de pommes de terre rissolées.

 ## canard grillé

POUR 4 PERSONNES

Abats du canard

10 ml (2 c. à thé) de romarin frais, haché
finement

3 gousses d'ail

Sel et poivre

1 canard du lac Brome

1 citron vert ou un citron ordinaire

250 ml (1 tasse) de bouillon de volaille

Sauces HP et Worchestershire

Sauce à brunir

1 petit verre de brandy, soit 45 ml (1 ½ oz)

Beurre manié

Préchauffer le four à 230 °C (450 °F). Hacher finement les abats du canard (foie, cœur et gésier), mélanger avec la moitié du romarin et de l'ail haché, saler, poivrer et réserver. Faire bouillir de l'eau dans une grande cocotte, y plonger le canard et le faire bouillir de 5 à 10 minutes. Retirer le canard de l'eau, puis l'assécher le mieux possible à l'intérieur comme à l'extérieur avec un linge à vaisselle. Frotter le canard avec le romarin et l'ail qui restent, saler et poivrer. Piquer le citron à une douzaine d'endroits avec une fourchette et le plonger dans la cavité du canard, puis y mettre les abats. Déposer le canard sur une grille posée sur une lèchefrite assez grande pour en recueillir la graisse et mettre au four 30 minutes à 230 °C (450 °F). Après ce temps, baisser la température du four à 180 °C (350 °F) et laisser cuire environ 1 h, jusqu'à ce que la peau du canard soit grillée comme s'il s'agissait d'un canard laqué à la chinoise.

Pendant ce temps, faire réduire le bouillon de volaille, l'assaisonner au goût avec les sauces HP et Worcestershire, puis brunir avec de la sauce à brunir. Ajouter un verre de brandy, laisser l'alcool s'évaporer, puis épaissir avec du beurre manié. À la fin, quand le canard est cuit, en retirer les abats hachés, les écraser à la fourchette et les mêler à la sauce.

Servir avec des haricots verts ou une purée de navets, puis napper les morceaux de canard de sauce.

dinde farcie aux marrons

ENVIRON 1 LITRE (4 TASSES) DE FARCE
125 ml (½ tasse) d'oignon haché finement
2 gousses d'ail hachées finement
30 ml (2 c. à soupe) d'huile d'olive
4 foies de poulet hachés fin ou le foie, le cœur et le gésier de la dinde, hachés fin
450 g (1 lb) de porc haché assez gras
450 g (1 lb) de veau haché
1 ml (¼ c. à thé) de piment de la Jamaïque
2,5 ml (½ c. à thé) de thym séché
125 ml (½ tasse) de brandy, de porto ou de madère
2 œufs battus
1 litre (4 tasses) de marrons en conserve, en semi-conserve ou sous vide, non sucrés, bien rincés et bien égouttés
Sel et poivre du moulin

Dans une sauteuse, faire dorer les oignons et l'ail dans l'huile d'olive, puis y faire cuire légèrement les foies hachés ou les abats de la dinde. Mélanger la viande dans un grand plat, y ajouter les foies ou les abats sautés ainsi que les épices. Déglacer la sauteuse avec le vin ou l'alcool, laisser réduire de moitié et ajouter à la farce. Incorporer les œufs battus. Vérifier l'assaisonnement. Si on ne farcit pas la dinde immédiatement, couvrir et réfrigérer la farce.

Farcir la dinde de la façon suivante : une portion de marrons, une portion de farce, et ainsi de suite. Ne pas trop bourrer l'oiseau avant de le coudre.

Chauffer le four à 230 °C (450 °F), bien y dorer la dinde dans une rôtissoire non couverte pendant environ 20 minutes, en la tournant de tous les côtés. La saler et la poivrer, réduire la température du four à 180 °C (350 °F) et faire cuire selon la grosseur de l'oiseau.

sauce

250 ml (1 tasse) de vin blanc ou rouge
1 litre (4 tasses) de bouillon de volaille
60 ml (¼ tasse) de beurre manié
5 ml (1 c. à thé) de sauce à brunir
Sel et poivre du moulin

Dégraisser la rôtissoire, puis déglacer avec 125 ml (1 tasse) de vin. Ajouter le bouillon de volaille, faire réduire rapidement de moitié, y incorporer le beurre manié tout en remuant vivement pour épaissir la sauce, faire bouillir de 4 à 5 minutes, brunir avec un peu de sauce, assaisonner et servir avec la dinde.

dinde rôtie

À l'Action de grâces, à Noël et même à Pâques, il est de tradition de servir de la dinde. Rien n'est plus facile que de faire rôtir une dinde. Et je vous conseille de l'acheter fraîche, plutôt que congelée.

Chauffer le four à 230 °C (450 °F). Dans une rôtissoire non couverte, y faire bien dorer la dinde pendant 20 minutes, en la tournant de tous les côtés. Saler et poivrer, puis réduire la température du four à 180 °C (350 °F). Faire cuire la dinde, selon sa grosseur, d'après les temps qui suivent :

Temps de cuisson de la dinde :

· dinde d'environ 5,5 kg (12 lb) : 2 h 30 ; ajouter 5 minutes par lb si elle est farcie, soit 3 h 30 ;
· dinde d'environ 6,8 kg (15 lb) : 3 h ; plus 5 minutes par lb si elle est farcie, soit 4 h 15 ;
· grosso modo, il faut calculer 25 ou 26 minutes/kg (12 minutes/lb) et 37 minutes/kg (17 minutes/lb) si la dinde est farcie...

Si la dinde cuit plus longtemps, elle va forcément sécher, car elle va perdre trop d'eau. Quand la dinde est cuite, on doit la garder au four chaud à 110 °C (225 °F) au moins 20 minutes pour que se redistribuent les jus de la viande. C'est juste le temps qu'il faut pour préparer la sauce...

Les meilleures dindes pèsent entre 3,6 et 6,8 kg (8 et 15 lb), et les dindes qui ont les pattes plus courtes que les dindons sont meilleures que ces derniers. Les dindes fraîches ont une chair moins sèche que les dindes surgelées. Et la dinde fermière, élevée en toute liberté, est nettement la meilleure, comme n'importe quelle volaille fermière.

faisan à ma manière

POUR 4 PERSONNES

100 g (3 ½ oz) de lard salé maigre, coupé en lardons
2 bardes de lard tranchées mince
1 faisan (femelle de préférence)
Sel et poivre du moulin
60 ml (¼ tasse) d'huile d'olive
3 carottes coupées en rondelles de 5 à 6 mm (¼ po)
1 petit navet coupé en gros dés
1 oignon de grosseur moyenne, coupé en dés
1 branche de céleri coupée en petits dés
1 gousse d'ail hachée finement
125 ml (½ tasse) de vermouth blanc extra-dry
2 tomates pelées, épépinées et coupées en gros dés
10 ml (2 c. à thé) d'une herbe fraîche au choix : estragon, thym ou sauge
Beurre manié

Environ 250 ml (1 tasse) de bouillon de
volaille

Faire dessaler les lardons en les mettant dans
une cocotte remplie d'eau froide et les faire
bouillir de 2 à 3 minutes. Les mettre dans une
passoire et les passer sous le robinet quelques
secondes. Attacher ensuite les bardes de lard
autour du faisan pour le couvrir en partie.
Saler et poivrer. Faire chauffer l'huile d'olive
dans une cocotte assez grande pour contenir
tous les autres ingrédients et y faire revenir le
faisan ainsi que les lardons. Quand tout est
bien doré, réserver au chaud dans une
assiette. Dans la même cocotte et dans le gras
qui s'y trouve, faire revenir carottes, navet,
oignon et céleri. Faire dorer en remuant avec
une cuillère de bois, puis ajouter l'ail. Saler et
poivrer au besoin. Quand tout est bien doré,
déglacer avec le vermouth et laisser réduire
presque totalement. Ajouter ensuite les
tomates et l'herbe, puis y déposer le faisan et
les lardons. Verser du bouillon de volaille
jusqu'aux deux tiers. Couvrir et mettre au four
préchauffé à 160 °C (325 °F) environ 1 h 15.
Enlever le faisan et le garder au chaud.

Pendant ce temps, passer sauce et légumes
au tamis en écrasant bien les légumes avec
une cuillère de bois. Remettre la sauce ainsi
obtenue dans la cocotte et amener au point
d'ébullition. Lier et épaissir avec le beurre
manié. Découper le faisan en morceaux et les
déposer dans la sauce. Dès que la sauce
recommence à frémir, servir immédiatement
avec des pommes de terre vapeur ou
une purée.

abats

On peut soit les faire dorer avec le faisan,
puis les hacher finement pour les incorporer
ensuite à la sauce ou encore les préparer
de la façon suivante :

Dans une petite poêle, faire chauffer
environ 15 ml (1 c. à soupe) d'huile d'olive
et y faire dorer 15 ml (1 c. à soupe)
d'oignon émincé finement. Ajouter le cœur
et le gésier coupés très finement, puis le
foie coupé finement aussi. Saler et poivrer.
Faire cuire lentement. Quand la
préparation est cuite, écraser le tout avec
une fourchette et réserver. Au moment de
servir, couper une tranche de pain en
quatre, enlever la croûte, faire griller et en
tartiner la préparation ci-dessus. Servir un
croûton dans chaque assiette.

 magret de canard grillé
POUR 2 À 3 PERSONNES

1 magret de canard

15 ml (1 c. à soupe) d'huile d'olive

1 filet de jus de citron

15 ml (1 c. à soupe) des 5 poivres broyés
grossièrement

1 pincée de sel

Dénerver la chair du magret, puis le placer
côté chair sur une planche. Faire dans la
peau et le gras des incisions en forme de
damier (ce qui empêchera le magret de
friser), enduire la chair de l'huile d'olive et
du filet de jus de citron, puis mettre du
poivre des deux côtés du magret, comme
on ferait pour un steak au poivre. Placer le

magret sur une grille reposant sur une sauteuse ou un plat à gratin capable de recueillir le gras du canard. Laisser reposer de 1 à 2 h. Faire chauffer le gril du four au maximum, puis placer le magret côté peau vers le gril le plus près possible du gril et saler. Griller environ 5 à 6 minutes, retourner le magret et griller 2 à 3 minutes de l'autre côté. Trancher le magret de biais dans un plat de service bien chaud afin de ne pas perdre le sang, servir dans des assiettes chaudes et napper du jus de la viande. Servir avec une purée de navet, un légume vert ou une salade verte.

perdrix, pigeons et pigeonneaux, pintades et pintadeaux

De toutes les volailles, ce sont mes favorites. J'en mange très peu au Québec, mais très souvent quand je suis en France. En Amérique, malheureusement, des règlements stupides empêchent de mettre en marché des volailles qui n'ont pas été saignées, car elles se conservent moins longtemps. Une volaille qu'on a étouffée et qui regorge de son propre sang n'a pas du tout le même goût. Même sa chair a une couleur différente.

Il faut voir les étalages de volailles «étouffées» dans les boucheries françaises. Il faut surtout observer le boucher préparer celle que vous avez choisie. Il lui coupe d'abord la tête et les pattes, puis à l'aide d'un chalumeau, il brûle le duvet et les plumes qui restent. Une incision dans le cou permet de retirer le gésier et une autre entre les deux cuisses, les en-

trailles et les abats. Tout cela dans une petite mare de sang qu'un boucher précautionneux essaiera de ne pas perdre. Il y trempera le cœur, le foie et le gésier avant de les remettre précieusement dans la carcasse. Sans que vous le demandiez, il vous ficellera la bête en un tournemain et il ne vous restera qu'à la faire dorer doucement.

Au Québec, c'est plus souvent congelées qu'on trouvera pintades et perdrix. Je ne me souviens pas avoir vu de pigeons sur nos marchés. C'est une grande tristesse, car c'est un volatile au goût fin et à la chair dense et ferme. Les volailles congelées doivent être obligatoirement décongelées au frigo. Deux à trois jours à l'avance pour une oie, plus de 24 h pour un canard et de 12 à 18 h pour des perdrix et des pintades. On les sort au plus 2 h avant de les faire cuire, mais on peut aussi les faire passer directement du frigo à la cuisinière.

Horreur suprême et vol éhonté, beaucoup de volailles qu'on vend au Québec ont été dépouillées de leurs abats. Me trouver devant une volaille vide, c'est comme recevoir une taloche en pleine figure ! Si cela vous arrive, faites comme moi une scène de tous les diables à votre boucher, qui devra de son côté la faire à son fournisseur qui, s'il est consciencieux, la fera ensuite à l'abattoir où il s'approvisionne. Les abats sont de la plus haute importance, car ce sont eux, en grande partie, qui donnent la saveur à la volaille et au bouillon.

Malgré ce qu'on prêche, je ne vois aucune nécessité de laver les volailles. Si elles ont été congelées, elles ont déjà «avalé» et régurgité assez d'eau pour qu'on n'en rajoute pas. Il faut toutefois les assécher soigneusement avec une serviette, sinon il ne sera pas facile de les faire dorer.

Il y a quelques façons de cuisiner perdrix, pigeons et pintades, mais je vous donne celle que je préfère. Elle a le mérite de ne pas utiliser le four qui reste libre pour votre gâteau ou vos tartes. C'est une espèce de recette passe-partout et, selon les saisons ou les goûts, on modifie la composition des légumes. On peut la faire indifféremment avec n'importe lequel des volatiles que j'ai énumérés en titre, de même qu'avec des cailles et, à la rigueur, avec les coquelets qu'on appelle *cornish hen* sur le marché.

Afin de vous guider, disons qu'une pintade sert 4 personnes et un pigeon ou une perdrix en sert 2. En France, une caille par personne suffit, mais nos cailles québécoises sont tellement minuscules qu'il en faut deux et même trois par personne. Quant aux coquelets, un seul suffit pour deux.

pintade braisée
POUR 4 PERSONNES

75 ml (5 c. à soupe) d'huile d'olive

1 pintade bien ficelée avec ses abats à l'intérieur

100 g (3 ½ oz) de lard salé (qu'on aura pris soin de faire dessaler), coupé en lardons

Sel et poivre du moulin

45 ml (3 c. à soupe) de brandy

15 ml (1 c. à soupe) de farine

Eau des champignons

4 petites pommes de terre

4 ou 5 échalotes débarrassées de leur robe ou une douzaine de petits oignons blancs

4 grosses carottes découpées en rondelles de 5 à 6 mm (¼ po)

4 petits navets blancs

2 gros bâtons de céleri coupés en bouts de 5 à 6 mm (¼ po)

1 pincée de champignons séchés, réhydratés

125 ml (½ tasse) de vermouth blanc extra-dry

1 grosse tomate pelée, épépinée et coupée en dés

15 ml (1 c. à soupe) d'une herbe fraîche : romarin, estragon, thym ou sauge

2 feuilles de laurier broyées

1 tête d'ail dont on aura débarrassé chaque gousse de sa robe

2 poireaux bien lavés et coupés en bouts de 5 à 6 mm (¼ po)

150 g (⅓ lb) de petits pois frais qu'on peut remplacer par des haricots verts, coupés en bouts de 3 à 4 cm (env. 1 ½ po)

facultatif

Une douzaine de petits champignons de Paris ou une douzaine de gros raisins verts ou une courgette coupée en rondelles de 1 cm (⅜ po) ou une poignée de gros raisins secs, s'il s'agit de cailles, ou encore 4 quartiers de chou bien ficelés, s'il s'agit d'une pintade

Dans une cocotte assez grande pour contenir aisément tous les ingrédients, mettre l'huile d'olive et faire dorer à feu moyen l'oiseau de tous les côtés ainsi que les lardons. Saler (modérément) et poivrer. Lorsque l'oiseau est bien doré, déglacer la cocotte avec le brandy. Laisser évaporer, puis saupoudrer l'oiseau de farine. Ajouter l'eau des champignons séchés et réserver. Dans une autre cocotte, faire blanchir, l'un après l'autre, les légumes suivants : pommes de terre, échalotes ou oignons, carottes, navets et chou, puis laisser bouillir environ 3 à 4 minutes chaque fois. Égoutter. Verser le reste de l'huile d'olive dans une sauteuse. À feu vif, y faire revenir jusqu'à ce qu'ils soient dorés les légumes suivants : pommes de terre, navets, carottes, céleri, échalotes ou oignons, champignons ou courgettes. S'y prendre à deux ou trois fois, car on ne doit pas empiler les légumes les uns sur les autres. Lorsque tous les légumes sont bien dorés, mettre la cocotte qui contient l'oiseau et les lardons à feu moyen, puis y ajouter les légumes et les champignons séchés. Déglacer la sauteuse avec le vermouth et verser ce liquide dans la cocotte. Couvrir et cuire environ 30 minutes (pas plus de 15, s'il s'agit de cailles). Au bout de 30 minutes, ajouter la tomate, les herbes et l'ail, les poireaux et tous les autres légumes, sauf les raisins ou les petits pois. Faire cuire encore, toujours à couvert, de 20 à 30 minutes (pas plus de 15 pour les cailles). Une dizaine de minutes avant de servir, ajouter les raisins frais ou secs, ou encore les petits pois. S'il y a trop de liquide, enlever le couvercle, monter le feu et laisser réduire. La sauce doit être plutôt courte. Si

on le désire, on peut tout préparer 1 ou 2 h à l'avance et garder pour la fin les 10 ou 15 dernières minutes de cuisson.

Note : Avec ce plat, un petit vin de Cahors, un Bourgueil ou un Valpolicella fait merveille.

poulet

Si on vend encore en France dans les meilleures boucheries des volailles de grande qualité, ce n'est plus (hélas !) le cas au Québec. Nos poulets ne coûtent rien, mais ils ne valent pas cher. Ils sont gorgés d'eau et leur chair est si fade qu'on doit obligatoirement la relever d'ail, d'estragon, de citron ou de romarin.

cuisses de poulet aux cèpes
POUR 2 PERSONNES

60 ml (¼ tasse) de cèpes séchés
30 ml (2 c. à soupe) d'huile d'olive
2 cuisses de poulet
160 ml (⅔ tasse) de vermouth blanc extra-dry
15 ml (1 c. à soupe) de pâte de tomate
1 gousse d'ail pelée et coupée en lamelles
1 tomate pelée, épépinée et coupée en dés
5 ml (1 c. à thé) de zeste de citron
10 ml (2 c. à thé) d'une herbe fraîche :
    romarin, estragon ou thym
Sel et poivre du moulin

Réhydrater les cèpes dans environ 125 ml (½ tasse) d'eau pendant au moins 4 à 6 h. Réserver.

Dans une sauteuse juste assez grande pour recevoir les cuisses, les faire dorer de tous les côtés dans l'huile d'olive. Pendant ce temps, passer l'eau des cèpes dans un petit tamis doublé d'une feuille de papier essuie-tout. Laver les cèpes afin qu'il ne reste plus de sable. Les assécher légèrement.

Quand les cuisses sont dorées, les déposer dans une assiette. Jeter le surplus de gras, puis déglacer avec le vermouth dans lequel aura été délayée la pâte de tomate. Laisser réduire de moitié. Ajouter l'eau des champignons et laisser réduire un peu. Remettre les cuisses dans la sauteuse, ajouter les champignons, l'ail et la tomate, le zeste et l'herbe fraîche, saler et poivrer. Cuire à couvert environ 40 minutes à feu doux. Servir tel quel ou avec une salade verte, ou encore avec des pommes de terre sautées.

On peut très bien faire cette recette avec des cuisses de canard. Il faut, par ailleurs, les faire dorer à feu plus doux et plus longtemps de manière qu'elles perdent un maximum de gras.

morceaux de poulet grillés

POUR 2 PERSONNES

2 cuisses ou 1 aile et 1 cuisse, ou encore 2 ailes
1 gousse d'ail en purée
30 ml (2 c. à soupe) d'huile d'olive
15 ml (1 c. à soupe) de jus de citron
Sel au goût et poivre du moulin

Bien essuyer les morceaux de poulet. Les placer dans un linge à vaisselle et les aplatir avec le rouleau à pâte ou avec le plat d'une feuille à fendre. Mélanger l'ail et l'huile. Frotter le poulet avec le jus de citron puis, à l'aide d'un pinceau, badigeonner du mélange huile d'olive et ail. Faire adhérer avec le bout des doigts le poivre broyé. Laisser mariner ainsi à température de la pièce de 2 à 4 h. Saler et faire cuire sur le gril à environ 20 cm (7 à 8 po) de la braise. Retourner de temps à autre, tout en badigeonnant d'huile avec le pinceau. On peut aussi cuire au four à la même distance du gril, mais il faut placer le poulet sur une grille reposant dans une lèchefrite, de manière à en recueillir le gras. Le poulet devrait cuire en 30 minutes environ.

poulet grillé du Proche-Orient

POUR 4 PERSONNES

1 poulet d'environ 1,6 kg (3 ½ lb)
Sel et poivre du moulin
500 ml (2 tasses) de yogourt nature
45 ml (3 c. à soupe) d'huile d'olive
1 gros oignon jaune haché finement
5 gousses d'ail hachées finement
15 ml (1 c. à soupe) de graines de coriandre broyées
60 ml (¼ tasse) de crème épaisse
Le jus d'un citron
8 à 10 feuilles de menthe fraîche
12 à 15 feuilles de coriandre fraîche
375 ml (1 ½ tasse) de couscous de grosseur moyenne
750 ml (3 tasses) de bouillon de poulet
45 ml (3 c. à soupe) de beurre

Découper le poulet en 8 morceaux et les assécher. Poivrer et saler. Les badigeonner de tout le yogourt, puis les mettre dans un bol. Couvrir d'une serviette ou d'une grande assiette et garder au frigo de 4 à 8 h. Sortir les morceaux du bol un à un avec une spatule, puis les débarrasser du yogourt qu'on réservera. Les essuyer le mieux possible avec une serviette et les faire cuire sur le barbecue — ou les faire griller au four en posant la lèchefrite à au moins 20 cm (8 po) du gril et en laissant la porte entrouverte.

Pendant ce temps, faire chauffer l'huile dans une cocotte, y faire revenir légèrement l'oignon, puis l'ail et les graines de coriandre broyées. Diminuer le feu à presque rien, ajouter le yogourt de la marinade et remuer. Brasser ensemble crème et jus de citron, puis ajouter au yogourt tout en remuant. Ajouter les feuilles de menthe et de coriandre, puis remuer. Garder sur le feu, mais sans faire bouillir. À mi-cuisson, retourner les morceaux de poulet. Juste avant de servir, préparer le couscous de la manière suivante : le verser dans un bol de service allant au four, puis verser le bouillon de poulet bouillant (dont on aura d'abord vérifié l'assaisonnement) dans lequel on aura mis le beurre qui fondra aussitôt. Mettre à four chaud, soit à environ 150 °C (300 °F) pendant 5 minutes. Si le poulet est déjà en train de cuire au four, on peut mettre le bol sous la lèchefrite du poulet. Enlever le couscous du four et remuer avec une fourchette. Servir les morceaux de poulet sur le couscous et les napper généreusement de la sauce au yogourt.

poulet piquant à la coriandre

POUR 2 PERSONNES

30 ml (2 c. à soupe) d'huile d'olive

2 cuisses ou 2 poitrines, ou encore
    1 poitrine et 1 aile

Sel au goût

4 petits oignons verts, tranchés en rondelles

2 gousses d'ail hachées assez finement

20 à 25 feuilles de coriandre fraîche,
    hachées

5 à 6 feuilles de menthe fraîche, hachées

1 petit piment fort, écrasé entre les doigts

60 ml (¼ tasse) de vermouth blanc extra-dry

375 ml (1 ½ tasse) de tomates en conserve
    avec leur jus

20 ml (1 c. à soupe comble) de pâte de
    tomate

1 pincée de sucre

Faire chauffer l'huile dans une poêle ou une sauteuse, y faire dorer le poulet de tous les côtés, le saler et réserver. Faire cuire les oignons légèrement, y ajouter l'ail, la coriandre, la menthe et le piment. Chauffer quelques minutes en remuant. Ajouter le vermouth blanc et le laisser s'évaporer presque entièrement. Ajouter les tomates, la pâte, le sucre et le sel. Ramener au point d'ébullition, ajouter le poulet et couvrir. Faire cuire environ 1 h à feu doux. Servir sur un lit de couscous préparé de la façon suivante :

250 ml (1 tasse) de couscous de grosseur
    moyenne

300 ml (1 ¼ tasse) de bouillon de poulet

15 ml (1 c. à soupe) de sauce harissa
Sel au goût
2 noix de beurre

Mettre le couscous dans une cocotte. Amener le bouillon de poulet au point d'ébullition, y faire dissoudre la sauce harissa, puis saler au goût. Verser le bouillon sur le couscous. Laisser reposer 5 minutes. Mettre les noix de beurre dans un plat de service, les faire fondre au micro-ondes ou dans un four chaud, ajouter le couscous et remuer quelques instants avec une fourchette.

poulet rôti aux deux citrons

POUR 4 PERSONNES

Sel et poivre du moulin
1 poulet d'environ 1,6 kg (3 ½ lb)
1 citron vert
1 citron jaune
1 oignon épluché
2 gousses d'ail pelées

Bien essuyer le poulet à l'extérieur comme à l'intérieur à l'aide d'un linge propre. Avec les mains, bien l'enduire de sel et de poivre, à l'intérieur comme à l'extérieur. Avec une brochette ou une fourchette, piquer les citrons et l'oignon à une bonne quinzaine d'endroits. Mettre ail, oignon et citrons dans la cavité du poulet et bien la refermer en la cousant, de préférence. Déposer le poulet sur une grille dans une lèchefrite, la poitrine vers le bas et mettre au four à 180 °C (350 °F). Après 20 minutes, le retourner. Cuire encore 20 minutes et augmenter la température du four à 200 °C (400 °F). Cuire encore de 15 à 20 minutes. Découper et servir le poulet dans son jus avec une purée de pommes de terre ou des haricots verts au beurre.

Y

Yogourt

YOGOURT

Je n'aime pas les yogourts qu'on vend dans le commerce. Souvent, on y ajoute de la gélatine ou d'autres ingrédients qui n'ont rien à voir avec le yogourt. De plus, presque tous ceux qu'on vend sont soit sucrés, soit additionnés de confiture. Je préfère depuis toujours fabriquer mon propre yogourt. Je le fais dans une yaourtière Rolmex, la meilleure sur le marché.

Si vous n'avez pas de yaourtière électrique (ou électronique), vous pouvez tout de même fabriquer votre yogourt. Essayez au moins une fois, et il serait étonnant que vous rachetiez du yogourt du commerce.

yogourt maison

125 ml (½ tasse) de lait en poudre
2 litres (8 tasses) de lait entier
10 g (env. ⅓ oz) de culture à yogourt
    (qu'on trouve dans le commerce)

Préchauffer le four à 50 °C (120 °F). Dissoudre le lait en poudre dans le lait, puis amener au point d'ébullition dans un four à micro-ondes, car au micro-ondes, il ne collera pas au plat. Compter environ 15 à 18 minutes dans la plupart des fours. Le laisser tiédir jusqu'à 40 °C (environ 105 °F). Enlever la peau qui s'est formée sur le lait, puis ajouter la culture et bien brasser avec un fouet. Verser dans un contenant fermé de 2 litres (8 tasses) et bien envelopper le contenant dans une serviette. Éteindre le four et y mettre le contenant environ 6 h.
Sortir le contenant du four, enlever le couvercle et mettre le contenant au frigo. Après quelques heures, remettre le couvercle sur le contenant. Le yogourt est prêt à être dégusté.

Index des recettes

Index des recettes

Index des recettes

Autres découvertes

Autres découvertes

Autres découvertes

LES ÉDITIONS DE
L'HOMME

Cuisine et nutrition

* Soupes et plats mijotés, Marg Ruttan et Lew Miller
  Telle mère, telle fille, Debra Waterhouse
  Les tisanes qui font merveille, Dr Leonhard Hochenegg et Anita Höhne
  Une cuisine sage, Louise Lambert-Lagacé
* Votre régime contre l'acné, Alan Moyle
* Votre régime contre la colite, Joan Lay
* Votre régime contre la cystite, Ralph McCutcheon
* Votre régime contre la sclérose en plaque, Rita Greer
* Votre régime contre l'asthme et le rhume des foins, R. Newman Turner
* Votre régime contre le diabète, Martin Budd
* Votre régime contre le psoriasis, Harry Clements
* Votre régime pour contrôler le cholestérol, R. Newman Turner
* Les yogourts glacés, Mable et Gar Hoffman

Affaires publiques, vie culturelle, histoire

Aller-retour au pays de la folie, S. Cailloux-Cohen et Luc Vigneault
* Antiquités du Québec — Objets anciens, Michel Lessard
* Apprécier l'œuvre d'art, Francine Girard
* Autopsie d'un meurtre, Rick Boychuk
* Avec un sourire, Gilles Latulippe
* La baie d'Hudson, Peter C. Newman
* Banque Royale, Duncan McDowall
* Boum Boum Geoffrion, Bernard Geoffrion et Stan Fischler
  Le cercle de mort, Guy Fournier
* Claude Léveillée, Daniel Guérard
* Les conquérants des grands espaces, Peter C. Newman
* Dans la fosse aux lions, Jean Chrétien
* Dans les coulisses du crime organisé, A. Nicasso et L. Lamothe
* Le déclin de l'empire Reichmann, Peter Foster
* De Dallas à Montréal, Maurice Philipps
* Deux verdicts, une vérité, Gilles Perron et Daniel Daignault
* Les écoles de rang au Québec, Jacques Dorion
* Enquête sur les services secrets, Normand Lester
* Étoiles et molécules, Élizabeth Teissier et Henri Laborit
  La généalogie, Marthe F. Beauregard et Ève B. Malak
  Gilles Villeneuve, Gerald Donaldson
  Gretzky — Mon histoire, Wayne Gretzky et Rick Reilly
* Les insolences du frère Untel, Jean-Paul Desbiens
* Jacques Normand, Robert Gauthier
* Jacques Parizeau, un bâtisseur, Laurence Richard
* Marcel Tessier raconte…, Marcel Tessier
* Maurice Duplessis, Conrad Black
  Meubles anciens du Québec, Michel Lessard
* Moi, Mike Frost, espion canadien…, Mike Frost et Michel Gratton
* Montréal au XXe siècle — regards de photographes, Collectif dirigé par Michel Lessard
  Montréal — les lumières de ma ville, Yves Marcoux et Jacques Pharand
  Montréal, métropole du Québec, Michel Lessard
* Les mots de la faim et de la soif, Hélène Matteau
* Notre Clémence, Hélène Pedneault
* Objets anciens du Québec — La vie domestique, Michel Lessard
* Option Québec, René Lévesque
  Parce que je crois aux enfants, Andrée Ruffo
* Pierre Daignault, d'IXE-13 au père Ovide, Luc Bertrand
* Plamondon — Un cœur de rockeur, Jacques Godbout
* Pleins feux sur les… services secrets canadiens, Richard Cléroux
* Pleurires, Jean Lapointe
  Québec, ville du Patrimoine mondial, Michel Lessard
* Les Quilico, Ruby Mercer
  René Lévesque, portrait d'un homme seul, Claude Fournier
  Riopelle, Robert Bernier
  Sauvez votre planète!, Marjorie Lamb
* Saveurs des campagnes du Québec, Jacques Dorion
* La sculpture ancienne au Québec, John R. Porter et Jean Bélisle
  Sir Wilfrid Laurier, Laurier L. Lapierre
  La stratégie du dauphin, Dudley Lynch et Paul L. Kordis

Santé, beauté

Cet ouvrage a été achevé d'imprimer
au Canada en novembre 2000.